LA MÉLODIE SECRÈTE

TRINH XUAN THUAN

LA MÉLODIE SECRÈTE

Et l'Homme créa l'Univers

FAYARD

Le temps des sciences

*Ce livre est dédié
à mes parents et à tous
les bâtisseurs d'univers.*

Avant-Propos

Ce livre s'adresse à l'« honnête homme », curieux du monde qui l'entoure et intéressé par les progrès récents dans l'étude du cosmos, sans être pour autant équipé du bagage scientifique du spécialiste. Il retrace l'évolution, à travers les âges, de la vision de l'univers par l'homme, tout en accordant une attention particulière à l'univers actuel, celui du big bang. Il aborde aussi des questions qui dépassent un cadre proprement scientifique, mais qui se posent inévitablement dans toute discussion de la création de l'univers : sommes-nous là par hasard ou notre présence dans l'univers implique-t-elle l'existence d'un Créateur?

Les deux premiers chapitres (I et II) racontent l'évolution de la pensée cosmologique, depuis l'univers magique, à l'aube de l'humanité, jusqu'à l'univers du big bang au XXᵉ siècle. Ils décrivent comment l'univers s'est agrandi d'un simple système solaire, avec la Terre trônant au milieu, à une vaste immensité de quelque 15 milliards d'années-lumières, avec la Terre reléguée dans un petit coin de la Voie lactée, elle-même perdue parmi des centaines de milliards de galaxies. Les chapitres III et IV introduisent les acteurs du drame dans l'univers du big bang : le couple espace-temps, les quatre forces fondamentales, les particules élémentaires et les galaxies. Ils disent comment ces acteurs sont soumis à des règles de conduite très précises qui leur sont imposées par la relativité générale et la mécanique quantique.

Peut-être la découverte la plus importante de la cosmologie moderne est la compréhension que l'univers a une histoire, qu'il possède un passé et un futur. Les deux chapitres suivants racontent cette histoire telle qu'elle est connue maintenant. Le chapitre V décrit comment l'infiniment petit a accouché de l'infiniment grand et comment l'univers tout entier, avec ses centaines de milliards de galaxies, a jailli d'un « vide » microscopique. Il rapporte comment l'immense tapisserie cosmique des galaxies s'est tissée, et comment, grâce à l'alchimie créatrice des étoiles et à l'existence des planètes, la vie et la conscience ont surgi, après une longue ascension vers la complexité. Le chapitre VI discute du futur de l'univers. Ce futur n'est pas connu avec certitude, car il dépend de la quantité totale de matière dans l'univers, laquelle ne peut être mesurée avec précision, de 90 à 98 % de sa masse étant invisibles. L'univers se dilatera-t-il indéfiniment pour devenir une immensité froide et noire, ou atteindra-t-il une taille maximale avant de s'effondrer sur lui-même dans une température et une densité infinies ?

Parler de la création de l'univers conduit inévitablement à la question de l'existence d'un Créateur. Les chapitres VII et VIII montrent comment la science moderne a démoli tous les arguments classiques concernant l'existence de Dieu, mais qu'elle s'est rachetée en nous faisant percevoir que le fait même que nous sommes là est extraordinaire : l'univers a été très minutieusement réglé pour permettre notre existence. Que les lois physiques diffèrent un tant soit peu de ce qu'elles sont, et nous ne serons plus là pour en parler ! Ce réglage d'une extrême précision est-il le fait du pur hasard ou résulte-t-il de la volonté d'un être suprême ?

En science, il n'y a pas de vérité absolue. Le dernier chapitre (IX) discute des théories rivales du big bang. Il montre pourquoi ces dernières n'ont pas remporté l'adhésion de la majorité des cosmologistes, qui leur ont préféré le pouvoir prédictif, la beauté, la simplicité et l'élégance de la théorie du big bang. Il postule aussi que l'univers du big bang ne sera pas le dernier en date et que l'homme en créera d'autres qui se rapprocheront toujours plus du vrai Univers sans jamais l'atteindre. La mélodie que forment les notes de musique que nous envoie la nature restera à jamais secrète.

En écrivant ce texte, je me suis efforcé, autant que possible, d'utiliser un langage simple et clair, dépourvu de jargon scientifique. Pour expliquer des concepts difficiles, j'ai souvent eu recours à des images de la vie quotidienne. Mais il est impossible de raconter avec rigueur l'histoire de l'univers sans l'aide de certaines notions scientifiques. Afin d'aider le lecteur, j'ai rassemblé dans un glossaire, à la fin de l'ouvrage, une liste de mots particuliers à l'astrophysique (signalés par des * dans le texte), pour lesquels j'ai donné des définitions succinctes. J'ai aussi inclus des tables, des dessins et des photos astronomiques pour illustrer les points importants du texte. Enfin, pour les lecteurs plus familiers avec le langage scientifique et curieux de plus de détails, j'ai ajouté quelques notes quantitatives à la fin de l'ouvrage. Ces notes ne sont que des compléments et ne sont pas indispensables à la compréhension du texte.

I

Les univers passés

Organiser l'univers

Je vais souvent à l'observatoire de Kitt Peak, au sommet d'une longue chaîne de montagnes à quelque 2 000 mètres d'altitude, en plein milieu d'une réserve indienne dans le désert de l'Arizona, pour faire mes observations. Au cours de la nuit, pendant une pose, alors que le télescope géant (fig. 1) collecte les particules de lumière porteuses d'information appelées photons* provenant d'une galaxie* lointaine, et les focalise sur un détecteur électronique qui les enregistre, je sors du dôme qui abrite le télescope pour observer le ciel. Je veux d'abord m'assurer que le ciel reste clair et dégagé, et qu'aucune bande de nuages à l'horizon ne menace d'interrompre mes observations et de gâcher les quelques nuits précieuses dont je dispose. Mais je veux aussi m'octroyer le plaisir de contempler la voûte étoilée dans toute sa splendeur et son immensité.

Malheureusement, avec les techniques d'observation modernes, l'astronome n'est plus en contact direct avec le ciel. Finie l'image romantique du savant assis dans le noir, l'œil collé au télescope, sacrifiant son bien-être pour l'amour de la science (je peux vous assurer personnellement que le fait de rester immobile pendant des heures dans l'obscurité à guider le télescope, luttant contre le froid et le sommeil au cours des longues nuits d'hiver, n'est pas une expérience très agréable). Maintenant, je travaille dans une pièce bien éclairée et chauffée, et je commande tout électroniquement à l'aide d'ordinateurs puissants en manipulant des boutons sur un tableau de commande. Ainsi, dès que le télescope est pointé, l'image de la galaxie qui fait l'objet de mes études apparaît sur un écran de télévision, agrandie des milliers de fois. J'observe le ciel par électronique interposée. La perte de cette communion directe avec le ciel est plus que compensée par une précision accrue et une plus grande efficacité engendrée par le confort physique.

Le ciel, par une nuit sans lune, loin des lumières aveuglantes des villes, est un spectacle merveilleux. Des milliers de points de lumière brillent de tous leurs feux. Il y en a deux là-bas, vers l'ouest, qui sont un peu plus brillants et qui scintillent un peu moins. Ce sont les planètes* Mars et Jupiter, les voisines les plus proches de la Terre

Fig. 1.

Le télescope de 4 mètres à Kitt Peak. Le cliché montre le dôme, aussi haut qu'un immeuble de dix étages, qui abrite le télescope de 4 mètres de diamètre de Kitt Peak, une montagne située dans une réserve indienne, en Arizona, aux États-Unis. Ce télescope permet de voir des astres 100 millions de fois moins brillants que l'étoile la moins lumineuse visible à l'œil nu (photo, Kitt Peak National Observatory).

en s'éloignant du Soleil. Mars, où des machines construites par l'homme se sont déjà posées et où la recherche de la vie extra-terrestre s'est révélée négative ; Jupiter, le colosse du système solaire, qui est 11 fois plus grande et 318 fois plus massive que notre Terre. La lumière qui me parvient de Mars et de Jupiter, comme celle des sept autres planètes, n'est pas leur propre lumière, mais celle qui est reflétée par le Soleil. Ce Soleil qui, en raison de la rotation de la Terre, va et vient au-dessus et au-dessous de l'horizon, donnant naissance au jour et à la nuit, et autour duquel toutes les planètes tournent. A cause de cette même rotation de la Terre, Mars et Jupiter vont elles aussi bientôt disparaître en deçà de l'horizon et je ne les reverrai que la nuit prochaine. La lumière de ces deux planètes n'a pas mis très longtemps pour parvenir jusqu'à moi, 12 minutes seulement pour Mars et 42 minutes pour Jupiter. Le système solaire n'est qu'un grain de sable sur la plage immense de l'univers.

Mon attention se tourne vers les autres points lumineux. Ce sont des étoiles, tout comme le Soleil, qui fabriquent leur propre lumière et leur propre énergie grâce à des réactions nucléaires intenses dans leur cœur. Elles font partie de notre galaxie, que les Anciens ont baptisée Voie lactée*, à cause de cette bande blanchâtre que je vois là-bas traverser la constellation d'Orion. Cette lumière diffuse est émise par les milliards d'étoiles dans le plan de notre galaxie, et notre Soleil n'est qu'une étoile quelconque parmi les 100 milliards de la Voie lactée; il nous entraîne autour du centre galactique tous les 250 millions d'années avec les autres étoiles. J'admire la belle constellation d'Orion et je pense à la naissance des étoiles, car Orion est une immense pépinière stellaire où de grands nuages interstellaires s'effondrent par endroits, sous l'effet de leur gravité, pour fabriquer de nouvelles étoiles.

Comme est trompeuse l'impression de sérénité, de tranquillité et d'immuabilité que j'éprouve en observant ce ciel étoilé! Non seulement tout bouge, les planètes autour du Soleil, le Soleil autour du centre galactique, mais les étoiles*, tout comme les hommes, naissent, vivent et meurent. Mais ces changements se réfèrent à une échelle de temps cosmique, graduée en millions ou en milliards d'années, et ils sont imperceptibles à notre propre échelle de temps. La lumière des étoiles que je vois à l'œil nu n'a mis, au plus, que quelques dizaines d'années pour me parvenir. Notre Voie lactée est en réalité beaucoup plus grande, elle a un diamètre de 90 000 années-lumières*, mais les étoiles situées près du bord de la galaxie émettent une lumière beaucoup trop faible pour que je puisse les apercevoir à l'œil nu. Mais, aussi grande soit-elle, une galaxie n'est qu'un château de sable sur l'immense plage cosmique.

Je dirige mon attention vers la constellation d'Andromède. Je m'efforce de distinguer en son sein une forme lumineuse diffuse qui n'est pas ponctuelle comme celle des étoiles. C'est la galaxie Andromède*, et la lumière qui me parvient de ses 100 milliards d'étoiles a mis 2,3 millions d'années pour venir effleurer mes paupières. C'est une galaxie assez semblable à la nôtre. Avec la Voie lactée, Andromède domine la masse de notre petit groupe local de galaxies, notre petit groupement de châteaux de sable sur la plage du ciel.

Je contemple le ciel parsemé d'innombrables étoiles qui brillent de tous leurs feux et pourtant je suis enveloppé d'une obscurité complète. C'est à peine si je peux deviner la forme vague du dôme du télescope dans la nuit noire et je pense que j'ai de la chance de connaître aujourd'hui la réponse à cette question qui a intrigué tellement de scientifiques avant moi et qui est beaucoup moins innocente qu'elle n'en a l'air : pourquoi le ciel est-il noir en dépit d'une si grande multitude d'étoiles ? Je sais maintenant que l'obscurité de la nuit est reliée au fait que l'univers a eu un début, qu'il n'est pas éternel. Après m'être imprégné de la beauté sereine de la nuit, je rentre pour continuer mes observations de la galaxie lointaine qui, elle, est à une distance de plus de 5 milliards d'années-lumières. Grâce à cette immense cuvette rassembleuse de lumière qu'est ce grand miroir de 4 mètres, grâce à ces yeux colossaux qu'est ce télescope, et grâce aux miracles de l'électronique et de l'informatique modernes, je peux capturer de la lumière qui a quitté son point d'origine il y a plus de 5 milliards d'années, quand le Soleil et la Terre n'existaient pas encore et quand les atomes qui constituent mon corps n'avaient pas encore été propulsés dans le milieu interstellaire par l'étoile qui les fabriquait.

Je me dis qu'il est bien extraordinaire que la simple vue du firmament étoilé ait pu faire naître en moi toutes ces pensées, et qu'il est merveilleux que mon cerveau ait tout de suite ressenti l'irrésistible besoin d'organiser les fragments d'information sur le monde extérieur qui me sont communiqués par mes sens en un schéma unifié et cohérent. La nature n'est pas muette. Tel un orchestre lointain, elle nous fait constamment parvenir des fragments de musique et des notes éparses. Mais elle ne veut pas tout nous livrer sur un plateau. La mélodie qui unit les fragments de musique manque. Le fil conducteur des notes est dissimulé. C'est à nous de percer les secrets de cette mélodie cachée pour l'entendre dans toute sa radieuse beauté[1].

Ce besoin d'unification et de cohérence, cette nécessité de rechercher la mélodie cachée, est une exigence de l'esprit humain. Face au monde qui nous entoure, nous conjurons notre anxiété, notre angoisse des vides infinis en l'organisant et en lui prêtant un visage familier. Cette organisation du monde extérieur, quand elle s'applique à l'univers tout entier, se nomme cosmologie*. Je suis cosmologiste quand j'essaie d'harmoniser des fragments d'information en

1. F. Jacob, *La Statue intérieure*, Le Seuil, 1987, p. 305.

apparence aussi disparates que le lever et le coucher du Soleil, ou le firmament étoilé la nuit, ou encore le changement des saisons au cours de l'année, de la beauté fleurie du printemps jusqu'aux teintes pourpres et dorées de l'automne. En bâtissant ainsi un système d'idées cohérentes pour expliquer le monde extérieur, en tant que membre d'une société, d'une culture, nous créons un univers. Cet univers nous fournit un langage commun et contribue à la cohésion de notre société en nous donnant une croyance en une origine et une évolution collectives, et en nous donnant une identité propre, distincte de celle des autres. Nous sommes ce que nous savons. Bien sûr, l'univers que nous créons n'est pas unique, mais multiple. Il change selon les époques et les cultures. Il a une vie et une histoire qui lui sont propres et qui, bien souvent, évoluent parallèlement à la vie et à l'histoire de la société qui l'a créé.

Un univers est comme un être humain. Il naît, atteint son apogée, entame son déclin et puis disparaît, remplacé par un autre univers. Ce déclin et cette disparition sont bien souvent provoqués par le contact avec une autre société ou culture plus dynamique, ou par des faits ou des découvertes incompatibles avec l'univers actuel, ou enfin par l'émergence de nouvelles idées qui remettent en cause l'univers présent[2].

L'univers magique

Les univers se sont ainsi succédé et la mélodie secrète a pris des formes diverses à travers le temps et l'histoire. Le premier univers a émergé il y a peut-être quelques centaines de milliers d'années, en même temps que l'apparition du langage. L'homme des cavernes vivait dans un univers magique peuplé d'esprits. Imaginons un homme des grottes de Lascaux, dans le sud-ouest de ce qui deviendra, bien plus tard, la France. Il vient de finir son repas et sort de la caverne pour prendre l'air et contempler le ciel. Il remarque que l'esprit Soleil s'est couché puisqu'il n'est plus aveuglé par sa lumière. En revanche, l'esprit Lune s'est levé puisqu'il le distingue là-bas, au-dessus de l'horizon. Tous les esprits étoiles se sont aussi levés puisque les voilà qui scintillent de tous leurs feux. Les esprits Terre, arbres, fleurs et rivières se sont couchés. Tout est calme et serein. Cet homme des grottes de Lascaux se sent parfaitement à l'aise dans cet univers magique où tout objet a un esprit qui lui est associé, parce que pour lui le monde des esprits n'est que le miroir de celui

2. E. Harrisson, *Masks of the Universe*, Macmillan, 1985.

des hommes, avec les mêmes désirs, pulsions et coutumes. Cet homme sait qu'il peut s'adresser à ces esprits comme il le ferait à d'autres humains. Il sait qu'il peut les amadouer, les louer, leur faire des offrandes pour s'attirer leurs bonnes grâces.

L'univers mythique

L'univers magique était simple, familier et à la mesure de l'homme. Mais au fil du temps, il perdit de plus en plus cette simplicité et cette familiarité. Avec l'accumulation du savoir, l'innocence disparut. L'homme perçut de plus en plus son insignifiance et son impuissance face à l'immensité de l'univers. Ce dernier se fit de plus en plus complexe et prit bientôt un aspect surhumain. Pour gérer toute cette complexité, il fallait des êtres aux pouvoirs bien supérieurs à ceux des humains. Le monde des esprits à l'image de celui des hommes n'était plus suffisant. Il y a environ 10 000 ans, l'univers magique humain se mua en un univers mythique surhumain. Les esprits désertèrent les arbres, les fleurs et les rivières. Le monde perdit son humanité. L'univers était maintenant régi par les dieux vivant dans un lointain au-delà. C'était maintenant le règne du dieu Soleil pendant le jour et l'empire du dieu Lune, des dieux planètes et étoiles pendant la nuit. La cosmologie consistait en des mythes qui contaient l'histoire de ces dieux, de leurs amours et de leurs accouplements, de leurs haines et de leurs guerres. Dans l'univers mythique, les phénomènes naturels, y compris la création de l'univers lui-même, étaient les conséquences des actions de ces dieux, mus par des sentiments très humains comme l'amour, la haine et la passion, mais dotés de pouvoirs surhumains. Avec l'univers mythique, la religion fit aussi son entrée. La communication avec des êtres surhumains ne pouvait plus se faire directement comme c'était le cas avec les esprits dans l'univers magique. Elle se faisait par l'intermédiaire d'individus privilégiés, les prêtres, à travers des cérémonies d'offrandes de nourriture ou de sacrifices. Cette association cosmologie-religion, cosmologiste-prêtre, dura près de trois millénaires jusqu'à ce que l'univers scientifique supplante l'univers mythique.

Les univers mythiques étaient nombreux et divers, et variaient selon les cultures et les époques. Dans bon nombre d'entre eux, la fonction génératrice de la femme inspira le mythe de la création. Pour les Babyloniens qui vivaient il y a cinq millénaires à Sumer, dans le delta du Tigre et de l'Euphrate (l'Irak et la Syrie d'aujourd'hui), la femme primaire, Tiamat, accoucha d'Anu, le dieu du ciel, après son accouplement avec Apsu, le dieu de l'abîme des océans. Anu et Tiamat (les relations incestueuses allaient bon train dans ces univers mythiques) engendreront Ea, le dieu de la Terre. Il en résulta — après bon nombre d'accouplements avec toutes les combinaisons possibles de partenaires — six cents dieux et déesses dont l'arbre généalogique remplirait des pages entières. Tout en se querellant constamment, à travers des guerres incessantes, chacun de ces dieux gérait un aspect de l'existence humaine.

Presque à la même époque, l'univers mythique égyptien se développait sur les bords du Nil. Comme dans l'univers babylonien, l'eau était source de vie. L'être primaire Atoum, qui contenait en lui la somme de toute existence, vivait dans l'océan primordial Nun. C'est lui qui, sous la forme d'Atoum-Râ, engendra le monde et les quelque huit cents dieux et déesses qui peuplent l'univers mythique égyptien. Atoum devint plus tard Râ, le dieu-Soleil. Geb était la Terre, un disque plat bordé de montagnes qui flottait sur l'océan primordial Nun. Le corps de la belle déesse Nout formait la voûte céleste et était soutenu par Shu, le dieu de l'air. Nout était parée d'innombrables bijoux étincelants, les planètes et les étoiles. Râ, le dieu-Soleil, parcourait le dos de Nout sur un bateau dans sa course journalière à travers le ciel pendant le jour et rebroussait chemin à travers les eaux sous la Terre pendant la nuit (fig. 2).

La bureaucratie céleste

Mon univers mythique favori est peut-être celui des Chinois, qui se développa aux alentours de l'an 2000 av. J.-C. Ce dernier illustre bien le caractère souvent anthropomorphique de ces univers mythiques, où l'organisation des dieux reflète celle des hommes. Dans l'univers chinois, les dieux et les déesses font partie d'une bureaucratie gigantesque où ils passent leur temps à compiler des dossiers, faire des rapports et donner des directives, tout comme les employés de l'Empire chinois. Un peu plus tard, vers l'an 500 av. J.-C., le philosophe Confucius introduisit la notion des pôles opposés, le Yin et le Yang. Dans l'univers chinois, le monde était engendré par l'effet réciproque dynamique de ces deux forces polaires. Le Ciel était le Yang, le pouvoir fort, masculin et créateur. La Terre était le Yin, féminin et maternel. Le Ciel était au-dessus et en mouvement, la Terre était au-dessous et au repos. Le Soleil était le Yang, lumineux, chaud et sec, la Lune était le Yin, sombre, froide et moite. L'univers était dans un mouvement cyclique perpétuel, le Yin parvenant à son maximum et cédant sa place au Yang. La

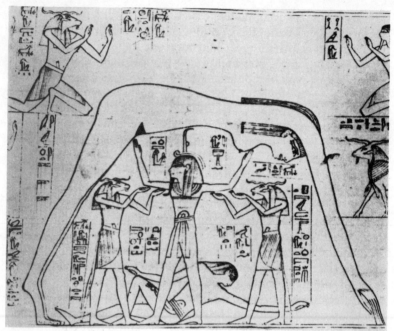

Fig. 2.

L'univers mythique égyptien. Le corps de la belle déesse Nout, paré de
planètes et d'étoiles et soutenu par Shu, le dieu de l'air, forme la voûte
céleste. Le Soleil traverse chaque jour le dos de Nout, au-dessus de Geb,
le dieu de la Terre, agenouillé aux pieds de la déesse (photo, British
Museum).

nuit qui suivait le jour, la Lune qui prenait la place du Soleil, l'hiver
froid et sombre qui succédait à l'été chaud et lumineux, voilà autant
d'exemples de l'interaction du couple Yin-Yang.

Les victoires intellectuelles obtenues par les hommes de l'univers
mythique étaient impressionnantes. Les Égyptiens avaient conquis
la géométrie pour construire leurs pyramides. Les Babyloniens
avaient maîtrisé la science des chiffres pour enregistrer la position
des astres, élaborer des calendriers et prédire les éclipses de la Lune.
Mais les prêtres égyptiens et babyloniens n'observaient pas le ciel
pour lui-même, mais pour y lire le destin des hommes : leur intérêt
était plutôt astrologique qu'astronomique. Utiliser leurs connaissances mathématiques pour découvrir les lois qui gouvernent le mouvement des objets célestes n'était pas une de leurs préoccupations.
Comme le mouvement des astres est cyclique, il suffisait de suivre
leurs positions dans le ciel pendant une longue période de temps
pour pouvoir prédire leurs positions futures. La connaissance de

la position de la Terre par rapport au Soleil, à la Lune, aux étoiles et au reste de l'univers n'était pas nécessaire. Comme leurs prédécesseurs, au début de l'ère mythique, qui bâtissaient des temples de pierre à Carnac, en Bretagne, dans l'ouest de la France, ou à Stonehenge, dans le sud de l'Angleterre, pour marquer l'emplacement du lever et du coucher du Soleil et de la Lune, les Babyloniens et les Égyptiens étaient plus cosmologistes-prêtres que cosmologistes-astronomes.

Le miracle grec

Vers le VIe siècle av. J.-C., le long de la côte de l'Asie Mineure, en Ionie, survint le plus invraisemblable des développements : le « miracle grec », qui dura près de huit siècles. En plein milieu de l'univers mythique, une poignée d'hommes exceptionnels parvinrent à renverser la vapeur et à semer les germes d'un nouvel univers qui allait sonner le glas de l'ancien.

Les Grecs introduisirent l'univers scientifique, qui est encore le nôtre aujourd'hui. Au lieu de s'abandonner aveuglément aux dieux et de se contenter d'observer les événements naturels sans les comprendre, les Grecs eurent l'intuition révolutionnaire que le monde pouvait être disséqué en ses différentes composantes et que la raison humaine était capable d'appréhender les lois qui régissent le comportement de ces composantes et leurs interactions entre elles. La nature pouvait être sujet de réflexion et de spéculation. La compréhension des lois naturelles qui était réservée exclusivement aux dieux dans l'univers mythique était partagée par l'homme dans l'univers scientifique.

Munis de cette inébranlable confiance en la capacité de la raison humaine, les Grecs se mirent au travail. La structure de la matière, la nature du temps, les phénomènes biologiques, géologiques et météorologiques, rien n'échappa à leur regard curieux et inquisiteur. Leucippe et Démocrite morcelèrent la matière en atomes indivisibles, une vision qui demeure d'actualité. Pythagore, en élaborant ses théorèmes, fonda les mathématiques, et Euclide bâtit sa géométrie, qui reste l'un des édifices intellectuels les plus harmonieux et les plus impressionnants de l'histoire des idées.

De cette intense fébrilité intellectuelle émergea un nouvel univers qui prit ses distances avec l'univers mythique. Pendant quatre siècles, maintes cosmologies, de plus en plus sophistiquées, furent élaborées. Elles aboutirent finalement à l'univers de Ptolémée, qui allait régner de manière souveraine durant les 2 000 ans à venir. Les

fondements de la méthode scientifique furent graduellement mis
en place. Alors que les premières cosmologies dérivaient de spéculations purement philosophiques, les contraintes posées par l'observation des mouvements des planètes prirent de plus en plus
d'importance. Les premières cosmologies gardaient encore beaucoup
de résonances mythiques. Pour Thalès (vers 560 av. J.-C.), tout était
eau. La Terre plate flottait sur un océan primordial surplombé par
un ciel d'eau. Tout comme dans l'univers mythique babylonien,
l'eau était l'élément primaire qui animait le monde entier. Anaxi-
mandre (vers 545 av. J.-C.) rejeta l'idée d'un seul élément primaire.
Pour lui, le monde résultait de l'interaction et du mélange des
contraires, le chaud et le froid, la lumière et l'ombre, une idée qui
rappelait très fort le concept chinois du Yin et du Yang. La Terre
était une colonne aplatie flottant dans l'air au milieu des anneaux
de feu successifs qu'étaient le Soleil, la Lune et les planètes. Déjà,
l'univers géocentrique* avec les sphères concentriques encastrées
des planètes dressait sa tête.

L'univers mathématique

La rigueur mathématique fit son entrée dans la pensée cosmologique avec Pythagore, au VIe siècle av. J.-C. Selon lui, l'univers,
le « cosmos », avait une géométrie harmonieuse, gouvernée par les
lois mathématiques et les chiffres. Les nombres étaient le principe
et la source de toute chose, le reflet de la perfection de Dieu. La
Terre perdit sa forme aplatie et acquit la forme mathématique la
plus « parfaite », celle d'une sphère. A l'opposé des futurs univers
géocentriques où la Terre immobile occupait la place centrale, l'univers pythagoricien mettait au centre un grand feu invisible, autour
duquel dix objets décrivaient des cercles parfaits. Leurs mouvements,
en parfaite harmonie musicale, engendraient la « musique des sphères ». Les dix objets étaient, par ordre croissant de distance par rapport au feu central, l'anti-Terre, la Terre, la Lune, le Soleil, les cinq
autres planètes connues — Mercure, Vénus, Mars, Jupiter et
Saturne — et la sphère des étoiles. L'existence de l'anti-Terre, qui
protégeait la Terre de la chaleur intense du feu central, devait être
postulée pour amener le nombre total d'objets à dix, le nombre parfait. Pythagore aurait été bien malheureux de savoir qu'il n'y a que
neuf planètes connues actuellement dans notre système solaire. L'univers devait se conformer aux nombres et pouvait être déduit de la
raison pure. Les observations n'étaient pas utiles. La méthode scientifique telle qu'elle est pratiquée aujourd'hui, qui préconise que l'har-

monie du monde peut être perçue à travers les observations et les expériences, n'avait pas encore fait son apparition.

L'univers géocentrique

Platon, au IVe siècle av. J.-C., reprit certaines idées pythagoriciennes pour élaborer un nouvel univers. La Terre gardait sa forme sphérique parfaite. Les mouvements célestes conservaient leur parfaite circularité. Ils étaient parfaitement uniformes. Les planètes devaient accomplir leur périple autour de la Terre avec une vitesse constante, sans accélération ni décélération. Les cieux associés aux dieux devaient être parfaits et la perfection des cieux exigeait la perfection des formes et des mouvements.

L'anthropocentrisme de l'univers mythique refit surface et la Terre reprit sa place centrale et son immobilité. La tentation de l'univers géocentrique était bien compréhensible. Quoi de plus naturel, en contemplant les trajectoires des objets célestes d'est en ouest dans le ciel nuit après nuit, que de supposer que la Terre était immobile au centre de l'univers et que le Soleil, la Lune, les planètes et les étoiles tournaient autour d'elle? Platon conçut un univers où la Terre était au centre d'une immense sphère extérieure qui contenait les planètes et les étoiles. L'univers était fini et limité par cette sphère, qui était dotée d'un mouvement de rotation quotidien, pour rendre compte du mouvement des objets célestes.

Les mouvements rétrogrades

Mais cet univers à deux sphères ne pouvait expliquer l'étrange et singulier mouvement des planètes. En effet les planètes, quand elles étaient visibles, traversaient le ciel d'est en ouest pendant la nuit, comme toutes les étoiles. Mais, nuit après nuit, elles changeaient de position par rapport aux étoiles, progressant inexorablement d'ouest en est. Ce mouvement était d'ailleurs à l'origine du nom « planète », qui signifiait « vagabond » en grec. Les étoiles, elles, semblaient fixes les unes par rapport aux autres. Dans l'univers d'aujourd'hui, nous savons que cette différence de mouvement relatif entre les planètes et les étoiles est en réalité due à un effet de distance. Les étoiles très lointaines ne semblent pas bouger alors que les mouvements des planètes proches semblent être d'une grande amplitude.

Fait étrange, de temps à autre, les planètes semblaient s'arrêter dans leur trajectoire et inverser la direction de leur mouvement par rapport aux étoiles. Les planètes effectuaient alors un mouvement appelé rétrograde★, d'est en ouest, pendant un certain temps avant de reprendre leur mouvement ouest-est habituel. Dans notre univers héliocentrique d'aujourd'hui, ces mouvements rétrogrades des planètes ont une explication bien naturelle. Ils résultent du fait que l'observation des mouvements des planètes s'effectue d'un endroit qui est lui-même en mouvement. Les mouvements rétrogrades se produisent chaque fois que la Terre, sur son orbite autour du Soleil, dépasse une planète supérieure★ (plus loin du Soleil que la Terre) ou est dépassée par une planète inférieure★ (plus proche du Soleil que la Terre). Ils ne sont qu'apparents. Un extra-terrestre observant de son vaisseau spatial le système solaire n'observerait pas de mouvements rétrogrades★ (fig. 3).

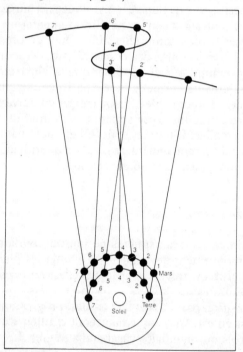

Fig. 3.

Le mouvement rétrograde des planètes. Un observateur terrestre voit Mars inverser son mouvement par rapport aux étoiles lointaines (position 4') lorsque la Terre dépasse Mars dans son orbite autour du Soleil. Ce mouvement rétrograde n'est qu'apparent : il est dû au mouvement de l'observateur terrestre emporté par la Terre autour du Soleil. Un extra-terrestre qui observerait Mars d'un site fixe ne verrait pas de mouvement rétrograde. Quand la Terre a dépassé Mars, ce dernier reprend son mouvement habituel d'ouest en est dans le ciel.

L'univers scientifique

Eudoxe, un jeune contemporain de Platon, ne pouvait pas savoir que, dans l'univers géocentrique de Platon, les mouvements rétrogrades* des planètes* n'étaient pas réels. Il voulait construire un univers où les mouvements des planètes seraient fidèlement reproduits. En termes platoniciens, il fallait « sauver les apparences » coûte que coûte. Pour Eudoxe, la raison pure à elle seule n'était plus suffisante pour cerner la réalité. Elle devait être conforme aux observations. Eudoxe fut ainsi le premier à construire un univers scientifique. Il transforma l'univers à deux sphères de Platon en un univers à sphères multiples. A la Terre immobile au centre et à la sphère extérieure des étoiles qui limitait l'univers, il ajouta des sphères concentriques pour chacune des planètes. Il comprit que tout mouvement pouvait être expliqué par la superposition de plusieurs mouvements circulaires et uniformes, le mouvement « naturel » des planètes. Ainsi, pour expliquer le mouvement rétrograde des planètes, la rotation des sphères planétaires devait s'accompagner de la rotation de sphères supplémentaires attachées aux sphères planétaires et possédant des axes inclinés. Au total, il fallut trente-trois sphères à Eudoxe pour rendre compte des observations de son époque.

Le pas suivant fut fait par Aristote (vers 350 av. J.-C.), qui infusa à l'univers multisphérique d'Eudoxe une dimension à la fois plus physique et plus spirituelle. Pour reproduire les observations plus précises des mouvements des planètes, le nombre total de sphères passa à cinquante-cinq. La Lune, Mercure, Vénus, le Soleil, Mars, Jupiter et Saturne étaient sur des sphères cristallines concentriques centrées sur la Terre toujours immobile. Chaque sphère planétaire était liée à quatre ou cinq autres sphères et toutes tournaient autour d'axes différents, de façon que la superposition de leurs mouvements reproduisait le mouvement de la planète. L'univers était toujours limité par la sphère extérieure des étoiles (fig. 4).

L'univers aristotélicien était divisé en deux, la sphère de la Lune servant de zone de démarcation. La Terre et la Lune appartenaient au monde changeant et imparfait où régnaient la vie, l'usure et la mort. Dans ce monde constitué de terre, d'eau, d'air et de feu, le mouvement naturel était vertical. Toute chose allait en ligne droite, de haut en bas ou de bas en haut. L'air et le feu s'élançaient vers le ciel tandis que la terre et l'eau tombaient vers le sol. Le mouvement circulaire n'étant pas permis, la Terre était immobile et ne tournait pas sur elle-même. Le monde parfait, celui des autres planètes, du Soleil et des étoiles, était en revanche inchangeant et éter-

Fig. 4.

L'univers géocentrique d'Aristote. La Lune, Mercure, Vénus, le Soleil, Mars, Jupiter, Saturne et les étoiles sont situés sur des sphères cristallines concentriques centrées sur la Terre immobile (photo, Bibliothèque nationale).

nel. Constitué d'éther, son mouvement naturel était celui de la rotation autour de la Terre, ce qui expliquait le mouvement éternel de rotation des sphères cristallines planétaires. Dans cet univers, les imperfections du ciel, telles les comètes, ces boules de feu qui faisaient sporadiquement leur apparition, ne pouvaient qu'appartenir au monde imparfait : elles étaient le résultat de perturbations dans l'atmosphère terrestre.

L'univers platonicien et aristotélicien atteignit son apogée deux siècles plus tard avec Ptolémée (vers 140 av. J.-C.) (fig. 5a). Celui-ci fit la synthèse des connaissances acquises pendant les quatre siècles précédents et élabora un univers géométrique qui fut accepté sans réserve pendant plus de 1 500 ans. Les trois principales propriétés des univers précédents étaient retenues. L'univers était géocentrique. La Terre était sphérique et au centre de tout. Les mouvements naturels des planètes étaient circulaires et uniformes.

La Terre est courbe

La sphéricité de la Terre avait été démontrée au siècle précédent par Eratosthène (vers 250 av. J.-C.) qui vivait à Alexandrie et qui avait lu qu'à Syène, une petite ville au sud de la Grèce, le 21 juin, jour le plus long de l'année, les colonnes des temples ne projetaient pas d'ombre à midi. Ce jour venu, Eratosthène, en vrai scientifique, s'en alla observer à midi les colonnes des temples d'Alexandrie. Il constata que celles-ci, contrairement à celles de Syène, projetaient de grandes ombres sur le sol. Il conclut de cette simple observation que la Terre devait être courbe. Elle ne pouvait être plate, car si elle l'était, toutes les colonnes sur Terre projetteraient les mêmes ombres au même instant. En mesurant l'étendue des ombres des colonnes à Alexandrie et en obtenant la distance séparant Alexandrie de Syène à partir du nombre de pas nécessaires pour joindre les deux villes à pied, Eratosthène put calculer la circonférence de la Terre, qu'il évalua à 40 000 kilomètres, une valeur très proche des mesures modernes, ce qui était tout à fait remarquable.

Cercle sur cercle

Ptolémée s'était donné la tâche de rectifier certaines lacunes de l'univers aristotélicien. En particulier, il voulait donner une solution à deux problèmes mis en évidence par des observations précises. Le premier problème était celui des mouvements « anormaux » des planètes. Celles-ci montraient des variations de vitesse sur leurs orbites, contraires à la doctrine de parfaite uniformité de mouvement si chère à Aristote. Le deuxième problème concernait la variation de la distance de la Lune et des planètes à la Terre, une variation qui se traduisait par un changement de la dimension angulaire de la Lune ou par un changement de brillance des planètes. Cette variation de distance ne trouvait pas d'explication dans l'univers aristotélicien, car dans celui-ci les planètes étaient attachées à des sphères dont le centre était la Terre. Par définition, la distance d'une planète à la Terre était ainsi toujours égale au rayon de la sphère planétaire et ne pourrait varier. Pour Ptolémée, il s'agissait de résoudre ces deux problèmes tout en tenant compte du mouvement rétrograde des planètes. Il eut l'idée ingénieuse de détacher les planètes des sphères célestes et de les placer sur de petits cercles, appelés épicycles*, ayant leurs centres sur la surface des sphères célestes. Ainsi, le mouvement d'une planète dans le ciel serait la superposition de deux mouvements : le mouvement uniforme de la planète sur un épicycle dont le centre lui-même se déplacerait uniformément sur le cercle d'une sphère céleste (fig. 5b). L'effet serait assez semblable à ce que pourrait voir un spectateur placé au centre d'une piste circulaire et admirant un cow-boy galopant avec son cheval sur la piste et faisant tournoyer au-dessus de sa tête un lasso dont l'extrémité serait lumineuse. Avec l'introduction des épicycles, Ptolémée fut à même de résoudre tous les problèmes posés par l'univers aristotélicien. Il put non seulement rendre compte de façon quantitative, précise et détaillée de tous les mouvements passés des planètes, mais il lui fut aussi possible de prédire leurs positions futures. L'*Almageste* (« le grand astronome », en arabe), dans lequel Ptolémée consigna tous ses calculs et publia ses tables de positions de planètes, reste sans conteste un ouvrage majeur. Il servit de fondement à plus de sept siècles d'astronomie arabe et présentait un univers géométrique qui, avec l'univers physique aristotélicien, allait s'imposer jusqu'au XVIe siècle. Bien sûr, il y eut des contestations. Aristarque, au IIIe siècle av. J.-C., avait déjà rejeté l'univers géocentrique au profit d'un univers héliocentrique dont le Soleil serait le centre et autour duquel tourneraient la Terre et les autres planètes. Mais sa voix fut vite étouffée.

L'univers médiéval

Par une nuit de l'hiver 1300, un moine franciscain quitte son lit chaud et douillet pour se rendre aux matines. Il traverse la cour du monastère et s'arrête près du cloître pour contempler le ciel. Enveloppé dans l'obscurité froide et silencieuse de la nuit, il est captivé par le firmament étoilé. Là-bas, bien au-dessus de l'horizon, il distingue un point de lumière plus brillant que les autres. Il sait que c'est la planète Jupiter qui poursuit inlassablement sa trajectoire circulaire autour de la Terre sur sa sphère cristalline, accompagnée dans son voyage par les anges des hautes sphères. Il sait aussi que, entre la Terre et la Lune, invisible ce soir, se trouve le purgatoire où les âmes des justes doivent être purifiées avant de pouvoir accéder à de plus hautes sphères et s'approcher de Dieu ; Dieu qui réside

Fig. 5.

L'univers de Ptolémée. L'univers géocentrique de Ptolémée (dont le portrait est représenté dans la figure du haut [photo, Bibliothèque nationale]) fit autorité pendant plus de quinze siècles. Pour rendre compte du mouvement des planètes, Ptolémée fit déplacer chaque planète sur un cercle appelé épicycle dont le centre était lui-même en rotation sur une sphère céleste centrée sur la Terre (fig. du bas).

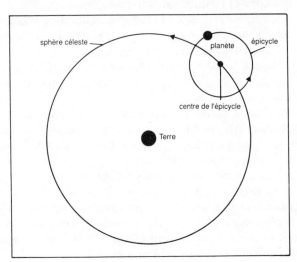

dans l'empyrée, au-delà de la sphère cristalline des étoiles qu'il voit briller de tous leurs feux. La pensée de Dieu amène instinctivement une prière sur ses lèvres. Il espère bien que son âme atteindra un jour les hautes sphères et qu'il ne connaîtra jamais les feux de l'enfer dans les entrailles de la Terre. L'univers aristotélicien des sphères cristallines est encore très présent dans l'univers médiéval du moine franciscain. La nouveauté, c'est la présence de figures et de concepts issus de la religion chrétienne : les anges, le purgatoire, l'enfer, l'empyrée, Dieu.

Quinze siècles avaient passé depuis la grande synthèse de l'univers grec par Ptolémée. Maints événements s'étaient passés. La Grèce avait été annexée à l'Empire romain vers la fin du II⁰ siècle av. J.-C. et le christianisme fut déclaré religion officielle de l'Empire vers l'an 300. L'éclat de la pensée grecque diminua pendant cette période. Les Romains n'étaient pas intéressés par les spéculations abstraites. En dépit de brillantes inventions technologiques et d'innovations pratiques, telle la réforme du calendrier, ils contribuèrent peu à la pensée cosmologique. Les invasions répétées des hordes barbares des Goths et des Huns venus de l'est pendant les V⁰ et VI⁰ siècles donnèrent le coup de grâce à l'Empire romain, déjà considérablement affaibli par la corruption politique et le chaos économique. Le savoir grec disparut de l'Occident.

Parallèlement au déclin et à la chute de l'Empire romain, l'Empire arabe islamique, qui s'étendait de l'Espagne à l'Inde, prit son essor. Le flambeau de la civilisation et des sciences passa aux mains des califes de Bagdad qui, pendant la période 750-1000, firent construire des observatoires et traduire en arabe les grandes œuvres grecques, tel l'*Almageste*. Dès l'an 1000, l'Espagne était devenue le grand centre intellectuel du monde islamique, et, à travers elle, l'Europe chrétienne redécouvrit la pensée grecque. La traduction des grandes œuvres grecques d'arabe en latin fut entreprise et les mots d'origine arabe tels que « algèbre », « azur », « zénith » ou « zéro » envahirent le vocabulaire courant.

Le savoir, dans le monde médiéval, était dans les mains de l'Église. Tous les manuscrits étaient rassemblés dans les bibliothèques des monastères, et seuls les moines y avaient accès. La conception aristotélicienne soulevait un problème difficile et grave pour ces hommes de religion. Comment concilier l'univers grec antique avec l'univers chrétien? Chez Aristote, Dieu n'apparaissait pas de manière explicite. Les planètes, une fois en mouvement, tournaient éternellement. Il n'y avait ni début ni fin. Le rôle de Dieu était beaucoup plus explicite dans l'univers chrétien : « Dieu créa le Ciel et la Terre. » L'univers avait un commencement.

Dieu et les anges

La synthèse des univers aristotélicien et chrétien fut accomplie au XIIIe siècle par le moine dominicain Thomas d'Aquin. Celui-ci reprit la conception aristotélicienne et y introduisit Dieu de façon explicite. La Terre était toujours au centre de tout. Elle était sphérique, forme qu'elle avait reprise dès le IXe siècle, abandonnant la forme aplatie acquise au cours des premiers siècles à cause d'une interprétation trop littérale de certains passages bibliques. Tout comme dans l'univers aristotélicien, la Lune, le Soleil, les planètes et les étoiles tournaient autour de la Terre sur des sphères cristallines. Il existait une sphère supplémentaire au-delà de la sphère des étoiles introduite par les Arabes : la sphère primaire, dotée par Dieu d'un mouvement de rotation constant.

Dieu était maintenant présent en personne. Après l'avoir créé, il veillait aux affaires d'un univers hiérarchisé, secondé dans sa tâche par une armée d'anges. Dieu résidait dans l'empyrée, le domaine des feux éternels, au-delà de la sphère primaire, mais à une distance finie, l'univers étant lui-même fini. Les anges venaient ensuite dans la hiérarchie. Ils habitaient les sphères planétaires et celle du Soleil, et étaient responsables de la rotation de ces dernières. En vrais mécaniciens du ciel, ils s'assuraient de la bonne marche de la machine céleste (fig. 6). Leur degré de divinité décroissait à mesure que leur sphère de résidence s'éloignait de l'empyrée. Il y avait ensuite la sphère de la Lune, frontière entre la zone sous-lunaire et les hautes sphères, dont le passage était jalousement surveillé par les anges. Dans la zone sous-lunaire se trouvaient le purgatoire, l'antichambre des hautes sphères, et la Terre, domaine des hommes et de la mortalité. Au bas de la hiérarchie, dans les entrailles de la Terre, était l'enfer, domaine des démons et du Mal, et où les âmes mauvaises échouaient après leur vie terrestre. L'élément mythique qui avait disparu dans les univers géométriques d'Aristote et de Ptolémée réapparaissait à travers la religion. Le bleu diurne du ciel était la lumière éthérée de Dieu. Diables et démons peuplaient la nuit de l'univers médiéval. La succession du jour et de la nuit était le résultat du combat sans relâche entre le Bien et le Mal. Mais l'élément scientifique et rationnel introduit par les Grecs demeurait très présent et allait se renforcer considérablement dans les siècles à venir.

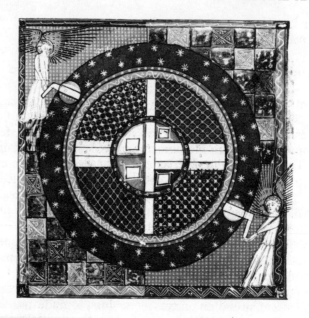

Fig. 6.

Les mécaniciens du ciel. Saint Thomas d'Aquin insuffla une dimension spirituelle à l'univers géocentrique d'Aristote. Dans cet univers, Dieu veillait à la bonne marche de l'univers, aidé par une armée d'anges. Cette gravure du Moyen Âge montre des anges qui, en véritables mécaniciens célestes, activent des machines qui font tourner les sphères célestes planétaires (photo, Bibliothèque nationale).

Et si la Terre bougeait ?

Paradoxalement, ce fut la réintroduction de la religion dans la cosmologie qui fit avancer l'élément scientifique dans les univers qui suivirent. Les hommes d'Église — en particulier Étienne Tempin, évêque de Paris au XIIIe siècle — qui se penchèrent sur l'univers de Thomas d'Aquin y découvrirent progressivement certains aspects qui étaient en contradiction directe avec la théologie acceptée. L'univers de saint Thomas d'Aquin était fini et limité par l'empyrée, séjour divin. Or, le Dieu de la religion, infini et omniprésent, résidait en tout lieu. Le confiner en un seul endroit reviendrait à douter de ses pouvoirs illimités. Si Dieu était infini, pourquoi l'univers ne serait-il pas lui-même infini ? Le germe de l'univers infini était semé. D'autre part, n'était-il pas présomptueux de la part de l'homme de croire qu'il occupait la place centrale dans l'univers ? Pourquoi Dieu, qui résidait partout, ne serait-il pas aussi au centre de l'univers ?

Mieux encore, avançait le cardinal allemand Nicolas de Cusa au XVe siècle, puisque Dieu était infini, présent en tout lieu et centre en tout endroit, tout lieu dans l'univers devait être centre. Le firmament étoilé devait apparaître le même, quel que soit le lieu d'observation dans l'univers. Aucun lieu n'était spécial et il y avait une infinité de centres. Cette idée, connue aujourd'hui sous le nom de principe cosmologique★, sera reprise cinq siècles plus tard par Einstein pour bâtir sa théorie de la relativité★. L'univers géocentrique★ commençait à vaciller sérieusement. La conception de l'immobilité de la Terre, jusqu'alors sacrée, commençait aussi à être entamée. N'était-il pas sacrilège de croire que Dieu, doté de pouvoirs illimités, ne pouvait pas vaincre l'immobilité de la Terre et la faire tourner? Après tout, remarquait l'évêque français Nicole d'Oresme au XIVe siècle, tout mouvement était relatif. Le mouvement des astres dans la voûte céleste pouvait être aussi bien dû à une rotation des objets célestes autour d'une Terre immobile qu'à une rotation de la Terre par rapport à des objets célestes immobiles. La raison humaine ne pouvait pas distinguer entre ces deux possibilités. Le marin sur un bateau qui descendrait une rivière et qui verrait le rivage défiler devant ses yeux aurait l'impression trompeuse que c'est le bateau qui est immobile et le rivage qui est en mouvement. Nous serions-nous trompés, comme le marin sur le bateau? demandait Nicole d'Oresme. Et si la Terre bougeait vraiment?

Malgré ces attaques contre l'univers géocentrique, le modèle de Ptolémée continuait à régner, faute de mieux. Les épicycles s'ajoutaient aux épicycles pour rendre compte des observations de plus en plus précises des mouvements des planètes. L'édifice ptoléméen acquérait une complexité accrue et s'éloignait chaque jour davantage de l'harmonie simple des sphères célestes si chère à Pythagore.

L'univers héliocentrique

Ce fut un autre homme d'Église, le chanoine polonais Nicolas Copernic, qui, finalement, délogea la Terre de sa place centrale dans l'univers. Avec son livre *De la révolution des sphères célestes*, publié en 1543, juste avant sa mort, Copernic modifia complètement le visage de l'univers et inaugura une révolution intellectuelle dont nous ressentons encore les conséquences aujourd'hui. Les principes aristotéliciens, considérés comme évidents depuis deux mille ans, furent remis en cause. Dans l'univers copernicien, le centre était situé près du Soleil. La Terre fut reléguée au rang des autres planètes. Elle perdit son immobilité et se dota de mouvement pour accomplir sa révolution annuelle autour du Soleil, comme les autres planètes. Les planètes acquirent l'ordre auquel nous sommes habitués aujourd'hui. A distance croissante du Soleil venaient tour à tour Mercure, Vénus, Terre, Mars, Jupiter et Saturne, les six planètes connues du système solaire. La Lune, seule, conservait la Terre comme son centre. Elle accompagnait la Terre dans son voyage annuel autour du Soleil tout en accomplissant son tour mensuel autour de ce dernier (fig. 7). La Terre étant en mouvement, les mouvements rétrogrades des planètes, qui se produisaient chaque fois que la Terre était dépassée ou dépassait une autre planète, pouvaient être facilement expliqués sans avoir recours aux épicycles imaginés par Ptolémée. Pourtant, même Copernic ne pouvait pas faire table rase de tous les concepts aristotéliciens. Des idées qui avaient prévalu durant deux millénaires avaient la vie dure. Les planètes, dans l'univers copernicien, continuaient à résider sur des sphères cristallines poussées par des anges et leurs orbites, autour du Soleil, gardaient la circularité parfaite si prisée par les Grecs, et une parfaite uniformité de mouvement, seule possible dans les hautes sphères d'après Aristote. Mais, étant donné que les orbites des planètes ne sont pas exactement circulaires, et leurs mouvements non exactement uniformes, Copernic dut tout de même faire appel à des épicycles pour chaque planète afin d'expliquer leur mouvement. Chacune se déplaçait sur un petit cercle, l'épicycle*, dont le centre traçait lui-même un cercle sur la sphère cristalline correspondant au cours de la rotation journalière de cette dernière autour du Soleil. Les sphères cristallines n'étaient pas tout à fait centrées par rapport au Soleil, mais en un point très proche, entre le Soleil et la Terre.

L'univers héliocentrique assena un coup sévère à la psyché humaine. L'homme avait perdu sa place centrale dans le cosmos. Il n'était plus au centre de l'attention de Dieu. L'univers ne tournait plus autour de lui et le cosmos n'était plus créé pour son seul usage et bénéfice. D'autre part, dans le nouvel univers, la Terre était devenue une haute sphère comme les autres planètes. D'après Aristote, tout ce qui relevait des hautes sphères devait être parfait, inchangeant et éternel, en contradiction avec les objets terrestres observés, imparfaits, changeants et éphémères. Cela signifiait-il que les cieux étaient imparfaits? La confiance en la perfection des cieux fut sérieusement ébranlée.

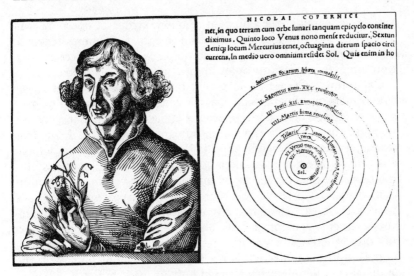

Fig. 7.

L'univers héliocentrique de Copernic. Copernic (fig. de gauche) et son univers héliocentrique tel qu'il le publia en 1543, dans son ouvrage intitulé
De la révolution des sphères célestes (fig. de droite). Les sphères planétaires en rotation et la sphère immobile des étoiles sont centrées sur le
Soleil (photo, Bibliothèque nationale).

L'univers infini

Dernier coup assené à la conscience humaine, l'univers s'était
considérablement agrandi, réduisant ainsi la taille et l'importance
de la Terre par rapport au reste de l'univers. Certes, l'univers copernicien était toujours fini et limité par la sphère extérieure des étoiles qui était rigide et ne tournait plus. Comme Nicole d'Oresme
l'avait pressenti, le mouvement apparent des étoiles était dû à la
rotation journalière de la Terre sur elle-même, et non à la rotation
des cieux autour de la Terre. La sphère extérieure des étoiles était,
dans l'univers aristotélicien, à peine plus éloignée que la sphère de
Saturne. Même à cette distance relativement modeste, un problème
se posait, car le périmètre d'un grand cercle sur la sphère extérieure
était déjà tellement grand que les étoiles devaient tourner à une vitesse
inimaginable pour parcourir toute cette distance en une seule journée. Copernic résolut le problème en accordant à la Terre le mouvement et aux étoiles l'immobilité, mais, ce faisant, il fut contraint
de repousser la sphère extérieure des étoiles à une très grande distance de la Terre. Il réduisit le système solaire qui occupait l'uni-

vers presque tout entier à un petit recoin de celui-ci. Copernic devait repousser très loin la sphère des étoiles, car ces dernières restaient obstinément fixes les unes par rapport aux autres malgré la rotation annuelle autour du Soleil dont il avait doté la Terre.

Or, si une étoile est relativement proche et qu'elle est observée à deux moments différents au cours de cette rotation, elle doit paraître avoir changé de place par rapport aux étoiles plus lointaines, comme en témoigne la simple expérience suivante. Pointez un doigt, bras tendu, et fixez-le d'un œil, puis de l'autre, en clignant rapidement des yeux. Votre doigt semblera bouger par rapport aux objets plus lointains. Ce phénomène est dû au fait que vos yeux sont à une certaine distance l'un de l'autre, tout comme la distance entre les deux positions successives de la Terre au moment des observations provoque un changement de position d'une étoile proche par rapport aux plus lointaines. L'angle correspondant au changement de position est appelé parallaxe*, et cet angle est d'autant plus petit que la distance à l'étoile est plus grande (voir aussi la figure 14). Les étoiles ayant des parallaxes trop petites pour être mesurées, Copernic en conclut qu'elles devaient être très distantes.

D'un seul coup, Copernic avait délogé l'homme de sa place centrale, semé le doute dans son esprit quant à la perfection des cieux et rendu l'homme plus insignifiant. On pourrait s'étonner qu'en préconisant un univers héliocentrique d'une telle conséquence, Copernic ne se soit pas attiré de démêlés avec l'Église, qui défendait l'univers géocentrique d'Aristote et de Thomas d'Aquin. Ce laisser-faire de la part de l'Église pouvait s'expliquer de plusieurs façons. D'abord, Copernic lui-même était un homme d'Église. Ensuite, il n'avait autorisé la publication de son livre que très tard (trois ans avant sa mort ; la légende dit qu'il n'en vit un exemplaire que le jour de sa mort). Mais, surtout, la préface du livre insistait sur le fait que l'auteur ne pensait pas que l'univers proposé correspondait à l'univers réel, mais que c'était un simple modèle mathématique qui permettait de prédire les mouvements des objets célestes et des éclipses de façon peut-être plus commode que le modèle de Ptolémée. Cette préface, qui n'était pas signée, fut probablement rédigée par Andrew Osiander, qui s'occupa de la publication du livre. En tout cas, l'Église fut satisfaite de l'interprétation de l'univers copernicien comme simple modèle mathématique. L'univers aristotélicien de Thomas d'Aquin était ainsi préservé et l'Église retint ses foudres contre Copernic.

Les grains semés par Copernic commencèrent à pousser dans les années qui suivirent. Deux hommes reprirent à leur compte l'univers déjà très vaste de Copernic et en firent éclater les frontières.

L'astronome anglais Thomas Digges proposa, en 1576, de supprimer la sphère extérieure des étoiles. L'univers devenait infini avec ses étoiles réparties dans le domaine illimité de Dieu. Le moine dominicain Giordano Bruno peupla cet univers infini d'une infinité de mondes habités par une infinité de formes de vie, qui toutes célébraient la gloire de Dieu. Cette dernière proposition fit déborder l'eau du vase et Giordano Bruno fut accusé d'hérésie et condamné par l'Église à mourir sur le bûcher en 1600.

L'imperfection des cieux

Le concept aristotélicien de la perfection des cieux continua à être soumis à rude épreuve. Un des coups les plus décisifs fut porté par Tycho Brahe, un astronome danois qui avait poussé la précision des observations astronomiques au plus haut degré, autant qu'il était possible avant l'invention du télescope, en construisant d'énormes instruments pour mieux lire les mesures et en tenant compte des variations de température qui allongeaient ou raccourcissaient très légèrement les instruments. En 1572, une nouvelle étoile apparut dans la constellation de Cassiopée, si brillante qu'elle fut visible de jour tout un mois durant. Tycho, tout jeune de ses vingt-six ans, l'observa jour après jour, nuit après nuit, et établit avec certitude que la nouvelle étoile devait être très distante, bien au-delà des sphères cristallines planétaires. En effet, contrairement aux planètes, elle ne changeait pas de position par rapport aux étoiles distantes. Tycho en conclut qu'Aristote devait avoir tort, que les cieux avaient changé, qu'ils n'étaient pas immuables. Nous savons aujourd'hui que Tycho avait raison et que la nouvelle étoile n'était autre qu'une supernova★, explosion fulgurante marquant la mort d'une étoile massive dans notre Voie lactée, et qui, dans un dernier sursaut d'agonie, libéra pendant quelques jours autant d'énergie que cent millions de soleils. La supernova de Tycho, comme elle est désignée maintenant, est l'une des rares (sept en tout) supernovae observées dans notre Voie lactée.

Le roi du Danemark fut si impressionné par l'observation de la supernova qu'il donna à Tycho une île entière, Hven, au large de la côte du Danemark, pour en faire son observatoire. Là, pendant vingt ans, Tycho accumula des observations d'une précision sans précédent. En particulier, l'observation de la grande comète de 1577 confirma ses doutes sur la perfection aristotélicienne des hautes sphères. Les comètes, jusqu'ici, étaient considérées comme des phénomènes atmosphériques terrestres, tout comme les arcs-en-ciel. Tycho

Brahe démontra que cela ne pouvait être le cas. La comète changeait de position par rapport aux étoiles lointaines, ce qui la plaçait beaucoup plus près de la Terre que la supernova. Mais ce mouvement était tellement plus petit que celui de la Lune que la comète devait être beaucoup plus distante de la Terre que cette dernière. Elle était certainement quelque part dans la zone des sphères cristallines planétaires.

De nouveau, l'immuabilité aristotélicienne des cieux fut violée. Un nouvel objet était apparu. Fait encore plus grave, les observations très précises de Brahe lui permirent de déterminer l'orbite de la comète. Il découvrit que cette orbite était ovale et non circulaire. Où était donc passée la perfection circulaire des mouvements dans les cieux ? Autre conséquence grave de cette découverte : si l'orbite de la comète était ovale et que celle-ci n'était pas plus éloignée que la plus distante des planètes, la comète devait obligatoirement traverser les sphères solides cristallines planétaires, ce qui serait absurde si ces dernières existaient vraiment. Tycho Brahe fut forcé de conclure que les sphères cristallines des planètes n'étaient pas réelles, qu'elles n'existaient que dans l'imagination des hommes. Le rejet de ces sphères aristotéliciennes soulevait un problème difficile : si les planètes n'étaient pas attachées à des sphères, pourquoi ne tombaient-elles pas ? Qu'est-ce qui les retenait dans les cieux ? Malgré ces questions, Tycho essaya de construire son propre univers en trouvant un compromis entre l'univers héliocentrique de Copernic et l'univers géocentrique d'Aristote, un univers où les planètes tournaient autour du Soleil mais où le Soleil, avec son cortège de planètes, tournait comme la Lune autour de la Terre qui retenait sa place centrale (fig. 8).

Galilée et son télescope

Le personnage qui entre ensuite en scène fut Galileo Galilei, professeur de mathématiques en Italie. Il passa les dix-huit premières années de sa jeune carrière, de 1591 à 1609, à étudier comment les objets tombaient par terre. Il était persuadé qu'il y trouverait le secret du mouvement des objets célestes, ayant rejeté la notion aristotélicienne selon laquelle les mouvements sur Terre étaient rectilinéaires alors que les mouvements célestes étaient circulaires. Il avait bien observé qu'un ballon jeté dans l'air retombait par terre selon une trajectoire courbe. Les mêmes lois naturelles devaient régir toute chose dans l'univers, et elles ne pouvaient être découvertes que par des observations ou expériences répétées et précises. Ayant ainsi

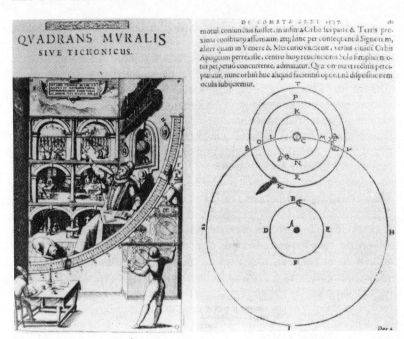

Fig. 8.

L'univers de Tycho Brahe. Une gravure de 1598 (fig. de gauche) montre Tycho Brahe, dans son île de Hven, au large du Danemark. Il utilise un instrument de mesure appelé quadrant, le télescope n'ayant pas encore été inventé. La figure de droite illustre l'univers de Tycho Brahe, un compromis entre l'univers héliocentrique de Copernic et l'univers géocentrique d'Aristote : les planètes tournent autour du Soleil, mais le Soleil, avec son cortège de planètes, tourne autour de la Terre, tout comme la Lune (photo, Bibliothèque nationale).

inventé la physique expérimentale, Galilée fit glisser des objets sur des plans inclinés pour ralentir leur chute et obtenir des mesures plus précises. Il découvrit que tout objet qui tombait par terre avait exactement la même accélération, quel que soit son poids. S'il n'y avait pas la résistance de l'air, une plume et un obus de plomb lâchés du haut d'une tour au même moment atteindraient le sol au même instant. Bien que ce résultat ait été vérifié maintes fois dans les vides artificiels créés dans les laboratoires, un astronaute américain, quelque trois cent soixante ans plus tard, a voulu tirer son chapeau à Galilée en faisant l'expérience avec une plume et une balle de golf sur la surface dépourvue d'atmosphère de la Lune.

En 1609, Galilée entendit parler de l'invention récente du télescope en Hollande. Tout de suite, il construisit un appareil capable

d'agrandir trente-deux fois, de la taille des télescopes qu'on trouve
aujourd'hui dans les magasins, et le pointa vers le ciel. Comme ce
fut le cas chaque fois qu'un instrument nouveau a été tourné vers
le ciel, Galilée découvrit monts et merveilles. Il vit une foule de
phénomènes nouveaux et d'objets inconnus qui remirent davantage
encore en cause la version aristotélicienne des cieux pour donner
raison à l'univers héliocentrique copernicien. De nouvelles imperfections apparurent dans les cieux. Des montagnes apparurent sur
la Lune. Le Soleil montra des taches sombres sur sa surface (appelées aujourd'hui « taches solaires », elles semblent sombres à cause
de leur température, moins élevée comparée au reste du disque
solaire). Après la supernova de Tycho et la comète de 1577, les montagnes lunaires et les taches solaires enfoncèrent le dernier clou dans
le cercueil de la perfection aristotélicienne des cieux. Tournant son
télescope vers Jupiter, Galilée découvrit quatre satellites en orbite
autour de la planète, satellites aujourd'hui connus sous le nom de
« satellites galiléens », mais qu'il baptisa « satellites médicéens » pour
gagner la faveur et l'appui financier de la puissante famille des Médi-
cis. La planète Vénus, quant à elle, traversait des phases, tout comme
la Lune, allant de la pleine Vénus où la planète brillait de tout son
éclat à la nouvelle Vénus où elle replongeait dans l'obscurité, en
passant par les croissants et les quartiers de Vénus. Toutes ces observations allaient dans le sens du système du monde proposé par Copernic. L'existence des satellites de Jupiter invalidait l'idée que la Terre
était au centre de l'univers et que tout tournait autour d'elle. Les
phases de Vénus, qui étaient le résultat du jeu de l'éclairage du Soleil
sur la planète, ne pouvaient s'expliquer que si Vénus était en orbite
autour du Soleil. Galilée se fit le champion de l'univers héliocentrique dans son grand livre *Dialogue sur les grands systèmes du monde*
publié en 1632, où il démontrait que les défenseurs de l'univers
géocentrique étaient des « simples d'esprit » (le personnage qui défendait le point de vue traditionnel s'appelait Simplicio). C'en était trop
pour l'Église qui ne pouvait plus fermer les yeux sous prétexte que
l'univers héliocentrique était un simple modèle mathématique. Grâce
aux observations de Galilée, ce modèle prenait trop de réalité à son
goût et risquait de semer le doute dans l'esprit des fidèles quant
aux enseignements de l'Église. Galilée fut jugé et mis sous résidence
surveillée jusqu'à sa mort, en 1642, et son livre fut mis à l'Index
par l'Église jusqu'en 1835.

Le mouvement des planètes

Cette action malencontreuse de l'Église eut pour effet de déplacer le centre de l'activité scientifique vers le nord de l'Europe. Le prochain acteur à entrer en scène dans la saga des bâtisseurs d'univers est l'Allemand Johannes Kepler. Jeune professeur de lycée en mathématiques, celui-ci était devenu l'assistant de Tycho Brahe en 1600 à Prague en Tchécoslovaquie, où Tycho s'était retiré après avoir perdu les faveurs du roi du Danemark. Deux ans plus tard, Tycho Brahe mourut en laissant entre les mains du jeune Kepler ses innombrables et méticuleuses observations des objets célestes et, en particulier, des planètes. Grâce à l'obsession magnifique de Tycho, Kepler avait à sa portée un trésor d'observations d'une précision inégalée, accumulées nuit après nuit pendant une vingtaine d'années, la durée nécessaire pour suivre les planètes les plus proches accomplissant plusieurs orbites autour du Soleil. Kepler était persuadé qu'il trouverait dans ce trésor le secret des mouvements célestes, et les lois qui régissent l'univers. Il croyait en l'univers héliocentrique de Copernic. Il était aussi convaincu par la démonstration de Tycho selon laquelle les sphères cristallines planétaires n'étaient qu'un produit de l'imagination humaine.

Cette attitude était d'autant plus méritoire que Kepler croyait que l'univers était gouverné par les mathématiques, que Dieu était géomètre. Pendant de longues années, l'astronome avait pensé que le nombre de planètes (six étaient connues de son temps), ou plus exactement le nombre d'intervalles entre les planètes (cinq en tout), était conforme aux cinq solides réguliers connus des Grecs, dits « platoniques », et dont les côtés étaient des polygones réguliers. Le cube, par exemple, dont le côté est un carré, fait partie de ces solides. Après des années de travail, Kepler dut finalement se rendre à l'évidence que des orbites planétaires circulaires circonscrites par les solides platoniques ne pouvaient être en accord avec les observations de Tycho Brahe. Le nombre de planètes connues aujourd'hui (neuf en tout) aurait aussi suffi à invalider cette théorie de solides platoniques.

Dans son univers héliocentrique, Kepler avait tout naturellement pensé à des orbites planétaires circulaires avec des mouvements uniformes. Bien que la croyance en la perfection des cieux fût ébranlée, l'hypothèse d'une forme orbitale parfaite, le cercle, et d'un mouvement uniforme parfait pour les planètes, s'imposait depuis Platon. Copernic, Tycho et Galilée avaient tous accepté cette hypothèse sans la remettre le moins de monde en cause. En examinant les observations que Tycho Brahe avait accumulées sur Mars, Kepler découvrit que la trajectoire de la planète n'était pas symétrique autour du Soleil comme elle le serait pour une orbite circulaire, mais qu'elle était légèrement plus allongée d'un côté que de l'autre. Après quatre années d'études et neuf cents pages de calcul, et à l'encontre de ses propres convictions, Kepler dut se résigner à faire tomber le dernier bastion aristotélicien. Les orbites planétaires n'étaient plus circulaires, mais elliptiques. Le Soleil n'était plus au centre, mais à l'un des foyers de l'ellipse (fig. 9). Les épicycles n'avaient plus de raison d'être. Les mouvements des planètes pouvaient être parfaitement expliqués sans leur existence. Deux mille années d'obsession épicyclique prenaient ainsi fin. Le mythe de l'uniformité des mouvements planétaires fut lui aussi balayé. Les planètes accéléraient quand elles s'approchaient du Soleil et décéléraient en s'en éloignant. Il existait une relation mathématique précise entre le temps mis par une planète pour accomplir une révolution autour du Soleil et sa distance à cet astre. Si la Terre ne mettait, par définition, qu'une année pour accomplir son périple autour du Soleil, Mars, qui était 1,5 fois plus éloignée, mettait 1,9 fois plus longtemps, tandis que Jupiter, à une distance 5,2 fois supérieure, aurait une « année » de 11,9 ans.

Pourquoi la Lune ne tombe-t-elle pas vers la Terre?

Si Kepler pouvait décrire les mouvements des planètes par des lois mathématiques bien précises, le problème que Tycho s'était posé en supprimant les sphères cristallines restait entier. Qu'est-ce qui maintenait les planètes sur leurs orbites elliptiques? Pourquoi ne tombaient-elles pas vers le Soleil? Quelle était la cause de leurs mouvements puisqu'il n'y avait plus d'anges pour les pousser? Pourquoi accéléraient-elles près du Soleil et décéléraient-elles loin de celui-ci? Kepler croyait en des forces magnétiques émanant du Soleil qui maintenaient les planètes sur leurs orbites. Ces forces décroissaient loin du Soleil, ce qui entraînait le ralentissement des planètes, et augmentaient près du Soleil, en accélérant leur mouvement. Kepler faisait fausse route. Ce qui fut brillamment démontré par un Anglais du nom d'Isaac Newton, né l'année même de la mort de Galilée, soit trente-six ans après la disparition de Kepler. Grâce à lui, la gravité fit une entrée fracassante dans l'univers scientifique.

En l'an 1666, le jeune Newton, âgé de vingt-trois ans, venait d'obtenir son diplôme de l'université de Cambridge. Pour échapper à l'épidémie de peste qui sévissait alors, il s'était réfugié dans la maison de sa mère, dans le Lincolnshire. Pendant les deux années

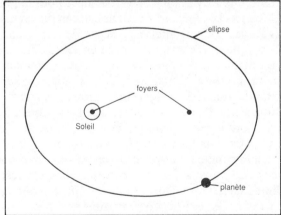

Fig. 9.

L'ellipse de Kepler. Kepler (dont le portrait est montré dans la figure du haut) découvrit que les orbites planétaires n'étaient pas circulaires mais elliptiques, avec le Soleil à l'un des foyers de l'ellipse (fig. du bas).

de sa retraite campagnarde forcée, Newton changea le visage de l'univers. Il inventa le calcul infinitésimal, fit des découvertes fondamentales sur la nature de la lumière et découvrit le principe de la gravitation universelle. Jamais auparavant et jamais depuis, sauf peut-être en l'an 1905, quand Albert Einstein inventa simultanément la relativité restreinte* et l'effet photo-électrique (un effet qui concerne l'interaction de la lumière avec les atomes), l'univers n'avait connu de si grands bouleversements en un laps de temps si court.

La légende dit que Newton eut l'idée de la gravitation universelle en voyant tomber une pomme à ses pieds. Galilée avait déjà essayé, avant Newton, de disséquer les mouvements de chute des objets. Le grand bond conceptuel réalisé par Newton, consista à relier la chute de la pomme dans le verger au mouvement de la Lune autour de la Terre. Newton fit table rase de la distinction aristotélicienne entre ciel et Terre. Pour lui, la Lune, tout comme la pomme, était sujette à une même et seule gravitation universelle. Si la Lune ne tombait pas vers la Terre, tout comme la pomme, c'est qu'il existait une force qui s'opposait à la force de gravité et qui repoussait la Lune de la Terre. Cette force due au mouvement de la Lune sur son orbite, appelée force centrifuge, est exactement égale et opposée à la force de gravité, si bien qu'il n'y a pas de force nette sur la Lune. La gravité ayant été neutralisée, la Lune, même sans sphère cristalline, peut ainsi poursuivre son mouvement autour de la Terre sans tomber.

D'autre part, elle n'avait plus besoin d'anges pour la pousser sur son orbite. Une fois lancée, la Lune continuait son mouvement d'elle-même, sans l'aide d'aucune intervention extérieure. La situation est comparable à celle d'une pomme lancée en l'air. Une fois qu'elle a quitté votre main, elle n'a plus besoin d'aucune intervention pour poursuivre sa trajectoire. Mais, direz-vous, elle s'écrase sur la Terre peu après, tandis que la Lune continue inexorablement son mouvement autour de la Terre. C'est parce que la pomme n'a pas reçu assez d'impulsion de votre main au moment du lancer. Si vous la lanciez de plus en plus fort, elle resterait en l'air de plus en plus longtemps et atterrirait de plus en plus loin. Si vous étiez doué d'une force surhumaine, vous lanceriez la pomme tellement fort qu'à un moment donné la distance de son point de chute serait supérieure au diamètre de la Terre. Elle décrirait ainsi une trajectoire elliptique autour de la Terre et continuerait indéfiniment à tourner autour d'elle. Vous auriez ainsi mis une pomme en orbite. Si vous la lanciez encore plus fort, la pomme décrirait une courbe parabolique ou hyperbolique. Elle échapperait alors à l'influence gravitationnelle de la Terre et irait se perdre dans l'espace infini (fig. 10). En pratique, bien sûr, la gravité de la Terre est trop grande pour que des objets puissent être mis en orbite par des forces humaines. Heureusement, car nous ne voudrions pas polluer l'espace avec des ballons de football ou de rugby! Il faut toute la puissance dégagée par des tonnes de carburant pour placer une navette spatiale en orbite.

L'univers mécanique

Les mouvements, une fois déclenchés, n'avaient donc plus besoin d'intervention divine ou autre. L'univers newtonien était mécanique. Il fonctionnait comme une horloge à ressort qu'on remontait. Une fois remonté, l'univers fonctionnait de lui-même en respectant les lois de la gravitation universelle. Dieu disposait de beaucoup plus de temps libre dans l'univers newtonien que dans l'univers aristotélicien. Au lieu de la vigilance constante qui était nécessaire pour surveiller l'armée d'anges assurant la bonne marche des planètes et autres objets célestes, Dieu n'avait plus qu'à donner un petit coup de pouce à l'univers à son début pour qu'il fonctionnât tout seul par la suite.

Avec la gravitation universelle, Newton put expliquer les caractéristiques des mouvements planétaires découverts par Kepler. La force de gravité était transmise par un milieu appelé éther (bien que très loin de l'éther aristotélicien), un concept vague que Newton ne développa pas. Étant attractive, elle faisait tomber deux objets l'un vers l'autre, et elle devait avoir une relation inverse avec la distance séparant deux objets puisqu'elle devenait plus grande près du Soleil, attirant une planète plus fortement et la faisant accélérer, tandis qu'elle diminuait loin du Soleil avec comme conséquence la décélération et le ralentissement de la planète. En fait, Newton découvrit que la force de gravité devait décroître comme le carré de la distance séparant deux objets. Si un homme et une femme s'éloignent l'un de l'autre à une distance dix fois plus grande, la force d'attraction gravitationnelle entre eux diminue du carré de dix, soit de cent fois. D'autre part, la force gravitationnelle est proportionnelle à la masse de chaque objet. La masse mesure l'inertie d'un objet, sa résistance au mouvement. Il est beaucoup plus facile de pousser une personne qu'un éléphant, la personne étant beaucoup moins massive. Le caillou jeté dans l'air retombe au sol en raison de la force gravitationnelle que la Terre exerce sur lui. Cette force est réciproque et le caillou exerce exactement la même force sur la Terre. Seulement, le déplacement de la Terre vers le caillou est imperceptible parce que la Terre, étant beaucoup plus massive, offre une résistance au mouvement bien supérieure que le caillou. Le caillou tombe vers la Terre et non l'inverse. De même, la Lune tourne autour de la Terre et non le contraire. Il ne faut pas confondre la masse avec le poids. Vous avez du poids parce que la force gravitationnelle de la Terre vous attire vers son centre contre sa surface. Le poids est un mot qui signifie « force gravitationnelle ». Il varie avec le champ de gravité. Si vous pesez 60 kilogrammes sur Terre, vous n'en pèseriez plus que 10 sur la Lune parce que la gravité de celle-ci ne correspond qu'à 1/6 de celle de la Terre. En revanche, votre masse ne changerait pas.

Tout objet attire un autre objet avec une force qui est proportionnelle au produit de leurs masses et inversement proportionnelle au carré de la distance qui les sépare. Avec cet énoncé de la loi de la gravitation universelle, Newton, dans son œuvre maîtresse *Principes mathématiques de la philosophie naturelle,* publiée en 1687, expliqua, outre les orbites planétaires, de quelle manière la Lune était responsable des marées, les orbites « ovales » des comètes et bien d'autres phénomènes naturels. En fait, ce fut pour étudier les orbites des comètes que Edmund Halley, astronome du roi, poussa son ami Newton à publier ses *Principes,* plus de deux décennies après l'année fatidique de 1666. Newton, dans la crainte obsessionnelle de se faire voler ses idées, avait retardé la publication de ses découvertes. Il accusa pendant longtemps le philosophe et mathématicien allemand Leibniz de lui avoir emprunté l'idée du calcul infinitésimal, bien que celui-ci l'ait développé de manière complètement indépendante. Ce fut en appliquant la loi de la gravitation universelle que Halley découvrit que la comète qui porte maintenant son nom suivait une orbite elliptique autour du Soleil et qu'elle revenait visiter l'humanité tous les soixante-seize ans.

Fig. 10.

Les mouvements des objets selon Newton. La photo 10a (d'après une gravure de J.A. Houston, Collection Mansell) montre Isaac Newton en train de faire des expériences sur la lumière : il fut le premier à décomposer la lumière avec un prisme en ses couleurs arc-en-ciel. Il fut aussi le premier à construire un télescope réflecteur (celui qu'on voit sur la table dans le cliché). Mais surtout, il découvrit la loi de la gravitation universelle et quantifia le mouvement des objets. Selon Newton, la trajectoire d'un projectile (ici un obus tiré d'un canon, fig. 10b) dépend de la vitesse initiale avec laquelle il a été lancé. À une petite vitesse, il atterrira non loin du point de lancement (trajectoire A). À une plus grande vitesse, il pourra être mis en orbite elliptique autour de la Terre (le centre de la Terre serait

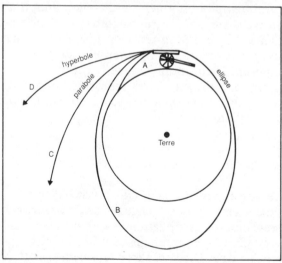

alors à l'un des foyers de l'ellipse B). À une vitesse encore plus grande, le projectile ira se perdre à l'infini en suivant une trajectoire parabolique (C) ou hyperbolique (D).

L'univers déterministe

Le déterminisme fit son entrée dans l'univers scientifique. Les mouvements terrestres et célestes étaient régis par des lois mathématiques rigoureuses et précises qui pouvaient être comprises et utilisées par l'esprit humain. Si une pierre était jetée en l'air, il suffisait de connaître sa position et sa vitesse initiale pour prédire exactement à quel instant, où et avec quelle vitesse elle allait tomber. La pierre n'avait pas d'autre choix que de suivre la trajectoire parabolique qui résultait de la loi de la gravitation universelle.

L'univers infini, d'ordre philosophique et théologique avec Thomas Digges et Giordano Bruno, acquit un statut scientifique avec Newton. L'univers devait être infini car, s'il possédait des limites, il devait y avoir quelque part une position centrale privilégiée. Si c'était le cas, la gravité qui attirait tout ferait s'effondrer vers cette position toutes les parties de l'univers pour y former une grande masse centrale, ce qui n'était pas conforme à l'univers observé. En revanche, dans un univers infini qui ne posséderait ni limites ni position privilégiée, où les étoiles seraient réparties uniformément à l'infini, il ne pourrait pas y avoir de force gravitationnelle nette dans une direction particulière et, par conséquent, aucun risque d'effondrement de l'univers.

A la fin du XVIIe siècle, l'homme qui observait le ciel voyait un univers infini, rempli uniformément d'étoiles, dont il n'était plus le centre. Perché sur une Terre insignifiante, il était perdu dans un univers mécanique et déterministe peuplé d'objets inanimés qui se comportaient selon des lois rigoureuses qu'il pouvait découvrir grâce à sa raison. Dieu, infini comme l'univers, était toujours là, mais beaucoup plus distant. Après avoir créé l'univers et remonté son « ressort », il assistait de loin à son évolution et n'intervenait plus dans les affaires humaines.

L'hypothèse de Dieu n'est pas nécessaire

Ce nouvel univers eut un double effet psychologique avec des résultats diamétralement opposés. L'angoisse de l'infini envahit certains. Blaise Pascal lança son cri de détresse : « Le silence éternel des espaces infinis m'effraie », et se réfugia dans le jansénisme pour tenter de se rapprocher de ce Dieu qui s'était tellement éloigné. Mais, pour la plupart, la pensée que la raison humaine pouvait pénétrer le secret de Dieu et déchiffrer les lois qui régissaient l'univers était exaltante. Le XVIIIe siècle fut le siècle des Lumières, l'âge de la Raison. Dieu se retira de plus en plus loin. L'univers, la Nature, selon le terme du XVIIIe siècle, était plus que jamais une machine bien huilée qui marchait toute seule, sans l'aide de Dieu. La raison suprême régnait, reléguant la foi au second plan. Le marquis Pierre Simon de Laplace, qui avait offert à Napoléon Bonaparte une copie de son ouvrage *Mécanique céleste* et qui s'était fait reprocher par ce dernier de ne pas avoir mentionné une seule fois le Grand Architecte, avait répondu d'un ton sec : « Je n'ai pas besoin de cette hypothèse ! » La confiance en la raison humaine était illimitée. L'homme raisonnable pouvait tout faire. Cet optimisme déborda dans toutes les autres sphères de l'activité humaine. L'idée du progrès fit son apparition. L'homme pouvait continuellement s'améliorer et se perfectionner. Il pouvait domestiquer la nature à son profit. Il pouvait parfaire les institutions sociales et politiques. La fin du XVIIIe siècle vit non seulement la révolution industrielle, mais aussi la révolution américaine en 1776 et la révolution française en 1789.

Le XIXe siècle vit une réaction contre l'univers mécanique et déterministe de Newton avec l'avènement du romantisme. Mais l'univers scientifique était bien installé et ne pouvait plus être délogé. La raison humaine continuait à marquer des points. Elle était capable de tout, même de découvrir une nouvelle planète. Uranus, la septième planète que l'astronome anglais William Herschel avait mise en évidence en 1781, montrait des irrégularités dans son orbite autour du Soleil que ne pouvait expliquer la loi de la gravitation universelle si le système solaire ne comptait que sept planètes. En revanche, si l'attraction d'une huitième planète encore plus distante du Soleil était postulée, le mouvement d'Uranus devenait compréhensible. L'astronome français Urbain Le Verrier calcula la position de la planète hypothétique dans le ciel et la huitième planète, qu'on nomma Neptune, fut découverte en 1846 à la position prédite. Neptune n'avait pas été découverte en cherchant dans le ciel à travers un télescope, mais avec un crayon, du papier et la raison humaine. C'était une preuve de plus que la machinerie de l'univers décrite par la loi de Newton fonctionnait très bien.

Délogé de sa place centrale par Copernic, rendu insignifiant dans un univers infini et éloigné de Dieu dans un univers mécanique par Newton, l'homme occidental du XIXe siècle se consolait en songeant à sa filiation céleste. Il était, après tout, le descendant d'Adam et Ève, eux-mêmes engendrés par Dieu. Même en ayant perdu sa place centrale dans l'univers, il était encore l'enfant chéri de Dieu. Charles Darwin, en publiant en 1859 son *Origine des espèces*, ne lui laissa même pas cette consolation. Selon le naturaliste, les origines de l'homme étaient beaucoup moins nobles. Il avait pour ancêtres de

II

De la Voie lactée à l'univers

L'univers du XXᵉ siècle est celui du big bang*. La majorité des cosmologistes pensent maintenant que l'univers a commencé son existence par une énorme explosion à partir d'un état extrêmement petit, chaud et dense, il y a une dizaine de milliards d'années environ. L'émergence de cette nouvelle vision de l'univers a été fulgurante. En un demi-siècle, l'univers statique aux étoiles fixes et immobiles de Newton est devenu un univers dynamique, en expansion, empli de mouvement et de violence. Les « espaces infinis au silence éternel » qui effrayaient Pascal ont été envahis par le bruit et la fureur. Leur immuabilité s'est transformée en une évolution perpétuelle.

La rapidité avec laquelle le nouvel univers s'est imposé est d'autant plus extraordinaire que, au début du XXᵉ siècle, l'étendue de notre Voie lactée*, la galaxie* (du grec *galaktos*, qui signifie « lait ») qui contient notre Soleil et son système solaire, était complètement inconnue. Parler d'autres mondes dans d'autres galaxies, ou de l'univers tout entier, relevait encore de la pure science-fiction. Et pourtant, dans les dernières cinquante années, la cosmologie a vraiment acquis le statut d'une science exacte, c'est-à-dire d'une discipline fondée sur des observations précises et rigoureuses, et non sur de vagues spéculations philosophiques ou métaphysiques. Cet essor est dû avant tout aux gigantesques avancées technologiques des deux siècles derniers pour mieux capturer et enregistrer la précieuse lumière des objets célestes, cette lumière porteuse d'information et moyen privilégié de communication de l'homme avec le reste de l'univers. Dotés d'une confiance inébranlable en la raison humaine et en sa capacité de découvrir et comprendre les lois de la nature, les enfants de Newton et de Voltaire ont inventé et perfectionné avec passion les outils nécessaires pour mieux observer l'univers et satisfaire leur curiosité.

Capturer la lumière

Il fallait d'abord des « yeux » plus grands. Notre œil, avec son diamètre d'à peine un centimètre, est un récepteur de lumière trop petit. Et pourtant c'est un outil déjà extrêmement efficace puisque l'étoile la moins brillante qui soit visible à l'œil nu à la campagne, loin de la lumière aveuglante des villes, par une nuit sans Lune, est déjà 25 millions de fois moins lumineuse que celle de la pleine Lune. Les télescopes sont venus au secours de l'œil nu. Ils nous ont aidés de deux façons. D'une part, ils agrandissent les images, nous permettant une vue plus détaillée, et, d'autre part, ils collectent plus de lumière, nous permettant de voir des objets moins lumineux. Galilée fut le premier à braquer un télescope vers le ciel en 1609. Et, déjà, son petit télescope avec une lentille d'une dizaine de centimètres de diamètre lui révélait les détails des montagnes lunaires et les satellites de Jupiter. En permettant de voir des objets de près d'un millier de fois moins lumineux, le télescope permit à Galilée de faire passer le nombre d'étoiles visibles dans la Voie lactée de quelques milliers à quelques millions.

La quête du plus grand détail et du moins lumineux s'est poursuivie inlassablement. Les diamètres des télescopes n'ont cessé d'augmenter. L'un des plus célèbres bâtisseurs de ces temples du XXe siècle fut l'astronome américain George Hale, qui construisit les plus grands télescopes de son temps. Il avait le don de convaincre les puissants de ce monde de financer ses projets. Ainsi, Charles Yerkes, qui s'était enrichi en vendant des tramways à Chicago, finança en 1897 la construction d'un télescope de 1 mètre au Wisconsin. Ce télescope reste aujourd'hui le plus grand réfracteur du monde, rassemblant la lumière grâce à une lentille, tout comme le télescope de Galilée. Mais l'époque des réfracteurs fut vite révolue. Les lentilles de plus de 1 mètre de diamètre devinrent trop encombrantes, de par leur poids et leur épaisseur. Commença alors le règne des télescopes réflecteurs où la lumière était capturée par un grand miroir en forme de paraboloïde. Cette fois, la providence apparut en la personne d'Andrew Carnegie, un magnat de l'acier. Avec son aide financière, Hale fit construire sur le mont Wilson, sous le beau ciel de la Californie du Sud, deux télescopes, un de 1,5 mètre de diamètre en 1908 et un autre plus grand de 2,5 mètres de diamètre en 1922, qui allaient bientôt changer le visage du monde. Mais Hale ne pouvait s'arrêter là. Il rêvait d'un télescope plus grand encore, de 5 mètres de diamètre, avec lequel il pourrait voir des objets si peu lumineux qu'ils seraient aux confins mêmes de l'univers. La légende dit que Hale reçut un beau jour, dans les années trente, un coup de téléphone de John Rockfeller, fondateur de la Standard Oil et magnat du pétrole. Ce dernier avait lu un article de vulgarisation dans un magazine où Hale décrivait son rêve et il lui demanda quel était le coût d'un tel télescope. Hale répondit

environ 2 millions de dollars (de l'époque) et, sans hésiter, Rocke-
feller lui offrit la somme ! Le télescope de 5 mètres inauguré en 1948
et perché en haut d'une autre montagne sud-californienne, le mont
Palomar, resta jusque dans les années soixante-dix, le plus grand
réflecteur du monde. Équipé d'instruments modernes, il permet de
voir des objets 40 millions de fois moins lumineux que l'étoile la
plus faible distinguable à l'œil nu.

Aujourd'hui, les dômes de plus d'une dizaine de télescopes de
diamètre supérieur à 3 mètres, éparpillés dans le monde entier sur
des cimes de montagnes éloignées de la civilisation et de la lumière
des villes, de l'Arizona à Hawaii, de la Californie au Chili, ouvrent
leurs fentes par chaque nuit claire, pour capturer la lumière de l'univers. Et pourtant, la quête n'est pas terminée. Déjà se profilent à
l'horizon les télescopes de 10 à 15 mètres de diamètre. Les miroirs
de ces mastodontes ne pourront plus être d'une seule pièce. Un
miroir monolithe d'une telle dimension serait tellement lourd qu'il
ne pourrait conserver la forme paraboloïdale nécessaire pour assurer une bonne qualité de l'image. Ces nouveaux télescopes seront
multi-miroirs. Ils constitueront la somme de plusieurs télescopes,
chacun de 4 à 8 mètres de diamètre, et nous permettront de voir
des objets environ 10 fois moins lumineux que ne le permet le télescope de Palomar (fig. 11).

Conserver la lumière

Après avoir déployé tant d'efforts pour capturer la lumière se posait
le problème de la retenir prisonnière. Il s'agissait d'enregistrer l'image
formée pour la conserver et l'étudier. Il ne fallait pas se contenter
de regarder à travers le télescope, de transmettre l'image à la rétine
de l'œil qui l'enverrait par des nerfs optiques au cerveau, avec pour
tout résultat l'impression d'une belle image entrevue. Et pourtant,
les premiers astronomes ne purent faire mieux. Pour fixer en
mémoire ces images, Galilée dut allier son grand talent d'astronome
à celui non moins considérable de dessinateur pour effectuer de très
beaux dessins de ses observations. La situation trouva son dénoue-
ment avec l'invention de la photographie par le Français Nicéphore
Niepce en 1826. Désormais, des milliers d'étoiles pouvaient être
fixées en images sur une seule plaque de verre. En permettant d'accumuler et d'emmagasiner la lumière pendant des heures sur une
grande surface, la plaque photographique renforça le pouvoir du
télescope de voir des astres toujours moins lumineux et permit enfin
l'étude systématique du ciel. Elle s'imposa dans les observatoires

jusque dans les années soixante-dix, puis fut supplantée par le détecteur électronique. Ce dernier, bien plus sensible encore, pouvait accumuler en une demi-heure autant de lumière qu'une plaque photographique en une nuit entière.

Décomposer la lumière

Nous connaissons tous l'arc-en-ciel, cette arche multicolore qui surgit parfois dans le ciel pendant une averse à l'opposé du Soleil. Son secret fut percé par Newton dès 1666, l'année fatidique où il se réfugia à la campagne pour échapper à la peste. C'est le passage de la lumière solaire blanche à travers des gouttelettes de pluie qui nous offre ce merveilleux festival de rouge, orangé, jaune, vert, bleu, indigo et violet. Les gouttelettes de pluie, agissant comme des prismes de verre, décomposent la lumière solaire en ses différentes couleurs.

De même que la pluie décompose la lumière solaire en arc-en-ciel pour notre plus grand plaisir, l'astronome décompose avec un spectroscope la lumière des objets célestes capturée par les télescopes, pour l'analyser. Cet instrument développé au début du siècle par l'Allemand Fraunhofer allait bientôt révéler la composition chimique et le mouvement des étoiles et des galaxies. Ainsi peut se résumer l'activité de l'astronome : ayant capturé la lumière céleste avec de grands télescopes, il l'enregistre sur des plaques photographiques ou des détecteurs électroniques et l'analyse en la décomposant avec un spectroscope.

Fig. 11.

Les grands télescopes du futur. Les grands télescopes du futur ne seront plus faits d'une seule pièce. Ils posséderont des miroirs multiples, leurs dimensions considérables rendant difficile et extrêmement coûteuse la construction d'un télescope monolithe. La photo du haut montre le télescope à miroirs multiples en Arizona, aux États-Unis. Ce télescope est déjà opérationnel. Il est composé de six petits miroirs de 1,8 mètre de diamètre chacun. Il équivaut à un télescope monolithe de 4,5 mètres de diamètre, bien que sa construction soit beaucoup moins onéreuse (photo, Smithsonian Institution). En bas, une conception d'artiste du projet du très grand télescope européen, composé de 4 télescopes de 8 mètres de diamètre chacun, et qui équivaudra à un télescope monolithe de 16 mètres de diamètre. Les dômes qui protègeront les télescopes ne seront plus les structures traditionnelles en brique et en acier, mais des structures en plastique qui pourront se replier complètement pour faciliter les obser-

vations. Ce télescope sera construit dans les années quatre-vingt-dix par l'Observatoire européen austral, un consortium astronomique de huit pays européens, comprenant l'Allemagne fédérale, la Belgique, le Danemark, la France, l'Italie, les Pays-Bas, la Suède et la Suisse (photo, European Southern Observatory).

Les nouvelles lumières

Mais cette définition correspond-elle toujours bien à l'astronomie contemporaine ? Je parlais plus haut de l'astronomie visible, de la lumière à laquelle nos yeux sont sensibles. Or, il existe toute une gamme de lumières possibles dont la lumière visible n'occupe qu'une toute petite partie. Il y a d'abord la lumière gamma et la lumière X. Celles-ci sont tellement énergétiques qu'elles traversent facilement la paroi de votre corps. Vous avez certainement vu les photographies de vos poumons prises avec la lumière X pour dépister la tuberculose. Vient ensuite la lumière ultraviolette qui est moins énergétique, mais assez cependant pour causer des brûlures cutanées, détruire les cellules et causer un cancer si vous en recevez trop. Se succèdent enfin, par ordre d'énergie décroissante, la lumière visible qui nous est familière, la lumière infrarouge, la lumière micro-onde (celle de vos fours à micro-onde) et la lumière radio, qui est la moins énergétique de toutes les lumières. C'est elle qui transmet les sons et les images de la station émettrice à votre poste de radio ou de télévision pour vous permettre de capter votre programme favori (voir la note quantitative n° 1).

Parmi tous ces choix possibles, est-il raisonnable de supposer que l'univers n'ait choisi que la lumière visible pour émettre ses signaux ? Cela paraît bien invraisemblable et anticopernicien. Après tout, le fait que l'œil humain ne soit sensible qu'au visible est une simple conséquence de l'évolution biologique darwinienne. Une grande partie de la lumière solaire que l'atmosphère terrestre laisse passer est de nature visible, et la nature nous a munis d'yeux sensibles à cette lumière pour faciliter l'évolution de l'espèce humaine. Mais il ne faut pas s'attendre à ce que l'univers tienne compte de la nature de nos yeux. En fait, le Soleil lui-même émet toutes les lumières, mais en moindre quantité que la lumière visible. L'atmosphère terrestre nous protège des rayons très énergétiques du Soleil comme les rayons X ou ultraviolets afin de faciliter le développement de la vie (cette protection des rayons ultraviolets n'est pas totale, comme peut en attester toute personne qui a été brûlée en prenant un bain de soleil exagérément prolongé).

Il est clair que le fait de se cantonner dans la lumière visible nous donnerait une vision bien incomplète et pauvre de l'univers. Pour vous en convaincre, imaginez que, tout d'un coup, vos yeux ne soient plus sensibles qu'à une seule couleur, disons le bleu. Votre vision du monde serait bien incomplète. Bien sûr, vous verriez encore le ciel bleu et la mer azurée. Mais le vert des arbres, les roses parfumées, les coquelicots champêtres et les papillons multicolores disparaîtraient de votre monde, ce qui serait bien dommage.

Ainsi, l'astronome moderne s'est procuré de nouveaux yeux. Le développement des radars, pendant la Seconde Guerre mondiale, a donné naissance, dans les années cinquante, à la radio-astronomie. L'essor de l'astronautique et la conquête de l'espace dans les années soixante permirent d'aller au-delà de l'atmosphère terrestre et de visionner enfin l'univers en rayons gamma, X, ultraviolets ou infrarouges, grâce à des télescopes juchés sur des ballons, fusées ou satellites. Bientôt, la navette spatiale américaine mettra en orbite le télescope spatial de 2,5 mètres de diamètre fonctionnant dans l'ultraviolet, le visible et l'infrarouge. Ce télescope permettra de voir des astres cinquante fois moins lumineux et avec dix fois plus de détails que les plus grands télescopes au sol. Commandé du sol, il sera visité tous les trente mois environ par la navette spatiale pour réparer ou remplacer les instruments scientifiques défectueux. Au besoin, il pourra être ramené au sol pour une complète remise à neuf (fig. 12).

Les limites de la Voie lactée

Armés de nos télescopes, plaques photographiques et spectroscopes, partons maintenant à la découverte de l'étendue de l'univers. Les dimensions du système solaire étaient bien connues dès la fin du XIXᵉ siècle. Les distances entre les planètes avaient été déterminées selon le principe des parallaxes, décrits plus haut à propos de la découverte de la rotation de la Terre autour du Soleil par Copernic. Tout objet céleste proche semble changer de position par rapport aux étoiles lointaines quand il est observé de deux endroits différents. Il suffisait de photographier simultanément les planètes de deux observatoires distincts. Ces derniers devaient être éloignés l'un de l'autre (de préférence sur deux continents différents), car le changement de position apparent est d'autant plus important et donc d'autant plus facile à mesurer que la distance entre les deux observatoires (appelée ligne de base) est plus grande (fig. 13). Une fois la parallaxe (l'angle correspondant au changement de position) mesurée, la distance à la planète est obtenue par un simple calcul trigonométrique en utilisant la distance connue entre les deux observatoires.

Ces efforts firent apparaître que la lumière du Soleil mettait environ 8 minutes pour nous parvenir, que ce dernier se trouvait à 8 minutes-lumières — soit 147 millions de kilomètres — de la Terre et que Neptune, la planète découverte par de savants calculs, était à 4

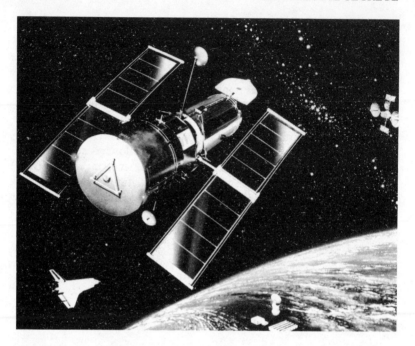

Fig. 12.

Le télescope spatial. Le télescope spatial, de 2,4 mètres de diamètre, baptisé du nom du découvreur de l'expansion de l'univers, Edwin Hubble. Sa
mise en orbite par la navette spatiale américaine est prévue pour 1990
(il devait être mis en orbite durant l'été 1986, mais l'explosion malencontreuse de Challenger a tout retardé). Étant capable d'observer dans
l'espace, au-dessus de l'atmosphère terrestre, ce télescope permettra de
voir 7 fois plus loin et avec 10 fois plus de détails que les plus grands
télescopes optiques au sol. Il permettra de remonter le temps jusqu'à
l'époque de la naissance des galaxies, quelques milliards d'années après
le big bang. Le télescope spatial sera commandé du sol, et on prévoit
qu'il sera opérationnel pendant au moins une quinzaine d'années. La
navette spatiale le visitera tous les trente mois environ, et les astronautes auront pour mission de réparer ou de remplacer les instruments scientifiques défectueux ou périmés. Il sera même possible de ramener le
télescope entier au sol pour une complète remise à neuf avant de le remettre en orbite (photo, NASA).

heures-lumières. Mais à quelle distance se trouvaient les « innombrables » étoiles vues par Galilée dans la Voie lactée, et que les plaques photographiques attachées au foyer de télescopes toujours plus
grands multiplièrent à souhait dans les siècles qui suivirent ? Existait-
il une limite à la Voie lactée ? Ou s'étendait-elle indéfiniment en
remplissant l'univers newtonien sans limites, peuplé uniformément

d'étoiles? Quelle était la forme de la Voie lactée? Sphérique ou aplatie? Les réponses n'étaient pas évidentes. L'univers nous apparaît en deux dimensions sur la voûte céleste comme un paysage sur une vaste toile où le peintre aurait oublié toute règle de perspective. L'observation directe ne donne pas la troisième dimension, la profondeur de la scène cosmique.

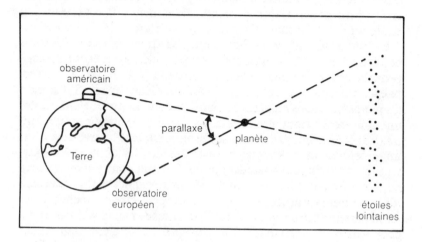

Fig. 13.

La mesure des distances aux planètes. Les positions d'une planète par rapport aux étoiles lointaines, mesurées simultanément de deux observatoires distincts, diffèrent d'un petit angle appelé parallaxe. Cet angle est d'autant plus grand que les observatoires sont plus éloignés l'un de l'autre et que la planète est plus proche. Ainsi, la mesure de l'angle et la connaissance de la distance des deux observatoires permettent de déduire la distance à la planète.

Un disque mince aplati

Il y eut, bien sûr, des esprits courageux pour spéculer sur la nature de la Voie lactée qui constituait, jusqu'à nouvel ordre, l'univers tout entier. Pour l'Anglais Thomas Wright, en 1750, l'univers était une mince couche d'étoiles prise en sandwich entre deux sphères concentriques, avec Dieu trônant au centre des sphères. L'univers de Wright était plus mystique et philosophique que scientifique, et il en proposa plusieurs versions qui se contredisaient les unes les autres. Mais il découvrit un aspect essentiel de la Voie lactée que tout homme de raison observant la nuée jaunâtre au-dessus de sa tête, par une belle nuit d'été, peut reconnaître. Wright avait très justement remarqué que la distribution des étoiles dans le ciel n'était pas uniforme, et que le Soleil et la Terre devaient se trouver dans une couche très mince d'étoiles. Un habitant de la Terre qui regarde le ciel dans une direction tangente à cette mince couche sphérique voit une multitude d'étoiles sur sa ligne de visée, ayant un peu l'aspect d'une grande bande jaunâtre projetée dans le ciel. En revanche, s'il dirige son regard perpendiculairement à la couche mince, en dehors de la bande jaunâtre, il ne voit que très peu d'étoiles.

Le philosophe allemand Emmanuel Kant, en reprenant les idées de Wright en 1775, comprit que la forme sphérique n'était pas indispensable pour expliquer l'apparence de la Voie lactée. L'univers passa d'une mince couche sphérique à un disque aplati. S'inspirant du mouvement des planètes autour du Soleil, il attribua aux étoiles un mouvement circulaire dans le plan du disque autour de son centre. Les étoiles semblaient fixes au firmament, leur mouvement étant imperceptible tant elles étaient distantes. Le disque de la Voie lactée n'était pas infini, il avait des limites. Il devait donc y avoir d'autres mondes bien au-delà de ces limites, similaires au nôtre. Ces « univers-îles », comme Kant les nommait, étaient peut-être ces taches nébuleuses aux formes de spirales que l'astronome anglais William Herschel venait de découvrir. Ces spéculations étaient tout à fait remarquables, tant elles sonnent juste dans l'univers d'aujourd'hui.

Mais l'intuition géniale ne suffisait pas. William Herschel, musicien qui abandonna son métier pour étudier la musique des cieux et découvreur de la planète Uranus, fut le premier à tenter de mesurer scientifiquement l'étendue de la Voie lactée dans les années 1780. Il ne put y parvenir, faute de connaître les distances aux étoiles, mais essaya vaillamment de déterminer sa forme en comptant les étoiles dans différentes directions du ciel. La Voie lactée serait plus étendue dans des directions comptant un nombre élevé d'étoiles que dans des directions où les étoiles seraient moins nombreuses. Cette méthode ne pouvait donner de résultats probants que si les étoiles avaient à peu près toutes la même luminosité, si elles étaient uniformément distribuées dans l'espace, si elles pouvaient être vues jusqu'aux bords de la Voie lactée et, enfin, s'il n'y avait rien dans la Voie lactée pour absorber leur lumière, toutes conditions que nous savons aujourd'hui ne pas être réalisées. Les étoiles peuvent être 10 fois moins ou 100 000 fois plus lumineuses que le Soleil. Elles ne sont pas réparties uniformément dans la Voie lactée et, surtout, des grains de poussières d'étoiles absorbent leur lumière, les empêchant d'être vues jusqu'aux bords de la Voie lactée. Herschel obtint ainsi une Voie lactée de forme aplatie, centrée sur le Soleil ; mais l'absorption de la lumière des étoiles par la poussière lui donna des bords très irréguliers.

Le Soleil n'a rien de spécial

Pour commencer à déchiffrer la mélodie secrète, la fugue cosmique, il fallait à tout prix pénétrer l'univers en profondeur. La mesure des distances au-delà du système solaire commença par les étoiles les plus proches. Les parallaxes vinrent de nouveau au secours de l'observateur. Parce que les étoiles étaient beaucoup plus éloignées que les planètes, la séparation des deux points d'observation devait être bien plus grande également afin que le changement de position de l'étoile proche par rapport aux étoiles lointaines soit mesurable.

Le voyage annuel de la Terre autour du Soleil fut mis à contribution. Les deux observations simultanées à partir de deux observatoires séparés furent remplacées par deux observations successives à deux positions différentes de la Terre sur son orbite. Pour maximiser la distance entre les deux positions successives de la Terre, les plaques photographiques furent prises à six mois d'intervalle (fig. 14). La ligne de base passa ainsi du diamètre de la Terre (de l'ordre de 10 000 kilomètres) au grand axe de l'orbite elliptique de la Terre autour du Soleil (environ 300 millions de kilomètres). Les distances de quelques centaines d'étoiles les plus proches purent ainsi être mesurées. Malheureusement, les parallaxes devenaient de plus en plus petites, et donc de plus en plus difficiles à déterminer à mesure que les distances augmentaient. La méthode des parallaxes ne donnait plus d'informations utiles pour des étoiles se trouvant au-delà d'une centaine d'années-lumières.

Mais, déjà, l'exploration en profondeur de ce petit coin d'univers montrait l'insignifiance du système solaire et le vide extrême de l'espace. La taille du système solaire se mesurait en heures-lumières (Pluton, découverte en 1930, aux confins du système solaire, était de 5,2 heures-lumières de la Terre) tandis que les distances entre les étoiles se comptaient en années-lumières (il y a 8 760 heures-lumières dans une année-lumière). Le ciel était extrêmement vide. L'étoile la plus proche du Soleil ne se trouvait pas à moins de 4 années-lumières, Sirius était à 8 années-lumières et Véga à 22 années-lumières.

Les distances des étoiles proches, combinées avec leurs brillances apparentes, révélèrent leurs brillances intrinsèques, et permirent de régler un vieux contentieux entre Kepler et Newton. Kepler

pensait que Sirius et les autres étoiles étaient beaucoup moins lumineuses que le Soleil tandis que Newton pensait qu'elles l'étaient
autant, hypothèse reprise par Herschel pour déterminer la forme
de la Voie lactée. Parmi les étoiles proches, il y en avait qui étaient
plus brillantes et d'autres moins brillantes que le Soleil. La Terre
n'avait rien de spécial, disait Copernic. La luminosité du Soleil non
plus. Notre étoile était très quelconque.

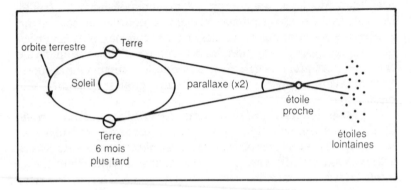

Fig. 14.

La mesure des distances aux étoiles proches. La position d'une étoile
proche par rapport à celles des étoiles lointaines change quand elle est
observée à différents moments de l'année. Ce changement n'est pas dû
à un mouvement réel de l'étoile proche, mais à un effet optique résultant
du changement de perspective dû à la rotation annuelle de la Terre autour
du Soleil. La moitié de l'angle correspondant au changement de position
observé après six mois d'intervalle, quand la Terre se retrouve, dans son
orbite, diamétralement opposée à sa position initiale par rapport au Soleil,
est appelé parallaxe. Cet angle est d'autant plus petit que l'étoile est plus
éloignée. Ainsi, la mesure de l'angle et la connaissance de la distance
Terre-Soleil permettent de déduire la distance à l'étoile proche.

Les étoiles bougent

Le spectroscope entra en scène pour faire reculer encore les limites de l'univers connu. Les étoiles, jusque-là immobiles dans le ciel,
se mirent à bouger. Leur mouvement fut perçu grâce au spectroscope et grâce à une découverte du physicien autrichien Johann Chris-
tian Doppler. Celui-ci découvrit à Prague, en 1842, que le son émis
par un objet en mouvement était plus aigu quand l'objet s'approchait de l'observateur et plus grave quand celui-ci s'en éloignait.
Cet effet Doppler★, nous l'avons tous ressenti quand, debout sur

le quai d'une gare, nous entendons le sifflet aigu d'un train qui entre en gare et celui, plus grave, du train qui s'éloigne. Tout comme le son, la lumière subit un effet Doppler. Quand un objet lumineux s'éloigne de nous, sa lumière devient plus « grave », elle est décalée vers le rouge et perd de l'énergie, tandis que si l'objet lumineux vient vers nous, sa lumière devient plus « aiguë », elle est décalée vers le bleu et acquiert plus d'énergie. Le changement de couleur est d'autant plus grand que la vitesse d'éloignement ou d'approche augmente. Le spectroscope dévoile ainsi le mouvement des étoiles. Il décompose leur lumière, ce qui permet de mesurer le change-ment de couleur et d'obtenir leur vitesse d'éloignement ou d'appro-che (voir la note quantitative n° 1). Si vous avez eu un jour une contravention pour excès de vitesse sur l'autoroute, sachez que vous êtes une victime de l'effet Doppler. Pour mesurer précisément votre vitesse, il suffisait au gendarme, installé avec son radar au bord de la route, de faire réfléchir de la lumière radio sur l'arrière de votre voiture. Le changement de « couleur » ou de fréquence de l'onde radio réfléchie causé par le mouvement de votre véhicule a permis de déterminer exactement la vitesse à laquelle vous rouliez.

Des étoiles qui convergent dans le ciel

Les mesures Doppler des étoiles les plus proches permirent d'éta-blir que, par rapport à ces étoiles, le Soleil se déplaçait à une vitesse de 20 kilomètres par seconde. Il perdit enfin l'immobilité acquise depuis Copernic. Toutes les autres étoiles se mirent aussi à bouger. L'étude des mouvements d'étoiles groupées dans des amas dits galac-tiques* contribua en particulier à faire reculer les frontières de l'uni-vers connu. Ces amas sont des groupements de quelques centaines d'étoiles qui ne semblent pas être liées par la gravité (elles se dis-perseront au bout de quelques centaines de millions d'années), mais qui se trouvent réunies par un accident de naissance : elles sont nées d'un même nuage de gaz interstellaire qui s'est effondré et fragmenté pour leur donner le jour (fig. 15).

Tout comme le Soleil et les autres étoiles, les amas galactiques sont doués de mouvement. Les étoiles, dans un amas, suivent des trajectoires parallèles dans l'espace interstellaire, mais un effet de perspective donne l'illusion qu'elles convergent toutes vers un point unique dans l'espace, appelé « point de convergence* ». Cet effet de perspective nous est familier. Qui n'a pas observé depuis un quai de gare, des voies de chemin de fer parallèles qui semblent toutes converger vers l'horizon (fig. 16). Ce mouvement parallèle des étoiles

Fig. 15.

Un amas galactique d'étoiles dans la Voie lactée. La photo montre les étoiles les plus brillantes de l'amas galactique des Pléiades (les six plus brillantes sont visibles à l'œil nu). Cet amas contient quelques centaines d'étoiles jeunes (vieilles de quelques millions d'années; on a pu en dénombrer deux cent cinquante). Ces étoiles ne sont pas liées par la gravité et se disperseront dans quelques centaines de millions d'années. Si elles sont ensemble, c'est dû à un accident de naissance : elles sont nées d'un même nuage de gaz interstellaire qui s'est effondré et fragmenté en étoiles. La nébulosité entourant les étoiles les plus brillantes est un reste de ce nuage (photo, Hale Observatories).

de l'amas galactique se traduit par un changement de position dans le ciel par rapport aux étoiles plus lointaines. Un changement si minime qu'il faut s'armer d'une grande patience et photographier les étoiles dans l'amas galactique à une dizaine d'années d'intervalle au moins pour que leur mouvement soit perceptible.

Il s'agit maintenant de déterminer la distance à chaque étoile dans l'amas après avoir mesuré son changement de position dans le ciel. Pour cela, il faut connaître le mouvement de notre station d'observation, la Terre, perpendiculaire à la ligne de visée à l'amas. Le principe est simple et vous l'appliquez inconsciemment quand vous regardez défiler le paysage à bord de votre voiture. Les poteaux qui délimitent le champ passent à toute allure, les pommiers alignés dans le champ défilent un peu moins vite et les montagnes situées tout au fond, à l'horizon, semblent à peine bouger. Instinctivement,

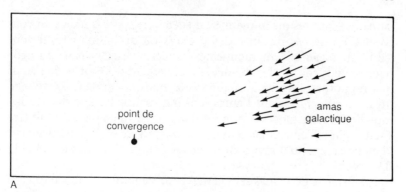

A

B

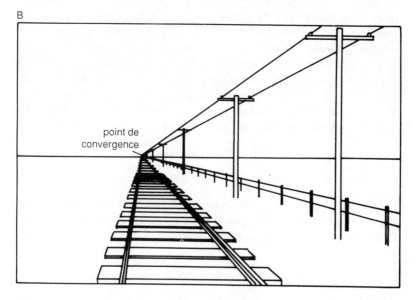

Fig. 16.

La mesure des distances aux amas d'étoiles. Les étoiles d'un amas galactique (comme celui de la figure 15), bien que suivant des trajectoires parallèles dans l'espace, semblent toutes converger vers un point dans le ciel
appelé point de convergence (fig. 16a), tout comme des rails de chemin
de fer parallèles semblent converger à l'horizon (fig. 16b). La connaissance
du point de convergence et des mouvements des étoiles permet de déterminer la distance à l'amas.

vous ordonnez les détails du paysage en fonction de leur vitesse de
défilement devant vos yeux et vous construisez ainsi la perspective
de ce paysage. Les poteaux passent plus vite, donc ils sont au premier plan, tout près de la voiture, tandis que les montagnes, qui

apparaissent presque immobiles, doivent être très lointaines. Si vous voulez estimer la distance des poteaux ou des pommiers, il vous suffit de mesurer leur mouvement apparent et de savoir à quelle vitesse vous roulez. De même, le mouvement des étoiles de l'amas par rapport aux étoiles lointaines et le mouvement de la Terre relatif à chaque étoile dans l'amas sont indispensables à la détermination de leurs distances. Ce mouvement relatif peut être déduit très facilement si l'on connaît le point de convergence* et le mouvement d'éloignement ou d'approche de chaque étoile obtenu grâce à l'effet Doppler.

La distance de l'amas sera la moyenne de toutes les distances des étoiles qui peuvent être mesurées. L'utilisation des amas galactiques — en particulier de l'amas des Hyades*, un des amas galactiques les plus proches — dévoila l'univers jusqu'à environ 1 600 années-lumières*. Au-delà, les mouvements des étoiles dans les amas par rapport aux étoiles lointaines deviennent si minimes qu'ils ne sont plus mesurables, même après une attente de plusieurs dizaines d'années. Grâce à cette méthode, cependant, l'univers connu devenait 2,5 millions de fois plus grand que le système solaire. La Terre se perdait de plus en plus dans l'immensité cosmique.

Les étoiles variables et la clef des cieux

Les limites de la Voie lactée n'étaient toujours pas atteintes. Les étoiles semblaient toujours se perdre à l'infini et défiaient la capacité de l'homme à mesurer leur distance. Les portes de l'univers

Fig. 17.

Les nuages de Magellan. La photo d'en haut montre le grand nuage de Magellan et celle d'en bas le petit nuage de Magellan, ainsi appelés parce qu'ils ont été « découverts » par le navigateur Magellan (uniquement visibles de l'hémisphère Sud, les nuages ont déjà été mentionnés dans les mythologies des aborigènes australiens et des insulaires du Pacifique Sud). Ces nuages sont en réalité deux galaxies naines irrégulières qui tournent en orbite autour de la Voie lactée à une distance de 150 000 années-lumières. Les nuages de Magellan ont joué un rôle primordial dans l'histoire de la découverte des galaxies. C'est en étudiant les variations de brillance des étoiles céphéides dans les nuages de Magellan que l'astronome américaine Henrietta Leavitt découvrit la relation qui permit de mesurer les distances aux galaxies. Tout récemment, le grand nuage de Magellan a de nouveau occupé le devant de la scène astronomique : le 23 février 1987, il y eut l'explosion d'une étoile en supernova ce qui permit aux astronomes d'examiner de très près la mort d'une étoile (photos, Royal Observatory, Édimbourg).

ne furent vraiment grandes ouvertes que grâce aux recherches d'une jeune astronome, Henrietta Leavitt, qui travaillait à l'université Harvard en 1912. Elle avait reçu pour mission d'étudier les deux grandes taches nébuleuses et diffuses qui ornent le ciel de l'hémisphère Sud, tout comme l'arche de la Voie lactée embellit le ciel de l'hémisphère Nord, et qui émerveillèrent Magellan lorsqu'il franchit l'équateur à bord de son navire. Ces nébuleuses baptisées « nuages de Magellan* » sont, nous le savons aujourd'hui, deux galaxies naines satellites de notre Voie lactée à quelque 150 000 années-lumières (fig. 17). Notre jeune astronome l'ignorait, mais cette connaissance lui importait peu pour son travail : repérer les étoiles qui montraient des variations de luminosité dans les nuages de Magellan en étudiant des plaques photographiques prises à des instants différents. En effet, alors que la majorité des étoiles, comme le Soleil, passaient leur vie tranquillement et ne variaient guère de luminosité pendant des millions, voire des milliards d'années, certaines étoiles appelées « céphéides* », du nom de la constellation où elles furent découvertes, variaient périodiquement en luminosité sur une très courte échelle de temps — quelques jours ou plusieurs semaines (un coup dur de plus porté à l'immuabilité des cieux d'Aristote !). Leavitt s'aperçut que le temps écoulé entre deux maximums de brillance consécutifs (ce temps est appelé « période ») était d'autant plus long que l'étoile céphéide était plus brillante : il y avait donc une relation directe entre la période des variations de lumière d'une céphéide et sa luminosité apparente (fig. 18).

La nuit, juché sur le pont de son bateau, le marin scrute le phare pour éviter d'aller briser la coque de son navire sur les rochers situés près du rivage. La luminosité apparente du phare lui permet d'estimer la distance du bateau par rapport au phare et aux rochers. Ce n'est possible que parce qu'il a une idée de la brillance intrinsèque du phare, et qu'il l'a vu de tout près émettre son puissant faisceau de lumière. De même, la luminosité apparente d'une étoile ne donne aucune information sur sa distance. Une étoile peut sembler faible parce qu'elle est intrinsèquement brillante, mais extrêmement éloignée, ou parce qu'elle est intrinsèquement faible, mais très proche. De même que le marin doit connaître la luminosité intrinsèque du phare pour estimer la distance de son bateau par rapport aux rochers, l'astronome doit connaître la brillance intrinsèque d'une étoile pour déduire sa distance à partir de sa brillance apparente. Pour que la relation de Leavitt soit utile, pour qu'elle indique la distance aux étoiles, il fallait convertir la relation période-luminosité apparente en une relation période-luminosité intrinsèque. Il suffirait alors de mesurer la période (qui indique la luminosité intrinsèque) et la luminosité apparente de toute étoile céphéide pour en déterminer la distance.

Transformer la luminosité apparente en luminosité intrinsèque nécessite la connaissance des distances à quelques étoiles céphéides proches. Les méthodes traditionnelles de calcul de distances, celles des parallaxes* ou du point convergent dans les amas, furent employées. Il n'y avait pas d'étoile céphéide* dans la Voie lactée qui fût assez proche (à moins de 100 années-lumières) pour que sa distance pût être déterminée directement par la méthode des parallaxes. Il n'y avait pas non plus d'amas galactiques* contenant des étoiles céphéides qui fussent assez proches pour que la méthode du point convergent* pût leur être appliquée. Il fallut donc passer par

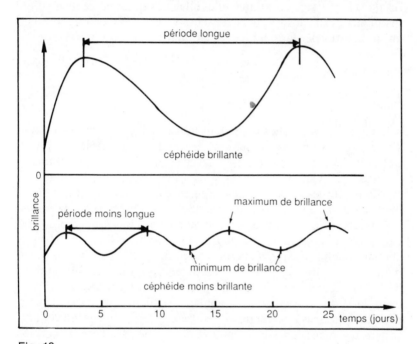

Fig. 18.

Les étoiles céphéides, phares cosmiques. Les étoiles céphéides ont une lumière qui varie épisodiquement de façon très particulière : le temps écoulé entre deux maximums, ou minimums, de brillance consécutifs — qu'on appelle période — est d'autant plus long que l'étoile céphéide est plus lumineuse. Cette extraordinaire propriété permet aux céphéides de servir de phares cosmiques pour mesurer les distances aux galaxies qui les contiennent. Il suffit de mesurer la période de la variation de lumière de l'étoile céphéide pour obtenir la brillance intrinsèque de cette dernière. Cette brillance intrinsèque, combinée avec la brillance apparente observée, indique la distance.

une étape intermédiaire. La distance de l'amas des Hyades fut déterminée par la méthode du point convergent*. Celle d'amas galactiques* plus lointains, mais contenant des céphéides, put être ensuite déduite en supposant que la luminosité intrinsèque des étoiles de ces amas était la même que dans l'amas des Hyades. Une fois les distances de ces amas connues, la luminosité intrinsèque des céphéides qui y sont contenues fut déterminée.

Cette étape fut franchie dès 1916 et les astronomes possédèrent enfin la clef des cieux. Les étoiles céphéides étaient intrinsèquement brillantes et pouvaient être vues de très loin, jusqu'à une quinzaine de millions d'années-lumière, à des distances cinq cents fois plus grandes que celles atteintes par les amas galactiques. Tels des phares dans le paysage cosmique, elles allaient guider notre navigation jusqu'aux bords de la Voie lactée, et même au-delà. L'univers allait enfin être révélé dans toute son immensité et dans toute sa profondeur.

Le Soleil perd sa place centrale

Les phares cosmiques qu'étaient les céphéides allaient être utilisés à bon escient par l'astronome américain Harlow Shapley. Celui-ci, qui travaillait dans les années vingt avec le télescope de 1,5 mètre construit par Hale sur le mont Wilson, en Californie du Sud, tentait de percer les secrets d'un autre genre de groupement d'étoiles, les amas globulaires*. A l'inverse des amas galactiques à la forme irrégulière, et où les quelques centaines d'étoiles ne sont pas liées par la gravité, les amas globulaires ont une belle forme sphérique et contiennent quelques centaines de milliers d'étoiles liées ensemble par la gravité (fig. 19). Il en existe environ une centaine autour de la Voie lactée. Se servant des phares céphéides, Shapley détermina la distance des amas globulaires et leur distribution dans l'espace. Les amas globulaires vinrent se disposer en un grand volume sphérique, mais, fait surprenant, le centre de la sphère ne correspondait pas à la position du Soleil, il se trouvait à quelques dizaines de milliers d'années-lumière dans la direction de la constellation Sagittaire.

Le fantôme de Copernic faisait une fois de plus son apparition. Se pouvait-il que le Soleil ne soit pas au centre de l'univers ? Shapley décida que c'était la seule solution possible pour rendre compte de la distribution des amas globulaires. Le Soleil, au lieu d'être au centre de la Voie lactée, fut relégué dans sa lointaine banlieue. Après être devenu moyennement brillant, le Soleil se retrouvait à une place

Fig. 19.

Un amas globulaire de la Voie lactée. La photo montre l'amas globulaire nommé 47 Tucanae, un ensemble sphérique d'environ 100 000 étoiles vieilles, liées par la gravité. Le diamètre de l'amas globulaire est d'environ 300 années-lumières. La densité des étoiles augmente graduellement vers le centre de l'amas, et elle est tellement grande dans sa partie centrale que les étoiles ne sont plus perceptibles séparément. C'est en étudiant la répartition spatiale des amas globulaires autour de la Voie lactée que l'astronome américain Harlow Shapley comprit que le Soleil ne pouvait être au centre de notre galaxie (photo, Cerro-Tololo Observatory).

tout à fait ordinaire. En supposant que le système des amas globulaires délimitait la Voie lactée, Shapley attribuait un diamètre de 300 000 années-lumières à la galaxie, et plaçait le Soleil à une distance de 50 000 années-lumières du centre galactique. Nous savons maintenant que ces valeurs sont exagérées. Shapley, tout comme Herschel, ne pouvait réaliser que les poussières d'étoiles absorbaient la lumière des céphéides et les rendaient moins brillantes. Ce qu'il attribua à un effet de distance était en fait dû à l'absorption de la lumière par la poussière.

Dans l'univers tel qu'on le conçoit aujourd'hui, la Voie lactée a la forme d'un disque de 90 000 années-lumières de diamètre. Ce disque est très mince, son épaisseur n'étant que le centième de son diamètre, et les quelques centaines de milliards d'étoiles qui le composent tournent toutes autour du centre du disque, le centre galactique (fig. 20). Le Soleil est aux deux tiers du rayon de ce disque vers le bord, à une distance de 30 000 années-lumières du centre galactique. Il entraîne le système solaire à une vitesse de 230 kilomètres par seconde à travers l'espace, dans son périple autour du centre galactique, qu'il accomplit tous les 250 millions d'années. Depuis sa naissance, il y a 4,6 milliards d'années, le Soleil a accompli 18 fois le tour de la Voie lactée.

Un univers extragalactique

Les limites de la Voie lactée étaient enfin atteintes. La taille du système solaire s'était réduite à un milliardième de celle de la galaxie. Les efforts accomplis avaient été prodigieux, car mesurer l'étendue de la Voie lactée depuis notre petit coin de Terre était à peu près comparable à l'exploit que réaliserait une amibe si elle parvenait à mesurer l'étendue de l'océan Pacifique !

Mais le travail était loin d'être achevé. Une question fondamentale restait sans réponse : l'univers finissait-il avec la Voie lactée ou s'étendait-il bien plus loin ? Existait-il d'autres systèmes comparables au-delà des limites de cette dernière ? Les « univers-îles » de Kant existaient-ils ? Shapley pensait que l'univers se réduisait à la Voie lactée. Les taches nébuleuses dans le ciel devaient y être contenues. Paradoxalement, l'homme qui avait délogé le Soleil de sa place centrale avait oublié le fantôme de Copernic. La place cen-

Fig. 20.

Anatomie d'une galaxie spirale. La figure 20*a* montre les différentes composantes d'une galaxie spirale (et en particulier de la Voie lactée) telles que les verrait un observateur situé dans un plan du disque galactique (on dit que c'est une vue « par la tranche »). Les étoiles jeunes se trouvent dans le disque mince et aplati. Dans la Voie lactée, le Soleil est aussi dans le disque galactique, aux deux tiers du rayon vers le bord. Les étoiles plus vieilles se trouvent dans un ensemble sphérique au centre de la galaxie, appelé bulbe. On les trouve aussi dans le halo qui, avec les amas globulaires, entoure la galaxie.

La figure 20*b* montre une galaxie spirale (NGC 4565) vue par la tranche. La bande sombre qui traverse le disque galactique de part en part est une bande de poussière interstellaire. Elle apparaît sombre parce que la poussière absorbe la lumière visuelle.

La figure 20*c* présente également une galaxie spirale (Messier 51), mais vue cette fois de face (ce que verrait un observateur au-dessus du disque galactique). Le bulbe au centre et les jolis bras spiraux tracés par les étoiles jeunes (les zones brillantes) et la poussière (les zones sombres) sont bien visibles. A l'extrémité d'un bras spiral se trouve une galaxie naine, en interaction gravitationnelle avec Messier 51 (photos, Hale Observatories).

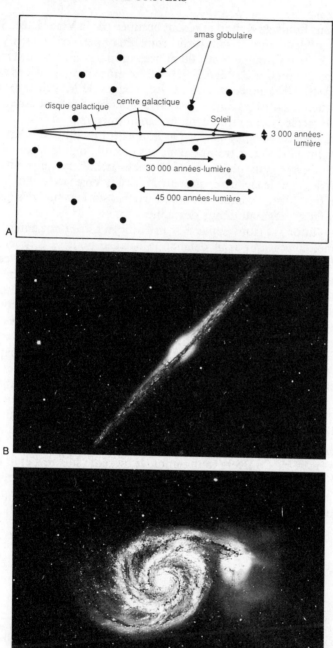

trale dans l'univers était maintenant occupée par la Voie lactée. Shapley avait de bonnes raisons de le croire, étant persuadé que la Voie lactée était très grande (150 000 années-lumière de rayon). Or, la distance des nuages de Magellan obtenue grâce aux céphéides était aussi de 150 000 années-lumière. Les nuages de Magellan et, par conséquent, toutes les autres taches nébuleuses devaient être dans la Voie lactée. Celle-ci était seule dans l'univers.

L'univers de Shapley ne fut pas adopté à l'unanimité. Certains pensaient qu'il s'était trompé dans ses calculs, que la Voie lactée était beaucoup plus petite, que les taches nébuleuses aux formes de spirales dans le ciel n'appartenaient pas à la Voie lactée et qu'elles étaient des galaxies comme la nôtre. Le débat sur la nature des nébuleuses faisait rage au début des années vingt.

La solution fut trouvée par Edwin Hubble, astronome américain et ancien avocat qui avait délaissé le barreau pour se consacrer à l'étude des étoiles. En 1923, utilisant le télescope nouvellement construit sur le mont Wilson, il put décomposer la grande tache nébuleuse dans la constellation d'Andromède* en une multitude d'étoiles dont certaines étaient des céphéides. Celles-ci lui ouvrirent toutes grandes les portes du monde au-delà de notre Voie lactée. Elles donnèrent en effet une distance de 900 000 années-lumière[3] à la tache nébuleuse. Même en se référant à la mesure erronée de Shapley concernant la taille de la Voie lactée (300 000 années-lumière), la nébuleuse était bien au-delà de cette dernière. La nébuleuse d'Andromède était devenue galaxie et sœur jumelle de la nôtre. Le monde se peuplait tout d'un coup d'une multitude de galaxies. Les univers-îles d'Emmanuel Kant devenaient réalité. L'univers s'agrandissait de plus en plus et, bientôt, la Voie lactée allait se perdre dans l'immensité de l'univers tout comme le système solaire s'était déjà perdu dans l'immensité de la Voie lactée. Le fantôme de Copernic avait triomphé une fois de plus. La Voie lactée avait perdu sa place unique.

---

3. En fait, cette distance est trop petite d'un facteur d'environ 2, les céphéides dans Andromède étant intrinsèquement 4 fois plus brillantes que celles situées dans la Voie lactée qui avaient servi à calibrer la relation période-luminosité intrinsèque des céphéides. La vraie distance d'Andromède est de 2,3 millions d'années-lumière.

III

Les acteurs du drame :
les galaxies et le couple espace-temps

Les galaxies fuient

Tout comme les étoiles composent une galaxie, les galaxies composent l'univers. Pour comprendre l'univers, il faut étudier les galaxies. Avec l'aide du télescope de 2,5 mètres du mont Wilson, Edwin Hubble se mit au travail avec acharnement. Il s'agissait d'abord d'examiner le mouvement des galaxies. Le spectroscope* et l'effet Doppler* furent mis à contribution. La lumière décomposée des galaxies confirma vite un fait bien étrange, déjà remarqué en 1923 par l'Américain Vesto Slipher qui travaillait à l'observatoire de Lowell, en Arizona. Sur les 41 galaxies étudiées, 36 montraient un décalage vers le rouge, elles s'éloignaient de la Voie lactée, alors que 5 seulement révélaient un décalage vers le bleu et s'approchaient de la Voie lactée. De toute évidence, le mouvement des galaxies n'était pas désordonné. Si cela avait été le cas, la moitié des galaxies en moyenne auraient dû s'approcher de la Voie lactée, et l'autre moitié s'en éloigner. Or, la majorité des galaxies fuyaient la Voie lactée comme si cette dernière avait la peste.

De plus, ce mouvement de fuite des galaxies était ordonné, il ne se faisait pas complètement au hasard. Après son succès avec la galaxie Andromède, Hubble avait continué ses recherches sur les phares cosmiques, les céphéides, dans d'autres galaxies, pour déterminer la distance de ces « univers-îles ». Armé de ses vitesses, déduites en mesurant le changement de couleur de la lumière décomposée, et de ses distances, Hubble nota en 1929 une relation entre ces quantités qui allait marquer une étape décisive dans la connaissance de l'univers : à savoir que la vitesse de fuite d'une galaxie est proportionnelle à sa distance. (Cette relation est connue sous le nom de « loi de Hubble* ».) Une galaxie deux fois plus distante s'éloignait deux fois plus vite, tandis qu'une galaxie dix fois plus distante fuyait dix fois plus vite. D'autre part, le mouvement de fuite des galaxies était le même dans toutes les directions. Que l'on observât des galaxies en haut, en bas, devant, derrière, à droite, à gauche, le mouvement était toujours le même. C'est ce qu'on nomme un mouvement isotrope. L'univers en expansion était né.

Un univers avec un début

Autre conséquence capitale du fait que la vitesse de fuite d'une galaxie varie en proportion avec sa distance de la Terre, qu'elle fuit d'autant plus vite qu'elle en est éloignée : l'univers a eu un début. En raison de la proportionnalité existant entre distance et vitesse, chaque galaxie a mis exactement le même temps pour parvenir de son point d'origine à sa position actuelle. Si la séquence des événements était inversée, toutes les galaxies se rencontreraient en un seul point au même instant. D'où l'idée d'une grande explosion initiale, le « grand boum » ou, en anglais, le « big bang » donnant lieu à l'expansion actuelle de l'univers.

Supposons que vous êtes au sommet de l'Arc de Triomphe, place de l'Étoile à Paris, contemplant le spectacle grandiose des avenues qui convergent vers vous. Vous remarquez des gens qui font du jogging le long des avenues en s'éloignant de l'Arc de Triomphe et vous vous amusez à estimer les distances et la vitesse des coureurs. Le premier, qui descend l'avenue des Champs-Élysées, est à 10 mètres de l'Arc de Triomphe et court à une vitesse de 1 mètre par seconde. Le deuxième, qui longe l'avenue Foch, est à 20 mètres et court deux fois plus vite, à une vitesse de 2 mètres par seconde. Le troisième, qui dévale l'avenue de la Grande-Armée à toute allure à une vitesse de 5 mètres par seconde, est aussi le plus éloigné, à 50 mètres de l'Arc de Triomphe. Vous remarquez que la vitesse de chaque coureur est proportionnelle à sa distance et vous concluez que 10 secondes auparavant les trois coureurs se trouvaient à l'Arc de Triomphe. De même, l'astronome conclut qu'il y a une dizaine de milliards d'années, toutes les galaxies étaient réunies. Avec le big bang, l'univers n'est plus éternel : il a un commencement. La notion de création, qui avait été introduite dans la pensée cosmologique au XIIIe siècle par le biais de la religion, en la personne de Thomas d'Aquin, trouva ainsi de manière fortuite un support scientifique sept siècles plus tard, au moment où l'on s'y attendait le moins. Après avoir pris des chemins divergents au XIXe siècle, la religion semblait vouloir à nouveau rentrer, sur la pointe des pieds, dans le monde de la science.

Un univers sans centre

Mais, dites-vous, toutes les galaxies s'éloignent de nous, donc la Voie lactée doit être le centre de l'univers. Après avoir délogé la Terre et le Soleil de leurs places centrales, le fantôme de Copernic aurait-il failli à sa tâche? L'homme est-il le centre de l'univers, après tout? Hélas! il nous faut très vite déchanter. L'univers s'est arrangé de telle sorte que les habitants de chaque galaxie voient exactement le même paysage que nous, qu'ils observent tous les galaxies les fuir et qu'il aient tous l'illusion d'être au centre du monde. Parce que tout est centre, l'univers n'a pas de vrai centre. Comment l'univers a-t-il pu jouer ce rôle d'illusionniste et accomplir ce tour de passe-passe magique? Tout simplement en se servant à nouveau du fait que la vitesse de fuite d'une galaxie est proportionnelle à sa distance.

Sur une autoroute, à la tombée de la nuit, une file de voitures quitte Paris. La vitesse à laquelle chaque voiture roule est d'autant plus grande qu'elle est plus éloignée de Paris. Julie n'est qu'à 1 kilomètre de Paris. Sa voiture roule très lentement, à la vitesse de 10 kilomètres à l'heure. Pierre est deux fois plus loin, à 2 kilomètres de Paris, et il conduit à 20 kilomètres à l'heure. Isabelle, à 3 kilomètres, roule à 30 kilomètres à l'heure et Rémi, à 4 kilomètres de Paris, se déplace à 40 kilomètres à l'heure. Supposons maintenant que chaque conducteur est équipé d'un radar et sait utiliser l'effet Doppler pour mesurer la vitesse d'éloignement ou d'approche des autres voitures, et qu'il sait également mesurer leur distance en connaissant la brillance intrinsèque des feux arrière et des phares, et en observant leurs brillances apparentes. Pierre constate que la voiture de Julie, qui est à 1 kilomètre derrière lui, s'éloigne de la sienne à 10 kilomètres à l'heure. Isabelle, à 1 kilomètre devant lui, s'éloigne aussi à 10 kilomètres à l'heure, tandis que Rémi, à 2 kilomètres devant lui, prend de la distance à 20 kilomètres à l'heure. Isabelle observe exactement les mêmes mouvements que Pierre : elle voit Pierre et Rémi à 1 kilomètre de distance s'éloigner à 10 kilomètres à l'heure, tandis que Julie, à 2 kilomètres, creuse son écart à 20 kilomètres à l'heure. Chaque conducteur voit les autres s'éloigner de lui à une vitesse qui augmente de 10 kilomètres à l'heure pour chaque kilomètre de distance (fig. 21). De même, les habitants de chaque galaxie voient toutes les autres galaxies fuir d'eux à une vitesse qui augmente environ de 25 kilomètres par seconde pour chaque million d'années-lumières de distance. Les galaxies ne fuient pas la Voie lactée. Elles se fuient les unes les autres. Notre position n'est pas privilégiée. Le fantôme de Copernic a triomphé une fois de plus.

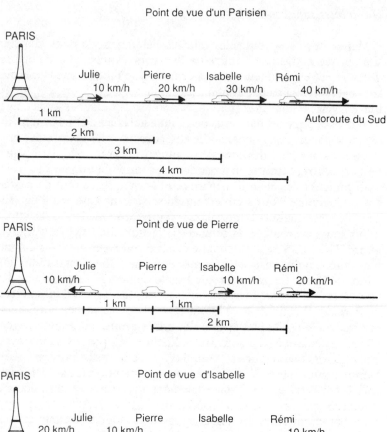

Fig. 21.

La loi de Hubble sur l'autoroute du Sud. Sur l'autoroute du Sud, les voitures roulent d'une façon bien particulière : plus elles sont éloignées de Paris et plus elles vont vite (les galaxies se comportent de la même façon : la loi de Hubble nous dit que plus elles sont éloignées, plus leur vitesse de fuite est grande). N'importe quel conducteur assisterait alors exactement au même phénomène : il verrait les autres le fuir à une vitesse qui augmenterait de 10 kilomètres à l'heure pour chaque kilomètre de séparation. De même, chaque galaxie, dans l'univers, voit les autres galaxies la fuir à une vitesse qui augmente d'environ 25 kilomètres par seconde pour chaque million d'années-lumières de distance. De même qu'il n'y a pas d'observateur privilégié sur l'autoroute du Sud, il n'y a ni centre ni position privilégiée dans l'univers.

Un espace qui se crée

Quand je dis « l'univers est en expansion », il ne faut pas imaginer des milliards de galaxies lancées à toute allure dans un espace vide, immobile et immuable, qui a existé de tout temps, et dont la présence a précédé le big bang. Il ne faut pas se demander où, dans cet espace immuable, peut se trouver ce fameux point où tout a commencé, l'emplacement de l'explosion originelle. La question était peut-être légitime dans l'univers de Newton, mais elle est dépourvue de sens dans l'univers du big bang. L'espace n'existait pas avant le big bang. Depuis l'explosion primordiale, il est en création perpétuelle.

L'espace, dans l'univers de Newton, était statique et immobile. Baigné d'une substance invisible appelée éther, qui transmettait la force de gravité, il n'était qu'une scène de théâtre où se déroulait le drame cosmique avec les acteurs planètes, étoiles et galaxies. L'espace abandonne son rôle passif dans l'univers du big bang. De spectateur, il se mue en acteur dans le drame cosmique. De statique, il devient dynamique. Ainsi, dans le nouvel univers, ce ne sont pas les galaxies qui sont en mouvement dans un espace immobile, mais c'est au contraire un espace en expansion qui entraîne des galaxies au repos avec lui.

Imaginez que vous mettez au four un gâteau aux raisins. A mesure que la pâte gonfle, la surface du gâteau augmente et les raisins incrustés dans la pâte s'éloignent les uns des autres. Ou imaginez que vous soufflez dans un ballon décoré d'étoiles en papier. La surface du ballon qui se gonfle augmente et toutes les étoiles s'éloignent les unes des autres. De la même manière que les raisins sont immobiles dans le gâteau et que les étoiles de papier sont fixées à la surface du ballon, les galaxies sont immobiles dans l'espace. Tout le mouvement vient de la surface du gâteau et de celle du ballon, tout comme c'est l'espace qui est en expansion. Tout comme la vitesse de fuite des galaxies augmente proportionnellement à leur distance, les raisins et les étoiles de papier verront leurs compagnons s'éloigner d'autant plus vite qu'ils sont plus loin.

Au fur et à mesure que le temps s'écoule, l'espace de l'univers, infinitésimal lors de sa création, s'agrandit. Les distances qui séparent les galaxies deviennent de plus en plus grandes. Après une évolution de quelque 15 milliards d'années, depuis l'ère de la formation des galaxies jusqu'à l'époque actuelle, la distance entre deux galaxies quelconques non reliées par la gravité a augmenté d'un millier de fois.

Un espace dynamique

Albert Einstein avait annoncé dès 1915 la fin de l'espace statique de Newton et la naissance de l'espace dynamique dans sa nouvelle théorie de la gravitation universelle, baptisée « relativité générale* ». La Lune tourne autour de la Terre. Selon Newton, elle suit sagement son orbite elliptique grâce à l'équilibre entre deux forces égales et opposées : la force gravitationnelle qui l'attire vers la Terre et la force centrifuge, résultant de son mouvement, qui l'éloigne de la Terre. L'univers newtonien est un monde de forces transmises par une substance mystérieuse appelée éther, qui remplit l'espace passif. Dans le monde einsteinien, les forces disparaissent. Plus besoin d'éther. C'est l'espace devenu actif qui conduit le bal et qui dicte les mouvements. La Lune suit son orbite elliptique parce que c'est la seule trajectoire possible dans l'espace courbé par la gravité de la Terre. Einstein libère l'espace de sa rigidité. L'espace élastique peut s'étirer, se rétrécir, se déformer et se contorsionner à souhait au gré de la gravité. Et c'est la forme finale de cet espace qui dicte les mouvements des objets ou de la lumière qui le traversent. La trajectoire de la lumière qui passe près du Soleil est courbe parce que la gravité du Soleil courbe l'espace qui l'entoure (voir la figure 25). Le trou noir, le résultat de l'effondrement d'une étoile massive (quelques dizaines de masses solaires), qui passe d'un rayon initial de quelques centaines de millions de kilomètres à un rayon final de moins de 20 kilomètres, a une gravité si grande que l'espace se replie sur lui-même, empêchant la lumière de sortir.

Le caractère dynamique de l'espace avait posé à Einstein un grand dilemme. L'espace de l'univers devant être en mouvement, il devait soit être en expansion, soit s'effondrer sur lui-même, tout comme la pierre qu'on jette en l'air doit monter ou descendre. Parler d'un univers statique aurait revenu à dire que la pierre peut rester immobilisée et suspendue dans l'air. Or, tout dans les observations de l'époque indiquait un univers statique. Einstein dut introduire dans sa théorie une force « antigravité » pour neutraliser l'effet de gravité de l'univers responsable du mouvement de l'espace. Cette force antigravité n'est observée ni en laboratoire ni dans les mouvements planétaires, mais elle ne peut être exclue à l'échelle de l'univers. Quatorze ans plus tard, apprenant en 1929 la découverte de l'expansion de l'univers par Hubble, Einstein regretta certainement de n'avoir pas eu davantage confiance en ses équations et de n'avoir pas défendu son univers dynamique plus vigoureusement contre les observations. Il qualifia cette introduction de la force antigravité de « plus grosse erreur de sa vie ».

Un univers sans limites

Que se passerait-il si l'univers avait des limites, si je me plaçais près du bord cosmique et si je lançais un javelot par-delà l'univers ? Le javelot reviendrait-il dans l'univers ou irait-il se perdre dans l'au-delà ? C'est la question que se posait le philosophe grec Archytas de Tarente au IVe siècle av. J.-C. (fig. 22). Vingt siècles plus tard, l'Anglais Thomas Digges et l'Italien Giordano Bruno donnèrent la seule réponse sensée à la question d'Archytas. L'univers ne pouvait pas avoir de limites. La situation décrite par Archytas ne pouvait exister. Il n'y avait ni bord cosmique ni au-delà, et tout javelot lancé se retrouverait nécessairement dans l'univers où son mouvement pourrait être décrit. La géométrie euclidienne régnait, souveraine, dans l'univers de Giordano Bruno. L'espace de cet univers

Fig. 22.

L'univers a-t-il des limites ? Cette gravure du Moyen Âge illustre à merveille la plus vieille des questions : l'univers a-t-il des limites ? Si nous parvenions à regarder de l'« autre côté » (la sphère immobile des étoiles constituant les limites de l'univers médiéval), quelles merveilles découvririons-nous ? Nous savons aujourd'hui que l'univers, fini ou infini, n'a pas de limites (photo, Bibliothèque nationale).

était plat. Dans un tel espace, deux lignes parallèles ne pouvaient jamais se rencontrer et la somme des angles d'un triangle était toujours égale à 180 degrés. Un univers euclidien sans limites était nécessairement un univers infini. Giordano Bruno paya de sa vie sa découverte de l'infinité du monde.

Et pourtant, Giordano Bruno aurait peut-être pu échapper à la hantise de l'infinité et sauver sa vie s'il avait connu l'existence de géométries non euclidiennes. Dans ces géométries, élaborées principalement par le mathématicien allemand Bernhard Riemann au XIXᵉ siècle, l'univers pouvait ne pas avoir de frontières, et rester cependant parfaitement fini. Si cela vous semble impossible, imaginez-vous en Magellan ou en Phileas Fogg, faisant plusieurs fois le tour de la Terre. Vous pouvez faire autant de tours que vous voulez, vous ne rencontrerez jamais de limites. Jamais un mur ou une bordure pour vous barrer le chemin. Et, malgré cela, la surface de la Terre est finie. Cela est possible parce que la Terre n'est pas plate, mais courbe. Euclide perd ses moyens quand il s'agit de décrire une surface courbe. Il faut alors appeler Riemann à la rescousse. Sur la Terre, les lignes parallèles, tels les cercles de longitude, convergent et se rencontrent aux pôles Nord et Sud. La pyramide de Khéops en Égypte, la tour Eiffel à Paris et l'obélisque à Washington, aux États-Unis, définissent les sommets d'un immense triangle sur Terre. Vous vous amusez à mesurer les trois angles de ce triangle et à les additionner. Leur somme est supérieure à 180 degrés. La Terre a une courbure dite « positive ». Cette courbure ne caractérise pas toutes les surfaces. La surface des cols de montagne ou des selles de cheval ont une courbure « négative ». Sur une telle surface, les lignes parallèles divergent et la somme des angles d'un triangle est inférieure à 180 degrés (fig. 23).

Fig. 23.

La courbure de l'univers. Ce schéma illustre par analogie les trois types de courbure que peut posséder l'univers (l'analogie n'est pas parfaite parce que l'espace à trois dimensions de l'univers est illustré par des surfaces à deux dimensions).
  La figure 23*a* illustre la géométrie d'un univers plat à courbure nulle par une surface plane. La géométrie de cette surface a été étudiée par Euclide : par un point, on ne peut tracer qu'une parallèle à une droite, et la somme des angles d'un triangle est de 180 degrés. L'expansion d'un univers plat ne prendra fin qu'après un temps infini.
  La figure 23*b* illustre la géométrie d'un univers à courbure positive par la surface d'une sphère. Cette géométrie a été étudiée par Bernhard Riemann : toutes les droites se rencontrent aux pôles et aucune parallèle ne peut être tracée. La somme des angles d'un triangle est supérieure

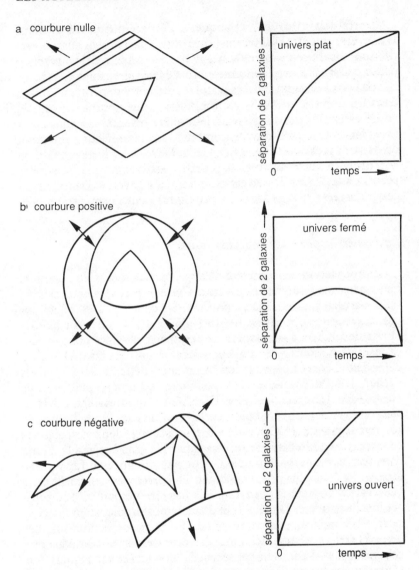

a courbure nulle

univers plat

séparation de 2 galaxies →

0 temps ——→

b courbure positive

univers fermé

séparation de 2 galaxies →

0 temps ——→

c courbure négative

séparation de 2 galaxies →

univers ouvert

0 temps ——→

à 180 degrés. L'expansion d'un univers à courbure positive s'achèvera dans le futur et il s'effondrera sur lui-même. On dit qu'il est fermé.

La figure 23c illustre la géométrie d'un univers à courbure négative par la surface d'une selle de cheval. Cette géométrie a également été étudiée par B. Riemann : par un point donné, on peut tracer une multitude de parallèles à une droite (une parallèle étant définie comme une ligne qui ne rencontre jamais la droite), et la somme des angles d'un triangle est inférieure à 180 degrés. Un univers à courbure négative aura une expansion éternelle. On dit qu'il est ouvert.

Ces résultats peuvent s'appliquer à l'espace à trois dimensions. L'univers peut être plat ou sans courbure. Mais il peut aussi posséder une courbure positive ou négative. En pleine nuit, vous regardez le puissant faisceau de lumière projeté par votre lampe électrique. Si vous vivez dans un univers plat, la lumière ira se perdre à l'infini, dans un univers infini. Si votre univers a une courbure positive, vous verrez l'image du faisceau de lumière revenir vers vous après avoir fait le tour de l'univers, comme Magellan revient à son point de départ après avoir fait le tour de la Terre. L'univers est fini, ou « fermé ». Si votre univers est courbé négativement, la lumière se perdra dans l'infini. L'univers est infini, ou « ouvert ». Dans les trois cas, l'univers est sans limites et Archytas peut dormir tranquille.

La lumière apporte des nouvelles fanées

La propagation de la lumière n'est pas instantanée. Cette dernière met du temps pour nous parvenir. Cette vérité, qui nous semble toute naturelle aujourd'hui, a pourtant été contestée très longtemps par des esprits supérieurs. Aristote (350 av. J.-C.) pensait que les objets devenaient instantanément lumineux dès lors qu'il étaient exposés à une source de lumière. Vingt siècles plus tard, Descartes défendait encore la propagation instantanée de la lumière à travers l'éther. Il fallut attendre 1676 pour que la lumière acquière une vitesse finie. L'astronome danois Olaf Römer, qui travaillait à l'observatoire de Paris, où il étudiait les éclipses d'une des lunes de Jupiter, Io, remarqua que l'intervalle de temps entre deux disparitions consécutives de Io derrière Jupiter était plus grand quand la Terre, dans son orbite autour du Soleil, était plus éloignée de Jupiter que lorsqu'elle était plus proche. Römer interpréta très justement cette observation comme la preuve que la lumière ne pouvait se propager instantanément. Le délai était dû au temps supplémentaire nécessaire à la lumière pour parvenir de Io à la position plus éloignée de la Terre. La vitesse de la lumière évaluée par Römer était proche des 300 000 kilomètres par seconde qu'on lui connaît aujourd'hui. Cette vitesse est environ un million de fois plus grande que celle du son, ce qui explique que, dans un orage, les éclairs vous parviennent bien avant le roulement du tonnerre.

La vitesse de la lumière est la vitesse limite dans l'univers, selon la théorie de la relativité d'Einstein. Elle peut paraître énorme. En une seconde, la lumière fait 7,5 fois le tour de la Terre. Et pourtant, dans l'immensité de l'univers, elle progresse à pas de tortue. Elle ne nous apporte des nouvelles du Soleil qu'après 8 minutes, c'est-à-dire que nous observons le Soleil tel qu'il était 8 minutes auparavant. De même, l'étoile la plus proche du Soleil nous apparaît telle qu'elle était il y a 4,2 années ; la galaxie la plus proche (Andromède), telle qu'elle était il y a 2,3 millions d'années, à l'époque des premiers balbutiements de l'humanité ; l'amas de galaxies★ de la Vierge, tel qu'il était il y a 40 millions d'années, du temps des premiers mammifères terrestres ; et les quasars, ces points lumineux aux confins de l'univers, tels qu'ils étaient il y a une dizaine de milliards d'années, quand le Soleil et la Terre n'étaient pas encore nés. Ces nouvelles, qui nous parviennent de plus en plus loin, sont de moins en moins fraîches. Sur notre îlot du présent déferlent de tous côtés les vagues du passé. L'astronome est un voyageur dans le temps. Grâce à ses télescopes, il remonte le passé de l'univers.

Dix nouvelles galaxies tous les ans

Debout sur le pont de son bateau au beau milieu de l'océan Atlantique, le navigateur scrute la mer. Aucune terre en vue, rien que de l'eau à perte d'horizon. De même que la vue du navigateur est limitée par l'horizon de l'océan, la vision de l'astronome ne peut s'étendre au-delà de l'horizon cosmologique★. Cette limite fondamentale, ce ne sont pas les télescopes qui en sont responsables, mais les facteurs conjugués de la vitesse finie de la lumière et de l'âge de l'univers.

L'univers est né, nous le verrons plus tard, il y a environ une quinzaine de milliards d'années. La surface d'une sphère centrée sur la Terre et d'un rayon de 15 milliards d'années-lumières constitue notre horizon cosmologique. Les régions de l'univers situées en dehors de la sphère n'ont pas encore eu le temps de communiquer avec nous. Leurs nouvelles, transmises par la lumière, ne nous sont pas encore parvenues.

Fini ou infini, l'univers ne nous dévoile que peu à peu son paysage grandiose. A mesure que le temps s'écoule, la sphère-horizon s'agrandit et notre regard peut s'étendre plus loin. Environ dix nouvelles galaxies apparaissent dans notre champ de vision chaque année.

Pourquoi le ciel est-il noir la nuit ?

Les événements les plus simples sont souvent les plus riches en informations. Il suffit de les voir. La chute d'une pomme révéla à Newton les secrets de la gravitation universelle. La nuit noire contient en elle les débuts de l'univers.

En 1610, Kepler s'était déjà interrogé sur le secret de la nuit noire. Si l'univers était infini, se disait-il, le ciel nocturne, quand le Soleil éclaire l'autre côté de la Terre, devrait être aussi brillant que le jour. Un univers infini devrait contenir une infinité d'étoiles aussi brillantes que le Soleil. Comme au milieu d'une forêt dense où la vue est arrêtée par d'innombrables troncs d'arbres, le regard devrait tou-

Fig. 24.

Le paradoxe d'Olbers : pourquoi le ciel est-il noir la nuit ? Heinrich Olbers s'était posé la question suivante en 1823 : pourquoi la nuit est-elle noire ? Si l'univers était infini et rempli d'une infinité d'étoiles, le regard devrait toujours rencontrer une étoile, où qu'il se tourne (fig. 24a) : la nuit devrait donc être aussi claire que le jour. Or, ce n'est pas le cas. (La question aurait été plus correcte si elle avait été formulée en termes de galaxies au lieu d'étoiles. Mais Olbers ne connaissait pas encore l'existence des galaxies.) Nous tenons aujourd'hui l'explication de ce paradoxe : l'univers a eu un commencement, et le nombre de galaxies dont la lumière a eu le temps de parvenir jusqu'à nous n'est pas infini.

Les grands télescopes actuels, équipés de détecteurs électroniques les plus sophistiqués, peuvent détecter des astres très très peu lumineux, donc très lointains, et regarder ainsi très profondément dans l'univers. Ces télescopes révèlent que, à mesure que recule la limite de l'observable, le ciel se couvre de plus en plus de sources lumineuses. Les clichés 24b et 24c (J.A. Tyson) illustrent de manière dramatique la différence dans l'apparence du ciel quand la limite de l'observable est repoussée. Le cliché 24b montre un coin quelconque du ciel dans lequel l'astre le moins lumineux est un million de fois moins brillant que l'étoile la moins lumineuse qui peut être vue à l'œil nu. Seules environ une dizaine d'étoiles et de galaxies sont visibles. Les deux images circulaires près du centre sont des étoiles.

Le cliché 24c montre le même coin de ciel, mais photographié avec une sensibilité beaucoup plus grande : l'astre le moins lumineux est maintenant un milliard de fois moins brillant que l'étoile la moins lumineuse pouvant être vue à l'œil nu. De nouveau, les images les plus brillantes sont celles des deux étoiles près du centre, mais le ciel se couvre presque entièrement de sources lumineuses. On peut en distinguer plus de 1 200 dans le cliché 24c, ce qui correspondrait à environ 150 000 sources lumineuses dans un carré de ciel de 1 degré de côté. La presque totalité de ces sources lumineuses sont des galaxies contenant chacune 100 milliards de Soleils. Une petite fraction ne représente probablement pas des galaxies réelles, mais des galaxies-mirages dont les images sont créées par des galaxies plus proches agissant comme des lentilles gravitationnelles (voir la figure 54). Mais, malgré l'invasion presque totale de la lumière, on peut encore distinguer des endroits dans le cliché 24c dépourvus de galaxies. Ce sont ces endroits qui permettent que la nuit reste noire. Inversement, le seul fait de noter que la nuit est noire indique bien que le nombre de galaxies perçues ne peut croître indéfiniment au fur et à mesure que des télescopes plus puissants perçoivent des astres de moins en moins lumineux, sous peine de recouvrir complètement le ciel de galaxies et de se retrouver à nouveau face au paradoxe d'Olbers.

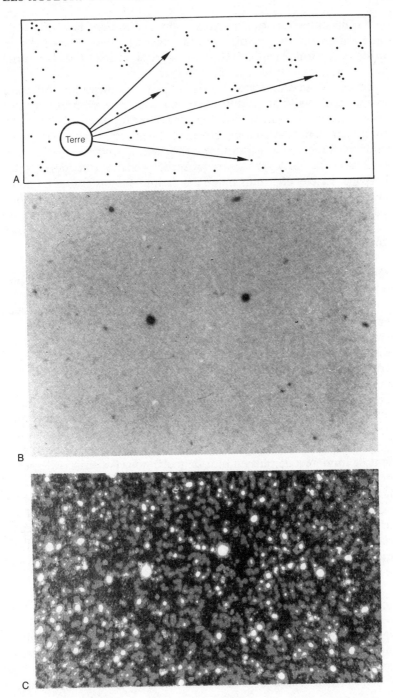

jours, où qu'il se porte, rencontrer une étoile dans la « forêt stellaire » d'un univers infini, et le ciel nocturne devrait posséder la brillance du Soleil (fig. 24). La nuit noire signifiait donc que l'univers n'était pas infini, concluait Kepler.

En 1687, quand Newton reprit la thèse de l'univers infini pour éviter que la gravitation universelle ne fasse tout effondrer en une grande masse centrale, le problème de la nuit noire fit de nouveau son apparition. L'astronome allemand Heinrich Olbers, reprenant une idée du Suisse Jean-Philippe de Cheseaux, suggéra en 1823 que la lumière des étoiles devait être absorbée pendant son voyage dans l'espace. Le ciel était noir parce que la lumière des étoiles ne nous parvenait pas entièrement. Cette explication ne pouvait être la bonne, car tout ce qui était absorbé devait être réémis. La lumière ne se perdait pas. L'énigme, aujourd'hui connue sous le nom de « paradoxe d'Olbers* », demeurait entière.

Avec l'univers du big bang, le mystère de la nuit noire fut enfin résolu. La nuit est noire parce qu'il n'y a pas assez d'étoiles pour remplir le ciel de lumière. Le nombre d'étoiles est limité, non pas parce que l'univers a des limites, comme le pensait Kepler, mais parce que nous ne voyons pas tout l'univers. Parce que celui-ci a eu un début, et parce que la propagation de la lumière n'est pas instantanée, seule la lumière des étoiles à l'intérieur de la sphère-horizon nous parvient. D'autre part, le nombre d'étoiles est limité, car elles ne durent pas éternellement. La vie des étoiles lumineuses est courte par rapport à l'âge de l'univers. Le temps de quelques millions d'années, voire quelques milliards d'années, et les voilà qui s'en vont. Finalement, l'expansion de l'univers ajoute sa petite contribution. A mesure que les distances entre les galaxies augmentent, la lumière a de plus en plus de mal à nous parvenir. Elle perd de l'énergie et est décalée vers le rouge. L'énergie lumineuse dans la sphère-horizon diminue.

La prochaine fois que vous contemplerez le firmament étoilé par une belle nuit noire, dites-vous bien que vous devez ce merveilleux spectacle au fait que l'univers a eu un début et que la vie des étoiles lumineuses est courte.

Le temps élastique

Les galaxies fuient de plus en plus vite à mesure que leur distance augmente. Un télescope assez puissant pour voir jusqu'à l'horizon cosmologique découvrira des objets s'éloignant à 80 %, 90 %, 95 %, 99 % de la vitesse de la lumière. Comme un cheval de course qui dépenserait toute son énergie pour atteindre un poteau d'arrivée qui ne cesserait de s'éloigner, sur une piste qui s'allongerait sans cesse la lumière des galaxies qui fuient s'épuise à nous rattraper.

Un habitant d'une galaxie lointaine nous envoie un signal radio toutes les secondes. Les signaux radio, au départ de la galaxie, sont séparés par une durée d'une seconde. Mais au cours du trajet jusqu'à nous, la distance qui les sépare augmente à cause de l'expansion de l'univers, si bien que, à leur arrivée sur terre, le temps qui sépare deux signaux successifs est bien plus long qu'une seconde. Et ce temps est d'autant plus long que la vitesse de la galaxie lointaine est plus grande, qu'elle est plus distante. La seconde chez l'extraterrestre a pris des airs d'éternité chez nous. La seconde peut se muer en heure, année, siècle... dépendant de la vitesse de fuite de la galaxie. Le temps a perdu son universalité. Comme l'espace, le temps devient élastique. Il s'étire ou se raccourcit selon le mouvement de celui qui le mesure. Le temps unique et universel de l'univers newtonien a fait place à une multitude de temps individuels, tous différents les uns des autres dans l'univers d'Einstein.

La fontaine de jouvence

Jules et Jim sont deux jumeaux. Jules, aventurier, part à la conquête de l'espace dans une puissante fusée qui le propulse à 87% de la vitesse de la lumière. Jim, plus casanier, préfère passer sa vie paisiblement sur Terre. Avant de partir, Jules et Jim ont bien synchronisé leurs montres. Jules part le 1er janvier 1988. Dix ans plus tard, il prend le chemin du retour. Quand il se pose sur Terre, le calendrier à bord du vaisseau spatial indique le 1er janvier 1998. De retour chez Jim, il jette un coup d'œil au calendrier de la maison qui indique le 1er janvier 2008. Jim a vingt ans de plus, alors que Jules n'a que dix ans de plus. La différence d'âge est bien réelle. Jim a plus de rides et de cheveux blancs que Jules. Son cœur a plus battu, il a mangé plus de repas, bu plus de vin et lu plus de livres.

En supprimant le temps absolu, Einstein nous a donné une fontaine de jouvence. Cette fontaine ne rajeunit pas, mais ralentit le passage inexorable du temps. Pour vieillir moins rapidement, il faut aller vite. La vitesse est le secret de la jeunesse prolongée. Si Jules avait voyagé à 99% de la vitesse de la lumière, il aurait ralenti son vieillissement d'un facteur 7. Pendant les dix ans de son voyage, soixante-dix ans se seraient écoulés sur Terre. Jules n'aurait probablement pas revu Jim à son retour. Et s'il avait pu voyager à 99,9% de la vitesse de la lumière, Jules aurait rencontré les arrière-arrière-

petits-enfants de Jim. Il aurait ainsi ralenti son temps par rapport
à celui de la Terre d'un facteur de 22,4. Son voyage de dix ans aurait
duré deux cent vingt-quatre années terrestres et il serait rentré en
l'an 2212 (voir la note quantitative n° 2).

Einstein aurait pu donner un argument de plus à ceux qui van-
tent les effets bénéfiques du jogging. Ceux qui font du jogging ralentissent leur vieillissement par rapport aux autres. Bien sûr, ce
ralentissement est infinitésimal. La seconde de la personne qui court
à 1 mètre par seconde équivaudrait à 1,000000000000000005
seconde de la personne immobile. Le premier nombre différent de 0
dans ce long chiffre n'arrive qu'à la dix-huitième place après la vir-
gule décimale. La différence est si petite qu'elle ne peut être détectée par les horloges atomiques les plus sophistiquées. Même si cette
personne passe la moitié de sa vie (cinquante ans) à courir, elle n'aura
gagné qu'un cent-millionième de seconde par rapport à nous autres,
paresseux. Dans la vie quotidienne, les vitesses que nous atteignons
en automobile, avion ou bateau sont infimes par rapport à celle de
la lumière. C'est pourquoi nous vivons tous au même temps, tant
les différences sont minimes. Heureusement d'ailleurs, car que de
rendez-vous ratés et quel chaos si l'élasticité du temps se manifes-
tait dans notre vie de tous les jours !

Le couple espace-temps

Le temps est élastique et malléable. L'espace, nous l'avons vu,
l'est aussi. Tous les deux peuvent se dilater, se contracter, s'étirer,
se rétrécir à souhait. Ce n'est pas par hasard que ces deux acteurs
du drame cosmique ont un caractère si proche l'un de l'autre. Ils
forment en fait un couple bien uni dont les mouvements sont toujours complémentaires. Quand le temps s'étire, quand il passe plus
lentement, l'espace se rétrécit. Jim, sur Terre, constate non seulement que Jules, fendant l'espace dans sa fusée à 87% de la vitesse
de la lumière, vieillit 2 fois moins vite, mais aussi que l'espace de
ce dernier s'est contracté : le vaisseau spatial de Jules apparaît à Jim
comme raccourci de moitié (voir la note quantitative n° 2). Dans
l'univers d'Einstein, l'espace et le temps sont indissolublement liés.
Les déformations concertées de l'espace et du temps peuvent être
considérées comme une transmutation de l'espace en temps. L'espace
qui se rétrécit se transforme en un temps qui s'allonge et passe moins
vite. Le taux de change à la banque cosmique est très élevé. Vous
n'obtiendrez qu'une seconde de temps pour 300 000 kilomètres
d'espace. Mais vous n'avez pas le choix. Le temps et l'espace ne

sont plus dissociables comme dans l'univers de Newton. L'univers a désormais quatre dimensions. La dimension du temps s'ajoute aux trois dimensions de l'espace. Pour pouvoir préciser vos coordonnées dans l'univers, il ne suffit pas d'indiquer votre position, il faut aussi préciser le temps mesuré à cette position.

La vitesse de la lumière coûte cher

L'espace est immense. L'étoile la plus proche est située à plus de 4 années-lumières. D'un bout à l'autre de la Voie lactée s'étend un champ d'étoiles de près de 100 000 années-lumières. Notre galaxie jumelle, Andromède, est à plus de 2 millions d'années-lumières. Notre vie humaine dure tout au plus cent ans. En nous interdisant d'aller plus vite que la lumière, Einstein avait rendu l'exploration interstellaire, et à plus forte raison l'exploration intergalactique, quasiment impossible. Mais, me direz-vous, Einstein, pour se racheter, ne nous a-t-il pas donné le moyen de freiner le temps, de ralentir l'approche inexorable de la mort ? Il suffirait à Jules d'appuyer sur les pédales, d'augmenter la vitesse de son vaisseau spatial et de s'approcher de la vitesse de la lumière. Ainsi, il vieillira moins vite, et disposera de plus de temps pour franchir les espaces intersidéraux. Mais malheureusement, cela est plus vite dit que fait. Tout a un prix et le prix pour s'approcher de la vitesse de la lumière est très élevé.

Si Jules voyageait à 99 % de la vitesse de la lumière, il vieillirait sept fois moins mais la masse de la fusée serait aussi sept fois plus importante (voir la note quantitative n° 2). Il faudrait donc plus de carburant pour faire avancer le vaisseau spatial. Plus la fusée va vite, plus elle devient massive, et plus il faut de carburant. Ce cycle infernal est inéluctable. Une fusée se déplaçant à la vitesse de la lumière aurait une masse infinie et elle aurait donc besoin d'une source d'énergie infinie, ce qui est inconcevable. Le ralentissement du temps par la vitesse, trop coûteux, est hors d'atteinte. L'exploration interstellaire et intergalactique reste dans le domaine des rêves.

Mon passé est ton présent et votre futur

Un soir d'orage, sur le quai d'une gare. La foudre frappe soudain les deux extrémités d'un wagon du train qui entre en gare. Françoise, qui attend sur le quai, voit la foudre frapper en même temps l'avant et l'arrière du wagon. Elle sait qu'il a fallu une fraction de seconde pour que la lumière des éclairs lui parvienne, mais comme elle était placée au moment du coup de foudre exactement à la même distance des deux extrémités du wagon, ce délai a été le même pour les deux éclairs, et elle en conclut qu'ils ont frappé le wagon précisément au même instant. Paul, assis au milieu du wagon, a eu très peur. L'émotion passée, il se remémore les événements. Il a vu la foudre frapper l'avant du wagon avant l'arrière. Parce que le mouvement du train le propulse en avant, il va à la rencontre de la lumière de l'éclair qui a frappé à l'avant, tandis que la lumière de l'éclair qui a frappé à l'arrière doit le rattraper. Il y a donc une toute petite fraction de seconde de différence. Barbara, qui se trouvait dans un train allant en sens inverse de celui de Paul, a été aussi témoin de l'incident. Elle se trouvait à l'instant fatidique à égale distance des deux extrémités du wagon. Pour elle, la foudre a frappé l'arrière du wagon d'abord et l'avant après.

Qui a raison? Einstein rend son verdict. Tout le monde a raison, explique-t-il. La perte de la ridigité du temps a entraîné la disparition des concepts de simultanéité, de passé, de présent et de futur universels. Pour Françoise, la foudre a frappé en même temps les deux extrémités du wagon. Mais le « même temps » de Françoise n'est pas le même temps de Paul et de Barbara qui sont en mouvement par rapport à elle. Si Françoise définit l'instant où la foudre frappe l'avant du wagon comme son « présent », elle voit aussi la foudre frapper l'arrière dans ce qui est son « présent », mais Paul voit la foudre frapper l'arrière plus tard, c'est-à-dire dans le « futur » de Françoise, tandis que Barbara le constate dans le « passé » de Françoise.

Le mouvement dicte la séquence d'événements séparés dans l'espace et détermine ce qui appartient au passé, présent ou futur. Il n'y a plus de « maintenant » universel. Jim, sur Terre, peut se poser la question : « Que se passe-t-il maintenant (en regardant sa montre et son calendrier) sur la planète Jupiter? » Jules, dans son vaisseau spatial filant à toute vitesse, peut se poser la même question, à la même date, en consultant la montre et le calendrier du bord. Mais le « maintenant » de Jules sur Jupiter sera différent de celui de Jim. La différence de ces « maintenant » est d'autant plus grande que les vitesses relatives sont plus élevées. Les quasars, ces objets lumineux aux confins de l'univers, s'éloignent à plus de 90 % de la vitesse de la lumière. Le « maintenant » des quasars quand je marche peut subir des variations de milliers d'années par rapport au « maintenant » des quasars quand je suis immobile.

Le clou peut-il être enfoncé avant que le marteau ne frappe?

La relativité a semé au vent les concepts de passé, de présent et de futur. La vitesse réarrange l'ordre des événements. Cela veut-il dire que la causalité est morte? Que l'effet peut venir avant la cause, que le résultat précède l'action? Le clou peut-il être enfoncé avant que le marteau ne frappe? La cible peut-elle être atteinte avant que le fusil ne tire? La lumière des étoiles lointaines peut-elle nous arriver avant d'être émise? Puis-je venir au monde avant ma grand-mère? Fort heureusement pour notre équilibre psychique, la réponse à toutes ces questions est négative. La séquence chronologique de deux événements ne peut être modifiée que s'ils sont rapprochés l'un de l'autre dans le temps ou distants l'un de l'autre dans l'espace, à tel point que la lumière n'a pas assez de temps pour voyager d'un événement à l'autre pendant l'intervalle de temps qui les sépare. Pour que le passé, le présent et le futur perdent leur identité, il faut que les deux événements ne puissent pas être reliés causalement par la lumière, qu'ils ne puissent pas influer l'un sur l'autre. Françoise voit la foudre frapper simultanément les deux extrémités du wagon. La lumière n'a pas le temps d'aller d'un éclair à l'autre, et l'ordre des événements peut être modifié par le mouvement. La lumière a amplement le temps d'aller du marteau au clou avant que le marteau ne frappe le clou, ou d'aller du fusil à la cible avant que la balle n'atteigne cette dernière. L'ordre des événements sera alors le même pour tous. Ouf! Je ne naîtrai pas avant ma grand-mère.

Le temps perdu de Proust

Nous disons « le temps passe, il s'écoule ». Nous nous représentons le temps comme l'eau d'une rivière qui coule, les flots d'un fleuve qui passe. Sur notre navire immobile et ancré dans le présent, nous regardons la rivière du temps qui passe, éloignant les flots du passé et apportant les vagues du futur. Nous accordons au temps une dimension spatiale et c'est cette représentation du mouvement du temps dans l'espace par rapport à nous qui nous donne la sensation du passé, du présent et du futur. Le présent seul existe « maintenant ». Lui seul a une réalité palpable. Le passé s'en est allé et s'est perdu dans nos souvenirs. Marcel Proust en allant à la recherche de ce temps perdu nous a enchanté avec ses jeunes filles en fleurs et ses madeleines. Le futur, encore à venir, n'existe que dans nos rêves et nos espoirs.

Ce temps subjectif ou psychologique, nous le portons tous en nous. Cette distinction entre le passé, le présent et le futur règle notre vie et constitue le fondement de notre langage avec ses verbes conjugués au passé ou au futur. Nous sommes convaincus que le passé révolu ne peut plus être modifié tandis que nous aimerons croire que le futur peut être modelé par nos actions. Pourtant, cette notion du passage du temps, de son mouvement par rapport à notre conscience immobile (ou, de manière équivalente, de notre mouvement par rapport au temps immobile), s'adapte mal au langage du physicien moderne. Si le temps a un mouvement, quelle est sa vitesse? Une question évidemment absurde. D'autre part, la notion que seul le présent existe, qu'il est seul réel, n'est pas compatible avec la destruction du temps rigide et universel par la relativité. Le passé et le futur doivent être aussi réels que le présent puisque Einstein nous dit que le passé d'une personne peut être le présent d'une autre personne ou encore le futur d'une troisième personne.

Pour le physicien, le temps n'est plus marqué par une succession d'événements. Les distinctions entre passé, présent et futur sont désormais inutiles. Tous les instants se valent. Il n'existe plus de moment privilégié. Si je lance une balle en l'air, il me suffit de savoir sa position et sa vitesse initiales pour calculer sa trajectoire. Cette trajectoire sera toujours la même, que la balle soit lancée à six heures du matin ou à huit heures du soir, le 1er janvier 1988 ou le 31 décembre 1998. Parce que les notions de passé, de présent et de futur sont abolies, le temps n'a plus besoin d'être en mouvement. Il ne s'écoule plus. Il est simplement là, immobile, comme une ligne droite s'étendant à l'infini dans les deux directions. Le flot du temps psychologique a fait place à l'inertie tranquille du temps physique. La question de la vitesse du temps qui s'écoule ne se pose plus.

Pourquoi une telle différence entre les deux temps? Probablement parce que la physique ne sait pas encore décrire les processus biologiques et psychiques. C'est notre activité cérébrale qui nous fait sentir que le temps s'écoule. Le secret du temps qui passe réside dans notre cerveau. Il ne sera dévoilé que quand nous comprendrons comment nous sentons, pensons et créons.

La flèche du temps

Un enfant naît. Il devient adolescent, vieillard et meurt. Ce scénario est répété pour chacun d'entre nous. La marche du temps est inexorable et il va toujours dans le même sens, dans la même direction. Il nous conduit du berceau au tombeau et refuse l'ordre inverse.

Le passé s'est déjà estompé tandis que le futur est à venir. Le passé
ne peut venir après le futur. Comme une flèche qui va tout droit
devant elle après avoir quitté la corde de l'arc, le temps psychologique progresse et va de l'avant. Il ne peut revenir en arrière. Il est
irréversible.

Cette irréversibilité du temps, responsable de notre hantise de la
mort, est pourtant absente dans le monde des particules qui
composent la matière. A l'échelle microscopique, le temps n'est plus
unidirectionnel. La flèche du temps disparaît et le temps peut s'écouler dans les deux directions. Si vous faites un film des événements
dans le monde microscopique, et que vous le projetiez dans le sens
inverse du sens dans lequel il a été fait, vous ne vous apercevrez
pas de la différence. Deux électrons convergent, ont une collision
et repartent. Inversez la séquence des événements et vous aurez
encore deux électrons qui convergent, ont une collision et repartent. Les lois physiques qui décrivent ces événements, avec une seule
petite exception, ne portent pas en elles l'empreinte d'une direction de temps particulière. Elles sont valables dans les deux sens.

La petite exception concerne une particule subatomique dénuée
de charge électrique qui s'appelle méson K ou kaon. Le monde subatomique est un monde changeant et impermanent. La plupart des
particules ont une existence très brève. Un clin d'œil et elles s'en
vont. Le kaon vit moins d'un millionième de seconde. Il disparaît
en se scindant en trois autres particules dans plus de 99 % des cas.
Cette désintégration est réversible dans le temps. Les trois particules peuvent se rassembler pour reformer un kaon. Mais dans moins
de 1 % des cas, et c'est là où le bât blesse, le kaon ne se désintègre
qu'en deux particules. Cette situation n'est pas réversible dans le
temps. Elle ne peut se produire que dans une seule direction. La
désintégration du kaon a défini une « petite » flèche du temps. Petite,
parce que le kaon est la seule à avoir cette particularité parmi les
milliers de particules qui peuplent le monde subatomique, parce
que la désintégration en deux particules est très rare et que le kaon
n'est pas présent dans la matière qui nous compose et dont sont
faits les galaxies et l'univers. Il n'apparaît qu'à la suite de collisions
violentes entre particules dans les grandes machines qui accélèrent
ces dernières à des vitesses proches de celle de la lumière. Cette
petite flèche du temps semble ne pas jouer un rôle important, mais
son message reste un mystère.

Généralement absente dans le monde subatomique, la flèche du
temps fait son entrée en force dans le monde macroscopique. Le
temps psychologique s'écoule, nous l'avons vu, de la naissance à
la mort. Le temps physique acquiert une direction bien détermi-

née. Les films du monde macroscopique ne peuvent plus être projetés dans les deux sens.

Une tasse de thé chaud se refroidit. Un morceau de glace fond sous la chaleur du soleil. Une goutte d'encre se dilue dans l'eau d'un verre. Les pierres d'une cathédrale gothique en ruine se détachent et se brisent en mille morceaux. Autant de situations qui portent en elles la direction du temps. Vous ne verrez pas se produire la séquence inverse des événements. La tasse de thé ne se réchauffera pas d'elle-même. L'eau de la glace fondue ne se reconstituera pas spontanément en morceau de glace. Ni les particules d'encre, ni les morceaux de pierre ne se rassembleront pour reconstituer la tache au milieu de l'eau limpide, ou pour redonner à la cathédrale son ancienne splendeur.

Dans toutes ces situations, l'état initial est plus organisé que l'état final. Le morceau de glace avec sa structure cristalline est plus ordonné que la nappe d'eau qui en résulte après que la glace a fondu. L'organisation de la belle cathédrale gothique est de loin supérieure à celle du tas de pierres informe qu'elle est devenue. Le contenu en information diminue. Il me faut bien plus de paroles pour décrire la cathédrale que le tas de pierres.

La tasse de thé peut se refroidir parce que l'air qui l'entoure est plus froid que le thé, parce qu'il y a un déséquilibre entre les températures de l'air et du thé. Le thé va se refroidir et l'air se réchauffer jusqu'à ce qu'il n'y ait plus de différence de température, jusqu'à ce que l'équilibre soit atteint. Le déséquilibre s'efface au profit de l'équilibre. La température d'un objet se traduit par l'agitation des atomes ou molécules qui le composent. Le thé est chaud parce que les molécules de l'eau chauffée s'agitent beaucoup. Leurs mouvements sont désordonnés. L'air est froid parce que les molécules d'air sont plus calmes. Leurs mouvements sont plus ordonnés. Le désordre des molécules d'eau va se communiquer aux molécules d'air et le désordre va augmenter jusqu'à ce que l'équilibre des températures soit établi. La situation finale contient moins d'information que l'état initial puisqu'il me suffit d'une seule température pour la décrire au lieu des deux initiales. De même que le passage du passé au futur, de la naissance à la mort, définit la direction du temps psychologique, le passage de l'organisation à la désorganisation, du plus d'information au moins d'information, du déséquilibre à l'équilibre, définit la direction du temps physique. Le physicien résume « désordre », « moins d'information » et « moins de déséquilibre » par le mot « entropie* », et énonce le principe qui donne au temps physique sa direction : l'entropie doit toujours augmenter. Le désordre doit s'accroître, l'information doit se perdre et le déséquilibre doit disparaître. Ce principe est connu sous le nom du « deuxième principe de la thermodynamique », science qui étudie les propriétés de la chaleur. Il fut découvert au siècle dernier, pendant la révolution industrielle, en essayant d'améliorer le rendement des machines à vapeur.

Le miracle de l'assiette brisée

Comment la nature a-t-elle pu imposer une direction du temps à l'échelle macroscopique alors que cette direction était absente à l'échelle microscopique? Après tout, les objets macroscopiques sont composés de particules microscopiques. Comment l'ensemble a-t-il pu acquérir une propriété que les composantes ne possèdent pas? La réponse réside dans le grand nombre de particules qui composent le monde macroscopique et de leurs interactions entre elles.

Un gramme d'eau contient 1 million de milliards de milliards (10^{24}) d'atomes. Le monde macroscopique ramené au monde microscopique donne toujours des chiffres de cet ordre de grandeur. Il nous est impossible de suivre le comportement individuel d'un si grand nombre d'atomes. Nous pouvons seulement avoir une idée de leur comportement moyen à l'aide des lois de la statistique et des probabilités. Je lance une pièce de monnaie en l'air. Je ne peux pas prédire si, à chaque essai, elle va retomber pile ou face. Mais les lois de la statistique me disent que si je lance la pièce un grand nombre de fois, elle devrait retomber en moyenne autant de fois sur le côté face que sur le côté pile. Il en va de même pour la loi de l'entropie. C'est une loi statistique. En moyenne, l'entropie doit croître. Mais, en principe, l'entropie peut décroître, l'ordre, l'information et le déséquilibre augmenter et la direction du temps s'inverser, tout comme, en principe, la pièce de monnaie peut retomber pile cent fois de suite. La flèche du temps existe parce que la probabilité d'un tel événement est tellement petite qu'il ne se produit pas.

Je laisse tomber une assiette qui se brise en mille morceaux. Les lois de la statistique n'interdisent pas, en principe, la séquence inverse des événements de se produire. Les fluctuations statistiques des molécules d'air dans la chambre peuvent agir de telle façon que les morceaux soient poussés les uns contre les autres pour reconstituer l'assiette. Des variations de température peuvent survenir juste le long des cassures pour ressouder l'assiette brisée. D'autres fluctuations peuvent se conjuguer pour susciter un courant d'air qui poussera l'assiette reformée dans ma main. Si vous pouviez voir une telle séquence d'événements se produire, vous crieriez au miracle et vous auriez raison. La probabilité d'une telle séquence est extrêmement faible, si petite qu'elle est pratiquement nulle. Elle est environ de $1/10^{10^{25}}$. Le nombre $1/10^{10^{25}}$ est le chiffre 1 précédé de 10^{25} zéros. Je peux commencer à écrire le commencement du nombre $1/10^{10^{25}}$ = 0,00000..., mais je dois vite m'arrêter, car la quantité de zéros est telle que, même si je remplissais toutes les pages de tous les livres du monde entier, je n'arriverais pas à compléter ce nombre.

Une assiette qui se brise ne se reconstituera pas d'elle-même. Les assiettes ne sont pas fabriquées par des miracles, mais dans des usines. Bien que les atomes et leurs composantes soient indifférents à la direction du temps, leur effet collectif détermine une direction bien précise. L'univers doit aller de l'ordre au désordre, du déséquilibre à l'équilibre, de l'abondance au manque d'information.

La lumière ne se propage pas vers le passé

Une pierre tombe dans un étang. Elle crée de belles ondes d'eau concentriques qui se propagent de l'endroit où la pierre a touché l'eau jusqu'aux bords de l'étang. Nous voilà de nouveau en présence d'un phénomène irréversible dans le temps. Nous ne verrons jamais l'eau s'organiser d'elle-même en ondes concentriques et converger vers un point au milieu de l'étang. Le film ne peut être projeté en sens inverse. Comme tous les phénomènes ondulatoires, les ondes de lumière divergent de la source qui les produit, elles ne convergent pas vers cette dernière. La lumière va vers le futur et non vers le passé. Les ondes radio émises par le radar de la police au bord de la route et réfléchies sur l'arrière de votre voiture reviennent une fraction de seconde après leur émission, pas avant. Le Soleil nous apparaît tel qu'il était il y a huit minutes, non tel qu'il sera dans huit minutes. Bien que les équations de l'Écossais James Maxwell, qui décrivent la propagation de la lumière, soient réversibles par rapport au temps, la lumière ne se propage que vers le futur. Nous ne pouvons pas communiquer avec le passé. Nous ne pouvons pas envoyer un message radio à Ève pour lui dire de ne pas manger la pomme interdite ou à nos arrière-grands-parents pour empêcher leur rencontre et notre venue au monde. La causalité est sauvée. La flèche électromagnétique (la lumière est un phénomène électromagnétique) indique la même direction au temps que les flèches psychologique et thermodynamique. Il doit s'écouler du passé vers le futur. Le temps peut ralentir, mais il ne peut jamais changer de direction. Heureusement pour nous, car il serait bien difficile de communiquer avec des gens pour qui la direction du temps serait inversée : ils connaîtraient tout ce que vous alliez leur dire avant que vous ne leur adressiez la parole, mais oublieraient aussitôt la conversation terminée.

Les étoiles sont des machines à fabriquer du désordre

Le fait que ces trois flèches de temps indiquent toutes la même direction n'est probablement pas dû au hasard. Les physiciens sentent confusément que leur direction commune est imposée par l'expansion de l'univers, mais la question est encore très loin d'être élucidée. Seule jusqu'ici la flèche thermodynamique a révélé sa parenté avec la flèche du temps cosmologique définie par l'expansion universelle.

L'univers à son début était, nous le verrons, une purée homogène et uniforme de radiation et de particules élémentaires. Il n'y avait aucune structure. C'était le désordre complet et le contenu en information était très petit. Après une histoire d'environ 15 milliards d'années, des centaines de milliards de galaxies sont apparues, contenant chacune des centaines de milliards d'étoiles. Sur une planète en orbite autour d'une des étoiles, dans une de ces galaxies, est apparue la conscience humaine capable de s'interroger sur l'univers. La structure a surgi du manque de structure, l'ordre du désordre et la complexité de la simplicité. A première vue, ce cours des événements semble contredire le deuxième principe de la thermodynamique : l'entropie semble diminuer au lieu d'augmenter. L'univers n'aurait-il pas une flèche thermodynamique ?

C'est là qu'intervient l'expansion de l'univers et la flèche du temps cosmologique. Elle refroidit la lumière qui baigne l'univers. La température d'une particule de lumière, d'un photon, se traduit par l'énergie qu'elle porte. A mesure que les distances entre les galaxies augmentent, la lumière s'épuise de plus en plus pour nous parvenir. Elle perd son énergie et l'univers se refroidit. Des quelques millions de degrés Kelvin (°K) qu'elle avait à la troisième minute de l'univers, la lumière universelle n'a plus maintenant de 3°K[4].

---

4. J'utiliserai dans cet ouvrage l'échelle de température de Kelvin (le physicien anglais qui l'a établie). Cette échelle est plus commode à utiliser que l'échelle de température centigrade pour mesurer des phénomènes physiques, car elle utilise la notion selon laquelle la température d'une particule se traduit par son mouvement. Le zéro de l'échelle Kelvin (égal à − 273 degrés centigrades) constitue le zéro absolu, où tout mouvement est mort.

Contrastant avec cette température frigorifique, la température des cœurs des étoiles est de quelques millions de degrés K. Il y a déséquilibre de température entre les étoiles et l'espace qui les entoure. De même que la tasse de thé chaud se refroidit au contact de l'air plus froid et communique le désordre des molécules d'eau de thé aux molécules d'air et, ce faisant, augmente le désordre total, les étoiles rejettent leur lumière chaude dans la lumière plus froide où elles baignent et accentuent le désordre général de l'univers. Les étoiles sont des machines à fabriquer du désordre et leur production totale de désordre fait plus que compenser le déficit en désordre qui a été créé par l'organisation des structures de l'univers et par l'émergence de la complexité. Le désordre *net* de l'univers augmente au cours du temps. Ce désordre ne s'est pas accru considérablement depuis le début de l'univers. La contribution totale des étoiles pendant 15 milliards d'années n'a augmenté l'entropie cosmique que de 0,1 %. Mais cela suffit pour que la direction du temps thermodynamique soit respectée. Ainsi, le cœur chaud des étoiles et la froideur de l'espace due à l'expansion de l'univers, en permettant l'épanouissement de la complexité, sont responsables de notre existence.

Le deuxième principe de la thermodynamique n'interdit pas que des coins d'ordre surgissent dans l'univers, du moment que, pour compenser cet ordre, un plus grand désordre est produit ailleurs. Par exemple, après avoir lu cet ouvrage, votre cerveau aura acquis environ un million de fragments d'information, il sera plus ordonné, d'un million d'unités. Mais pour lire, il ne faut pas avoir faim, et les nourritures spirituelles ne suffisent pas. Pendant la lecture du livre, vous avez dû consommer au moins mille calories sous forme de nourriture. Vous avez converti la forme d'énergie ordonnée que sont la viande, les légumes et les fruits en une forme d'énergie désordonnée que vous communiquez à l'espace environnant par la chaleur que dégage votre corps, ou par la sueur que secrète votre peau. Ce faisant, vous aurez augmenté le désordre total de l'univers de dix millions de millions de millions de millions (10^{25}) unités, soit de dix millions de millions de millions (10^{19}) fois plus que l'ordre acquis par votre cerveau (en supposant que vous avez tout compris et enregistré !). Le désordre est très supérieur à l'ordre. Vous pouvez avoir la conscience tranquille en lisant cet ouvrage : la direction de la flèche du temps thermodynamique ne sera pas violée !

Des questions se posent. Nous ne savons pas, pour l'instant, si l'expansion de l'univers sera éternelle ou si, dans un lointain futur, les galaxies inverseront leurs mouvements et si l'univers s'effondrera sur lui-même. La direction du temps thermodynamique qui est reliée, nous l'avons vu, à l'expansion s'inversera-t-elle dans un univers en contraction ? Le tas de pierres informe se transformera-t-il en une majestueuse cathédrale ? La lumière, au lieu de partir des étoiles, convergera-t-elle vers elles ? Le temps psychologique s'écoulera-t-il dans une direction inverse ? Si c'est le cas, les habitants d'un univers en contraction se croiront aussi dans un univers en expansion puisque tous leurs processus cérébraux seront inversés. Le brouillard qui enveloppe toutes ces questions est encore très loin d'être dissipé.

La matière ralentit le temps

Pour ralentir son vieillissement, il suffisait à Jules, dans son vaisseau spatial, d'appuyer sur l'accélérateur et de s'approcher de la vitesse de la lumière. Mais il aurait pu aussi freiner le temps en dirigeant son vaisseau spatial près d'une étoile, car Einstein, dans sa Relativité générale* publiée en 1915, nous a appris que le champ de gravité engendré par l'étoile et par toute matière retarde le temps. Comme l'espace est courbé par la matière, le temps perd sa rigidité et devient élastique en sa présence.

Le temps s'écoule moins vite pour quelqu'un qui est en bas de la tour Eiffel que pour quelqu'un qui se trouve en haut, ou pour un locataire d'un immeuble qui vit au rez-de-chaussée que pour un locataire du dixième étage. Le temps de l'Esquimau, au pôle Nord, passe relativement plus lentement que celui d'un habitant de Bornéo à l'équateur. Le temps ralentit quand la pesanteur est plus élevée. Celle-ci est due à l'attraction gravitationnelle qu'exerce la Terre sur nous et varie donc comme l'inverse du carré de la distance nous séparant du centre de la Terre. Les individus situés en bas de la tour Eiffel, au rez-de-chaussée ou au pôle Nord sont tous plus près du centre de la Terre que leurs homologues, et ils subissent donc une plus grande pesanteur. L'Esquimau est plus proche du centre de la Terre que l'habitant de Bornéo, car la Terre n'est pas parfaitement sphérique. Les forces centrifuges nées de la rotation de cette dernière font que le rayon terrestre est légèrement plus grand (d'une trentaine de kilomètres) à l'équateur qu'aux pôles. Ces différences de temps sont minimes. L'effet cumulé est tout au plus d'un milliardième de seconde sur une vie humaine entière. A peine un battement de cœur de plus. Le ralentissement du temps par la pesanteur passe inaperçu dans notre vie quotidienne. Heureusement, car sinon il faudrait faire face à une crise du logement : tout un chacun voudrait vivre au rez-de-chaussée et personne aux étages supérieurs !

Les trous noirs transforment les hommes en spaghetti

Les effets sont plus visibles à l'échelle cosmique. Comparé au temps terrestre, le temps passe plus vite dans l'espace où l'attraction gravitationnelle de la Terre est beaucoup plus faible. Il s'écoule moins vite sur le Soleil dont la pesanteur est environ trente fois supérieure à celle de la Terre (vous y pèseriez trente fois plus) et plus vite sur la Lune dont la pesanteur est six fois moindre que celle de la Terre. Il y a même des endroits dans le cosmos où la gravité est tellement intense qu'elle réussit à freiner complètement le temps. Ces endroits résultent de la mort d'étoiles massives (plus de cinq fois la masse du Soleil) qui se sont effondrées sur elles-mêmes après avoir épuisé leur réserve d'énergie nucléaire. La grande quantité de matière de l'étoile massive effondrée est comprimée dans un volume tellement petit que le champ de gravité qui en résulte est énorme, si énorme que l'espace se replie sur lui-même et que la lumière ne peut plus sortir. L'étoile effondrée devient un trou noir*. Elle n'est plus visible. Son existence se manifestera désormais par l'attraction gravitationnelle qu'elle exerce sur tout objet qui passe à proximité, et par la déformation qu'elle a laissée dans le tissu temps-espace.

Jules continue son voyage à bord du vaisseau spatial. Tout d'un coup, les objets qui l'entourent sont projetés contre l'une des parois. Jules consulte son tableau de bord et s'aperçoit que le vaisseau a dévié de son parcours, qu'il est attiré vers quelque chose dans l'espace. Jules se précipite pour regarder à travers le hublot. Rien à signaler dans le direction vers laquelle le vaisseau se dirige. Jules comprend rapidement qu'il va être bientôt englouti par un trou noir et qu'il lui faut sans plus tarder allumer les moteurs et faire marche arrière. Il sait qu'il faut accomplir cette manœuvre avant que le vaisseau ne franchisse le rayon du trou noir, la frontière du non-retour. Ce rayon passé, il ne pourra plus faire marche arrière malgré toute la puissance de ses moteurs et il ira à sa perte. Les moteurs s'allument et la fusée rebrousse chemin. Les objets se détachent de la paroi. Jules pousse un soupir de soulagement. Il est sauvé.

Mais supposons que Jules ait l'âme audacieuse d'un explorateur, qu'il ne craigne pas pour sa vie et qu'il se dise que c'est l'occasion ou jamais d'explorer l'intérieur d'un trou noir. En s'en approchant, il pourra communiquer ses observations et impressions par radio à son jumeau Jim resté sur Terre. Mais la communication sera interrompue dès qu'il aura franchi le rayon du trou noir puisque la lumière radio ne peut plus sortir. Ce qu'il observerait à l'intérieur du trou noir resterait lettre morte puisqu'il ne pourrait jamais en faire part à qui que ce soit d'autre.

Suivons Jules à mesure qu'il s'approche du trou noir. L'influence gravitationnelle du trou noir se fait de plus en plus sentir. Jules a comme l'impression qu'on le tire à la fois par la tête et par les pieds. Ce tiraillement est dû à la *différence* entre les forces de gravité que le trou noir exerce sur les deux extrémités du corps de Jules. Les pieds, étant plus proches du trou noir, subissent une plus forte attraction gravitationnelle que la tête, qui en est éloignée de 1,8 mètre (la taille de Jules). Les pieds de Jules tombent donc plus vite vers le trou noir que sa tête et son corps s'allonge. Ces forces dites de marée (car c'est aussi la *différence* entre les forces gravitationnelles exercées par la Lune sur le centre de la Terre et sa surface qui est responsable des marées des océans sur Terre) étirent, allongent toute chose dans le vaisseau spatial, leur donnant la forme de spaghetti longs et minces. Quand le champ de gravité devient trop intense, l'allongement est trop grand, les forces électromagnétiques qui retiennent les atomes ensemble et qui sont responsables de la solidité et de la cohésion du corps humain ne peuvent plus résister aux forces de marée, le corps de Jules se brise, et c'est la fin.

Les trous noirs arrêtent le temps

Mais n'anticipons pas. Jules est encore loin du trou noir et de cette fin tragique. Il continue à envoyer à Jim par ondes radio les images enregistrées par la caméra photographique à l'intérieur de la cabine spatiale. Sur Terre, Jim décode les ondes radio, reconstitue les images et suit sur son écran de télévision le déroulement des événements dans la cabine spatiale. A mesure que Jules s'approche du trou noir et que le champ de gravité devient plus intense, les ondes radio qu'il envoie doivent travailler de plus en plus pour sortir de ce champ de gravité et parvenir à Jim. Elles perdent de plus en plus d'énergie et l'intervalle de temps qui sépare deux ondes successives reçues sur Terre s'allonge de plus en plus. Les nouvelles images mettent de plus en plus longtemps à parvenir et à se renouveler. Le film des événements à bord du vaisseau spatial ralentit progressivement. Il passe à une vitesse de plus en plus lente. Du point de vue de Jim, Jules prend maintenant un temps considérable pour faire tout geste, accomplir toute action. Loin de l'influence gravitationnelle du trou noir, Jules mettait deux minutes (le temps est mesuré sur la montre de Jim) pour se brosser les dents. A mesure qu'il approche du trou noir, cette action prend deux heures, deux années, deux siècles, deux milliards d'années... Jim voit le temps de Jules s'allonger de plus en plus par rapport au sien. Finalement, juste au moment où Jules franchit le rayon de non-retour*, son temps, mesuré sur la montre de Jim, se fige. Du point de vue de Jim, le trou noir a arrêté le temps de Jules. L'image sur l'écran de télévision de Jim ne se renouvelle plus. Jules aura le même sourire, la même pose et le même geste pour l'éternité. De même, Jim ne verra jamais le vaisseau spatial de Jules disparaître dans l'abîme du trou noir. Pour Jim, la fusée restera pour toujours suspendue dans l'espace au rayon du non-retour.

Toute l'éternité en un clin d'œil

Jules voit les événements se dérouler de tout autre façon. Pour lui, le temps qu'il lit sur l'horloge du bord s'écoule normalement. Son vaisseau s'approche du trou noir et franchit sans problème le rayon du non-retour. Jim est conscient qu'il se dirige tout droit vers le centre du trou noir où la densité et le champ de gravité sont infiniment grands et que les forces de marée vont bientôt briser son corps. Il continue à recevoir des messages radio de Jim. Happées par le champ de gravité qui croît à mesure qu'il s'approche du centre du trou noir, ces ondes radio gagnent de plus en plus d'énergie et arrivent de plus en plus vite. Jules voit le temps de Jim s'accélérer de plus en plus et, à l'instant où il franchit le rayon du non-retour, toute l'éternité passe devant ses yeux en un seul instant : la vieillesse et mort de Jim, le soleil qui s'éteint après 9 milliards d'années d'existence, la fin des étoiles des galaxies, de l'univers... Jules ne pourra plus ressortir du trou noir pour réintégrer l'univers extérieur puisque, de son point de vue, cet univers a déjà vécu sa vie, il a fini d'exister quand il franchit le rayon de non-retour*. Réintégrer cet univers après avoir vu la fin équivaudrait à dire que Jules sortirait du trou noir avant d'y être entré, ce qui est absurde. Parce qu'il a dépassé le temps du monde extérieur, Jules est condamné à rester dans le trou noir et à périr.

La recette de fabrication des trous noirs

Comment fabriquer un trou noir? En principe, tout objet peut devenir trou noir. Il suffit de le comprimer en deçà d'une certaine taille pour que le champ de gravité qui en résulte soit assez fort pour replier l'espace sur lui-même et empêcher la lumière de sortir. Supposons que votre masse soit de 70 kilogrammes. Si deux mains géantes vous comprimaient à moins de 10^{-23} centimètre (1 divisé par 100 000 milliards de milliards), un rayon 10 milliards de fois plus petit que celui de l'électron, vous deviendriez un trou noir. Le rayon du trou noir varie en proportion avec sa masse. Ainsi la Terre, qui a une masse de 6×10^{27} grammes (6 suivi de 27 zéros), deviendrait un trou noir si son rayon de 6 400 kilomètres était réduit à 1 centimètre (moins qu'une balle de ping-pong). Le Soleil, avec une masse de 2×10^{33} grammes (2 suivi de 33 zéros), deviendrait un trou noir si son rayon de 700 000 kilomètres se réduisait à 3 kilomètres (voir la note quantitative n° 3).

Ainsi, il ne faut surtout pas imaginer qu'un trou noir est nécessairement très petit et très dense. Tout dépend de sa masse. Un trou noir ayant une masse de 1 milliard de Soleils aurait une taille de 3 milliards de kilomètres, c'est-à-dire légèrement inférieure à celle du système solaire, et sa densité moyenne ne serait pas supérieure à celle de l'air que nous respirons. Si, par malchance, Jules avait été happé par l'emprise d'un trou noir à basse densité, il n'aurait rien senti au moment du passage du rayon de non-retour. Il ne se serait aperçu qu'il était prisonnier du trou noir que bien plus tard, après avoir parcouru des milliards de kilomètres à l'intérieur du trou noir et au moment où les forces de marée commenceraient à lui faire mal aux os. Il serait alors trop tard pour faire quoi que ce soit. Il n'aurait plus qu'à attendre sa fin inexorable.

En pratique, les trous noirs ne se trouvent pas à tous les coins de rue, car il est très difficile de comprimer les objets. Sur Terre, la force électromagnétique, qui soude les atomes et les molécules et qui les organise en réseaux cristallins, donne de la solidité aux choses qui nous entourent et résiste farouchement à une compression si extrême. Ni vous ni moi, pas plus que la Terre, ne deviendrons jamais des trous noirs. Il faut appeler à l'aide un agent compresseur puissant. La force de gravité répond à l'appel. Elle est attractive et fait que tout s'effondre. Elle va aider à fabriquer des trous noirs. Pour que la gravité soit efficace, il faut une très grande masse, nous enseigne Newton. Ces très grandes masses, on les trouve dans les étoiles. Mais n'importe quelle étoile ne fera pas l'affaire. Le Soleil, avec son énorme masse de 2 milliards de milliards de milliards de tonnes, ne finira pas en trou noir. Dans 4 milliards et demi d'années, quand il aura épuisé sa réserve d'énergie nucléaire, la gravité le fera s'effondrer en une naine blanche d'environ 10 000 kilomètres de diamètre, c'est-à-dire la taille de la Terre, très loin des 3 kilomètres requis. Le Soleil n'est pas assez massif. Pour finir leur vie en trous noirs, les étoiles progénitrices doivent avoir la masse d'une dizaine de Soleils ou plus. Ces étoiles massives sont relativement rares et c'est pourquoi les trous noirs ne courent pas les rues.

La défaite du bon sens

A ce point, vous vous grattez la tête et pensez : « Tout ce que je viens de lire sur le temps et l'espace est bien étrange. Le temps qui a perdu son caractère universel, qui se dilate ou se contracte selon mes mouvements. Et l'espace qui en fait de même. Et la gravité qui se mêle à la danse et déforme aussi l'espace et le temps. Et ces trous noirs où toute l'éternité peut passer en un clin d'œil. Tout cela met à mal mon intuition et mon bon sens. Je ne comprends pas ! » Cette réaction est bien naturelle. Nous éprouvons tous un besoin instinctif de ramener dans le cadre du bon sens quotidien des concepts nouveaux et étrangers, de réduire la réalité à des images familières. Quand cela ne marche pas, quand notre intuition est bafouée, quand nos idées et nos croyances les plus chères sont foulées au pied, quand notre « bon sens » est balayé d'un revers de main, alors nous levons les bras au ciel et crions : « Je ne comprends pas ! »

Et pourtant, il n'y a rien à comprendre. La nature est ainsi faite. Il faut l'accepter comme elle est. Notre intuition et notre bon sens fondés sur les événements quotidiens sont de bien mauvais guides quand il s'agit de l'infiniment petit ou de l'infiniment grand, de l'atome ou de l'univers. Einstein a pu, en rejetant le bon sens quotidien, construire cet immense monument de la pensée qu'est la relativité.

Une théorie scientifique est bonne, non parce qu'elle est en accord avec l'intuition ou le bon sens, mais parce qu'elle décrit correctement la nature, qu'elle prédit des phénomènes qui peuvent être observés et vérifiés. Que le temps se dilate avec la vitesse ne fait plus aucun doute. Le temps s'allonge chaque fois qu'une particule subatomique est lancée à une vitesse proche de celle de la lumière dans des accélérateurs de particules, tel celui du Centre européen pour la recherche nucléaire (CERN) à Genève. On peut le vérifier en accélérant des particules ayant une durée de vie très courte, qui se désintègrent après quelques millionièmes de seconde. On constate que la durée de vie de ces particules est multipliée par dix, vingt, cent... selon la vitesse à laquelle elles sont accélérées, et toujours en accord avec les prédictions de la relativité. Le temps a ralenti pour ces particules. Elles vivent plus longtemps, que cela nous plaise ou non.

La matière courbe l'espace. Voilà encore une autre prédiction de
la relativité contre laquelle notre bon sens se rebelle, mais qui a été
vérifiée dès 1919 au cours d'une expédition qui avait pour but
d'observer une éclipse solaire et qui est restée fameuse dans les annales de la physique. L'idée, proposée par Einstein lui-même, était
de profiter de l'absence de lumière solaire masquée par la Lune pour
photographier les étoiles lointaines dont les positions projetées dans
le ciel étaient très proches du Soleil. Si l'espace est courbé par le
champ de gravité du Soleil, la trajectoire de la lumière de ces étoiles lointaines doit être également courbée. Cette courbure de trajectoire doit se traduire par un léger déplacement angulaire de leurs
images par rapport aux images des mêmes étoiles prises six mois
plus tard, quand la Terre est de l'autre côté du Soleil, et que la
lumière de ces étoiles ne doit plus traverser le champ de gravité solaire
pour nous parvenir. Le déplacement angulaire prédit par Einstein
était minuscule (mais néanmoins deux fois plus grand que celui prédit
par Newton), et égal à l'angle sous-tendu par votre pouce s'il était
à 1 kilomètre de distance. Mais il put être mesuré (fig. 25) et était
en accord avec la relativité. Cette confirmation observationnelle écla-

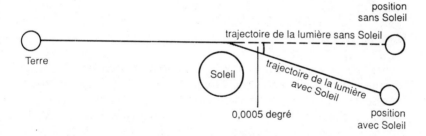

Fig. 25.

La matière courbe l'espace. Selon la théorie de la relativité générale d'Einstein, le champ de gravité du Soleil (ou de n'importe quel autre objet massif) courbe l'espace et les trajectoires lumineuses. Cette prédiction a été
vérifiée par l'observation d'étoiles dont la lumière, pour nous parvenir,
doit passer à proximité du Soleil et traverser son champ de gravité. Pour
photographier ces étoiles, il faut attendre une éclipse solaire, puis
comparer ces photographies avec celles prises dans des conditions où
la lumière stellaire n'a pas à traverser le champ de gravité du Soleil, six
mois après par exemple, quand la Terre est de l'autre côté du Soleil. La
comparaison montre toujours un léger changement de position des étoiles, en accord avec la théorie de la relativité. La déviation de la lumière
par le champ de gravité solaire fut mesurée par l'astronome anglais Arthur
Eddington lors d'une éclipse solaire en 1919, ce qui propulsa Einstein au
faîte de la gloire. La théorie de Newton prévoit aussi une déviation de
la lumière dans un champ de gravité, mais 2 fois moins grande.

tante établit la relativité comme une théorie avec laquelle il fallait compter et propulsa Einstein au faîte de la gloire. Depuis, la déflexion de la lumière par le Soleil a été mesurée maintes fois et avec beaucoup plus de précision par des radio-astronomes utilisant la lumière radio de sources radio lointaines et, chaque fois, la relativité s'est révélée juste. L'espace se plie à la matière, que nous le voulions ou non.

Les horloges atomiques mesurent le temps de la manière la plus précise qui soit. Synchronisez deux horloges atomiques, laissez-les côte à côte et demandez à vos descendants lointains de revenir plusieurs milliards d'années plus tard. Ils constateront que les deux horloges ne différeront que de moins d'une fraction de seconde. Utilisant ces produits fabuleux de la technologie moderne, une équipe de physiciens a démontré que la gravité ralentit le temps. Une horloge atomique est emportée par avion dans l'espace où la gravité terrestre est plus faible qu'au sol. Au retour, on compare l'heure qu'elle indique à celle d'une horloge restée au sol. Cette dernière retarde de quelques milliardièmes de secondes. Le temps de l'horloge restée au sol dans un champ de gravité plus grand a passé plus lentement. De nouveau, la relativité triomphe sur le bon sens.

Le trou noir a faim

Les observations ne mentent pas. Vous acceptez à contrecœur l'idée que le temps et l'espace deviennent élastiques en présence de la vitesse ou d'un champ de gravité. Défenseur du bon sens, vous voilà poussé dans vos derniers retranchements. Vous sortez votre dernière arme. Vous attaquez ce que vous pensez être le talon d'Achille de l'astrophysicien, son point faible : le concept des trous noirs. Vous affirmez que l'astrophysicien a beau jeu de parler de trous noirs : puisque ces objets sont invisibles, les observations ne pourront jamais venir le soutenir ou le démentir. Les trous noirs resteront à jamais un produit de son imagination fébrile. Vous n'avez pas besoin de faire violence à votre bon sens pour le suivre sur ce terrain.

Fig. 26.

Un trou noir dans la constellation du Cygne. Le cliché 26a montre une étoile supergéante (c'est-à-dire extrêmement brillante ; c'est celle du dessous) dans la constellation du Cygne, autour de laquelle tourne en orbite ce que les astronomes pensent être un trou noir. L'image très importante de l'étoile est due à des effets optiques provoqués par la grande brillance de l'étoile, et elle ne reflète pas le véritable diamètre de l'étoile. Ce dernier est trop petit pour être vu directement (photo, Hale Observatories).

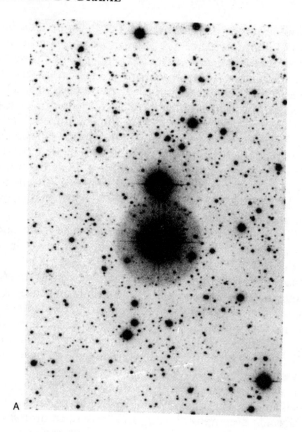

A

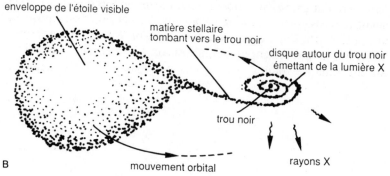

enveloppe de l'étoile visible

matière stellaire
tombant vers le trou noir

disque autour du trou noir
émettant de la lumière X

trou noir

B

mouvement orbital

rayons X

Le schéma 26*b* montre comment le trou noir, tournant en orbite autour de l'étoile supergéante, attire gravitationnellement l'enveloppe de cette dernière. La matière, en tombant vers le trou noir et en formant un disque gazeux tout autour, s'échauffe et émet des rayons X trahissant la présence du trou noir.

Vous vous trompez. Le trou noir se trahit par sa gloutonnerie. Une fois né, il attire tout ce qui passe à proximité, en dehors du rayon de non-retour, pour l'engloutir, gagner de la masse et croître. Ce cannibalisme a des conséquences qui sont observables.

Certaines étoiles, comme les humains, vivent en couple. De nombreuses étoiles massives sont membres d'étoiles doubles, des paires d'étoiles très rapprochées qui tournent l'une autour de l'autre. Si l'une des étoiles s'effondre en un trou noir, l'autre étoile continuera de tourner autour de sa compagne invisible comme si de rien n'était. Le champ de gravité qui dicte le mouvement de l'étoile visible ne dépend que de la masse totale de la paire qui n'a pas changé. De même, si deux mains géantes comprimaient le Soleil en un trou noir, il n'y aurait plus de jour et la nuit serait éternelle, mais la Terre continuerait son interminable voyage annuel et le mouvement de toutes les autres planètes ne changerait pas. Le champ de gravité puissant du trou noir attire l'atmosphère gazeuse de l'étoile visible vers lui. Les atomes de gaz qui composent cette asmosphère tombent à toute vitesse vers le trou noir. S'entrechoquant dans leur chute, ils se réchauffent et brillent. Parce que les mouvements de collision des atomes tombant vers le trou noir sont d'une violence extrême, ces atomes émettent une lumière très énergique, la lumière X. Cette lumière X, émise bien au-delà du rayon de non-retour, peut être détectée.

Dans la direction de la constellation du Cygne, il existe une source X très brillante. A cet emplacement se trouve une étoile qui, on le sait grâce à la décomposition de sa lumière et en utilisant l'effet Doppler pour étudier son mouvement, tourne autour d'un autre objet ayant la masse d'une dizaine de Soleils. Or cet objet est invisible. On pense qu'il s'agit d'un trou noir (fig. 26). Même sur ce terrain mouvant, la nature semble donner raison à la relativité. La défaite du bon sens est totale.

IV

Le big bang aujourd'hui

Les astronomes n'aiment pas changer leurs habitudes

Les astrophysiciens sont conservateurs. Ils n'aiment pas que, d'un jour à l'autre, de nouvelles idées ou théories viennent modifier des connaissances acquises au prix de tant d'efforts par le passé. Ils acceptent mal que leur représentation de la réalité, leur langage commun soient tout d'un coup altérés de manière profonde, qu'un nouveau coup de pinceau vienne retoucher la toile déjà peinte, que les notes de musique soient soudainement réarrangées pour former une mélodie nouvelle.

Et pourtant, c'est ce qui est arrivé avec la théorie du big bang. En moins d'un demi-siècle, celle-ci est devenue le paradigme[5] de la cosmologie moderne, une théorie à partir de laquelle sont conçus et planifiés projets et observations nouvelles. Le big bang est devenu le nouveau langage commun, la nouvelle représentation du monde, le dernier tableau de peinture et la mélodie la plus récente. Une des raisons majeures de ce nouveau et rapide consensus est sans aucun doute la capacité à prédire, le pouvoir prophétique de cette théorie et le fait que ses prédictions ont été vérifiées de façon spectaculaire. Seule la théorie du big bang peut expliquer des observations en apparence aussi disparates que l'existence d'un rayonnement fossile qui baigne tout l'univers, la composition chimique des étoiles et galaxies — trois quarts d'hydrogène et un quart d'hélium — et le fait que l'univers, les plus vieilles étoiles et les atomes les plus anciens ont tous à peu près le même âge. Examinons cela de plus près.

Le rayonnement fossile de l'univers

Avec le big bang, l'univers prend une dimension historique. On peut parler maintenant d'une histoire de l'univers, avec un commencement et une fin, un passé, un présent et un futur. L'univers newtonien statique, immuable et dépourvu d'histoire est relégué au rang des univers moribonds.

5. T.S. Kuhn, *La Structure des révolutions scientifiques*, Fayard, 1982.

L'ethnologue recherche, au fin fond de l'Afrique, des os d'homme primitif qui lui permettent de retracer l'histoire humaine. Le géologue creuse dans les profondeurs de l'écorce terrestre à la poursuite d'organismes fossiles qui l'aideront à reconstituer l'histoire de la Terre. De même, l'astronome promène un regard inquisiteur sur le contenu de l'univers, à la recherche de fossiles cosmiques qui lui permettront de reconstruire l'histoire du cosmos.

Le fossile cosmique le plus important, celui qui a rallié la majorité de la communauté scientifique à la théorie du big bang, et qui constitue l'écueil contre lequel se brisent la plupart des théories rivales, est un rayonnement qui baigne l'univers tout entier et qui nous provient de l'époque où l'univers n'était âgé que de 300 000 ans. Les grains de lumière, ou photons, qui composent ce rayonnement fossile* (environ 400 par centimètre cube) se cognent contre ma main au moment même où j'écris ces lignes, ou contre votre visage pendant que vous les lisez. Ces grains de lumière fossiles, qui peuvent être perçus et captés à l'aide de radiotélescopes, sont les notes de musique éparses que la nature nous envoie. A nous de déchiffrer leur mélodie secrète.

L'existence de ce rayonnement fossile universel avait été annoncée dès 1946 par le physicien américano-russe George Gamow. Celui-ci, se fondant sur les travaux antérieurs du mathématicien russe Alexandre Friedmann et du chanoine belge Georges Lemaître, avait utilisé la physique pour remonter le temps à la source du big bang, tout comme l'explorateur remonte la rivière vers sa source. Les lois de la physique avançaient que l'univers avait dû être plus chaud et plus dense par le passé. D'autre part, le rapport de force entre les deux composantes de l'univers, la matière (les atomes, les étoiles et les galaxies) et la lumière, devait avoir été inversé quand l'univers était moins âgé. Toute matière est énergie, nous enseigne Einstein. La matière domine l'univers actuel de son énergie qui est environ 3 000 fois supérieure à celle de la lumière. La situation s'inverse dans les premiers instants de l'univers. Entre 1 seconde et 300 000 années après l'explosion initiale, les températures et les densités étaient si extrêmes qu'aucune des structures que nous observons aujourd'hui, galaxies, étoiles ou même atomes, ne pouvait exister. C'était le règne de la lumière. Cette lumière, à l'origine chaude et énergétique (sa température était de 10 000° K quand l'univers avait 300 000 ans) et qui baigne tout l'univers, doit encore nous parvenir aujourd'hui, mais considérablement refroidie, selon Gamow. Le travail que la lumière fossile a dû fournir pendant 15 milliards d'années, pour rattraper notre Voie lactée emportée par l'expansion de l'univers, l'a beaucoup épuisée. Elle a perdu une grande partie de son énergie, si bien qu'elle n'a plus qu'une température frigorifique de 3°K (− 270°C) au-dessus du zéro absolu* dans l'univers actuel. Cette lumière, si froide et si peu énergétique, ne pourrait être captée qu'avec un radiotélescope.

Un feu dans la cheminée laisse des cendres. Le rayonnement fossile constitue les cendres du feu de la création.

Les téléphones et la cosmologie

Ce rayonnement fossile, cet écho de la création, personne ne se donna la peine de le rechercher pendant les vingt années qui suivirent. Les travaux de Gamow furent oubliés. Ce n'est qu'en 1965 que la lumière fossile fut découverte par hasard par deux radioastronomes américains, Arno Penzias et Robert Wilson, qui travaillaient dans les laboratoires de la compagnie téléphonique Bell.

L'histoire est belle et vaut la peine d'être contée. Les préoccupations de Penzias et Wilson étaient tout autres que cosmologiques. Dans le souci d'améliorer les communications téléphoniques, ils voulaient construire un radar aussi perfectionné que possible afin de capter les signaux de Telstar, le premier satellite de communication. Cette tâche devait, à l'origine, être accomplie par un radar français. Mais la construction de l'appareil prit du retard. La date du lancement de Telstar approchait et les dirigeants de la compagnie Bell s'inquiétaient. Dans l'éventualité où le radar français ne serait pas prêt, ils demandèrent à Penzias et Wilson d'en construire un autre. Telstar fut lancé. Le radar français fut prêt à temps, mais le télescope de Penzias et Wilson fut tout de même mis à contribution. Il permit de détecter non seulement les signaux de Telstar, mais aussi un mystérieux rayonnement à 3°K. Ce n'est que plus tard que Penzias et Wilson se rendirent compte qu'ils entendaient la musique de la création. Le retard des ingénieurs français avait provoqué la découverte de l'autre pierre angulaire de la théorie du big bang ! Sans les observations du mouvement de fuite des galaxies et de la lumière fossile, l'édifice du big bang s'effondrerait.

On peut se demander pourquoi il a fallu attendre deux décennies pour entreprendre des observations d'une importance si capitale et pourquoi, après cette longue attente, ce fut le hasard qui provoqua la découverte. La raison n'est probablement pas à rechercher dans le manque de moyens techniques. Quand les travaux de Gamow sur le big bang furent publiés quelques années après la fin de la Seconde Guerre mondiale, la radioastronomie prenait déjà son essor grâce aux développements des radars pendant la guerre. La vraie raison serait plutôt d'ordre psychologique. Le big bang donnait à la notion de création une base scientifique. La religion montrait le bout de son nez, et les physiciens, mal à l'aise, « oublièrent » inconsciemment la prédiction de Gamow.

Après la découverte de Penzias et de Wilson, les astronomes se mirent avec acharnement à étudier le rayonnement fossile, comme pour rattraper le temps perdu. Les radiotélescopes du monde entier furent mis à contribution. Le rayonnement cosmologique était omniprésent et toujours égal à lui-même. Il indiquait la même température de $3°K$, quelle que soit la direction dans laquelle vous pointiez votre télescope (on dit qu'il est isotrope), de quelque endroit que vous l'observiez, d'une chambre ou du sommet d'une montagne, et quelle que soit la fréquence à laquelle vous régliez votre radiotélescope. La théorie du big bang avait passé la première épreuve la tête haute. La création de l'univers née de l'imagination fertile de quelques physiciens avait véritablement eu lieu. L'univers avait bien commencé son existence par une phase chaude et dense. Il s'était bien rempli de cette lumière qui nous parvient aujourd'hui toute refroidie. Les grains de lumière fossiles dominent l'univers de leur nombre. Ils sont 1 milliard pour chaque particule de matière. Mais leur énergie est si faible qu'ils ne représentent que moins d'un millième de l'énergie totale de l'univers.

Pour l'hélium, tout se joue dans les trois premières minutes

Nous sommes faits d'éléments chimiques. Nos os sont constitués de calcium. Le carbone, en se combinant avec l'hydrogène, l'oxygène et l'azote, fabrique les molécules du code génétique qui sont responsables du stockage et de la transmission de l'information, et qui font que nos enfants nous ressemblent. Le zinc nous aide à digérer l'alcool. Le cuivre sert à la pigmentation de la peau. Au moins vingt-sept éléments chimiques règlent le bon fonctionnement de notre corps. Que l'un de ces éléments vienne à manquer, et c'est la maladie.

Ces éléments « lourds* » (leur masse atomique est plus lourde que celle de l'hydrogène et de l'hélium, les deux éléments les plus légers de l'univers), dont nous sommes faits et qui constituent les fondements de la vie, ne représentent pourtant qu'une fraction insignifiante, environ 2 % de la masse totale de l'univers. Les étoiles et les galaxies n'ont pas la même composition que les hommes. Elles sont faites à 98 % d'hydrogène et d'hélium, cet hélium qui gonfle les ballons et pousse les jolies montgolfières haut dans le ciel. Dans les années soixante, les astronomes remarquèrent que la quantité d'hélium par rapport à l'hydrogène ne variait pratiquement pas d'étoile en étoile, ou de galaxie en galaxie, à l'inverse des métaux lourds dont la quantité pouvait varier d'un facteur de plus de 1 000. Les objets cosmiques montraient toujours la même proportion d'environ un quart d'hélium pour trois quarts d'hydrogène en masse.

Cette régularité remarquable ne pouvait être le fruit du hasard. L'inconstance des éléments lourds et la constance de l'hydrogène et de l'hélium devaient refléter leur origine. Dès l'année 1939, le physicien américain Hans Bethe avait découvert que les métaux lourds pouvaient être fabriqués dans le cœur des étoiles. Ces fours cosmiques chauffés à des dizaines de millions de degrés fusionnaient des noyaux d'atomes d'hydrogène en des noyaux plus lourds, libérant de vastes quantités d'énergie nucléaire qui alimentaient le feu des étoiles. Il était aussi évident que l'hydrogène devait être un élément primordial, c'est-à-dire antérieur à la formation des étoiles puisque les étoiles elles-mêmes étaient composées d'hydrogène. L'hélium avait un statut particulier. Il ne pouvait être fabriqué en quantité suffisante dans les fours stellaires, puisqu'une telle fabrication aurait libéré une énorme quantité d'énergie, plus que celle observée dans l'univers.

La constance de l'hélium par rapport à l'hydrogène pouvait s'expliquer naturellement si ces deux éléments étaient exclusivement produits dans les premiers instants de l'univers, c'est-à-dire s'ils étaient « primordiaux* ». Leurs quantités relatives seraient ainsi fixées une fois pour toutes et ne dépendraient plus de l'évolution des étoiles et des galaxies, dans les milliards d'années à venir, qui était la cause de la grande variation en quantité des éléments lourds. D'autre part, l'absence actuelle de l'énergie libérée dans la fabrication de l'hélium pouvait être expliquée par la dilution de cette énergie due à l'expansion de l'univers. Les astrophysiciens se mirent au travail avec frénésie, et la théorie du big bang remporta son deuxième triomphe. Si la température de l'univers était maintenant de 3°K, les calculs prédisaient que, environ trois minutes après l'explosion primordiale, le quart de la masse de l'univers était faite d'hélium, les trois quarts restants d'hydrogène et que ces proportions n'ont que très peu varié depuis. Ce sont précisément celles qui sont observées dans les étoiles et les galaxies... Les cosmologistes avaient de plus en plus l'impression qu'ils étaient sur la bonne voie.

Les galaxies décélèrent

Le dernier argument en faveur de la théorie du big bang concerne l'âge de l'univers, c'est-à-dire l'intervalle de temps entre le moment où toute la matière des galaxies était ensemble et maintenant. Pour l'obtenir, il suffirait, en théorie, d'observer une galaxie, de mesurer sa distance et sa vitesse de fuite et de diviser une quantité par l'autre. Sur l'autoroute, vous dépassez un panneau qui indique que vous êtes à 200 kilomètres de Paris. Un rapide coup d'œil sur votre indicateur de vitesse vous permet de savoir que vous roulez à 100 kilomètres à l'heure. Il vous suffit d'un petit calcul mental pour savoir que vous avez quitté Paris il y a deux heures sans avoir à consulter votre montre. Ce calcul est exact si vous avez toujours roulé à la même vitesse depuis le départ de Paris. L'âge de l'univers, obtenu en divisant la distance d'une galaxie par sa vitesse, est exact si la vitesse des galaxies ne varie pas en fonction du temps. Or, toute galaxie dans l'univers subit l'influence gravitationnelle de la masse visible (comme celle des galaxies) et invisible (comme celle des trous noirs) qui y est contenue. L'attraction gravitationnelle ralentit le mouvement d'expansion : les galaxies subissent un petit mouvement de décélération. Si, au début de votre voyage, vous aviez roulé à 150 kilomètres à l'heure avant de ralentir jusqu'à 100 kilomètres à l'heure, vous auriez conclu que votre voyage a réellement duré moins de deux heures. De même, en raison de la décélération des galaxies, l'âge de l'univers est légèrement inférieur à l'âge obtenu en divisant la distance d'une galaxie par sa vitesse de fuite.

Le ballet cosmique

Mesurer l'âge de l'univers équivaut donc à mesurer les distances et les vitesses de fuite des galaxies. La vitesse d'éloignement des galaxies est facilement mesurable. Il suffit, en effet, de décomposer la lumière des galaxies à l'aide d'un spectroscope* et de mesurer l'effet Doppler. Mais attention ! Il faut ne prendre en compte que le mouvement des galaxies dû à l'expansion de l'univers. Tout autre mouvement, tel celui qui est dû à l'attraction gravitationnelle des galaxies voisines, doit être exclu.

Les galaxies n'aiment pas être seules. Elles semblent avoir l'instinct grégaire et préfèrent s'associer. Le meilleur endroit, pour une galaxie, est à proximité d'une autre. Elles s'organisent ainsi en agglomérations, en structures de plus en plus grandes. Notre « maison », la galaxie, fait partie d'un petit village, d'un « groupe local* » de galaxies reliées par la gravité qui inclut, outre notre Voie lactée, la galaxie Andromède et une quinzaine de galaxies naines dont les satellites de la nôtre, les grand et petit nuages de Magellan*, et qui s'étend sur une dizaine de millions d'années-lumières. Aux environs de notre village cosmique existent d'autres villages, d'autres groupes de galaxies. En pénétrant plus profondément dans l'univers, nous rencontrons même des villes, des amas* de quelques milliers de galaxies liées par la gravité, dont la taille est d'une trentaine de millions d'années-lumières*. Tout comme les villages et les villes font partie d'un pays, le groupe local fait partie d'un énorme complexe de 10 000 galaxies assemblées dans des groupes ou dans des amas s'étendant sur quelque 200 millions d'années-lumières, qui est appelé « superamas local* » ou encore « superamas de la Vierge », parce que l'amas dit de la Vierge apporte une contribution importante à sa masse.

La gravité fait que les galaxies, dans ces structures, s'attirent et « tombent » les unes vers les autres. Les mouvements de chute ainsi engendrés se superposent au mouvement d'expansion. La Terre, de fait, participe à un fantastique ballet cosmique. Elle nous entraîne d'abord à travers l'espace à raison de 30 kilomètres par seconde, dans son voyage annuel autour du Soleil. Celui-ci emmène à son tour la Terre dans son périple autour du centre de la Voie lactée à 230 kilomètres par seconde. La Voie lactée tombe à 90 kilomètres par seconde vers sa compagne Andromède (de notre point de vue, Andromède tombe vers nous ; elle est l'une des rares galaxies dont la lumière est décalée vers le bleu). Ce n'est pas fini. Le groupe local tombe à quelque 600 kilomètres par seconde, attiré par l'amas de la Vierge et par le superamas le plus proche du superamas local, celui de l'Hydre et du Centaure. Des observations en cours semblent indiquer que le ballet ne s'arrête pas là, que l'amas de la Vierge et le superamas de l'Hydre et du Centaure tombent eux-mêmes vers une autre grande agglomération de galaxies, que les astronomes, faute d'informations supplémentaires, ont surnommé le « Grand Attracteur* » (fig. 27).

Mais, malgré l'intérêt esthétique que nous portons à cette merveilleuse chorégraphie cosmique, il nous faut tâcher, pour déterminer l'âge de l'univers, de ne pas inclure ces pas de danse dans nos calculs des mouvements des galaxies. Notre but est de capter le mouvement de l'expansion de l'univers dans son expression la plus pure. Il nous faut donc éliminer le plus possible toute influence gravitationnelle et n'observer, autant que faire se peut, que des galaxies situées bien au-delà du superamas local, environ 200 fois plus loin que notre compagne Andromède, à des distances supérieures à 200 millions d'années-lumières. Pour des galaxies plus proches, il faut nous efforcer de soustraire tout pas de danse au mouvement de fuite.

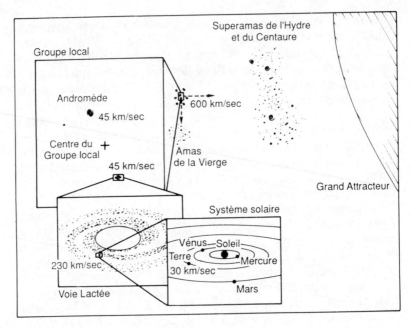

Fig. 27.

Le grand ballet cosmique. De notre socle terrestre, nous participons à un fantastique ballet cosmique : la Terre nous propulse à 30 kilomètres par seconde autour du Soleil, lequel fend l'espace à 230 kilomètres par seconde autour du centre de la Voie lactée. Celle-ci tombe à son tour vers la galaxie Andromède à 90 kilomètres par seconde (chacune des deux galaxies se précipitant à 45 kilomètres par seconde vers le centre du groupe local). Le groupe local, dont les membres les plus massifs sont la Voie lactée et Andromède, se déplace à 600 kilomètres par seconde, attiré par la gravité de l'amas de la Vierge et du superamas de l'Hydre et du Centaure. Ce dernier tombe à son tour vers le Grand Attracteur, dont la masse est équivalente à celle de dizaines de milliers de galaxies et dont la nature est encore inconnue.

L'âge de l'univers

Notre quête de l'âge de l'univers est encore très loin de s'achever. La profondeur cosmique nous fait défaut. La mesure des distances des galaxies éloignées présente de formidables difficultés. Toute l'incertitude actuelle dans l'évaluation de l'âge de l'univers provient des incertitudes dans la mesure des distances. La véritable perspective de l'univers continue encore à nous échapper.

Hubble, avec les phares célestes que sont les étoiles céphéides, avait pu mesurer l'univers jusqu'à 13 millions d'années-lumières, environ 4 fois plus loin que le groupe local. Mais au-delà de ces distances, ces phares deviennent trop faibles, la luminosité devient trop faible pour être détectée. Il fallait des phares plus brillants pour nous aider à pénétrer l'univers plus en profondeur. Les étoiles les plus brillantes d'une galaxie (surnommées « supergéantes » parce qu'elles ont la luminosité de 100 000 Soleils et qu'elles sont 300 fois plus grosses que notre astre), les amas globulaires★, ces ensembles sphériques de centaines de milliers d'étoiles, les supernovae★, ces explosions qui marquent la fin de la vie des étoiles massives et qui libèrent autant d'énergie par seconde qu'une galaxie entière à leur maximum de brillance, furent mis à contribution. Ces phares nous permettent de progresser dans l'univers jusqu'à une distance d'environ 300 millions d'années-lumières et de nous échapper de l'influence gravitationnelle du superamas local. Malheureusement, contrairement au cas des étoiles céphéides, la vraie brillance de ces phares est très mal connue. De même que le marin qui ignore la brillance réelle d'un phare ne peut estimer avec précision la distance qui le sépare du port, l'astronome qui ne connaît pas la brillance réelle des phares cosmiques ne peut évaluer leurs distances avec une grande précision.

Pour percer le secret de la vraie brillance de ces phares lointains, l'astronome doit effectuer une série de mesures qui dépendent toutes les unes des autres. Pour mesurer la profondeur cosmique, il lui faut construire un véritable échafaudage, où la solidité d'un étage dépend de la solidité de tous ceux qui le précèdent (voir table 1). A la base de cet échafaudage se trouve l'amas galactique des Hyades, le groupement d'étoiles le plus proche. Sa distance (120 années-lumières) a été déterminée, souvenez-vous en, grâce à la méthode du point convergent, et les brillances réelles des étoiles dans l'amas des Hyades ont pu être déduites à partir de leurs brillances apparentes. Pour construire le deuxième étage de l'échafaudage, et aller plus loin dans l'univers, il fallait trouver des amas galactiques plus distants et, en particulier, ceux contenant des céphéides. La distance de ces amas plus lointains fut obtenue en supposant que leurs étoiles ont la même brillance réelle que celles de l'amas des Hyades. La connaissance de ces distances permit ensuite de déduire la brillance réelle des céphéides. La relation période-luminosité des céphéides permet à son tour d'accéder au troisième étage, et de mesurer les distances des galaxies jusqu'à 13 millions d'années-lumières. La vraie brillance des étoiles supergéantes, des amas globulaires et des supernovae dans ces galaxies put être ainsi obtenue. Pour monter jusqu'au quatrième étage et pénétrer l'univers jusqu'à 300 millions d'années-lumières, il fallait de nouveau supposer que la brillance

des étoiles supergéantes, amas globulaires ou supernovae était la
même dans les galaxies lointaines et qu'elle ne variait pas dans le
temps. Le temps intervient car, nous l'avons vu, la lumière met du
temps pour nous parvenir, et regarder loin dans l'espace, c'est regarder loin dans le passé. En pénétrant la profondeur cosmique, l'astronome remonte aussi le temps.

Table 1

Comment l'astronome mesure la profondeur cosmique

Distance en années-lumières	Objet céleste	Méthode de détermination de distance
10×10^9		
	Galaxies lointaines et quasars	La loi de Hubble est utilisée : le décalage vers le rouge indique la distance
300×10^6		
	Étoiles supergéantes, amas globulaires, supernovae	Phares cosmiques dont la brillance intrinsèque est déterminée à l'aide des méthodes à la base de l'échafaudage
13×10^6		
	Étoiles céphéides dans les galaxies du groupe local	Relation période-brillance intrinsèque
1500		
	Amas galactique d'étoiles (Hyades)	Point de convergence
100		
	Planètes, étoiles proches	Parallaxe
0		

Supposer que les étoiles ou autres objets cosmiques ne varient pas
dans le temps et l'espace est bien hardi. Leur dénier une histoire
et une identité propre, d'une galaxie à l'autre, serait probablement
une erreur. Hubble l'avait appris à ses dépens en 1929 quand, pour

déterminer la distance d'Andromède, il supposa que les céphéides de celle-ci avaient la même brillance réelle que celles de la Voie lactée. Ce qui était erroné. Elles étaient 4 fois plus brillantes. Hubble pensa qu'Andromède était plus proche qu'elle ne l'était en réalité et se retrouva ainsi avec un univers âgé de 2 milliards d'années seulement, trop jeune d'un facteur de 10 par rapport à l'univers d'aujourd'hui.

L'autre grande source d'imprécision dans l'évaluation de la distance des phares cosmiques provient de la construction même de l'échafaudage. Avec cette technique, les erreurs commises à chaque étape se propagent et s'accumulent, si bien que l'erreur globale sur les distances des galaxies au-delà du superamas local, au quatrième étage, est énorme, même si l'erreur sur la distance aux Hyades, à la base, est minime. Après tant d'efforts et malgré toute l'ingéniosité déployée, l'univers refuse encore de nous dévoiler sa vraie profondeur et son âge réel. Pour l'instant, on peut seulement dire qu'il a entre 10 et 20 milliards d'années.

Est-ce que l'univers, telle une femme coquette, refusera à jamais de nous dire son âge réel ? Des instruments nouveaux se profilent à l'horizon, qui vont peut-être forcer son secret. Un télescope spatial de 2,5 mètres de diamètre va bientôt tourner en orbite autour de la Terre. Grâce à sa capacité nouvelle de scruter sans être gêné par l'atmosphère, il permettra d'observer des astres 50 fois moins lumineux et 7 fois plus éloignés que le plus grand télescope au sol (voir figure 12). Il pourra détecter des céphéides jusqu'à l'amas de galaxies le plus proche, l'amas de la Vierge, un groupement d'environ 1 000 galaxies qui fait partie du superamas local, et qui est à 42 millions d'années-lumière. Les distances déterminées à partir des céphéides sont très précises, ce qui solidifierait considérablement le quatrième étage de l'échafaudage. D'autre part, la base même de cet échafaudage va être renforcée. Un satellite européen nommé Hipparcos (du nom de l'astronome grec qui le premier obtint la parallaxe* de la Lune, mais qui est aussi l'acronyme pour "High Precision Parallax Collecting Satellite" [satellite collecteur de parallaxes à haute précision]) doit être mis en orbite vers 1990. Il permettra d'obtenir les parallaxes des étoiles dans l'amas des Hyades, qui constitue la base de l'échafaudage. La distance de ce dernier pourra alors être mesurée avec une merveilleuse précision.

L'âge des plus vieilles étoiles

Le mouvement de fuite des galaxies nous a servi de sablier cosmique pour dater l'univers. De 10 à 20 milliards d'années est-il un âge raisonnable? L'univers contient des objets tels que la Terre ou les vieilles étoiles dans les amas globulaires, dont on peut déterminer l'âge avec une assez grande précision. Cet âge doit être égal ou inférieur à celui de l'univers, car il serait bien embarrassant d'être confronté à un univers (qui, par définition, englobe tout) moins âgé que son contenu.

Les amas globulaires sont parmi ce que l'univers contient de plus vieux. Ils ont été formés dans le premier milliard d'années de son histoire. Ils vont nous servir de deuxième sablier cosmique. Imaginez un village où l'on a rassemblé tous les bébés de France nés le même jour, disons le 1er janvier 1988. Ces bébés vont grandir. Ils fêteront leur anniversaire le même jour de chaque année. Certains deviendront de grosses personnes, d'autres seront plus maigres. Les obèses auront davantage de maladies et d'arrêts cardiaques, leur vie sera courte, d'une durée de cinquante ans. Les personnes de poids moyen auront une durée de vie de soixante-quinze ans, alors que les personnes les plus maigres auront une longévité supérieure et vivront jusqu'à cent ans. Vous visitez le village. Il vous suffit d'examiner l'apparence des habitants du village pour deviner leur âge. Supposons que vous y fassiez une visite en l'an 2008, vingt ans après la naissance des bébés. Tous sont encore vivants. Vous rencontrez des adolescents obèses, de poids moyen et maigres, et vous déduisez que leur âge commun doit être de moins de cinquante ans. Vous revenez trente ans plus tard, en l'an 2038. Vous ne voyez plus que des personnes de poids moyen et d'autres maigres. Les obèses ont disparu. Vous en concluez que les habitants du village doivent avoir entre cinquante et soixante-quinze ans. Votre fils revient trente ans plus tard, en l'an 2068. Il ne rencontre plus que des personnes très maigres. Il en déduit que leur âge oscille entre soixante-quinze et cent ans.

De même, l'astronome peut déduire l'âge des habitants « étoiles » dans le village « amas globulaire » en examinant leurs caractéristiques physiques telles que leur masse ou leur brillance. Comme les bébés du village, toutes les étoiles d'un amas globulaire sont nées en même temps du fait de l'effondrement d'un nuage interstellaire d'hydrogène et d'hélium. Comme les êtres humains, certaines étoiles sont nées plus « obèses », plus massives et plus lumineuses que d'autres. Ces étoiles massives et lumineuses consomment avec prodigalité leur réserve d'énergie nucléaire. Très vite, elles arrivent au bout du rouleau et meurent. Quelques millions d'années et elles s'en vont. Des feux de paille dans la longue histoire de l'univers. En revanche, les étoiles plus « malingres », moins massives et moins lumineuses utilisent parcimonieusement leur réserve d'énergie. Elles arrivent à subsister des milliards d'années sur leurs petites économies. Le Soleil est une de ces étoiles parcimonieuses. Il a déjà vécu 4, 5 milliards d'années, mais il n'est qu'à la moitié de son existence. Les étoiles moins massives et moins lumineuses que le Soleil vivront plus longtemps encore, jusqu'à 20 milliards d'années. L'astronome, en visitant le village « amas globulaire », ne rencontre que des étoiles chétives et malingres, pas très lumineuses. Il conclut que l'âge des étoiles dans les amas globulaires, les plus vieilles étoiles de l'univers, se situe entre 12 et 20 milliards d'années. Le partisan de la théorie du big bang jubile. Le deuxième sablier cosmique indique à peu près le même âge.

L'âge des atomes les plus anciens

Un troisième sablier cosmique est à notre disposition. Il concerne la durée de vie de certains atomes. Ces atomes ne sont pas éternels. Au bout d'un certain temps, ils se désintègrent et se métamorphosent en d'autres atomes. L'exemple le plus connu est celui du carbone 14 (il existe une autre variété de carbone plus stable, le carbone 12). Le carbone 14 a une demi-vie de 6 000 années, c'est-à-dire que la moitié des atomes de carbone présents au début disparaissent après 6 000 ans. Si vous avez initialement 10 000 atomes de carbone 14, 6 000 ans après, il n'en restera plus que 5 000. Encore 6 000 ans (12 000 ans depuis le début) et il ne restera plus que 2 500 atomes. Encore 6 000 ans (18 000 ans depuis le début) et le nombre d'atomes de carbone se réduit à 1 250. Et ainsi de suite. Il suffit donc de compter le nombre d'atomes de carbone 14 pour obtenir l'âge d'un objet.

Ce sablier cosmique fait la joie des archéologues et la terreur des faussaires. Il permet de dater de manière très précise tout objet qui contient des atomes de carbone, aussi bien les plus anciens manuscrits que les tableaux impressionnistes de Monet.

Le carbone 14 vit le temps d'un éclair dans l'histoire de l'univers. Sa demi-vie est trop courte pour servir de sablier au cosmos. Il nous faut des atomes dont la demi-vie est comparable aux 10 à 20 milliards de l'univers. Les atomes d'uranium viennent à notre secours, ce même uranium qui alimente nos centrales nucléaires et éclaire nos maisons la nuit, ou qui est responsable de la puissance dévastatrice de la bombe lâchée sur Hiroshima. Comme certains autres éléments lourds de l'univers, cet uranium est né de l'agonie explosive des étoiles massives.

Il y a en fait deux espèces d'atomes d'uranium, l'uranium 235, qui a une demi-vie de 1 milliard d'années, et l'uranium 238 qui vit plus longtemps, avec une demi-vie de 6,5 milliards d'années. Parce que l'uranium 235 disparaît plus vite que l'uranium 238, le rapport du nombre d'atomes d'uranium 235 au nombre d'atomes d'uranium 238 décroît progressivement. Ce rapport marque le temps et nous sert de sablier cosmique. L'âge des atomes les plus anciens qu'il indique se situe à nouveau entre 10 et 20 milliards d'années.

Il n'y a, *a priori*, aucun lien évident entre les trois sabliers cosmiques, entre le mouvement de fuite des galaxies, l'évolution des étoiles et la désintégration des atomes. Le fait qu'ils donnent tous la même réponse ne peut être accidentel. A moins d'une immense conspiration cosmique pour nous mettre sur une fausse piste, il faut y voir un nouveau triomphe de la théorie du big bang.

Jusqu'ici, nous avons seulement abordé les succès du big bang, succès éclatants, il est vrai. Mais est-ce à dire qu'aucun nuage menaçant n'apparaît à l'horizon, que tout est résolu par cette théorie ? Nous verrons que ce n'est nullement le cas, mais aussi que tout n'est pas perdu et que les développements récents de la physique de l'infiniment petit, celle des particules élémentaires, sont à même de dissiper une grande partie de ces nuages.

Pourquoi un univers si homogène ?

Dès le début, la théorie du big bang a été assombrie par des points noirs qui sont restés inexpliqués jusqu'à récemment. Le premier point noir concerne une propriété remarquable de l'univers : son homogénéité*. La température de 3°K du rayonnement fossile* qui baigne tout l'univers est la même dans quelque direction que vous regardiez, en bas, en haut, devant, derrière, à gauche ou à droite. Elle ne varie pas de plus de 0,01 % d'un point du ciel à l'autre. L'univers apparaît donc uniforme dans toutes les directions. Or, ce rayonnement cosmologique a été produit, nous le verrons bientôt, alors que l'univers n'avait que 300 000 ans. La lumière étant le moyen de communication le plus rapide entre les différentes zones de l'espace, cela implique que seules des régions séparées de moins de 300 000 années-lumières* avaient eu le temps de s'influencer mutuellement pour homogénéiser leur température à 3°K. L'horizon cosmologique était alors de 300 000 années-lumières et, à plus grande échelle, la température n'a *a priori* aucune raison d'être la même. Pourtant, les observations montrent que la température est la même dans quelque direction que l'on regarde, c'est-à-dire dans des régions séparées par des distances bien supérieures à 300 000 années-lumières. La situation est comparable à celle de deux bateaux au repos sur un océan, tellement éloignés l'un de l'autre qu'ils ne peuvent se voir. Tout d'un coup, et exactement au même instant, vous les voyez lever l'ancre et se diriger tous deux vers la même île avec la même vitesse. En tant que spectateur, vous vous dites que ces actions semblables et simultanées ne se sont pas produites par hasard, que les deux bateaux sont entrés en contact radio pour décider de leur mouvement commun. De même, la grande homogénéité de l'univers implique que toutes ses parties ont été en relation les unes avec les autres. La théorie du big bang, dans sa version première, affirme que cela est impossible. Face à ce puzzle inexpliqué, l'astrophysicien lève les bras et masque son ignorance en invoquant des « conditions initiales » : si les différentes parties de l'univers sont aussi semblables aujourd'hui, c'est qu'elles devaient déjà l'être au départ. Le « grand architecte » les avait créées identiques les unes aux autres ! Une explication qui n'explique rien.

Pourquoi un univers structuré ?

Le deuxième point noir est en quelque sorte la contrepartie du problème de l'homogénéité de l'univers. Au lieu de se demander pourquoi l'univers est régulier, l'astrophysicien se demande pourquoi il présente des irrégularités, pourquoi il possède des structures.

L'univers est comme une gigantesque toile pointilliste de Georges Seurat. De loin, on peut apprécier l'ensemble du tableau, mais on ne distingue pas les mille petits points de couleurs diverses et chatoyantes qui composent les figures dans le tableau. Les contours paraissent uniformes. C'est seulement en se rapprochant du tableau que les figures se décomposent en une multitude de points. De même, l'univers vu de loin apparaît très uniforme. Tous les détails sont supprimés comme en témoigne l'extraordinaire uniformité du rayonnement fossile.

Et pourtant, l'univers n'est pas tout à fait uniforme. Il possède des structures. Heureusement pour nous, car un univers dénué de structures est comme un désert sans oasis : la vie ne peut y subsister, ni s'y développer. Si notre univers était dénué de structures, nous ne serions pas là pour en parler. Tout comme pour la toile de Seurat, les structures de matière commencent à se dessiner dans un univers examiné de plus près. D'abord apparaissent les plus grandes structures, dites superamas* de galaxies, dont les dimensions s'évaluent en centaines de millions d'années-lumière ; en s'enchevêtrant, elles tissent une vaste tapisserie cosmique. Puis viennent les amas* qui sont 10 fois plus petits que les superamas, puis les groupes de galaxies 20 fois plus petits, puis les galaxies (dont notre Voie lactée) 2 000 fois plus petites, puis les étoiles de notre galaxie (dont notre Soleil) 10^{15} (1 suivi de 15 zéros) fois plus petites, puis notre Terre, 10^{17} fois plus petite, havre des hommes dans l'immensité cosmique.

Le paysage de l'univers présente donc un double visage : une uniformité globale presque parfaite et une structure d'une richesse inouïe à petite échelle. En se rapprochant et en regardant plus en détail, la toile monotone, banale et uniforme s'est transformée en une merveilleuse tapisserie cosmique riche de dessins et de motifs. Comment l'univers a-t-il pu développer une hiérarchie si riche de structures à partir d'un état si uniforme? Comment la complexité a-t-elle pu surgir de la simplicité? Ce problème de la structure de l'univers et de la formation des galaxies est resté sans solution jusqu'à présent. De nouveau, l'astrophysicien donne sa langue au chat et invoque les conditions initiales : le « grand architecte » a semé, dans son univers régulier, des irrégularités qui, en croissant, ont donné naissance aux galaxies, aux étoiles et aux êtres humains.

Où est passé l'antimatière?

Le troisième nuage noir à l'horizon, dans le paysage du big bang, concerne la plus fondamentale de toutes les questions : la genèse de l'univers. Comment la matière et la lumière (ou radiation) ont-elles surgi de la structure même de l'espace? Quelles sont les lois physiques qui ont déterminé le contenu de l'univers en matière, antimatière* et radiation?

L'antimatière*, malgré son nom qui évoque la science-fiction, n'est pourtant pas très différente de la matière dont nous sommes faits et qui compose le monde qui nous entoure. Prenez les composantes de la matière, par exemple le noyau de l'atome d'hydrogène, ou proton*. Il a, par convention, une charge électrique positive. Inversez le signe de la charge et vous aurez un antiproton. L'électron a une charge électrique égale à celle du proton, mais de signe opposé (la charge est négative). Inversez le signe (la charge devient positive) et vous aurez un antiélectron (ou positon*). L'antimatière* est l'image de la matière, mais vue dans un miroir qui inverse les signes des charges électriques. Hormis la charge électrique, les propriétés physiques de la matière et de l'antimatière sont exactement les mêmes. L'antiproton peut se combiner avec l'antiélectron pour former un atome d'antihydrogène. Les antiatomes peuvent se lier pour constituer des antimolécules et la vie peut surgir après l'élaboration des longues chaînes en forme d'hélice des antigènes d'ADN. On peut imaginer un anti-moi écrivant ces lignes et un anti-vous les lisant dans une lointaine anti-planète tournant autour d'un anti-Soleil perdu dans l'immensité d'une anti-galaxie. Vous et votre anti-vous vivez des vies parallèles tant que vous êtes séparés. Mais que vous vous rencontriez, et c'est la catastrophe. Une poignée de main et vous devenez tous les deux lumière. Car la matière et l'antimatière s'annihilent quand elles entrent en contact et se métamorphosent en radiation.

Cependant, la probabilité de trouver un anti-vous quelque part dans l'univers est extrêmement faible. L'univers semble être dépourvu d'antimatière. Les rayons cosmiques*, ces vents de particules chargées qui nous parviennent des confins de notre galaxie, ne contiennent pratiquement que de la matière (des protons surtout). De plus, on n'observe pas un si grand nombre de photons, ces particules de lumière qui résulteraient de l'annihilation entre matière et antimatière si celles-ci existaient en quantité égale. Les photons excèdent bien en nombre (1 milliard contre 1) les particules de matière (telles que le proton) dans l'univers actuel, mais ce nombre serait loin d'être suffisant si l'antimatière était aussi importante que la matière. Pourquoi vivons-nous alors dans un univers composé exclusivement de matière? Où sont les anti-vous et les anti-moi? Où est passée toute l'antimatière qui devait être présente aux premiers instants de l'univers? Jusqu'à très récemment, ces questions étaient restées sans réponse.

Pourquoi le paysage de l'univers est-il si plat?

Il y a enfin le nuage noir que représente la platitude de l'univers. Le mot « platitude* » décrit la géométrie de l'espace. Le paysage de l'univers actuel à grande échelle est dépourvu de relief. Sur l'autoroute de l'univers, vous ne verrez qu'un paysage très monotone avec des champs plats qui s'étendent à perte de vue. Ce manque de relief implique que l'univers ne peut contenir une grande quantité de matière puisque celle-ci, lorsqu'elle est assez abondante, courbe la géométrie globale de l'espace. Ce n'est que très rarement dans l'immensité cosmique que vous rencontrerez des galaxies qui, par leur gravité, creusent des vallées pour rompre l'ennui des grands champs plats. Pourquoi l'univers manque-t-il de courbure?

Dire que l'univers est globalement plat, c'est aussi dire qu'il existe un équilibre presque miraculeux entre les deux forces opposées qui se livrent un combat acharné depuis le début de l'histoire de l'univers : la force explosive du big bang qui l'a fait éclater et lui a donné son mouvement d'expansion, et la force gravitationnelle attractive de son contenu en matière et énergie, qui ralentit et essaie d'inverser son mouvement d'expansion. S'il y avait eu davantage de matière et d'énergie, si le paysage avait été plus courbé, en d'autres termes si la force gravitationnelle avait été bien supérieure à la force explosive, il y aurait belle lurette que l'univers se serait effondré sur lui-même en un trou noir géant et nous ne serions pas là aujourd'hui pour en parler. De même, s'il y avait eu moins de matière et d'énergie, si la force explosive l'avait emporté de loin sur la force gravitationnelle, la matière n'aurait jamais pu s'assembler en galaxies, étoiles, Soleil et Terre, et nous ne serions pas là non plus pour nous poser des questions. L'équilibre entre les deux forces doit être d'une précision remarquable. Changez la vitesse d'expansion de l'univers, à l'âge d'une seconde, d'une fraction infime, égale à un milliardième de milliardième (10^{-18}) de sa valeur, et vous aurez complètement changé son destin. Quel est le mécanisme physique qui a permis de régler l'univers avec une telle précision ? Là encore, l'astrophysicien lève les bras au ciel et avoue son ignorance.

Jusqu'à ces dernières années, des nuages noirs très importants planaient donc sur l'édifice du big bang, projetant des ombres qui ternissaient son lustre. La théorie, poussée dans ses derniers retranchements, commençait à révéler des failles dans sa structure. Mais les efforts récents accomplis dans le domaine de la physique de l'infiniment petit, afin de construire une théorie unifiée de la nature où il n'y aurait plus qu'une « superforce » pour régir l'univers à son début, et l'idée d'une phase d'expansion extrêmement rapide dite « inflationnaire* » dans les premières fractions de seconde de l'univers, promettent de fournir le ciment nécessaire pour réparer ces failles. Ces nouveaux développements ont permis de remonter jusqu'aux tout débuts de l'univers, et d'esquisser une première version de son histoire. Mais avant d'ouvrir le livre de l'histoire de l'univers, il nous faut faire connaissance avec les quatre forces fondamentales de la nature. Nous nous familiariserons ensuite avec le flou quantique qui règle le monde de l'infiniment petit.

Les quatre forces

La nuit tombe. Les lumières s'allument. L'orage arrive. Des éclairs illuminent le ciel. Le vent souffle en rafales. Les feuilles, arrachées

aux arbres, esquissent en l'air de gracieux mouvements avant de
retomber sur le sol. Dans cette scène familière de la vie courante
se révèlent les forces de la nature. Tout changement dans le monde
qui nous entoure se fait par l'intermédiaire de forces. Quatre forces
fondamentales sont seules responsables de l'extrême diversité et
variété des changements et mouvements dans la nature. La force
gravitationnelle★ de la Terre fait que les feuilles mortes retombent
au sol après avoir été ballottées par le vent. La force électro-
magnétique★ est responsable des lumières qui brillent dans les maisons et des éclairs dans le ciel. La force nucléaire dite « faible★ »
responsable de la désintégration des atomes et de la radioactivité
permet le bon fonctionnement des centrales nucléaires qui alimentent en électricité les maisons. La force nucléaire dite « forte★ » permet l'existence des noyaux des atomes qui composent les maisons,
les feuilles, les arbres et le sol.

La colle de l'univers

La force de gravité règne dans le monde macroscopique. Son rôle
sur Terre fut remarqué dès les premiers balbutiements de l'humanité : les choses tombaient du haut vers le bas. Dans l'univers aristotélicien, au IVe siècle av. J.-C., ce mouvement vertical ne
caractérisait que le monde imparfait de la Terre et de la Lune. Le
monde parfait des autres planètes, du Soleil et des étoiles possédait
des mouvements circulaires parfaits, non régis par la gravité. La
notion de la gravitation universelle, qui agit sur l'ensemble de l'univers, n'apparut qu'avec Newton au XVIIe siècle. La gravité est la
« colle » du cosmos. Elle attire les choses les unes vers les autres.
Elle nous retient sur Terre, retient la Lune autour de la Terre, les
planètes autour du Soleil, les étoiles dans les galaxies et les galaxies
dans les amas. Supprimez la gravité et nous flotterons dans l'espace.
La Lune, les planètes et les étoiles se disperseront dans l'immensité cosmique.

Rien n'échappe à l'emprise de la gravité. Tout ce qui est masse
ou énergie est assujetti à sa loi. Paradoxalement, cette influence omniprésente s'accompagne d'une extrême faiblesse. La gravité est la plus
faible des quatre forces de la nature. Au niveau des particules élémentaires, elle est négligeable. L'atome d'hydrogène, le plus simple et le plus léger des éléments de l'univers, est composé d'un
électron lié à un proton. La force de gravité entre l'électron et le
proton est 10^{40} (1 suivi de 40 zéros) plus petite que la force électrique entre ces deux particules. L'atome d'hydrogène est aussi petit

(10^{-8} centimètre = 0,00000001 centimètre) parce que la force électrique a suffisamment de vigueur pour attirer l'électron tout près
du proton. Supprimez la force électrique et l'atome d'hydrogène,
laissé à la seule force gravitationnelle, s'enflera jusqu'à remplir l'univers. La force gravitationnelle est tellement faible qu'elle ne par-
viendra pas à attirer l'électron à moins de quelques dizaines de
milliards d'années-lumières du proton.

L'intensité de la force gravitationnelle dépend de la masse des
objets concernés. Celle qui s'exerce entre le proton et l'électron est
aussi faible à cause de l'extrême petitesse de la masse de l'électron
(10^{-27} grammes, le premier chiffre non nul vient après 27 zéros)
et du proton, bien que ce dernier soit environ 2 000 fois plus massif que l'électron. Il ne reste à la gravité, vu son extrême faiblesse
et son peu d'importance à l'échelle atomique, qu'à appliquer le dicton
« l'union fait la force ». Puisqu'une seule particule n'est pas assez
massive pour lui permettre de manifester son influence, elle va l'exercer à travers des objets plus grands et plus massifs, contenant un
nombre de particules beaucoup plus élevé. Ce nombre doit être fan-
tastiquement élevé quand on sait que 1 gramme d'eau contient déjà
environ 10^{24} particules. Même à l'échelle des objets de la vie courante, la gravité est insignifiante. Vous (qui pesez 70 kilogrammes)
ne sentez pas la force gravitationnelle que votre interlocuteur (s'il
pèse une cinquantaine de kilogrammes) exerce sur vous. Si vous vous
sentez « attiré » par lui, cela sera par tout autre chose que la force
gravitationnelle. Quand vous passez près d'un grand immeuble de
quelques tonnes, la gravité ne vous projette pas contre ses murs.
Il faudrait des instruments extrêmement sophistiqués pour mesurer l'influence gravitationnelle d'une grande bâtisse. Ce n'est qu'à
l'échelle astronomique que la gravité se fait vraiment sentir, qu'elle
a son mot à dire. L'énorme masse de la Terre (6×10^{27} grammes)
nous empêche de flotter dans l'air, tels des astronautes dans une
cabine spatiale, et la Lune de dériver au loin. Soleil (10^{33} grammes),
étoiles (10^{33} grammes), galaxies (10^{44} grammes), groupes de galaxies
(10^{45} grammes), amas de galaxies (10^{47} grammes) et enfin univers (?)
vont former une hiérarchie de masses toujours croissantes et un
empire toujours plus vaste où la gravité va régner en maître absolu.

La colle des atomes

La force électromagnétique est, nous l'avons vu, bien supérieure
à la force de gravité. Sa vigueur fait qu'un aimant peut facilement
attirer à lui un clou malgré la force gravitationnelle exercée par la

masse entière de la Terre sur ce dernier. Elle forme les atomes en attachant des électrons (de charge négative) aux noyaux. Un noyau d'atome* est un ensemble de protons* (chargés positivement) et de neutrons* (une particule dont la masse est très similaire à celle du proton, mais qui est dépourvue de charge électrique, comme son nom l'indique) reliés par la force nucléaire forte. Il suffit donc d'additionner les charges des protons pour obtenir la charge positive du noyau.

Dans le monde de l'électromagnétisme, on n'est quelqu'un que si l'on a sur sa carte de visite une charge électrique positive ou négative. Car, à l'inverse de la gravité qui agit sur toute masse ou énergie, la force électromagnétique est très discriminatoire. Tout ce qui n'a pas de charge électrique, comme la particule de lumière (le photon) ou le neutron, est exclu et ignoré. Quant aux particules porteuses de charge, la force électromagnétique leur impose des règles de conduite sociale très strictes : les charges opposées doivent s'attirer et les charges semblables doivent se repousser. Un proton et un électron s'attirent, mais deux protons ou deux électrons se repoussent. A l'inverse de la gravité qui attire tout, l'électromagnétisme attire ou repousse selon la charge.

Le domaine d'action de la force électromagnétique ne s'arrête pas au monde des atomes. Elle intervient dans la construction de structures plus complexes. Elle soude des atomes en les obligeant à partager leurs électrons pour former des molécules. Par exemple, pour former la molécule d'eau, la force électromagnétique soude deux atomes d'hydrogène avec un atome d'oxygène. Elle pousse les molécules à se combiner à leur tour en de longues chaînes, la plus haute expression de ces chaînes étant les hélices enchevêtrées de l'ADN qui permettent la vie et sa transmission. La force électromagnétique, en servant de colle aux atomes, est donc responsable de la cohésion, de la solidité et de la beauté des choses qui nous entourent. Sans elle, la Terre ne pourrait être solide, votre squelette ne pourrait supporter le poids de votre corps, et votre main pourrait passer à travers les pages de ce livre. La beauté des formes d'une sculpture de Rodin, les lignes parfaites du corps féminin ou la ligne fragile et délicate d'une rose, voilà autant de plaisirs esthétiques que nous procure la force électromagnétique. Sans elle, le monde, dénué de forme, serait bien morne. Laissés à la seule gravité, les atomes auraient une taille gigantesque et les étoiles ne seraient que d'énormes noyaux de protons ou de neutrons.

Comme la gravité, la force électromagnétique s'affaiblit en proportion inverse du carré de la distance entre deux charges électriques. Mais, à l'inverse de la gravité qui peut pallier sa faiblesse à grande échelle en additionnant de plus en plus de masse, la force électromagnétique qui dépend de la grandeur de la charge électrique a bien des difficultés à accroître cette dernière. Car, si les charges électriques positives s'additionnent, les charges négatives se soustraient, si bien que la majorité des objets dans l'univers sont neutres, ils n'ont pas de charge nette. Livre, chaise, maison, Soleil, étoiles, galaxies et peut-être même univers sont neutres. La force électromagnétique n'a aucune emprise sur eux. Son pouvoir se limite généralement au monde atomique. Elle doit laisser la gestion du vaste univers à la gravité.

Comme son nom l'indique, la force électromagnétique a une double nature. Elle attire ou repousse les charges électriques, mais oriente aussi nos boussoles ou pousse le clou contre l'aimant grâce à son pouvoir magnétique. Les deux natures sont intimement reliées. L'une est indissociable de l'autre. Une charge électrique qui se déplace crée une force magnétique. Un champ magnétique qui varie crée un courant électrique. Le champ magnétique de la Terre, qui pointe l'aiguille de la boussole de l'explorateur vers le pôle Nord, est le résultat des mouvements de particules chargées (protons et électrons) dans les régions centrales de la Terre. Ces régions sont tellement chaudes et tellement écrasées par la pression des couches supérieures de l'écorce terrestre que le centre de la Terre perd sa solidité et se retrouve à l'état de masse liquide de magma et de lave où la matière a été décomposée en protons et électrons. De même, le champ magnétique du Soleil, des étoiles ou de la Voie lactée est la conséquence des mouvements de la matière décomposée en charges électriques.

Cette connexion intime entre l'électricité et le magnétisme fut réalisée dès 1864 par le physicien écossais James Maxwell.

La force qui désintègre

La matière n'est généralement pas éternelle. Parmi les centaines de particules « élémentaires » qui composent la matière, très peu ignorent la mortalité. On compte au rang des rares immortels l'électron, le photon et une autre particule neutre de masse nulle ou infime, appelée neutrino. Mais toutes les autres particules vivent leur vie et meurent. Même le proton présente des velléités de mortalité (sa vie est néanmoins très longue, des centaines de milliers de milliards de milliards de milliards [10^{32}] d'années au moins). La mort d'une particule élémentaire se traduit par sa désintégration en d'autres particules. Le processus se poursuit jusqu'à complète métamorphose en particules immortelles ou stables.

La force qui règle cette désintégration et cette métamorphose est la force dite « faible ». Comme son nom l'indique, elle n'a pas beaucoup de vigueur. Bien que de loin supérieure à la force de gravité, elle est environ 1 000 fois plus faible que la force électromagnétique. Son domaine d'influence est minuscule. Elle n'a de pouvoir que dans le monde de l'atome, sur des distances de 10^{-16} centimètre. Elle est si discrète à l'échelle de la vie quotidienne que sa découverte a été le fruit d'un hasard complet. Un soir de 1896, le physicien français Henri Becquerel laissa par accident une plaque photographique dans un tiroir à proximité de cristaux de sulfate d'uranium. Quand il revint le lendemain, un voile mystérieux recouvrait la plaque photographique. En l'étudiant, il découvrit que les atomes d'uranium se désintégraient en d'autres particules qui tachaient la plaque. Il appela le processus de désintégration « radioactivité ».

La force faible occupe donc une place bien à part dans le quatuor des forces : hormis sa faiblesse, elle ne sert pas de « colle » comme les autres forces. Elle se contente de faire mourir la matière en la désintégrant. Elle ne ferait pas tout de suite défaut si elle venait à disparaître. Le Soleil s'éteindrait après quelques millions d'années (au lieu d'une dizaine de milliards d'années), car la force faible est responsable de quelques réactions nucléaires, au cœur de notre astre, qui lui procurent énergie et longévité. Mais, surtout, la matière durerait plus longtemps. L'univers serait peuplé de toute sorte de particules étranges et exotiques qui coexisteraient avec les protons, électrons et photons familiers. Une chimie nouvelle et étrange, et une vie complexe et différente de la nôtre (qui est fondée sur la chimie du carbone) pourraient se développer et s'épanouir.

La colle des particules

Les noyaux d'atomes sont des collections de protons et de neutrons. Les protons sont tous porteurs d'une même charge positive. La force électromagnétique leur ordonne de se repousser et, pourtant, ils restent obstinément ensemble dans les noyaux atomiques. Une force bien supérieure que la force électromagnétique et qui s'oppose à cette dernière doit maintenir les protons réunis et leur servir de colle. C'est la force « forte », la plus vigoureuse du quatuor des forces. Elle est 100 fois plus intense que la force électromagnétique. Son royaume, tel celui de la force faible, est minuscule et son influence ne s'exerce que sur des distances atomiques de l'ordre de 10^{-13} centimètre. Elle est sélective et n'agit que sur des particules massives comme les protons et neutrons, ignorant complètement les particules légères comme les électrons, les photons et les neutrinos. Le concept de masse est ici tout relatif. Le proton et le neutron ne pèsent pratiquement rien (10^{-24} gramme), mais ils sont tout de même 1 836 fois plus massifs que l'électron. On ne connaît pas exactement la masse du neutrino, mais elle est bien inférieure à celle de l'électron. Quant au photon, il ne pèse rien. Au royaume des aveugles, le borgne est roi.

Le voyage dans la matière entrepris par les physiciens au cours des deux dernières décennies leur ont révélé que le proton et le neutron n'étaient pas les particules élémentaires et indivisibles qu'on croyait. Ils sont en réalité composés à leur tour de particules plus élémentaires, baptisées du nom de « quarks* » par leur découvreur, Murray Gell-Mann, un physicien américain amateur de poésie et de littérature. Celui-ci s'était souvenu de la phrase de ce superbe inventeur de langage qu'était James Joyce, dans *Finnegans Wake* : « Trois quarks pour Muster Mark. » Comme pour « Muster Mark », trois est le nombre de quarks nécessaires pour former un proton ou un neutron. La colle des trois quarks est de nouveau la force forte. Que celle-ci vienne à disparaître et nous vivrons dans un monde de quarks en liberté, sans protons ni neutrons, sans atomes ni molécules, sans Terre ni Soleil, sans étoiles ni galaxies.

Après nous être familiarisés avec le quatuor des forces, il nous reste à faire plus ample connaissance avec les lois qui régissent le monde microscopique. Cette connaissance est essentielle pour comprendre l'évolution de l'univers, car l'infiniment petit va accoucher de l'infiniment grand, l'univers tout entier va jaillir de « presque rien ». Là encore, comme avec le couple espace-temps, notre bon sens va être soumis à rude épreuve.

Le flou quantique

Le XIXᵉ siècle nous avait légué un univers déterministe d'où était banni le hasard et où tout pouvait être décrit de manière rigoureuse par les lois mathématiques et physiques découvertes par la raison humaine. Tout événement avait une cause, il ne pouvait avoir lieu par accident. La causalité réglait la mécanique de l'univers déterministe. Le marquis Pierre Simon de Laplace, le même qui avait rejeté l'hypothèse de Dieu, écrivait dans un élan d'enthousiasme : « Nous devons envisager l'état présent de l'univers comme l'effet de son état antérieur et comme la cause de celui qui va suivre. Une intelligence qui, pour un instant donné, connaîtrait toutes les forces dont la nature est animée, et la situation respective des êtres qui la composent, si d'ailleurs elle était assez vaste pour soumettre ces données à l'analyse, embrasserait dans la même formule les mouvements des plus grands corps de l'univers et ceux du plus léger atome : rien ne serait incertain pour elle et l'avenir comme le passé serait présent à ses yeux[6]. »

L'avènement de la mécanique quantique*, la physique qui décrit les atomes, au début du XXe siècle allait faire voler en éclats le rigide carcan déterministe. Le hasard et la fantaisie vont rentrer en force dans un monde où tout était minutieusement réglé. La stimulante incertitude va remplacer l'ennuyeuse certitude. Le flou quantique va se substituer à la rigueur déterministe et les romantiques auront leur revanche.

Imaginez que vous jouez au tennis. La balle va et vient au-dessus du filet. A chaque instant vous pouvez, si vous le voulez, mesurer avec précision la position et la vitesse de la balle dans l'espace. Il vous suffirait par exemple de filmer le match, puis d'étudier le film. Remplaçons maintenant les deux joueurs de tennis par deux atomes dans une molécule. Au lieu de se renvoyer une balle de tennis, les deux atomes échangent des électrons. Mais si vous essayez de faire la même chose avec les électrons qu'avec une balle de tennis, c'est-à-dire de définir précisément à la fois la position et le mouvement d'un électron, vous échouerez lamentablement.

La raison de cet échec est liée à l'acte d'observation lui-même. La lumière est le seul moyen dont nous disposons pour communiquer avec l'électron, pour savoir où il est et où il va. Pour l'observer, je dois lui envoyer des particules de lumière, ou photons. Or, chaque photon possède une certaine quantité d'énergie qui est reliée à sa longueur d'onde* (voir la note quantitative n° 1). Cette longueur d'onde détermine le degré de précision avec laquelle la lumière peut cerner la réalité et localiser l'électron. Plus l'énergie est faible, plus la longueur d'onde est grande, et plus la réalité devient floue. Si l'énergie augmente, la longueur d'onde diminue et les contours se précisent. Si j'envoie de la lumière radio vers l'électron pour mesurer sa position, je serai seulement en mesure de dire qu'il est situé quelque part dans une vaste zone de la dimension de la longueur d'onde de la lumière radio, qui est de quelques dizaines de mètres. Si j'éclaire l'électron avec le faisceau de lumière visible de ma lampe

6. P. S. de Laplace, *Essai philosophique sur les probabilités*, Gauthier-Villars, 1921, p. 3.

de poche, je pourrai le localiser avec une précision de quelques dix millionièmes de mètres. La lumière gamma permet de définir avec une extrême précision (à un milliardième de millimètre) la position de l'électron.

Vous vous dites qu'il n'y a pas de problème, qu'il suffit d'éclairer l'électron avec une lumière très énergétique, comme la lumière gamma, pour le localiser avec autant de précision que vous le souhaitez. Mais, et c'est un grand mais, la position seule ne suffit pas pour décrire la réalité de l'électron. Il nous faut aussi connaître son mouvement. Or, en bombardant l'électron de photons pour lui arracher le secret de sa position, nous le perturbons. Les photons communiquent leur énergie à l'électron et son mouvement en est modifié. La perturbation est d'autant plus importante que l'énergie de la lumière est grande. Nous nous trouvons ainsi face à un dilemme. Plus nous réduisons le flou de la position de l'électron en l'éclairant avec des photons plus énergétiques, plus nous le dérangeons et augmentons le flou de son mouvement. L'action même de déterminer engendre l'indétermination.

Nous ne pourrons jamais résoudre ce dilemme. Il faudra trancher et choisir. Soit vous mesurez la position d'un électron avec une grande précision, auquel cas vous renoncez à connaître son mouvement, soit vous observez sa vitesse et acceptez que sa position reste imprécise, mais vous ne pourrez jamais connaître précisément à la fois vitesse et position. Cette indétermination ne vient pas du fait que vous manquez d'imagination dans vos calculs ou de ce que votre matériel n'est pas assez sophistiqué. C'est une propriété fondamentale de la nature découverte dans les années vingt par l'un des fondateurs de la physique quantique, le physicien allemand Werner Heisenberg. La nature suit un principe d'incertitude* (voir la note quantitative n° 4). L'information que vous pourrez recueillir de l'électron ne pourra jamais être complète. Son futur exact, qui dépend de cette information, vous sera à tout jamais inaccessible. Le vieux rêve de Laplace, d'un univers à la mécanique parfaitement huilée où le passé, le présent et le futur de chaque atome peuvent être appréhendés par l'intelligence humaine, se brise. Il y aura toujours une part de hasard dans le destin des atomes.

Le hasard et le flou qui règnent dans le monde microscopique s'estompent dans le monde macroscopique. Nous pouvons en principe obtenir, avec autant de précision que nous le souhaitons, à la fois la position et la vitesse d'une balle de tennis, d'un bateau sur la mer, d'un avion dans le ciel, ou d'une étoile dans une galaxie, et découvrir leur passé et leur futur. La lumière qui nous permet d'acquérir ces informations a bien interagi avec ces divers objets, mais son énergie est tellement faible par rapport à celle des objets que la perturbation qui en résulte est toujours négligeable. C'est comme si celle-ci n'avait jamais eu lieu. Parce que l'acte d'observer ne perturbe pratiquement pas les objets macroscopiques, les lois physiques qui les décrivent sont parfaitement déterministes. Elles rendent bien compte du comportement des choses de la vie, de la trajectoire des avions, des trains et des bateaux, et de la vie et de la mort des étoiles et des galaxies. Heureusement pour notre santé psychologique, car l'incertitude de notre destin pèse déjà bien lourd. Nous n'avons pas besoin que cette incertitude s'étende à l'ensemble des objets qui nous entourent. Comme tout passionné de tennis, j'aime à savoir que si je tiens ma raquette d'une certaine façon et frappe la balle avec une force bien dosée, celle-ci atterrira à l'intérieur du court et non pas n'importe où au hasard. Limités par le monde macroscopique, Newton et Laplace ne pouvaient connaître que le déterminisme. Le hasard au cœur de la matière leur était inaccessible.

L'observation crée la réalité

Un anthropologue débarque aux fins fonds de la forêt amazonienne pour y étudier les mœurs et coutumes d'une tribu indienne. Sa présence même au sein de cette ethnie va être un élément perturbateur. Les Indiens ne se comportent pas de la même façon sous l'œil investigateur du chercheur que lorsqu'ils sont seuls. Le résultat des observations de l'anthropologue sera modifié par le fait même de son acte d'observer. Qui peut se vanter de ne pas avoir, au moins une fois dans sa vie, modifié sa manière d'être face au regard d'un autre ?

L'observation modifie la réalité et en crée une nouvelle. Ce qui est quelquefois vrai pour les êtres humains est une loi fondamentale du monde microscopique. Parler d'une réalité « objective » pour l'électron, d'une réalité qui existe sans qu'on l'observe, a peu de sens puisqu'on ne peut jamais l'appréhender. Toute tentative de capture de la réalité objective se solde par un échec cuisant. Celle-ci est irrémédiablement modifiée et se transforme en une réalité « subjective » qui dépend de l'observateur et de son instrument de mesure. La réalité du monde microscopique n'a de sens qu'en présence d'un observateur. Nous ne sommes plus des spectateurs passifs devant le drame majestueux du monde des atomes. Notre présence change le cours du drame. Les notes de musique que les atomes nous envoient se trouvent modifiées du fait même que nous les entendons. La forme que prend la mélodie du monde microscopique est inextricablement liée à notre présence et les équations qui décrivent ce monde doivent inclure explicitement l'acte d'observer.

La dualité de la matière

Parce que l'électron ne pourra jamais nous livrer simultanément le secret de sa position et celui de son mouvement, nous ne pourrons jamais parler d'une trajectoire pour l'électron comme nous parlons de la trajectoire de la Lune autour de la Terre. Nous ne pourrons jamais dire que l'électron va du point A au point B par un chemin bien précis, comme nous parlons d'une automobile qui va de Paris à Lyon par l'autoroute du Sud. Alors comment se rend-il de A à B ? En empruntant simultanément tous les chemins possibles de A à B ? Tous les chemins mènent à Rome et l'électron les prend tous. Dans un atome, il ne se contente pas de suivre sagement une seule orbite autour du noyau comme les planètes autour du Soleil, mais il virevolte, fait des pirouettes, esquisse des pas de danse et est partout à la fois dans la salle de bal de l'atome. Comment l'électron peut-il être sur tous les chemins et partout en même temps ? En revêtant son autre visage, car l'électron, le photon, ou toute autre particule élémentaire, possèdent une double personnalité. Ils sont à la fois particule et onde.

La particule, quand elle est onde, peut se propager dans l'espace vide de l'atome et l'occuper tout entier tout comme des ondes circulaires, causées par une pierre qu'on jette, se propagent et occupent toute la surface de l'étang. Si je ne l'observe pas, l'électron s'évade de la rigidité du monde déterministe où chacun doit rendre compte de manière précise de sa place et de son mouvement, et il est partout à la fois. Je ne pourrai jamais prédire où il sera à un moment déterminé. Tout au plus pourrais-je estimer la probabilité qu'il sera à tel et tel endroit. Pour cela, il me faudra d'abord calculer la forme de l'onde qui lui est associée en suivant la recette donnée dès 1926 par le physicien autrichien Erwin Schrödinger. L'onde de l'électron, telles les vagues de l'océan, possède une très grande amplitude à certains endroits (ce sont les crêtes des vagues) et une amplitude bien moindre à d'autres (ce sont les creux des vagues). Pour obtenir ensuite la probabilité de rencontrer l'électron, il me faudra suivre les instructions données (également en 1926) par le physicien allemand Max Born, selon lesquelles il me suffirait de calculer le carré de l'amplitude de l'onde. Ainsi, pour maximiser mes chances de rencontrer l'électron, j'ai intérêt à choisir mes lieux de rendez-vous aux crêtes des ondes et à éviter les creux.

Mais, même aux crêtes des ondes, je ne suis jamais certain que l'électron sera au rendez-vous. Peut-être que 2 fois sur 3 (une probabilité de 66 %), ou 4 fois sur 5 (une probabilité de 80 %), l'électron sera là. Mais la probabilité n'atteindra jamais 100 %. La certitude est expulsée du monde atomique et le hasard entre en force. Je lance une pièce de monnaie en l'air. Les lois de la probabilité me disent que la pièce doit retomber en moyenne la moitié des fois pile et l'autre moitié face. Ainsi, si au cours des cinq derniers lancements la pièce est tombée 4 fois face et 1 fois pile, il y a de fortes chances que la prochaine fois la pièce retombe pile. Mais je ne peux être certain que cela sera le cas, tout comme je ne peux être sûr de retrouver l'électron au rendez-vous des crêtes.

Le hasard est inhérent à la nature de la matière microscopique. C'est la défaite totale de la certitude. Le grand Einstein, déterministe invétéré et le premier pourtant à reconnaître la dualité onde-particule de la matière, avait bien des difficultés à accepter le grand rôle que jouait le hasard dans le monde des atomes. « Dieu ne joue pas aux dés », disait-il. Mais en cela, il se trompait. Dieu joue aux dés. Les prédictions de la mécanique quantique, qui accorde un rôle majeur au hasard, ont toujours été confirmées par les expériences en laboratoire. Car dire « hasard » ne veut pas nécessairement dire « chaos total » ou « manque de prédictions », ces dernières étant la marque d'une bonne théorie scientifique. Au lieu de prédire des événements isolés dans le monde macroscopique, tels la chute d'une pomme, le trajet d'une balle de tennis ou le mouvement de la Lune autour de la Terre, comme dans le cas de la mécanique classique de Newton ou Laplace, la mécanique quantique décrit de manière statistique le comportement moyen d'une multitude d'événements dans le monde microscopique. Incapable de nous indiquer le moment précis où un seul atome de carbone 14 va se désintégrer, elle se rattrape en nous dévoilant combien en moyenne, parmi une foule d'atomes de carbone 14, vont se désintégrer après une attente de 1, de 100 ou de 10 000 années. La causalité, ici, n'a plus de sens pour l'individu, mais existe encore pour la collectivité.

Ainsi, le flou quantique est une partie intégrante de la vie d'une particule élémentaire. Avant l'observation, elle est floue parce qu'elle revêt son visage d'onde, ce qui lui permet d'être sur tous les chemins qui mènent à Rome. Après que l'observation l'a capturée, elle reprend son visage de particule. Mais le flou persiste. Parce que l'observation l'a dérangée, la particule refuse de nous livrer simultanément le secret de sa position et de son mouvement.

Votre bon sens se rebelle. Comment un électron peut-il être à la fois particule et onde? Il n'y a rien à comprendre. La nature est ainsi faite. Le caractère double des particules a été vérifié maintes fois dans les laboratoires. Notre expérience de la vie quotidienne n'est pas un bon guide quand il s'agit de l'infiniment petit. Comme Janus, chaque particule a deux visages. Ils représentent deux descriptions également valables de la nature et se complètent l'un l'autre. Dans le paysage atomique, le principe de la complémentarité* du physicien danois Niels Bohr vient s'ajouter au principe d'incertitude* de Heisenberg.

Tout est possible si on attend

Une question se pose alors. Si le hasard règne en maître dans la vie des atomes individuels, comment se fait-il qu'il disparaisse à l'échelle macroscopique pour céder la place au déterminisme? Après tout, les objets macroscopiques sont faits de particules microscopiques. Pourquoi la Lune ne quitte-t-elle pas tout d'un coup son orbite elliptique autour de la Terre pour aller virevolter et danser autour de Jupiter? Les lois de la mécanique quantique disent qu'en principe cela est possible. Mais la probabilité d'un tel événement est si minime qu'il ne pourrait arriver que si l'on avait l'éternité devant soi. La clef de la réponse est contenue dans le grand nombre d'atomes (10^{50}) qui compose la Lune. En présence d'un grand nombre de particules, le hasard se neutralise et se fait tout petit au profit du déterminisme. Mais, et c'est là le point important, il n'est jamais complètement absent. Le flou quantique permet en principe à la Lune de faire un tour du côté de chez Jupiter si elle disposait de l'éternité. Mais nos misérables cent années de vie, les 4,6 milliards d'années du système solaire ou même les 15 milliards d'années de l'univers ne sont qu'un bref instant en regard de l'éternité. Ce n'est pas en vous réveillant demain que vous découvrirez la Lune orbitant autour de Jupiter.

De même, le grand nombre d'atomes contenus dans les objets de la vie quotidienne empêche le hasard de se manifester. Si vous posez un livre sur une table, vous ne risquez pas de le retrouver dans la baignoire. Le cambrioleur peut rester longtemps au coin de la rue d'une banque avant que l'argent déposé dans le coffre-fort ne se retrouve dans ses poches. Je ne verrai pas dans les jours à venir la *Joconde* de Léonard de Vinci quitter le Louvre pour venir dans mon salon. La mécanique quantique dit qu'il y a une probabilité non nulle que cela puisse arriver. Tout est possible à condition

d'attendre. Mais l'attente risque d'être très, très longue, et c'est pourquoi les histoires de personnes qui disparaissent à un point de l'espace
pour réapparaître à un autre n'appartiennent qu'aux séries de science-
fiction de la télévision.

Les dés de Dieu et les gènes

Mais est-ce à dire que le hasard quantique n'a aucune influence
sur notre existence? Assurément non. Car c'est lui qui est, par exemple, responsable de l'énergie solaire indispensable à toute vie, et en
particulier à la nôtre, sur Terre. Le cœur du Soleil est un immense
four stellaire chauffé à environ une dizaine de millions de degrés
(Kelvin) qui fabrique de l'énergie en fusionnant ensemble des protons et des neutrons pour former des noyaux d'hélium. Poussés par
l'immense chaleur, les protons et les neutrons sont lancés à toute
vitesse les uns vers les autres pour essayer de se rencontrer et de
fusionner. Un proton fonce vers un autre. Comme tous les protons,
il porte une charge positive. La force électromagnétique, qui interdit que des particules de même charge s'associent, et dont l'intensité augmente à mesure que les protons s'approchent les uns des
autres, leur ordonne de se repousser et de rebrousser chemin. Et
c'est ce qui se passe la plupart du temps. La majorité des protons
arrivent à une certaine distance l'un de l'autre et font demi-tour
pour repartir dans une autre direction. La plupart des rendez-vous
n'ont pas lieu. Mais de temps à autre, l'ordre de la force électromagnétique n'est pas respecté. La mécanique quantique permet au proton de transgresser la loi électromagnétique. Tout est possible sous
son règne et, pour elle, les lois sont faites pour être violées. Elle
autorise le proton à se rapprocher autant qu'il peut d'un autre pour
fusionner. Ces violations quantiques de la loi seraient extrêmement
rares s'il n'y avait que quelques protons. Mais ces derniers sont tellement nombreux (10^{57}) au cœur du Soleil que l'effet combiné de
toutes les violations suffit à alimenter la brillance de notre astre.
A l'inverse du cambrioleur de banque, les protons peuvent très vite
tirer profit du flou quantique grâce à leur grand nombre. Ainsi, le
hasard quantique est directement responsable de notre existence.
Sans sa présence pour contrecarrer la rigidité électromagnétique,
les étoiles et les galaxies ne brilleraient pas la nuit et nous ne serions
pas là pour en parler.

Le flou quantique est à votre service quand vous passez un disque de Bach sur votre chaîne laser ou quand vous regardez l'émission « Apostrophes » à la télévision. Ce matériel audiovisuel ne

fonctionne que grâce à de petits composants électroniques appelés
« transistors ». Ceux-ci produisent une amplification du courant électrique, phénomène qui ne peut s'expliquer que dans le cadre de la
mécanique quantique. Nous portons tous au plus profond de nous-
mêmes les conséquences du flou quantique. Celui-ci intervient lors
de l'élaboration des longues chaînes, en forme d'hélice, des molécules d'ADN responsables de la conception dans le ventre maternel. Dieu joue aux dés pour déterminer notre bagage génétique.

Le flou quantique est bel et bien avec nous. La prochaine fois
que vous admirerez les lignes pures et parfaites d'une statue de
Rodin, dites-vous bien que sous l'immuable solidité et la merveilleuse précision apparentes se cachent une mouvante réalité et une
extrême imprécision. Sous l'œil inquisiteur du microscope, la statue qui semble remplir l'espace se dissout en vide. Ce grand vide
qui sépare les atomes impeccablement alignés sur des réseaux cristallins telles des rangées de soldats bien disciplinés. Mais, surtout,
le vide des atomes eux-mêmes. Le noyau* qui n'occupe que le millionième de milliardième (10^{-15}) du volume de l'atome est perdu
dans une vaste immensité. Un noyau dans un atome, c'est comme
un grain de riz sur un terrain de football. La monotonie du vide
de l'atome n'est rompue que par le passage de cortèges d'électrons
frénétiques allant dans tous les sens, virevoltant d'un endroit à l'autre,
apparaissant partout et ne s'arrêtant nulle part. Les noyaux des atomes ne sont pas en reste. Eux aussi servent de salle de bal où les
protons et les neutrons peuvent donner libre cours à leur besoin
de mouvement. Ces mouvements sont beaucoup moins frénétiques
que ceux des électrons parce que les protons et neutrons sont obèses et massifs, et parce que la salle de bal du noyau est beaucoup
moins grande que celle de l'atome. A l'échelle microscopique, la
statue de Rodin se transforme en un vide presque total troublé seulement par les innombrables vibrations quantiques des électrons,
des protons et des neutrons.

Les prêts d'énergie de la banque Nature et les particules fantômes

La mécanique quantique a un caractère rebelle. Elle aime à transgresser les lois et à refuser l'ordre établi. Même les bastions de la
mécanique classique et de la relativité qu'on croyait les plus solides
et les mieux protégés ne résistent pas à son assaut dévastateur. Une
des forteresses les plus spectaculaires qui soit tombée est le trou noir*.
Comme son nom l'indique, le trou noir ne doit rien laisser ressortir, matière ou lumière, une fois le rayon de non-retour franchi. Glou-

ton, il dévore tout ce qui passe à proximité, étoiles dans une galaxie ou vaisseau spatial, et devient de plus en plus gros et massif. Selon la relativité, la matière engloutie est perdue définitivement et à tout jamais pour le monde extérieur au trou noir. « Définitivement » et « jamais » sont des mots qui n'existent pas dans le vocabulaire de la mécanique quantique. Pour elle, tout peut arriver pourvu que l'on sache attendre. En se servant de la mécanique quantique, l'astrophysicien anglais Stephen Hawking montra, en 1974, que les trous noirs n'étaient pas si noirs que cela, qu'ils perdaient de la masse et s'évaporaient en émettant de la lumière. Comble de l'ironie, les trous noirs pouvaient « briller » !

La mécanique quantique accomplit ce tour de force en faisant appel, sous une autre forme, au principe d'incertitude de Heisenberg. Car non seulement la nature nous empêche de connaître simultanément la position et la vitesse d'un électron, mais elle rend également floue l'énergie d'une particule élémentaire, un flou qui dépend de la durée de vie de cette dernière. Plus sa durée de vie est courte, plus son énergie sera incertaine (voir la note quantitative n° 3). Ce flou de l'énergie permet à la mécanique quantique de faire des entorses au principe de la conservation d'énergie qui règne dans le monde macroscopique. « Rien n'est gratuit dans la vie » ou « on n'a rien sans rien » pourrait résumer ce principe. Il nous faut travailler et dépenser de l'énergie pour nous nourrir. Une voiture ne roule que parce que nous remplissons son réservoir d'essence. Si l'on additionne toutes les dépenses d'énergie de la voiture, l'énergie totale consommée sera exactement égale à l'énergie de l'essence utilisée.

La nature agit différemment dans le monde quantique. Elle ne respecte plus le principe de la conservation d'énergie. Grâce au flou de l'énergie, elle peut en créer là où il n'y en avait pas. Sa devise est la suivante : « L'énergie peut être gratuite. Elle peut s'obtenir de rien. » La nature peut prêter de l'énergie sans rien demander en retour, et cette énergie gratuite peut engendrer des particules élémentaires. Mais les opérations de la banque Nature sont soumises au principe d'incertitude. Tous les prêts d'énergie doivent être tôt ou tard remboursés, et plus la somme d'énergie empruntée a été grande, plus le remboursement doit se faire rapidement. Bien que le prêt d'énergie nécessaire à la survie de la particule soit minime (nous ne sentirions pas l'énergie d'une particule si elle venait à se cogner contre notre peau), il est déjà trop grand pour la banque Nature, si bien qu'il ne dure qu'une infime fraction de seconde. Le remboursement s'effectue, la banque Nature récupère son énergie, équilibre ses comptes et la particule disparaît.

Les particules ainsi nées du flou de l'énergie ont des existences fantomatiques. Une brève et furtive apparition et elles s'en vont. Laissées à elles-mêmes, elles ne parviennent jamais à quitter le monde des ombres et à émerger dans le monde réel. Nous ne pouvons pas les détecter avec nos instruments. Ce sont des « particules virtuelles* », des particules en devenir, qui ne se réalisent pas. Car pour se réaliser, il faut de l'énergie et la banque Nature refuse les prêts d'énergie de longue durée. Ainsi, l'espace qui nous entoure est peuplé d'un nombre inimaginable de particules fantômes apparaissant et disparaissant à un rythme effréné. A un instant donné, l'espace dans un petit cube de 1 centimètre de côté peut contenir jusqu'à 1 000 milliards de milliards de milliards (10^{30}) d'électrons virtuels.

Il ne faut pas croire que seule la matière a le droit de jouer les fantômes. En fait, son existence fantomatique n'est possible que grâce à la présence non moins fantomatique de l'antimatière. Car si la banque Nature veut bien prêter de l'énergie, elle refuse catégoriquement d'octroyer des prêts de charge électrique. La loi de la conservation de la charge électrique doit être rigoureusement respectée. La charge électrique de l'espace étant nulle avant l'apparition de particules virtuelles, la création d'un électron virtuel à charge négative doit toujours s'accompagner de celle d'un positon virtuel de charge opposée. Au ballet fantomatique des particules virtuelles s'ajoute la danse frénétique de leurs antiparticules en devenir.

Vous vous dites, arrivés à ce point, que les physiciens ont l'esprit bien tordu. A quoi bon inventer des particules fantômes qui ne peuvent être détectées ? La physique est-elle en train de tomber dans le délire le plus complet ? Heureusement non, car si les particules virtuelles ne peuvent être vues directement, leur présence peut être déduite de façon indirecte. Sans leur existence fantomatique, certains comportements des atomes ne sauraient s'expliquer. Ce sont elles, porteuses de la force nucléaire forte, qui maintiennent ensemble les protons et les neutrons dans les noyaux atomiques.

L'autre intérêt des particules virtuelles est que, dans des circonstances exceptionnelles, elles peuvent se réaliser et entrer dans le monde réel. Si une particule virtuelle peut trouver un bienfaiteur assez généreux pour payer sa dette d'énergie envers la banque Nature, elle peut quitter le monde des fantômes et se matérialiser dans le monde physique en compagnie de son antiparticule. La gravité, et c'est là où nous rejoignons notre histoire du trou noir, aime bien jouer ce rôle de bienfaiteur et aider les particules virtuelles à réaliser leur potentiel.

Des trous noirs qui s'évaporent

La gravité d'un trou noir* est, nous l'avons vu, extrêmement grande. Parce qu'elle est très riche en énergie, la gravité va payer l'emprunt d'énergie des particules virtuelles et de leurs antiparticules situées juste au-delà du rayon de non-retour du trou noir. Une fois leur prêt remboursé, celles-ci émergent du monde des ombres pour entrer dans le monde réel. Suivons le sort d'une paire électron-antiélectron (ou positon) ainsi créée. Il y a plusieurs cas de figures possibles : les deux particules peuvent retomber dans les griffes du trou noir et être dévorées par lui, auquel cas leur excursion dans le monde réel aura été de bien courte durée. Ou bien l'électron peut s'échapper de l'emprise du trou noir tandis que son antiparticule, moins fortunée, retombe dans le gouffre. L'électron rencontre un autre positon qui a échappé lui aussi à la voracité du trou noir, et tous deux deviennent lumière. Si l'électron et son antiparticule parviennent à s'échapper ensemble, leur étreinte s'achève aussi par la destruction en une flambée de lumière. Ainsi la lumière s'échappe du trou noir, qui « rayonne ». L'énergie payée par la gravité pour matérialiser les particules virtuelles provient en dernier lieu de celle qui est associée à la masse du trou noir. A mesure que la gravité distribue généreusement ses réserves d'énergie pour aider les particules de l'ombre à se réaliser et à se convertir en lumière, la masse du trou noir qui alimente cette générosité diminue. Le trou noir « s'évapore » littéralement en lumière. Ainsi, Jules happé et tué par le trou noir, réapparaît sous forme de particules de lumière. Une bien maigre consolation !

Le taux d'évaporation n'est pas le même pour tous les trous noirs. Chacun d'entre eux a une température qui commande l'évaporation, et qui est inversement proportionnelle à sa masse. Plus un trou noir est massif, plus sa température est basse et plus sa masse s'évapore lentement en lumière. Ainsi, à l'inverse des humains, les plus gros trous noirs sont ceux qui ont la longévité la plus grande. La durée de vie d'un trou noir est proportionnelle au cube de sa masse. Doublez sa masse et il vivra 8 fois plus longtemps. Les trous noirs qui résultent de la mort des étoiles ont la masse de plusieurs Soleils. Cette masse est tellement grande et le taux d'évaporation si faible que les trous noirs descendants des étoiles nous semblent éternels. Ainsi, un trou noir de la masse du Soleil (2×10^{33} grammes) n'aurait qu'une température d'un dix-millionième de degré et mettrait 10^{65} années (1 suivi de 65 zéros) à s'évaporer. En admettant qu'il puisse le faire. Car tout comme l'eau d'une théière ne peut s'évaporer que parce que la température de l'air qui l'environne est plus basse que celle de l'eau bouillante, le trou noir ne peut s'évaporer que si l'espace qui l'entoure est plus froid que lui. Nous savons que cela n'est pas le cas aujourd'hui, car le rayonnement cosmique qui baigne l'univers a une température de 3°K. Il faudra attendre plus de 10^{20} ans avant que l'expansion cosmique ne refroidisse l'univers à un dix-millionième de degré (en supposant que l'univers ne s'effondre pas avant) et qu'un trou noir de la masse du Soleil ne puisse commencer à se transformer en lumière (voir la note quantitative n° 3).

Les trous noirs stellaires sont pratiquement éternels. Mais n'existerait-il pas des trous noirs de masse beaucoup plus petite et dont l'évaporation serait beaucoup plus importante? Ces trous noirs de faible masse ne sont pas très fréquents. Il est extrêmement difficile de comprimer des objets non massifs au-delà de leur rayon de non-retour pour les transformer en trous noirs. Vous qui pesez 70 kilogrammes, vous vous souvenez qu'il me fallait vous comprimer à 1 centième de millième de milliardième de milliardième de centimètre (10^{-23} centimètre) pour que vous deveniez un trou noir. Aucun processus naturel, aucune technologie ne permettent de faire cela. Dans l'univers actuel, la gravité sait transformer des étoiles massives de 10^{33} grammes en trous noirs, mais pas des hommes pesant 70 kilogrammes.

Pourtant, il y a eu un moment dans l'histoire de l'univers, tout à son début, où ce dernier était si petit et si dense et où la gravité était tellement grande que des mini-trous noirs primordiaux* de petite masse ont pu se former. L'astrophysicien anglais Stephen Hawking a suggéré que, dans les premières fractions de seconde de son existence, l'univers a pu donner naissance à une multitude de mini-trous noirs de 1 milliard de tonnes (10^{15} grammes). « Mini » est ici un terme tout relatif. La masse du mini-trou noir est de 1 milliard de milliards de fois plus petite que celle du Soleil, mais encore 10 milliards de fois plus grande que celle d'un être humain. Un mini-trou noir primordial a une température de 120 milliards de degrés Kelvin, et la taille d'un proton (10^{-13} centimètre). Il émet de l'énergie à hauteur de 6000 mégawatts, équivalents à la production de six centrales d'énergie nucléaire. A mesure qu'il s'évapore, sa masse diminue, sa température augmente, il émet de plus belle et la perte de masse s'accélère. Au bout de quelque 15 milliards d'années (l'âge de l'univers), le milliard de tonnes s'est réduit à 20 microgrammes (la masse d'un grain de poussière) et c'est le grand feu d'artifice... Le mini-trou noir achève son existence dans une énorme explosion libérant l'énergie de 10 millions de bombes à hydrogène de 1 mégatonne, et avec l'éclat de 10 millions de milliards de galaxies. La lumière gamma qui résulte de ces explosions fulgurantes est la plus énergétique de toutes. Ces feux d'artifice n'ont encore jamais été détectés, si bien que les mini-trous noirs primordiaux restent pour l'instant à l'état d'hypothèse.

Nous voici au terme de notre exploration du monde étrange et fantasmagorique de la mécanique quantique, prêts à ouvrir le livre de l'histoire de l'univers.

V

Le livre de l'histoire de l'univers

Le temps cosmique

La version définitive du livre de l'histoire de l'univers n'est pas près d'être achevée. Bien des pages seront revues et corrigées dans les temps à venir. Seules celles qui portent sur l'époque actuelle ont quelques chances de ne pas changer. Le début de l'ouvrage, qui décrit la création de l'univers, et sa fin, qui traite du lointain futur de l'univers et de sa mort éventuelle, sont fondés sur les extrapolations très audacieuses des lois physiques actuelles poussées à l'extrême. Ces lois physiques peuvent-elles résister à un tel traitement ? Seul l'avenir nous le dira, mais l'histoire du big bang telle qu'elle apparaît aujourd'hui est déjà très belle et vaut la peine d'être contée.

Le temps dans l'univers du big bang est, nous l'avons vu, élastique. Il se dilate ou se rétrécit selon le mouvement de l'observateur ou selon la quantité de matière qui se trouve à proximité de ce dernier. Un livre d'histoire retrace les événements au fil du temps. Parmi le nombre infini de temps possibles, lequel choisir ? Nous adopterons, pour raconter notre histoire, le temps dit « cosmique », à savoir celui d'un individu emporté par l'expansion de l'univers et qui voit la majorité des galaxies s'éloigner de lui. Ce temps est pratiquement identique à celui de la Terre, du Soleil ou de la Voie lactée. Bien sûr, ces derniers objets participent à un fantastique ballet cosmique (voir fig. 27) qui s'ajoute au mouvement d'expansion, mais ces mouvements s'effectuent à des vitesses si infimes par rapport à celle de la lumière que les déformations de temps sont négligeables. Ainsi, une année de temps cosmique est le temps mis par la Terre pour accomplir son périple autour du Soleil. Les habitants des autres galaxies mesureront le même temps cosmique. Ils pourront lire notre livre d'histoire sans aucune modification.

Nous aurions pu demander à Jules, filant à toute vitesse dans son vaisseau spatial et voyant en avant les galaxies s'approcher avec leur lumière décalée vers le bleu et en arrière s'éloigner avec leur lumière décalée vers le rouge, de raconter l'histoire du big bang, avec son temps ralenti. Jules aurait également pu raconter l'histoire de l'univers avec un temps qui se fige progressivement à l'approche d'un trou noir. L'histoire serait la même, mais les phénomènes seraient plus compliqués à décrire et le livre beaucoup plus long. Pour vous épargner l'ennui d'une histoire qui s'étire sans fin, nous avons adopté la voie de la simplicité et le temps cosmique. Parce que l'univers ne nous a pas encore révélé son âge, nous le fixerons à 15 milliards d'années. Si, dans le futur, l'univers se révélait plus jeune ou plus vieux, il suffirait de soustraire ou d'additionner le nombre d'années approprié.

Pour raconter l'histoire de l'univers dans toute sa splendeur, les pages de notre livre d'histoire auront une propriété bien particulière : chacune d'entre elles nous fera avancer d'un facteur 10 dans l'histoire de l'univers. Ainsi, si nous en sommes à la page décrivant l'univers à 100 000 ans, la page suivante nous transportera à 1 million d'années. Encore une page et l'univers aura 10 millions d'années, et ainsi de suite. Le livre doit être agencé ainsi en raison de l'extrême fébrilité de l'univers à son tout début. Pendant cette période, les événements se déroulent à un train d'enfer et, pour en rendre compte d'une manière précise et complète, il est nécessaire de retenir des instants très rapprochés les uns des autres, le temps se mesurant en fractions de seconde. Mais, à mesure que l'univers vieillit, l'exubérance de l'enfance et l'ardeur juvénile font place au calme serein de la maturité. Les événements nouveaux et les changements ne surviennent plus aussi fréquemment et les comptes rendus peuvent être plus espacés dans le temps sans pour autant manquer l'essentiel. Le temps se mesure alors en millions ou en milliards d'années.

Ouvrons maintenant notre livre et partons à la découverte de l'univers du big bang à la suite des explorateurs-physiciens et astronomes, avec pour seules armes les lois physiques de l'infiniment grand (la relativité) et de l'infiniment petit (la mécanique quantique) ainsi que les observations astronomiques (la fuite des galaxies, le rayonnement fossile et l'abondance des éléments).

La frontière de la connaissance

Au risque de vous décevoir, nous ne pourrons pas faire débuter l'histoire de l'univers à un « temps zéro », au moment même de la création de l'espace et du temps. Mais, consolez-vous, il sera quand même question d'un temps inimaginablement court, 10^{-43} ou 0,000... seconde après l'explosion primordiale. Le premier chiffre non nul ne survient qu'après 43 zéros. La durée d'un flash photographique occuperait 1 milliard de milliards de milliards de fois plus de temps dans l'histoire entière de l'univers que 10^{-43} seconde n'occuperait dans une seconde. Même l'astrophysicien que je suis, qui manie à longueur de journée des chiffres astronomiquement grands ou infiniment petits, ne peut s'empêcher d'éprouver un étrange sentiment d'irréalité en évoquant ce chiffre. Et pourtant, les lois physiques déduites de l'observation de l'univers actuel semblent bien résister à cette extrapolation vers un passé si lointain, lorsque l'univers était considérablement plus petit, chaud et dense.

A 10^{-43} seconde après le big bang, ce qui deviendra l'univers observable d'aujourd'hui n'a que 10^{-33} centimètre de diamètre. Il est 10 millions de milliards de milliards de fois plus petit qu'un atome d'hydrogène. L'univers est tellement jeune que la lumière n'a pu voyager bien loin, et que l'horizon cosmologique* est tout proche. Il est inimaginablement chaud (10^{32}°K) et dense (10 suivi de 96 zéros × la densité de l'eau). Son énergie est incommensurablement grande. Si nous voulions atteindre cette énergie, il nous faudrait construire des machines accélératrices de particules élémentaires avec des diamètres, non pas de quelques kilomètres, comme celle du Centre européen de la recherche nucléaire (CERN) à Genève, mais de quelques années-lumières. La construction d'un accélérateur intersidéral qui s'étendrait jusqu'aux étoiles les plus proches n'est pas près d'être réalisée, et c'est pourquoi les physiciens des particules aiment bien l'univers à son début. Celui-ci ne coûte rien. Il leur permet de tester leurs théories physiques à des énergies qui ne pourront jamais être atteintes sur Terre. Bien sûr, il y a des désavantages à cet accélérateur cosmique. L'expérience est unique et ne pourra être répétée. Elle est loin dans le passé. Elle ne peut être contrôlée comme on contrôle une expérience en laboratoire. Mais les avantages l'emportent sur les inconvénients.

A 10^{-43} seconde après l'explosion, l'univers est tellement comprimé et la densité si grande que la gravité, qui est d'ordinaire négligeable à l'échelle microscopique, devient aussi importante que les autres forces, les forces nucléaires forte et faible et la force électromagnétique. Or, et c'est là que le bât blesse, nous ne savons pas décrire le comportement des atomes et de la lumière quand la gravité devient intense. Ce problème a été signalé dès le début du siècle par le physicien allemand Max Planck, et c'est pourquoi le temps de 10^{-43} seconde est encore souvent appelé temps de Planck*. La physique s'essouffle et perd ses moyens au temps de Planck. La mécanique quantique décrit bien le comportement des atomes et la lumière quand la gravité est négligeable. La relativité rend bien compte des propriétés de la gravité à l'échelle cosmique quand les forces nucléaires et électromagnétiques ne jouent pas le premier rôle. Mais personne n'a encore su unifier les deux théories pour décrire une situation où toutes les forces seraient sur un pied d'égalité.

Les physiciens sont en train de faire des efforts prodigieux pour trouver une « théorie unifiée » de la nature. Depuis quelques années, ils pensent que les quatre forces qui régissent le monde actuel ne sont que des aspects différents d'une seule et unique force dont le règne monothéiste s'étendrait à l'univers tout entier, tout comme la force électrique et la force magnétique ne sont que deux manifestations différentes de la force électromagnétique. Sous les attaques répétées de l'Américain Steven Weinberg et du Pakistanais Abdus Salam, les forces électromagnétique* et nucléaire faible* se sont laissé unir en 1967 en une force électrofaible. La force nucléaire forte semble bien vouloir s'unir avec la force électrofaible pour former la force électronucléaire, bien que la théorie en soit encore à ses premiers balbutiements. Le mariage de la force électromagnétique avec les deux forces nucléaires, forte et faible, exige des conditions bien particulières. Il ne peut subsister que dans un environnement extrêmement chaud où les énergies des particules élémentaires sont elles aussi extrêmement élevées, comme dans les tout premiers instants de l'univers. La chaleur et l'énergie sont indispensables à la solidité des liens du mariage. Que l'univers se refroidisse au-delà d'une certaine température et l'union se rompt. C'est ce qui est arrivé au cours de l'expansion de l'univers et, maintenant, les trois forces font ménage à part. La froideur de l'univers actuel a dissous leurs liens.

La gravité résiste encore obstinément à toute proposition d'union. Cette orgueilleuse qui régit l'infiniment grand refuse de s'allier aux seigneurs de l'infiniment petit. Elle ne veut pas être « quantifiée ». L'unification de la mécanique quantique avec la relativité constitue à l'heure actuelle une barrière encore insurmontable. Même Albert Einstein, qui a travaillé d'arrache-pied pendant les trente dernières années de sa vie, n'a pas réussi à la franchir. Tant que la résistance de la gravité ne sera pas brisée, il sera impossible de remonter plus loin que le temps de Planck. C'est la limite de nos connaissances. Derrière le mur de Planck se cache une réalité encore inabordable. Le couple espace-temps de notre univers à quatre dimensions pourrait être complètement différent ou ne plus exister. Les physiciens qui ont fait de brèves incursions derrière le mur de Planck racontent qu'ils ont entrevu un univers chaotique à dix ou même vingt-six dimensions, où la gravité est si forte qu'elle a réorganisé le tissu de l'espace, lui donnant six (ou vingt-deux) autres dimensions, où l'espace s'est effondré sous l'effet de sa gravité en d'innombrables trous noirs microscopiques et où passé, présent et futur, et même le temps, n'ont plus de sens. En réalité, une durée infinie peut se cacher derrière le mur de Planck. Celle de 10^{-43}

seconde n'est que le résultat de l'extrapolation de nos lois physiques vers le temps zéro. Mais puisque, précisément, ces lois perdent pied derrière le mur de Planck, rien n'est moins sûr.

Quant aux trous noirs microscopiques, ils ont une masse de 20 microgrammes, la plus petite qui puisse exister. Avec un diamètre de 10^{-33} centimètre, ils sont 100 milliards de milliards de fois plus petit qu'un proton. Avec une température de 10^{32} degrés, ils s'évaporent en 10^{-43} seconde, disparaissant et réapparaissant (grâce au flou de l'énergie quantique) dans un cycle infernal de vie et de mort. L'univers est-il infiniment dense et chaud à son début? La relativité dit que oui, mais il n'y a pas, là non plus, de certitude. Par le passé, l'apparition de quantités infinies a toujours été le signe d'une défaillance de nos théories plutôt que d'un comportement extrême de l'univers, le signe d'un manque d'imagination de l'homme plutôt que de la nature. Il faudra encore de longues années de dur labeur avant que le mur de Planck puisse être percé. En attendant, il nous faut adopter le temps de Planck comme notre « temps zéro ». Cela sera notre temps de référence quand nous parlerons de l'origine, du début ou de la création de l'univers.

Une inflation vertigineuse

Ouvrons notre livre d'histoire à la première page. L'univers a l'âge irréellement petit de 10^{-43} seconde et, avec une température de 10^{32} degrés, il est plus brûlant que tous les enfers que Dante a pu imaginer. L'univers tout entier est contenu dans une sphère de 1 millième de centimètre de diamètre, la taille de la pointe d'une aiguille. Nous ne pouvons voir qu'une fraction infime de cet univers-aiguille. L'horizon cosmologique, qui cerne l'univers observable et qui est défini par la distance parcourue par la lumière pendant l'existence de l'univers, s'étend seulement à un minuscule 10^{-33} centimètre. Nous sommes tout juste de l'autre côté du mur de Planck. Le couple espace-temps qui nous est familier a fait son apparition. L'espace à trois dimensions est en perpétuelle création avec l'expansion de l'univers. Celui-ci acquiert un devant et un derrière, un haut et un bas, une droite et une gauche. Les autres dimensions de l'espace qui existaient peut-être derrière le mur de Planck ont tellement rétréci qu'elles ne sont plus visibles. Cette perte de dimensions est semblable à celle que subirait un morceau de papier à deux dimensions enroulé sur lui-même de manière si serrée qu'il devient une ligne droite à une dimension. Le vide quantique* règne. Mais il ne s'agit pas du vide calme et tranquille, dépourvu de substance et d'activité que nous imaginons tous, mais d'un vide vivant, bouillonnant d'énergie qui, sous son apparence placide, cache une grande effervescence. Nous avons vu que, grâce au flou de l'énergie quantique, ce vide est peuplé d'une multitude de particules et d'antiparticules fantômes qui apparaissent et disparaissent au gré des prêts et des demandes de remboursement d'énergie de la banque Nature. Deux forces se partagent le contrôle de l'univers : d'une part, la force électronucléaire, qui résulte de l'union de la force électromagnétique et des forces nucléaires forte et faible, et, d'autre part, la force gravitationnelle encore réfractaire à toute union.

Continuons notre lecture. Au fil des pages et à mesure que le temps passe, l'univers en expansion devient moins dense et moins chaud. A la neuvième page du livre, vers 10^{-35} seconde, l'univers s'est refroidi d'un facteur de 10 000 et a une température, encore infernale, de 10^{27} degrés. Mais un événement extraordinaire va se produire. La chute de température de l'univers va entraîner la désintégration de la force électronucléaire en deux. La force nucléaire forte va désormais être séparée de la force électrofaible, résultat de l'union de la force électromagnétique avec la force nucléaire faible. La gravité est toujours là, qui fait obstinément ménage à part. Au lieu d'être gouverné par un couple, l'univers sera désormais soumis à un triumvirat. C'est le début d'une lente ascension vers la complexité qui mènera jusqu'à nous. L'univers perd sa simplicité, sa « symétrie » en se refroidissant. Il se comporte comme le sel ou l'eau qu'on refroidit. Le sel et la glace chauffés deviennent liquides. Ils perdent toute structure. Leur forme ne privilégie aucune direction particulière, tout comme l'univers très chaud du début est « symétrique ». Mais, en se refroidissant, le sel et l'eau se cristallisent sous forme de cubes. Ils perdent leur symétrie. Toutes les directions ne sont plus équivalentes. La matière privilégie désormais les surfaces planes des cubes. Tout comme le sel et l'eau, l'univers se « cristallise » en se refroidissant.

Cette cristallisation à 10^{-35} seconde va avoir de lourdes conséquences pour l'univers et, partant, pour notre existence. Tout comme l'eau en se transformant en glace libère une bouffée de chaleur, l'univers en se cristallisant va libérer l'énorme énergie du vide. De même que l'explosion d'une bombe fait voler une maison en éclats, l'injection de l'énergie du vide imprime à l'univers une expansion fulgurante que le physicien américain Alan Guth a qualifiée d'« inflationnaire ». De même que l'inflation économique d'un pays entraîne la perte de valeur de sa monnaie et une escalade effrénée des prix en un temps très court, l'« inflation* » de l'univers entraîne un accroissement vertigineux du volume de chacune de ses parties en un temps infinitésimal. Pendant la période inflationnaire qui dure une minuscule fraction de seconde, de 10^{-35} à 10^{-32} seconde (les pages 9 à 12 de notre livre d'histoire), l'univers va tripler ses dimensions toutes les 10^{-34} secondes. Comme il y a 100 intervalles de 10^{-34} seconde dans 10^{-32} seconde — la durée de la phase inflationnaire —, chaque région de l'univers triple sa taille 100 fois de suite. Multipliez $3 \times 3 \times 3...$ 100 fois, vous vous apercevrez que l'univers à accru ses dimensions d'un facteur 10^{50} et son volume (qui est proportionnel au cube de la dimension) d'un facteur 10^{150} (1 suivi de 150 zéros) pendant l'ère inflationnaire. Cette expansion frénétique du début de l'univers contraste avec la « langueur monotone » de l'expansion actuelle. Pendant les 10 derniers milliards d'années de son histoire, l'univers n'a augmenté son volume que d'un facteur relativement petit d'un milliard (10^9).

Cette énorme croissance de l'univers à son début permet de dissiper bien des nuages qui assombrissaient le paysage du big bang. Vous vous souvenez du problème posé par la grande homogénéité de l'univers actuel. Comment des régions du ciel, diamétralement opposées, et apparemment sans contact possible, ont-elles pu coordonner leurs propriétés avec une telle précision ? Le contact interdit dans une expansion normale devient possible grâce à l'expansion inflationnaire. Pour comprendre cela, il faut savoir que, après l'inflation, tout l'univers observable* d'aujourd'hui avait à peine la taille d'une orange de 10 centimètres de diamètre. Dorénavant, quand je parlerai de l'univers, il s'agira toujours de la petite portion d'univers contenue dans l'univers entier bien plus grand. Puisque l'univers avait grandi d'un facteur 10^{50}, il était parti d'un petit bout d'espace d'un diamètre de 10^{-49} centimètre, soit des milliards de milliards de milliards de milliards de fois plus petit que celui d'un noyau d'atome. Cet univers du début (à 10^{-35} seconde), avant la phase inflationnaire, était tellement petit que chaque partie infinitésimale qu'il contenait était en contact avec chaque autre. La lumière, qui était le moyen favori de communication entre ces régions, et qui voyageait à la vitesse de 300 000 kilomètres à la seconde, avait déjà pu parcourir 3×10^{-25} centimètre, même si elle n'avait disposé que du temps infinitésimal de 10^{-35} seconde pour voyager. La zone de communication possible était déjà 1 million de milliards de milliards de fois plus grande que l'univers, et les diverses régions n'avaient aucun problème pour coordonner leurs propriétés afin d'être exactement semblables. Après l'inflation, à 10^{-32} seconde, les régions de l'univers-orange ne sont plus en contact les unes avec les autres, mais elles « se souviennent » de l'avoir été.

La platitude* du paysage de l'univers semble également pouvoir être expliquée par la phase inflationnaire. La géométrie de l'espace s'aplatit durant l'inflation, tout comme une petite région sur la surface d'un ballon s'aplatit quand ce dernier est gonflé. Nous sommes tous conscients du fait que la courbure d'une sphère est d'autant plus faible que son rayon est plus grand. L'univers, en accroissant dramatiquement sa taille, devient plat.

Une multitude d'univers

Pendant l'ère inflationnaire, de 10^{-35} à 10^{-32} seconde, l'univers s'est donc enflé d'un facteur de 10^{50} pour atteindre la taille d'une orange de 10 centimètres de diamètre. L'horizon cosmologique, qui définit la région de l'espace en communication par la lumière, s'est aussi enflé du même facteur. A 10^{-32} seconde, il s'étend à 10^{26} centimètres, 1 000 fois plus large que l'univers observable aujourd'hui. L'inflation a non seulement fait grossir notre petit coin d'univers, mais elle a aussi donné des tailles gigantesques à toutes les autres parties de l'espace. Notre univers n'est plus qu'une petite bulle perdue dans l'immensité d'une bulle méta-univers qui est des dizaines de millions de milliards de milliards de fois plus vaste. Notre bulle méta-univers se perd à son tour dans une multitude d'autres bulles méta-univers toutes créées dans la phase inflationnaire à partir d'infimes régions d'espace disconnectées les unes des autres. Si notre univers observable s'agrandit au cours des âges au fur et à mesure que la lumière dispose de plus de temps pour nous parvenir, si dix nouvelles galaxies franchissent l'horizon cosmologique chaque année pour venir se présenter à nous, si notre méta-univers se dévoile de plus en plus, nous ne pourrons jamais entrer en communication et connaître ce qui se passe dans les autres méta-univers. Ils seront à jamais exclus de notre sphère d'observation. Ils pourront contenir des étoiles, des galaxies et d'autres formes de vie ou pourront être inhospitaliers et vides, ils pourront être paradis ou enfer, nous ne le saurons jamais.

Le fantôme de Copernic est donc allé jusqu'au bout de son acte. Non content de déloger la Terre de sa place centrale dans le système solaire, de transformer le Soleil en une étoile quelconque à la périphérie de la Voie lactée, de rendre cette dernière insignifiante dans l'immensité d'un univers qui contient 100 milliards de galaxies, il ira jusqu'à perdre notre univers dans un méta-univers et notre méta-univers dans une multitude d'autres méta-univers...

Le vide, origine de tout

La libération de l'énergie du vide dans l'univers pendant la phase inflationnaire va avoir une autre conséquence extrêmement importante. Elle va donner naissance au contenu matériel de l'univers. Nous avons vu que le vide originel était vivant, peuplé d'une multitude de particules et d'antiparticules fantômes qui doivent leur existence aux prêts d'énergie consentis par la banque Nature. L'injection d'énergie va rembourser ces prêts et permettre aux particules et antiparticules* de quitter le monde des fantômes et de pénétrer dans la réalité. Les quarks*, les électrons*, les neutrinos* et leurs antiparticules vont surgir du vide. Mais dès leur matérialisation, les particules et leurs antiparticules se rencontrent et s'annihilent pour devenir lumière. Les grains de lumière (ou photons) disparaissent à leur tour pour donner naissance à des paires particule-antiparticule. Il y a une constante interaction entre la matière, l'antimatière et la radiation. L'univers est baigné dans une soupe de quarks, d'électrons, de neutrinos, de photons et de leurs antiparticules.

S'il y avait autant de particules que d'antiparticules, notre histoire s'arrêterait là. Je ne serais pas en train d'écrire ces lignes et vous ne seriez pas là pour les lire. La matière détruirait l'antimatière et il ne resterait que des photons. Ces photons, affaiblis plus tard par l'expansion de l'univers et son refroidissement, ne pourraient plus accoucher de particules et d'antiparticules. Il ne resterait qu'un univers rempli de lumière d'où particules élémentaires, étoiles, galaxies, être humains, vous et moi seraient absents. Mais, heureusement pour nous, la nature n'est pas impartiale vis-à-vis de la matière et de l'antimatière. Le physicien soviétique Andreï Sakharov découvrit qu'elle a une toute petite préférence pour la matière. Ainsi, pour chaque milliard d'antiquarks qui vont surgir du vide, il y aura 1 milliard plus 1 quark qui apparaîtront. Plus tard, vers 10^{-6} seconde (27 pages après l'ère inflationnaire), quand l'univers se sera assez refroidi pour permettre aux quarks de former des protons et des neutrons (désignés sous le nom commun de « baryons* ») et aux antiquarks de former leurs antiparticules (les antibaryons), la plupart des baryons et des antibaryons s'annihileront pour devenir lumière. Mais le fait que les quarks seront en léger surnombre par rapport aux antiquarks aura pour conséquence de créer un résidu de protons et de neutrons. Pour chaque milliard de particules et d'antiparticules qui s'annihileront pour donner 1 milliard de photons, il ne restera qu'une particule de matière, exactement la proportion qui est observée dans l'univers actuel. Toute l'antimatière disparaît.

Un des nuages noirs qui obscurcissaient le paysage du big bang se dissipe. Des observations restées sans explication trouvent une réponse. La matière peut surgir du vide si une assez grande quantité d'énergie y est injectée. Le vide est origine de tout, galaxies, étoiles, arbres, fleurs, vous et moi. L'idée de la naissance *ex nihilo*, du néant, qui hier encore n'appartenait qu'à la religion, semble trouver aujourd'hui un support scientifique dans la cosmologie. Nous vivons dans un univers de matière, nous ne risquons pas de rencontrer des anti-vous et des anti-moi, car la nature a un milliardième de plus de partialité pour les quarks que pour les antiquarks. Les particules de lumière dominent maintenant l'univers de leur nombre, car la plupart des particules de matière et d'antimatière se sont mutuellement anéanties.

La soupe de quarks, d'électrons, de neutrinos, de photons et de leurs antiparticules qui émerge au terme de cet instant inimaginablement court de 10^{-32} seconde n'est pas tout à fait uniforme. Elle est parsemée d'irrégularités et de « rugosités ». Il y a des endroits, ici et là, qui sont plus denses que d'autres. Ces irrégularités s'amplifieront plus tard pour donner naissance aux structures de la tapisserie cosmique : les galaxies, les étoiles et les planètes, et toutes les oasis de l'univers qui favoriseront l'ascension de la matière vers la complexité et qui permettront l'émergence de la vie. La cristallisation de l'univers a non seulement permis l'apparition des premières particules de matière, nos plus lointains ancêtres, mais elle a aussi pris soin de semer les germes des oasis nécessaires pour notre apparition sur la scène cosmique. Ainsi se dissipe un autre nuage qui assombrissait le big bang, le problème de l'origine des structures dans l'univers.

Bien sûr, les irrégularités qui naissent sont soumises à des contraintes très sévères. Elles ne peuvent être trop petites, car elles n'auraient pas eu le temps de grandir à la taille des belles galaxies de centaines de milliers d'années-lumières de diamètre qui parsèment l'univers d'aujourd'hui, pendant les 15 milliards d'années qui se sont écoulés. Elles ne peuvent pas non plus être trop grandes, car l'homogénéité du rayonnement fossile qui nous parvient du début de l'univers nous informe que toute rugosité doit être inférieure à 0,01 %. Le double visage de l'univers, cette uniformité globale presque parfaite accompagnée d'une richesse inouïe à petite échelle, impose donc aux irrégularités un équilibre très délicat. Elles ne doivent pas être trop modestes, mais elles ne peuvent pas non plus verser dans l'excès et la démesure. De simples calculs préliminaires ont montré que les irrégularités nées de la phase inflationnaire de l'univers sont trop grandes d'un facteur de 100 000 ou plus. Reste encore à écrire la page du livre qui explique comment a été résolu ce problème. En attendant, apprécions l'énorme bond en avant provoqué par l'introduction de l'idée d'une phase inflationnaire de l'univers : au lieu d'invoquer un « grand architecte » semant des irrégularités dans son univers régulier, nous sommes maintenant à même de les calculer !

Une nouvelle cristallisation de l'univers

Tournons la page et quittons cette ère inflationnaire qui a été si bénéfique pour notre existence. Pendant sa folle expansion, d'un bout de vide de 1 milliard de milliards de milliards de milliards de fois plus petit qu'un noyau d'atome jusqu'à la taille d'une orange, l'univers s'est considérablement refroidi. Mais l'énergie du vide libérée lors de la première cristallisation de l'univers, quand la force nucléaire forte s'est séparée de la force électrofaible, a fait de nouveau grimper sa température jusqu'à 10^{27}°K. Nous sommes juste 10^{-32} seconde après l'explosion primordiale, à la douzième page de notre livre. L'univers-orange poursuit son expansion, mais à un rythme beaucoup moins effréné qu'avant, un rythme proche de celui qu'il possède aujourd'hui après 15 milliards d'années. Alors que les distances dans l'univers s'accroissent exponentiellement en fonction du temps pendant la période inflationnaire, elles ne vont plus augmenter (jusqu'à environ 300 000 années) qu'à un rythme suivant la racine carrée du temps (voir la note quantitative n° 5). Pendant l'ère inflationnaire, entre 10^{-34} et 10^{-32} seconde, l'univers avait grandi, nous l'avons vu, d'un facteur de 10^{50}. Au rythme de l'« après-inflation », ses dimensions n'auraient augmenté que d'un facteur de 10 pendant la même période. A la course folle de l'ère inflationnaire succèdent les pas de tortue des ères post-inflationnaires.

Pendant les vingt pages suivantes, de 10^{-32} à 10^{-12} seconde, l'univers continue de s'agrandir et devient moins chaud et moins dense, mais rien d'extraordinaire ne se passe. C'est la « traversée du désert » (ou est-ce simplement le « désert de l'imagination » des physiciens ?). Les pages se suivent et se ressemblent. L'univers est rempli d'une pincée de quarks, d'électrons et de neutrinos, et de leurs antiparticules. Chauffé à une température extrême, tout ce joli petit monde est animé d'une grande fébrilité, s'élançant dans toutes les directions et se cognant les uns contre les autres. Les rencontres des particules avec leurs antiparticules sont mortelles, et les convertissent en ces grains de lumière que sont les photons. Ceux-ci ne sont pas en reste et participent à la frénésie générale. Ils disparaissent à leur tour pour donner naissance à de nouvelles paires de particules et d'antiparticules. Création et destruction se succèdent à un rythme d'enfer.

A la trente-deuxième page, à un millième de milliardième (10^{-12}) de seconde après l'instant originel, l'univers a beaucoup grandi. Il est maintenant à peine plus petit que l'orbite de la Terre autour du Soleil. Il est encore très dense (1 million de millions de fois plus dense que le noyau d'un atome) et chaud (1 million de milliards de degrés).

Un événement important va se produire et l'univers va franchir une nouvelle étape importante dans son ascension vers la complexité. En effet, il va subir une nouvelle « cristallisation ». Le triumvirat des forces qui régissait l'univers se transforme en quatuor. L'union de la force électromagnétique et de la force nucléaire faible se brise à son tour et, désormais, ces deux forces se séparent. Avec la force gravitationnelle et la force nucléaire forte, elles vont, à quatre, contrôler l'univers. Ce gouvernement à quatre têtes, né à un millième de milliardième de seconde après l'explosion originelle, subsiste encore dans l'univers d'aujourd'hui. Comme lors de la première cristallisation, l'univers reçoit une bouffée d'énergie, mais beaucoup moins grande cette fois. Au lieu de s'emballer dans une expansion inflationnaire, l'univers poursuit tranquillement son expansion à pas de tortue.

L'emprisonnement des quarks

Tournons six pages. L'univers est âgé maintenant de 1 millionième (10^{-6}) de seconde. Son volume est à peu près égal à celui du système solaire. Sa température a baissé jusqu'à 10 000 milliards de degrés. L'agitation et l'énergie des particules et de leurs antiparticules décroissent au fur et à mesure que l'univers se refroidit. Le mouvement des quarks et des antiquarks se ralentit assez pour que la force nucléaire forte puisse contraindre les quarks et les antiquarks à se combiner en des particules plus familières, les protons, les neutrons et leurs antiparticules.

Tel le berger qui peut enfin rassembler ses moutons parce qu'ils n'ont plus assez d'énergie pour s'échapper, la force nucléaire forte rassemble les quarks et les antiquarks. Mais elle ne le fait pas de n'importe quelle façon. Elle les groupe trois par trois. Ainsi, les protons et les neutrons sont le résultat de trois quarks soudés ensemble par la force forte. Les quarks eux-mêmes se divisent en deux catégories, selon leur charge électrique. Une première espèce porte une charge positive égale aux deux tiers de la charge de l'électron et une deuxième espèce a une charge négative égale au tiers de la charge électronique. Le proton, qui a une charge positive égale et opposée à celle de l'électron, est composé de deux quarks de la première espèce et d'un quark de la deuxième espèce. Le neutron, qui, comme son nom l'indique, n'a pas de charge électrique, a la constitution inverse : un quark de la première espèce et deux quarks de la seconde. Parce qu'ils doivent leur existence à la force forte, le proton, le neutron et leurs antiparticules sont désignés collectivement sous le nom d'hadrons, qui signifie « fort » en grec. Parce que les hadrons occupent le devant de la scène dans cette période de l'histoire de l'univers, cette dernière est souvent connue sous le nom d'« ère hadronique* ».

Les quarks et leurs antiparticules vont désormais perdre leur liberté. Dans l'histoire de l'univers à venir, nous ne les verrons plus jamais à l'état libre. Pour les libérer de leur joug, les physiciens ont bien essayé de bombarder les prisons-protons et neutrons à grands coups de faisceaux de particules accélérées à de très hautes énergies dans des machines-monstres de plusieurs kilomètres de diamètre, comme celle du CERN à Genève, mais, jusqu'à ce jour, jamais un quark libre n'a été entrevu. La force forte, méritant bien son nom, n'a jamais voulu relâcher son emprise sur les quarks, malgré des attaques répétées. Jusqu'à nouvel ordre, les quarks restent donc des entités théoriques nées de l'imagination fertile des physiciens, mais dont l'existence semble nécessaire pour comprendre les propriétés de la matière qui nous entoure.

La première victoire de la matière

Avec l'emprisonnement des quarks, l'univers entre dans l'ère hadronique et la matière franchit une nouvelle étape importante dans son ascension vers la complexité. Mais la perte de liberté des quarks et des antiquarks n'est pas la seule conséquence remarquable du refroidissement continuel de l'univers en expansion. Le cycle infernal de l'annihilation de la matière en lumière et de la reconversion de la lumière en matière, que subissaient toutes les particules et leurs antiparticules, va être rompu. L'annihilation de la matière va pouvoir se poursuivre, mais la métamorphose de la lumière en particules se fera de plus en plus difficilement. Pour en comprendre les raisons, il faut nous souvenir de l'enseignement d'Einstein, selon lequel toute matière est énergie. Selon cet énoncé (dont la folie des hommes s'est emparé et qui a abouti, malheureusement, à la bombe atomique), une paire particule-antiparticule a une certaine masse (égale à 2 fois la masse de la particule) et donc une certaine énergie de masse (égale à la masse de la paire multipliée par le carré de la vitesse de la lumière). La particule porteuse de la lumière, le photon, pour pouvoir se transformer en une paire particule-antiparticule, doit avoir au moins l'énergie de masse de la paire, sous peine de faire violence au principe de la conservation d'énergie. Bien sûr, une paire relativement massive comme le couple proton-antiproton aurait besoin de plus d'énergie qu'une paire moins massive comme le couple électron-antiélectron (ou positon).

Or, les photons s'épuisent et perdent de l'énergie au cours de l'expansion de l'univers et de son refroidissement : un dixième de millième de seconde après l'explosion originelle, la température de l'univers a baissé jusqu'à 1 000 milliards de degrés. Les photons n'ont déjà plus assez d'énergie pour se transformer en des paires proton-antiproton ou neutron-antineutron. Les paires qui existaient déjà s'annihilent. Le réservoir de protons, de neutrons et de leurs antiparticules se vide rapidement, mais l'eau du robinet ne coule plus pour le remplir. La vaste majorité des protons et des neutrons se convertissent en lumière. Mais, parce que la nature a un milliardième de plus de préférence pour la matière plutôt que pour l'antimatière, pour chaque milliard de paires particule-antiparticule qui s'annihileront pour devenir photons, une particule de matière survivra parce qu'elle ne pourra pas trouver de partenaire antiparticule pour l'embrasser dans une étreinte mortelle. C'est la première victoire de la matière sur l'antimatière.

Ainsi, après son premier dixième de millième de seconde d'existence, la purée de l'univers s'est transformée en un mélange composé principalement de photons, d'électrons et de neutrinos avec une toute petite pincée d'un nombre égal de protons et de neutrons, rescapés de la grande destruction.

Bien que, au cours de la bataille entre la matière et l'antimatière, le camp de l'antimatière ait subi de sérieux revers et que les troupes d'antiprotons et d'antineutrons aient été réduites à néant, l'antimatière ne s'avoue pas vaincue. Elle dispose encore de bataillons entiers d'antiélectrons (positons) et d'antineutrinos, car, à la température de 1 000 milliards de degrés, les photons ont encore assez d'énergie pour se transformer en paires électron-antiélectron et neutrino-antineutrino. Parce qu'il y a équilibre entre la conversion de la lumière en particules et celle des particules en lumière, les photons, électrons, neutrinos et leurs antiparticules sont en nombre égal. Victime de la grande destruction, les protons et les neutrons sont relégués au rang d'infime minorité parmi la population des particules de l'univers. Il ne reste plus qu'un proton ou neutron pour 100 millions ou plus de chacune des autres particules. L'ère hadronique, dominée par les protons et les neutrons, s'achève. Le devant de la scène est maintenant occupé par les autres particules plus légères et qui agissent surtout entre elles par l'intermédiaire de la force nucléaire faible. Quand l'horloge cosmique sonne un dix-millième de seconde, l'ère leptonique* (du grec *lepton*, qui signifie « faible ») commence.

Les neutrinos font bande à part

Le cocktail primordial de l'ère leptonique est composé de photons, d'électrons, de neutrinos et de leurs antiparticules, et d'un zeste de protons et de neutrons. Excepté les neutrinos qui font bande à part, tout ce monde, surchauffé par l'extrême température, est en constante interaction, chaque particule ne pouvant se déplacer sans se cogner immédiatement contre une autre particule. Ainsi, les photons porteurs de lumière et d'information n'arrivent pas à se frayer un chemin à travers la forêt épaisse des électrons, protons et neutrons. La lumière, qui, aux premiers instants de l'univers, est extrêmement énergétique et faite de rayons gamma, est entièrement bloquée. L'univers est complètement opaque et même les télescopes les plus puissants ne pourront jamais percer cette opacité.
Les neutrinos, eux, traversent la jungle des particules comme si de rien n'était, car ils n'interagissent avec le reste du monde qu'à travers la force nucléaire faible. Comme nous l'avons vu, le domaine d'influence de cette force faible est microscopique et ne s'étend que sur des distances de moins d'un dixième de millionième de milliardième de centimètre. Après la première demi-seconde de l'univers (quatre pages plus loin dans notre livre d'histoire), alors que nous sommes encore dans l'ère leptonique, l'univers n'est déjà plus assez dense, les particules ne sont déjà plus assez rapprochées les unes des autres pour que l'interaction faible puisse s'exercer. Les neutrinos se conduisent alors comme si les autres particules n'existaient plus et il n'y a plus aucune interaction avec ces dernières. Ce manque d'interaction leur donne une précieuse liberté de mouvement. Au lieu d'être entravés dans leur action comme c'est le cas pour les photons, ils sont libres de s'ébattre, de parcourir l'univers et de le remplir de leur multitude. Cette population de neutrinos qui s'est séparée du reste des particules dès la première demi-seconde qui

a suivi la naissance originelle erre encore dans l'univers d'aujourd'hui et forme, par son nombre, la deuxième population de l'univers, juste derrière les photons qui constituent le rayonnement cosmique à 3°K.

A l'heure où j'écris ces lignes, des centaines de milliards de neutrinos nés des premiers instants de l'univers viennent se cogner contre chaque centimètre carré de ma peau et traversent mon corps à une vitesse proche de celle de la lumière. Chaque centimètre cube d'espace contient des centaines de ces neutrinos fossiles. Pour chaque atome dans l'univers, il y a 100 millions de neutrinos (comparés à 1 milliard de photons) et, pourtant, cette gigantesque population de particules n'a encore jamais été détectée. Elle reste à l'état de prédiction de la théorie du big bang. La raison en est précisément le manque d'interactions entre les neutrinos et les autres particules qui peuplent l'univers. Nos télescopes et nos détecteurs sont faits de ces autres particules et si les neutrinos n'interagissent pas avec elles, nous n'avons aucune chance de les capturer, de les mettre en cage et de les observer. D'autre part, les neutrinos primordiaux ont aussi perdu beaucoup d'énergie avec l'expansion de l'univers. Même si, par chance, un ou deux neutrinos se laissaient capturer aujourd'hui, ils n'auraient même plus l'énergie qui permettrait de déclencher les réactions nucléaires avec les particules qui composent les détecteurs pour révéler leur présence. Pour déceler ces neutrinos affaiblis, il faudrait construire des détecteurs des millions de fois plus performants que ceux qui existent actuellement, ce qui n'est pas près d'être réalisé.

Ainsi, contrairement aux photons du rayonnement cosmique à 3 degrés qui se sont laissé facilement capturer par les radiotélescopes de Penzias et Wilson parce qu'ils interagissent plus facilement avec la matière, les neutrinos primordiaux demeurent insaisissables. Le seul espoir de pouvoir un jour vérifier leur présence serait qu'ils possèdent une masse. Même avec un dixième de millième de la masse d'un électron, les neutrinos domineraient l'univers de leur masse grâce à leur grand nombre et, par leur influence gravitationnelle, ils modifieraient profondément les mouvements des étoiles, des galaxies et le futur même de l'univers. Mais nous aurons l'occasion de revenir sur ce sujet quand nous discuterons du devenir de l'univers. Pour l'instant, poursuivons notre lecture du livre de l'histoire de l'univers.

La déroute de l'antimatière

Outre la séparation des neutrinos du reste des particules, l'ère leptonique est aussi marquée par l'anéantissement complet de l'anti-matière. L'horloge cosmique marque 1 seconde. La température de l'univers a baissé d'un facteur 1 000, à 10 milliards de degrés. L'uni-vers est encore tellement dense qu'un centimètre cube de son contenu pèse 100 kilogrammes. C'est alors que va se produire une deuxième grande annihilation de matière et d'antimatière, et le scénario qui s'était déjà déroulé pour les protons et les neutrons va se répéter pour les électrons. Les photons, épuisés par l'expansion de l'uni-vers, n'ont plus l'énergie nécessaire pour se convertir en paires électron-antiélectron. Les paires qui existaient déjà deviennent lumière en des étreintes mortelles. Mais, pour chaque milliard de couples qui se dissolvent ainsi en lumière, il reste un électron soli-taire et sans partenaire qui échappe au massacre.

Car la matière a toujours un léger avantage. Elle continue à béné-ficier du faible que la nature a eu pour elle pendant la phase infla-tionnaire, et si l'antimatière lui présente 1 milliard d'antiélectrons, la matière pourra toujours lui opposer 1 milliard plus 1 électrons. Les dernières troupes que l'antimatière a lancées dans la mêlée sont anéanties. La victoire de la matière, malgré de très lourdes pertes, est maintenant totale, et la déroute de l'antimatière, complète. Dès sa première seconde d'existence, l'univers s'est arrangé pour qu'il y ait des vous et des moi plutôt que des anti-vous et des anti-moi. D'autre part, parce que la partialité de la nature est la même envers les protons porteurs de charge positive qu'envers les électrons por-teurs de charge négative, il y a autant de charges positives que de négatives dans l'univers. Ce qui fait que la charge électrique totale de l'univers est nulle, et que nous vivons dans un univers neutre électriquement.

La dénatalité des neutrons

L'anéantissement de l'antimatière va créer un déséquilibre entre les populations de protons et de neutrons, et avoir des conséquen-ces profondes sur la composition chimique future de l'univers. Nous avons vu que les protons ont émergé après le premier millionième de seconde de l'univers en nombre égal à celui des neutrons à cause de l'égalité des quarks des deux espèces. Or les protons et les neu-trons sont fondamentalement différents du point de vue de leur lon-gévité. Le proton abandonné à lui-même va vivre au moins des dizaines de milliers de milliards de milliards de milliards (10^{31}) d'années, pratiquement l'éternité. C'est une particule « presque » stable. En revanche, le neutron a un caractère très instable. Il se métamorphose très rapidement en d'autres particules. Un neutron libre se désintègre en un proton, un électron et un neutrino après 15 minutes seulement, désintégration qui est orchestrée par la force nucléaire faible. Ainsi, les neutrons, livrés à eux-mêmes, disparaîtraient de la face de l'univers en un bref quart d'heure. Mais les protons arrivent à la rescousse. Ils repeuplent la population des neutrons en se combinant avec des électrons pour se transformer en neutrons et en neutrinos, une transformation qui se fait grâce à la force nucléaire faible.

Avant que l'horloge cosmique n'ait marqué une seconde, il y avait autant de neutrons nés de l'accouplement des protons avec les électrons que de neutrons qui se désintégraient, si bien que la population des neutrons restait constante et égale à celle des protons. Il y avait des électrons à profusion, avec qui les protons pouvaient s'accoupler pour se transformer en neutrons. Mais dès que sonne la première seconde, presque tous les électrons s'annihilent avec leurs antiparticules. Les protons ne trouvent donc plus assez de partenaires-électrons pour engendrer des neutrons. La population des neutrons va désormais subir une baisse sérieuse de natalité et diminuer progressivement face à la population des protons. L'équilibre numérique se rompt. Quand la première seconde sonne à la pendule cosmique, il ne reste plus que deux neutrons pour chaque dizaine de protons, rapport qui va marquer de façon décisive la composition chimique de l'univers à venir. Ainsi s'achève la première seconde, qui a vu la naissance de l'univers presque *ex nihilo*, l'émergence de la matière et la préparation des conditions physiques nécessaires à l'ascension vers la complexité, seconde qui, par le nombre d'événements qui s'y sont déroulés, revêtira plus d'importance que toutes les autres 10^{17} secondes des 15 milliards d'années qui suivirent.

La machine à fabriquer de l'hélium

La fin de la première seconde sonne aussi le glas de l'ère leptonique et marque le début de l'ère du rayonnement*, celle du règne des photons. Ces photons sont nés, rappelons-le, de l'étreinte mortelle des paires proton-antiproton et neutron-antineutron dans la première grande annihilation et de celle des couples électron-antiélectron dans la seconde. Ils dominent de leur nombre les rares protons, neutrons et électrons rescapés de ces deux grands épisodes de destruction collective. Pour chaque proton ou électron survivant, il y a maintenant 1 milliard de photons, un rapport numérique qui s'est maintenu jusqu'à présent. Empli de photons qui restent en étroite interaction avec la matière, et de neutrinos qui ignorent toujours superbement toutes les autres particules, l'univers n'est presque plus que rayonnement. La purée initiale des particules s'est presque entièrement métamorphosée en lumière. Les photons dominent l'univers de leur énergie et contrôlent le rythme de son expansion. L'énergie d'une particule est la somme de deux types d'énergie, l'énergie de masse (que l'on calcule en multipliant la masse par le carré de la vitesse de la lumière, selon la formule fameuse d'Einstein) et l'énergie de mouvement. Parce que les photons n'ont pas de masse, toute leur énergie vient de leur mouvement effréné. A la première seconde de l'univers, l'énergie des photons est 10 millions de fois supérieure à la somme de l'énergie de masse et de mouvement des particules de matière (protons, neutrons et électrons). Pourtant, pour nombreux et énergétiques qu'ils soient, les photons sont toujours dans l'incapacité complète de traverser la jungle des électrons et des protons. L'univers continue à se cacher sous son voile opaque.

Dans les 100 secondes qui vont suivre (les deux pages suivantes de notre livre d'histoire), l'univers va encore franchir une étape importante dans sa lente ascension vers la complexité et se transformer en une machine à fabriquer des noyaux d'atomes. Ces noyaux seront plus tard indispensables à l'élaboration des atomes et des éléments chimiques. Pour construire des noyaux d'atomes, l'univers-maçon se sert des briques-protons et neutrons (désignés collectivement sous le nom de nucléons*) qu'il a à sa disposition. Leur ciment est la force nucléaire forte.

La structure la plus simple est, bien sûr, celle qui ne serait composée que d'une seule brique. La nature choisit tout naturellement la brique qui est la plus stable, et le proton est désigné pour servir de noyau à l'hydrogène. Le neutron est rejeté, car aucun maçon digne de ce nom ne voudrait construire une bâtisse qui se désintégrerait quinze minutes après. La structure plus complexe que l'univers-maçon construit ensuite est composée de deux nucléons. Un proton et un neutron cimentés par la force nucléaire forte forment un deutéron, le noyau du deutérium*. Mais ces deutérons ont une vie bien éphémère. L'union proton-neutron n'est pas très solide et, pendant les premières secondes, leurs liens fragiles sont continuellement brisés par les photons très énergétiques. Les deutérons disparaissent dès qu'ils sont créés. Faute de pouvoir construire des structures à deux nucléons, l'univers ne peut espérer construire des noyaux plus compliqués, à trois, quatre, cinq nucléons. L'ascension vers la complexité est interrompue momentanément. Heureusement, il suffit d'attendre, car les photons perdent de l'énergie et s'épuisent au fur et à mesure de l'expansion de l'univers. Bientôt, ils n'auront plus la force de casser les deutérons.

Cela se produit quand l'horloge cosmique marque 100 secondes et que la température de l'univers est descendue jusqu'à 1 milliard de degrés. Les deutérons peuvent désormais se former sans problème et l'ascension vers la complexité reprend. Chaque deutéron agglutine un neutron pour former un noyau d'hélium 3* (le chiffre représente le nombre total de nucléons dans le noyau), lequel capture à son tour un proton pour donner un noyau d'hélium 4. Cette capture se fait malgré l'opposition de la force électromagnétique qui tente de repousser le proton du noyau d'hélium 3*, tous les deux portant la même charge positive. La température de l'univers (responsable des mouvements extrêmes des particules) et le flou quantique permettent de vaincre cette opposition. L'hélium 4* nous est bien familier, car c'est lui qui fait monter vers le ciel les jolis ballons multicolores des enfants dans les parcs (ces ballons s'élèvent dans le ciel parce que l'hélium qui les gonfle est beaucoup plus léger que l'air qui les entoure et que nous respirons).

Le vol arrêté

Les noyaux d'hélium 4, composés de deux protons et de deux neutrons, sont, à l'inverse des deutérons, très stables et solides. Une fois nés, ils sont là pour durer. Cette solidité à toute épreuve a toutefois un grand désavantage : elle paralyse de nouveau l'ascension vers la complexité. La force même des liens qui unissent les nucléons de l'hélium 4 font que ces derniers se renferment sur eux-mêmes et rejettent toute association avec d'autres nucléons. Ils se suffisent à eux-mêmes et ne supportent plus l'intrusion de nucléons supplémentaires. L'univers-maçon essaie bien de façonner des structures plus complexes. Il tente d'ajouter des nucléons aux noyaux d'hélium pour former du lithium 5 ou du béryllium 8, ou de fusionner deux noyaux d'hélium. Mais ces efforts sont vains. Les structures qui en résultent ne sont pas stables et la plupart se désintègrent dès qu'elles sont créées. Le ciment ne tient pas. Circonstance aggravante, l'univers ne dispose pas de beaucoup de temps pour agir. Le temps que l'hélium et le deutérium se forment (3 minutes à peine après l'explosion originelle), et l'univers est déjà tellement dilué par son expansion que les particules n'ont plus l'occasion de se rencontrer, de s'agglutiner, et de former des structures plus complexes. Les réactions nucléaires s'arrêtent.

La construction de structures stables s'arrête donc aux noyaux d'hélium. Dans son ascension vers la complexité, l'univers s'est engagé dans une impasse et ne peut aller plus loin. Son vol s'est arrêté. Sa première tentative d'accéder à la vie et à la conscience s'est soldée par un échec cuisant. Car si l'univers s'en tenait à cette expérience ratée, il serait bien morne et triste aujourd'hui : rempli de nuages de gaz d'hydrogène et d'hélium, il offrirait un terne paysage dont la monotonie ne serait interrompue par aucune structure. L'hélium étant réfractaire à toute liaison chimique et le pauvre hydrogène ne trouvant pas d'autre partenaire, l'univers serait condamné à la simplicité et à la stérilité. Un tel univers ne pourrait jamais engendrer les éléments chimiques plus lourds et plus complexes nécessaires à l'émergence des arbres et des fleurs, des pommes de Cézanne ou des nénuphars de Monet. Et, surtout, il ne pourrait jamais accoucher des hélices enchevêtrées des molécules d'ADN qui mènent à vous et à moi. Et pourtant nous sommes là. L'univers, bien plus tard, tentera une nouvelle fois d'accéder à la vie en inventant des machines à fabriquer des éléments lourds. Mais n'anticipons pas et revenons à la lecture de notre livre d'histoire.

Un noyau d'hélium pour douze noyaux d'hydrogène

A la centième seconde de son existence, l'univers a donc pris un nouveau visage : des noyaux* d'hydrogène, des noyaux* d'hélium 4 et d'infimes traces de noyaux de lithium et de deutérium, le tout contenu dans un bain de neutrinos et de photons. Ces derniers, épuisés par l'expansion de l'univers, ont perdu beaucoup d'énergie. La lumière gamma des premiers instants est devenue ultraviolette. Au prix d'un peu d'arithmétique, nous pouvons obtenir exactement la proportion respective des noyaux d'hydrogène et d'hélium. Puisque les noyaux d'hydrogène sont faits exclusivement de protons et que les noyaux d'hélium sont faits à la fois de protons et de neutrons, il suffit de connaître le nombre de neutrons par rapport à celui des protons pour obtenir cette information. Nous avons vu que, à la première seconde, la crise de natalité des neutrons avait déjà considérablement réduit leur nombre et qu'il ne restait plus que deux neutrons pour chaque dizaine de protons. L'écart s'est davantage creusé à la centième seconde : il n'y a plus que deux neutrons pour quatorze protons. D'un lot quelconque de quatorze protons, deux vont se combiner avec deux neutrons pour former un noyau d'hélium, tandis que les douze autres formeront des noyaux d'hydrogène. Ainsi, à la fin des trois premières minutes de l'univers, il y a un noyau d'hélium pour chaque lot de douze noyaux

d'hydrogène. Parce que l'hélium formé de quatre nucléons pèse environ quatre fois plus que l'hydrogène formé d'un seul nucléon, la
théorie du big bang prévoit donc qu'environ le quart $[= 4/(4 + 12)]$
de la masse de l'univers est fait d'hélium et les trois quarts d'hydrogène (les éléments lourds dont nous sommes constitués et qui sont
indispensables à la vie ne représentent que 2 % environ de la masse
de l'univers).

Agréable surprise! C'est exactement la proportion que les astronomes observent, qu'ils regardent dans les étoiles ou dans les galaxies.
Il semble bien que les deux éléments qui sont les plus abondants
dans l'univers aient été fabriqués pendant les premières minutes de
son existence, et que presque rien n'ait changé depuis. Cette
concordance est l'un des grands triomphes de la théorie du big bang.

L'univers lève son voile

Une fois passée la période de fabrication des noyaux d'hydrogène
et d'hélium (on l'appelle souvent période de « nucléosynthèse* » primordiale »), plus rien d'important n'aura lieu pendant une longue
période de 300 000 ans. Comme si l'univers s'arrêtait pour reprendre son souffle. Bien sûr, pendant tout ce temps, l'expansion se poursuit et l'univers continue à se diluer dans un espace grandissant et
à se refroidir. Juste avant que l'horloge cosmique ne sonne la trois
cent millième année (onze pages plus loin dans notre livre d'histoire), la température de l'univers, qui était de 1 milliard de degrés
à la centième seconde, n'est plus que légèrement supérieure à 3 000
degrés, une température comparable à celle de la surface du Soleil.
Ce refroidissement est, comme toujours, accompagné d'une perte
d'énergie des photons. La lumière ultraviolette invisible qui bai-
gnait l'univers est devenue jaune et visible comme la lumière du
Soleil. L'univers continue à se cacher sous son voile opaque. Les
mouvements des photons qui transportent la lumière et l'information continuent à être entravés par la jungle des électrons restés libres.
Ces derniers ne peuvent pas se combiner avec des protons pour former des atomes d'hydrogène ou avec des noyaux d'hélium pour former des atomes d'hélium. Les photons environnants ont encore bien
trop d'énergie. Il suffit qu'un atome se constitue pour qu'un photon arrive et le casse, libérant noyaux et électrons.

Lorsque arrive la trois cent millième année dans le calendrier cosmique, l'univers va subir une série de changements qui vont le marquer à tout jamais. Désormais, les photons n'auront plus assez
d'énergie pour casser les atomes. La force électromagnétique entre

en action et pousse chaque proton à accaparer un électron (vous vous souvenez que, par le truchement de la force électromagnétique, les charges opposées s'attirent) et à former un atome d'hydrogène, et chaque noyau d'hélium (chargé 2 fois positivement) à se mettre en ménage avec deux électrons pour se transformer en un atome d'hélium. Pour la première fois, la matière neutre à l'état atomique fait son entrée sur scène.

Autre fait marquant, l'univers lève finalement son voile pour nous révéler son visage. Parce que tous les électrons ont été enfermés dans des atomes-prisons, parce qu'il n'y a plus d'électrons libres pour entraver leurs mouvements, les photons peuvent désormais voyager comme bon leur semble. L'univers, d'opaque, devient transparent. La matière et le rayonnement, intimement couplés auparavant, se séparent et vont dorénavant vivre leur histoire séparément (fig. 28). Les photons qui nous parviennent de cette trois cent millième année fatidique sont les plus vieux que nous puissions capturer avec nos télescopes. Ils constituent ce fameux rayonnement fossile qui baigne tout l'univers et qui représente, avec l'expansion de l'univers, l'une des deux pierres angulaires de la théorie du big bang. Bien sûr, ce rayonnement n'a plus aujourd'hui la température de 3 000 degrés ni la couleur jaune du Soleil, et nous ne pouvons le voir comme nous l'aurions fait si nous avions été présents en l'an 300 000. La température de ce rayonnement va continuer à diminuer inexorablement au fur et à mesure de l'expansion de l'univers (elle décroît en proportion inverse de la séparation entre deux points quelconques de l'univers : par exemple, si l'univers a subi une expansion d'un facteur 2, la température diminue de moitié). Au cours des 15 milliards d'années qui vont suivre, le rayonnement cosmique va parcourir la gamme de couleurs qui va du jaune à l'orange, puis du rouge au rouge plus foncé, avant de devenir invisible à l'œil humain. Le ciel, brillant comme la surface du Soleil, va graduellement faire place à la nuit noire parsemée d'étoiles qui fait notre enchantement par les belles soirées d'été. Le rayonnement cosmique a maintenant tellement refroidi (sa température est, nous l'avons vu, de 3 degrés) que seuls des yeux-radio seront capables de le voir.

Le règne de la matière

Au moment où l'univers dévoile son visage se déroule, presque parallèlement, la passation des pouvoirs du rayonnement à la matière. Les photons issus des deux grandes destructions dominent toujours de leur nombre les particules de l'univers, alignant un milliard

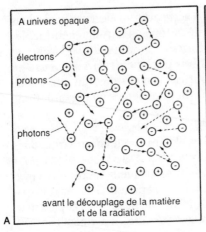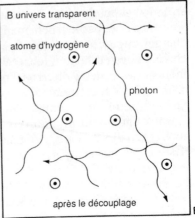

Fig. 28.

Le divorce entre la matière et la radiation. Pendant les 300 000 premières années de l'univers, les photons qui composent la radiation ont tellement d'énergie qu'ils empêchent la combinaison des protons et des électrons pour former des atomes d'hydrogène. Ces protons et ces électrons à l'état libre ne peuvent aller nulle part sans se cogner contre des photons. La matière et la radiation sont intimement liées et les fluctuations de densité ne peuvent croître en attirant gravitationnellement d'autres fluctuations, car le mouvement de ces derniers est entravé par les photons. Réciproquement, le mouvement des photons est gêné par les protons et les électrons, la lumière ne peut se propager et l'univers est complètement opaque (fig. 28a).

300 000 années après l'explosion originelle, l'expansion de l'univers a affaibli l'énergie des photons, et les protons et les électrons peuvent enfin se combiner pour former des atomes d'hydrogène. Ces derniers ne peuvent plus être détruits par les photons affaiblis. La formation des atomes d'hydrogène s'accompagne de l'émission des photons, qui constituent aujourd'hui le rayonnement à trois degrés, la marque fossile la plus vieille de l'univers. La matière et la radiation sont désormais découplées et vont vivre des histoires séparées. La radiation n'entrave plus le mouvement de la matière, et *vice versa*. L'univers devient transparent et les fluctuations de densité peuvent enfin croître en attirant gravitationnellement d'autres fluctuations vers elles. La construction des structures de l'univers peut enfin commencer (voir figure 28b).

d'entre eux pour chaque proton ou neutron présent. Mais, du point de vue énergétique, il va y avoir un retournement complet de situation. Avant la trois cent millième année, l'énergie existait bien plus dans l'univers sous forme de rayonnement que de matière. C'était le rayonnement qui menait le bal et qui contrôlait le rythme de l'expansion universelle. Mais la matière va maintenant combler son retard. Son énergie devient égale à celle du rayonnement. A mesure que le temps s'écoule, la matière va dépasser le rayonnement en contenu énergétique, et creuser de plus en plus l'écart. Dans l'univers d'aujourd'hui, l'énergie du rayonnement ne représente plus que le millième de celle de la matière. L'ère de la matière*, qui a commencé à la trois cent millième année, est encore la nôtre, et elle va se perpétuer jusqu'à un futur très lointain, à moins que l'univers ne s'effondre sur lui-même.

Ce retournement de situation dramatique s'explique très simplement. L'univers se fait involontairement l'allié de la matière. Son expansion épuise davantage le rayonnement que la matière. Dans un volume quelconque de l'univers qui s'agrandit au cours du temps, le nombre de particules, qu'elles soient de matière ou de rayonnement, reste le même. Le rapport d'un milliard de photons à une particule de matière ne change pas. Mais le rapport des énergies change. Alors que l'énergie totale des particules de matière (qui est principalement une énergie de masse égale à la masse multipliée par le carré de la vitesse de la lumière, nous dit Einstein) reste la même au cours de l'expansion universelle, l'énergie des particules de rayonnement diminue (en proportion inverse de la taille de l'univers), si bien que l'énergie de la matière finira par dépasser l'énergie du rayonnement (voir la note quantitative n° 5).

L'univers émerge donc transparent de la trois cent millième année, dominé par la matière, rempli d'atomes d'hydrogène et d'hélium, et prêt pour l'acte suivant.

Les villages et les métropoles de l'univers

Nous quittons maintenant la terre ferme que constitue la période qui va de la première seconde à la trois cent millième année de l'univers, celle où nos connaissances sont peut-être les plus solides. Contrairement à la période qui précède la première seconde, pour laquelle les nouvelles théories de grande unification des quatre forces sont encore balbutiantes et incertaines, nous n'avons pas dû faire violence à la physique, connue et vérifiée maintes fois dans les laboratoires terrestres, pour comprendre les propriétés de la purée de matière et de rayonnement qui remplissait alors l'univers.

Mais il va nous falloir à présent nous aventurer à nouveau dans les sables mouvants et aborder une époque enveloppée d'un épais brouillard, et dont les détails sont encore très flous. Son histoire reste à écrire et nous ne pourrons en donner ici qu'une simple esquisse. Cette période mystérieuse est celle de la formation des galaxies, qui va occuper les quelque deux à cinq premiers milliards d'années de l'univers, et les deux prochaines pages de notre livre d'histoire. Au cours des dernières années, les brumes se sont légèrement dissipées grâce à l'avalanche d'observations de dizaines de milliers de galaxies qui ont aidé à établir une cartographie plus précise de la distribution de ces dernières dans l'univers, et à obtenir une vue plus détaillée de la tapisserie cosmique. Cette cartographie a contribué, à son tour, à éclairer la période de formation des galaxies.

Bien avant même que la nature des galaxies ne fût éclaircie, leur tendance à se regrouper et à former des structures bien plus grandes était déjà connue. Les galaxies, tout comme les êtres humains, manifestent un instinct grégaire développé. Elles se regroupent en communautés et évitent la solitude et l'isolement. Bien sûr, elles ne sont pas reliées par des attaches affectives comme les humains, mais par des liens tissés par la gravité. Les catalogues des positions des « nébuleuses* », des taches lumineuses étendues, reconnues plus tard comme des galaxies, établis par l'astronome anglais John Herschel dès 1864, montraient déjà clairement que le meilleur endroit pour trouver une nébuleuse était la proximité d'une autre nébuleuse. Au début du siècle, en 1908, l'astronome suédois Carl Charlier soutenait déjà, non sans audace, que ces nébuleuses étaient extragalactiques, c'est-à-dire situées bien au-delà de notre Voie lactée, et il proposait même un modèle d'univers hiérarchisé où la tendance des nébuleuses à se regrouper se reproduisait à l'infini : deux nébuleuses se groupent en paires, les paires se rassemblent en groupes, les groupes se rassemblent en amas, les amas se groupent en superamas, et ainsi de suite à l'infini.

Vers 1925, Edwin Hubble établit définitivement la nature extragalactique des nébuleuses et ouvrit toutes grandes les portes du monde situé au-delà de notre Voie lactée. En photographiant des astres de moins en moins lumineux, donc de plus en plus lointains, avec les télescopes nouvellement construits sur le mont Wilson, en Californie, les astronomes américains Edwin Hubble et Harlow Shapley (celui qui délogea le Soleil de sa place centrale dans la Voie lactée) démontrèrent que notre galaxie faisait partie d'une structure encore plus vaste appelée « groupe local* ». Celui-ci contient, outre notre Voie lactée, la galaxie Andromède et une quinzaine de galaxies naines*, dont les satellites de la galaxie, les grand et petit nuages de Magellan. De tels groupes de galaxies ont des dimensions moyennes de l'ordre de 13 millions d'années-lumière, environ 130 fois supérieures au diamètre d'une galaxie, et des masses de l'ordre de 10 000 milliards de masses solaires (10^{46} grammes) (fig. 29). Si les galaxies sont les maisons de l'univers, les groupes* en sont les petits villages.

Fig. 29.

Un groupe de galaxies. Le cliché montre les galaxies les plus brillantes d'un groupe de galaxies appelé sextette de Seyfert (du nom de l'astronome qui l'a découvert) qui se trouve à 195 millions d'années-lumières. Les bras diffus de faible brillance qui jaillissent des galaxies sont composées d'étoiles arrachées de leurs galaxies mères au cours d'interactions gravitationnelles. Un groupe de galaxies comprend généralement une vingtaine de membres et a une masse type de 10 000 milliards de Soleils et une dimension moyenne de 13 millions d'années-lumières.

Ce groupe de galaxies illustre aussi les méfaits des superpositions fortuites : la plus petite galaxie, de forme presque circulaire et située près du centre du groupe, n'appartient pas au groupe, mais en est environ 4,5 fois plus éloignée. Elle se trouve par accident dans la même ligne de visée que le groupe. Voir aussi la figure 32 (photo, Hale Observatories).

Une nouvelle étape dans l'étude de la hiérarchie des structures de matière dans l'univers fut franchie avec la mise en opération d'un télescope de 1,2 mètre — le télescope Schmidt — au mont Palomar, en Californie, vers la fin des années quarante. Ce télescope, spécialement conçu pour photographier de très larges régions célestes, permit en quelques années (entre 1950 et 1954) d'inscrire, sur des milliers de plaques photographiques, l'ensemble du ciel vu de l'hémisphère Nord. Les reproductions de ces plaques se trouvent maintenant dans les observatoires du monde entier et servent d'archives du cosmos et de mémoire visuelle aux astronomes. Ces plaques photographiques révélèrent des structures encore bien plus grandes que les groupes de galaxies : les amas* de galaxies. Ces amas

étaient des ensembles de quelques milliers de galaxies reliées par
la gravité, avec une taille moyenne de quelque 60 millions d'années-
lumières et une masse de quelques millions de milliards de masses
solaires (10^{48} grammes) (fig. 30). Près de 3 000 amas purent ainsi
être dénombrés dans l'hémisphère Nord. C'étaient les villes de pro-
vince de l'univers.

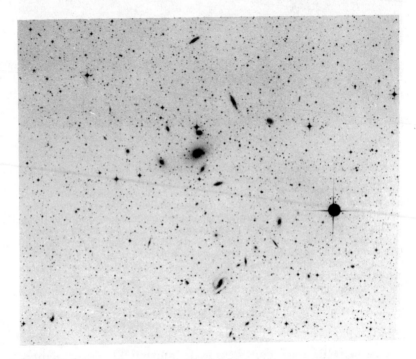

Fig. 30.

Un amas de galaxies. Cette photo montre les galaxies les plus brillantes
d'un amas de galaxies dans la direction de la constellation de Pavo, qui
n'est visible que de l'hémisphère Sud. L'amas est situé à une distance
de 325 millions d'années-lumières. Dans la hiérarchie des structures,
l'amas de galaxies représente la structure qui suit celle du groupe (fig. 29).
Un amas typique contient un millier de galaxies avec une population mixte
de galaxies spirales et elliptiques. Les galaxies elliptiques prédominent
dans la région centrale (on peut voir une galaxie elliptique géante, au centre, semblable à celle représentée dans la figure 40), tandis que les
galaxies spirales sont plus nombreuses dans les régions périphériques.
Un amas contient en moyenne 1 million de milliards de Soleils et a une
dimension typique de 60 millions d'années-lumières (photo, Royal Observatory, Edimbourg).

Mais l'organisation structurelle de l'univers ne semblait pas s'arrêter à l'échelle des amas. En effet, les amas eux-mêmes se regroupent pour former des superamas★. Chaque superamas, qui contient cinq ou six amas, a une dimension de quelque 200 millions d'années-lumières, et une masse de 10 millions de milliards de masses solaires (10^{49} grammes). Les superamas sont les grandes métropoles de l'univers. Ainsi, notre « groupe local » fait lui-même partie d'une structure plus grande, contenant une dizaine d'autres groupes et d'amas, appelée « superamas local », une découverte faite dès 1960 par l'astronome franco-américain Gérard de Vaucouleurs (fig. 31). L'intuition géniale de Charlier semblait être vérifiée, du moins jusqu'à l'échelle des superamas.

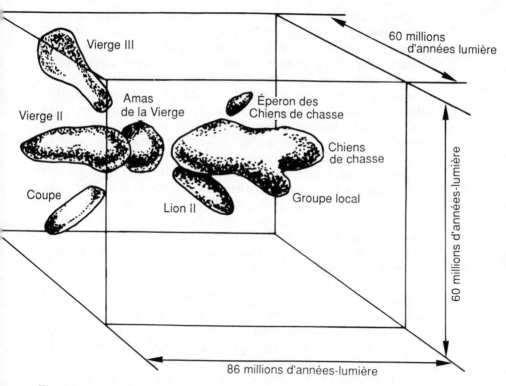

Fig. 31.

Le superamas local. Le superamas de galaxies est la plus grande structure de matière connue dans l'univers. Elle vient tout juste après la structure de l'amas. Notre galaxie fait partie du groupe local, qui lui-même est inclus dans le superamas local représenté à trois dimensions dans le schéma ci-dessus. Le superamas local est composé d'environ 10 000 galaxies rassemblées dans des amas tels que l'amas de la Vierge (le superamas local est aussi appelé superamas de la Vierge), ou dans des groupes reliés par la gravité. Le superamas local a la forme d'un disque aplati contenant environ 60 % des galaxies. Les 40 % restants forment des structures filamentaires au-dessus du disque, qui pointent vers celui-ci. De grands vides sont également apparents. Les galaxies du superamas local n'occupent que 5 % du volume visible ci-dessus. Le groupe local est situé au bord du disque et tombe à une vitesse de 250 kilomètres par seconde vers l'amas de la Vierge qui se trouve au centre. Ce mouvement de chute est dû à l'attraction gravitationnelle exercée sur le groupe local par l'amas de la Vierge (dessin d'après R.B. Tully).

La tapisserie cosmique : crêpes, filaments, vides et bulles

Ces progrès fulgurants dans la connaissance de la hiérarchie des structures dans l'univers ont été fondés presque exclusivement sur l'analyse de catalogues de positions de galaxies. La tendance des galaxies à se regrouper était mesurée à partir de positions projetées dans le ciel. Faute de connaître les distances aux galaxies, l'astronome était contraint d'ignorer la troisième dimension, la profondeur de la scène cosmique. Ce faisant, il courait le risque d'être trompé par les effets de projection. En effet, deux galaxies peuvent apparaître tout près l'une de l'autre dans le ciel, mais être en réalité très éloignées si elles se trouvent simplement alignées sur la ligne de visée de l'observateur (fig. 29 et 32). Ces effets de projection sont négligeables sur de petites échelles où les lignes de visée sont courtes, mais elles deviennent importantes à l'échelle des amas ou des superamas où les lignes de visée sont très longues. Ainsi, pour obtenir une vue plus détaillée des structures de l'univers à grande échelle, la troisième dimension est indispensable. Mais grâce aux progrès techniques récents, la mesure de distances d'un grand nombre de galaxies est devenue enfin possible.

Pour pénétrer l'univers dans sa profondeur, il suffit de faire appel à la grande découverte de Hubble, en 1929, selon laquelle la lumière des galaxies éloignées était décalée vers le rouge, ce décalage étant d'autant plus grand que la galaxie était plus éloignée. Décomposez la lumière d'une galaxie à l'aide d'un spectroscope, mesurez son décalement vers le rouge et vous obtiendrez sa distance. Les progrès furent d'abord extrêmement lents, ce qui s'explique par le fait que, si les positions de milliers de galaxies peuvent être enregistrées sur une seule plaque photographique en une seule observation, les mesures des décalages vers le rouge de la lumière des galaxies nécessitent autant d'observations que de galaxies. Hubble n'avait à sa disposition que les mesures d'une trentaine de galaxies au

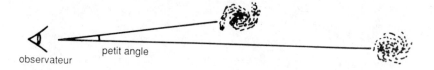

Fig. 32.

Les méfaits des effets de projection. Ces deux galaxies projetées dans le ciel semblent très proches l'une de l'autre : l'angle qui les sépare est très petit et elles sont presque sur la même ligne de visée de l'observateur. Mais elles sont en réalité séparées par une très grande distance (voir un exemple concret dans la figure 29). La seule façon de s'en rendre compte est de déterminer leurs distances en mesurant le décalage vers le rouge de leur lumière.

moment de sa grande découverte. Vers la fin des années soixante-dix, le nombre de galaxies possédant des mesures de décalage vers le rouge ne dépassait pas les deux milliers. Heureusement, le développement des détecteurs électroniques a facilité la tâche des cartographes de l'univers. Ces derniers sont beaucoup plus sensibles que les plaques photographiques. Ils peuvent détecter une par une les particules de lumière que sont les photons et obtenir, en une demi-heure, l'information pour laquelle Hubble et ses contemporains auraient travaillé une nuit entière.

Les progrès furent alors très rapides et le paysage cosmique qui apparut fut des plus étonnants et des plus inattendus. Tout d'abord, les superamas de galaxies, les plus grandes structures connues, au lieu d'être sphériques, avaient la forme tantôt de crêpes aplaties, tantôt de longs et minces filaments. L'épaisseur des crêpes, de quelque 40 millions d'années-lumières, était de l'ordre du cinquième de leur diamètre. Les filaments, eux, pouvaient traverser l'espace sur des distances de centaines de millions d'années-lumières. Mais la grande surprise fut la découverte de grands vides* dans le cosmos, de grandes régions de dizaines de millions d'années-lumières complètement démunies de galaxies. Les galaxies, nous l'avons vu, ont tendance à se regrouper en villages, villes et métropoles, mais elles ont poussé si loin cet instinct grégaire que les campagnes sont complètement désertes. Vous pourrez voyager pendant des dizaines de millions d'années-lumières sans rencontrer aucune galaxie. Les galaxies distribuées en crêpes et en filaments n'occupent que le dixième du volume de l'univers. Dans les neuf dixièmes restants, il n'y a que du vide. Fait encore plus étonnant, ces vides semblent emprunter la forme de grandes cavités sphériques, donnant l'impres-

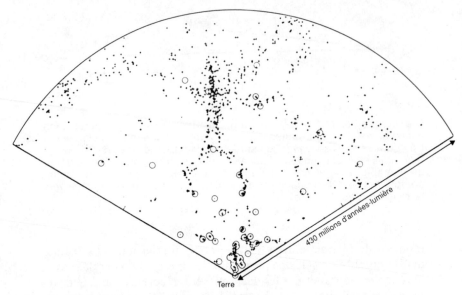

Fig. 33.

Les grands vides de l'univers. En mesurant le décalage vers le rouge de
la lumière de milliers de galaxies et en obtenant ainsi leurs distances,
l'astrophysicien a pu pénétrer dans la troisième dimension de l'univers.
Avec la profondeur cosmique, un paysage extraordinaire est apparu. Ce
schéma montre la distribution en profondeur des 1 100 galaxies apparemment les plus brillantes dans une petite tranche de l'univers. Ces galaxies
brillantes sont représentées par des croix. Il est évident que l'univers
contient d'énormes vides dénués de toute galaxie brillante, aux formes
presque sphériques, avec des diamètres de dizaines de millions d'années-
lumière. Ces énormes vides sont-ils remplis par des galaxies de plus faible luminosité ? J'ai réalisé, avec des collègues, la cartographie spatiale
de galaxies naines beaucoup moins lumineuses (en mesurant le décalage vers le rouge de ces galaxies naines avec un radiotélescope, car elles
sont trop peu lumineuses pour être observées avec un télescope optique)
et obtenu le même paysage (les galaxies de faible luminosité sont représentées ici par des cercles) : les trous de l'univers ne sont donc pas remplis par des galaxies de faible luminosité (dessin d'après Lapparent *et
al.* et Thuan *et al.*).

sion d'énormes bulles de savon à la surface desquelles seraient situés
les superamas-crêpes et filaments (fig. 33). Ces grands vides ne sont
pas isolés dans l'espace. Ils sont tous connectés les uns aux autres
et ils forment un immense réseau où vous pouvez aller d'un vide
à l'autre sans jamais traverser de crêpes ou de filaments. La topologie de l'univers est semblable à celle d'une éponge : si vous partez
de la cavité quelconque d'une éponge, vous pouvez vous rendre dans

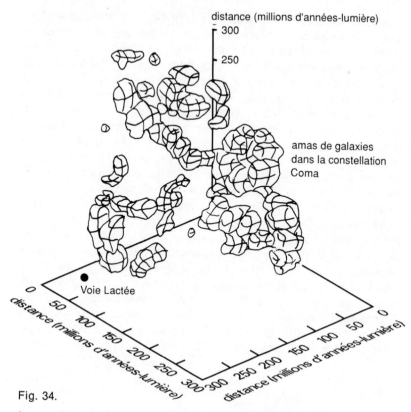

Fig. 34.

La structure en éponge de l'univers. La distribution à trois dimensions des 1 000 galaxies les plus brillantes dans l'hémisphère céleste Nord est représentée ci-dessus. La galaxie la moins brillante représentée est environ 1 600 fois moins lumineuse que l'étoile la moins brillante visible à l'œil nu. Les positions individuelles des galaxies ont été reliées par des surfaces lisses. Le paysage qui s'offre aux regards est extraordinaire : les galaxies forment un réseau de structures entièrement connectées les unes aux autres, s'entremêlant avec un réseau de grands trous totalement vides de galaxies. La topologie de l'univers n'est pas sans rappeler celle d'une éponge, les structures formées par les galaxies correspondant aux parois de l'éponge et les vides aux trous de l'éponge (dessin d'après Davis *et al.*).

n'importe quelle autre cavité en suivant un labyrinthe compliqué, certes, mais sans jamais devoir traverser une paroi de l'éponge (fig. 34).

Que se passe-t-il à une échelle encore plus grande que celle des superamas ? Existe-t-il une organisation des superamas ? Pour répondre précisément à ces questions, de nombreuses mesures de décalage vers le rouge de galaxies beaucoup plus distantes, donc beaucoup moins lumineuses et beaucoup plus difficiles à observer, sont nécessaires. Il faudra encore patienter de cinq à dix ans. Mais, en attendant, il est possible de trouver une amorce de réponse en examinant les positions projetées d'un très grand nombre de galaxies (1 million environ) sur une très grande région du ciel. Se révèle alors une merveilleuse tapisserie dont les superamas en forme de crêpes et de filaments constitueraient la texture, les amas (les régions de forte densité) les nœuds, et les grands vides presque sphériques les mailles (fig. 35). Ainsi, en se rapprochant et en regardant plus en détail, le paysage de l'univers, de toile monotone, banale et uniforme, est devenu un patchwork fantastique où les galaxies tissent une infinité de dessins et de motifs. La tâche de l'astrophysicien est maintenant d'essayer de comprendre comment l'univers a tissé cette tapisserie. Il lui faut compléter les détails d'un scénario dont il connaît précisément le début et la fin. Le début, c'est un univers qui varie de moins de 0, 01 % dans ses propriétés, 300 000 années après le big bang, comme le montrent les observations du rayonnement fossile. La fin, ce sont les structures observables à présent dans l'univers. Comment celui-ci a-t-il pu développer une hiérarchie si riche de structures à partir d'un état si uniforme? Comment la complexité a-t-elle pu surgir de la simplicité? La gravité va venir à notre secours pour éclaircir la situation.

Les semences des galaxies

Pendant les 300 000 premières années de l'univers, la gravité, bien que présente, s'était faite très discrète. Retirée dans les coulisses, elle avait abandonné le devant de la scène aux autres forces. Celles-ci ont aidé l'univers à faire ses premiers pas vers la complexité, la force nucléaire forte construisant les noyaux d'atomes à partir des quarks et la force électromagnétique aidant à accoucher des atomes en unissant noyaux et électrons. Mais nous avons vu également que la fabrication des éléments chimiques nécessaires à la vie s'était arrêtée court, les atomes d'hélium étant trop stables et interdisant l'élaboration d'atomes plus complexes.

La gravité arrive à la rescousse. Elle va donner à l'univers une deuxième chance pour reprendre son ascension vers la complexité, et sauver la situation en créant dans le désert cosmique des oasis qui échapperont au refroidissement continuel et qui permettront à la vie et à la conscience d'émerger. Ces oasis auront pour nom planètes, étoiles et galaxies.

Mais faisons un court retour en arrière et examinons pourquoi

Fig. 35.

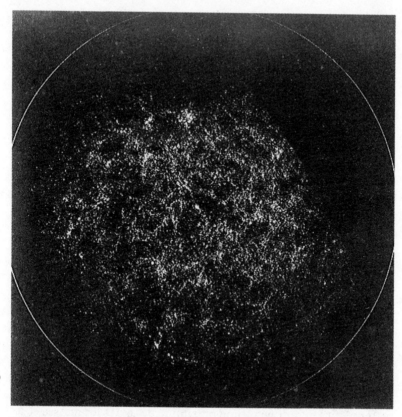

Fig. 35. *La structure à très grande échelle de l'univers.* On peut avoir une idée de la structure à très grande échelle de l'univers en examinant les positions, projetées sur la voûte céleste, d'un grand nombre de galaxies lointaines. La carte céleste ci-dessus représente le million de galaxies les plus brillantes dans l'hémisphère céleste Nord (la galaxie la moins brillante représentée étant environ 160 000 fois moins lumineuse que l'étoile la moins brillante visible à l'œil nu). Cette carte est fondée sur les travaux de comptage des astronomes américains C.D. Shane et C.A. Wirtanen, de l'observatoire de Lick en Californie. La carte ne représente pas les positions de galaxies individuelles, mais est construite en divisant le ciel en petites cellules carrées et en comptant le nombre de galaxies dans chaque carré. Le comptage du million de galaxies fut fait à la main (et non à l'aide de machines automatiques comme c'est le cas maintenant) : Shane et Wirtanen y consacrèrent douze années de leur vie. Un paysage fantastique se dévoile : les galaxies tissent une immense tapisserie cosmique dont la texture serait constituée par le vaste réseau des superamas en forme de crêpes et de filaments ; les nœuds seraient formés par les amas et les mailles par les grands vides de dizaines de millions d'années-lumière. Expliquer comment ce merveilleux patchwork a pu surgir d'un univers initial extrêmement uniforme représente l'un des problèmes les plus fondamentaux et non résolus de l'astrophysique contemporaine.

la gravité était ainsi paralysée et n'avait pas pu commencer sa tâche avant l'an 300000. Nous avons vu que l'univers, avant qu'il ne devienne transparent, était tout entier baigné dans une soupe de radiation et de matière. Fait fondamental, cette soupe n'était pas tout à fait lisse et uniforme. Ici et là étaient éparpillées des irrégularités, des fluctuations de densité*. Vous vous souvenez que ces « rugosités » étaient nées pendant l'ère inflationnaire* de l'univers, pendant la première seconde, au cours d'une de ses périodes de « cristallisation ». Tout comme la glace, résultat de la cristallisation de l'eau, peut présenter des défauts — fêlures dans sa structure interne —, l'univers développe des défauts, des irrégularités dans sa soupe en se cristallisant. Notre propre existence dépend de ces fluctuations de densité, car celles-ci sont les semences qui vont se développer en arbres-étoiles et galaxies grâce aux bons soins du jardinier Gravité. Sans ces semences, les oasis de vie que sont les galaxies n'existeraient pas.

Ces irrégularités originelles, nous l'avons vu, ne peuvent être ce que bon leur semble. D'une part, elles doivent être assez petites pour ne pas provoquer de fluctuations de température plus grandes que celles (inférieures à 0, 01 %) qui sont observées dans le rayonnement fossile à 3 degrés K. D'autre part, elles doivent être assez grandes pour pouvoir être amplifiées et devenir les structures actuelles en une durée compatible avec les 15 milliards d'années de l'univers. Les étoiles, galaxies, amas et superamas, bien qu'ils diffèrent d'un facteur de plus de 1 million de milliards en masse et en taille, ne représentent qu'une infime possibilité de toutes les masses et de toutes les tailles possibles. L'expérience serait complètement ratée si ces irrégularités produisaient des structures dont la plus grosse aurait la taille d'un microbe !

Il existe deux espèces connues de fluctuations : celles où la matière et le rayonnement agissent de concert et varient en même temps de lieu en lieu de manière à préserver le rapport de 1 milliard entre le nombre des particules de rayonnement, les photons, et celui des particules de matière, les protons et les neutrons. La constance de ce rapport est appelé « adiabaticité » et les fluctuations qui conservent ce rapport sont appelées des « fluctuations adiabatiques* ». Mais

Fig. 36.

Les semences de galaxies. Pour expliquer les structures observées dans l'univers, l'astrophysicien doit invoquer des irrégularités ou fluctuations de densité dans l'univers à ses débuts, qui jouent le rôle de semences de galaxies. Il existe deux scénarios possibles pour expliquer la formation des structures dans l'univers qui correspondent à deux types possi-

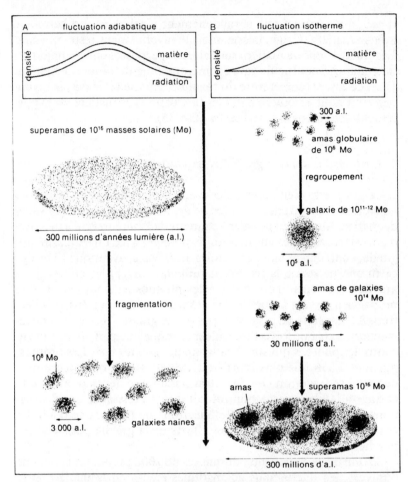

bles de fluctuations de densité. Dans le cas des fluctuations dites « adiabatiques » (fig. 36a), la matière et la radiation varient de concert, de façon à préserver le même rapport de 1 milliard de photons pour 1 proton ou 1 neutron partout dans l'univers. La radiation comprimée dans les fluctuations s'échappe, entraînant la matière comprimée avec elle, et causant la destruction des structures les plus petites. Les structures qui émergent en premier, après que la gravité a fait croître les fluctuations, sont des superamas en forme de crêpes aplaties (voir la figure 37) d'une masse de 10 millions de milliards de Soleils. Ces superamas se fragmenteront ensuite pour former des structures plus petites. Dans le cas des fluctuations dites « isothermes » (fig. 36b), seule la matière est comprimée. La radiation reste parfaitement homogène. Les structures les plus petites ne sont plus détruites parce que la radiation n'est plus emprisonnée dans les fluctuations. Les premières structures à surgir sont de petits amas globulaires, d'une masse de 1 million de Soleils. Les plus grandes structures (galaxies, amas et superamas) se formeront ensuite par regroupement gravitationnel.

il peut aussi arriver que le rayonnement n'agisse pas en harmonie avec la matière. Celle-ci varie, mais le rayonnement reste constant. Les fluctuations de matière sont alors superposées sur un fond parfaitement homogène de rayonnement, dénué de toute fluctuation. Dans ce cas, la température du rayonnement ne varie pas, le rayonnement est dit « isotherme » et les fluctuations de matière sont appelées « fluctuations isothermes* » (fig. 36).

Les acteurs du drame : gravité et expansion

La gravité va s'emparer de ces semences et les faire « pousser » en étoiles et en galaxies. L'excès de gravité qui est associé à l'excès de matière ou de rayonnement contenu dans une irrégularité attire d'autres irrégularités voisines qui fusionnent avec l'irrégularité originale, contribuant ainsi à sa croissance. Mais, avant que l'horloge cosmique ne sonne la trois cent millième année, les efforts de la gravité sont vains. Tout comme les photons ne pouvaient pas se propager à travers la jungle des électrons et des protons, les électrons à l'état libre ne disposent pas d'une grande liberté de mouvement car, à chaque fois qu'ils veulent aller quelque part, ils se cognent contre les photons qui sont beaucoup plus nombreux. Les protons, qui sont 1 836 fois plus lourds que les électrons, ont encore plus de mal à se frayer un chemin à travers la foule des photons. Cette entrave à la libre circulation interdit toute croissance des fluctuations puisque les protons et les électrons ne peuvent se rejoindre et s'agglomérer, malgré tous les efforts de la gravité pour les rapprocher.

Circonstance aggravante, durant les 300 000 premières années de l'univers, les fluctuations adiabatiques (celles où la matière et le rayonnement agissent de concert) sont soumises à une sévère destruction qui élimine les plus petites d'entre elles. En effet, les photons emprisonnés dans ces inhomogénéités supportent mal leur confinement et ont tendance à se diffuser au-dehors. Ils y réussissent lorsque les fluctuations sont de petite taille. Entraînant avec eux les particules qui composent l'excès de matière de façon à préserver le rapport photon-baryon*, ils provoquent ainsi la destruction des inhomogénéités. Seules les fluctuations les plus grosses survivent à ce fléau dévastateur.

L'instant magique de la trois cent millième année arrive. L'univers devient transparent et les électrons emprisonnés dans les atomes ne peuvent plus entraver le mouvement des photons. L'interdiction de croissance qui pesait sur les fluctuations est levée.

La matière peut maintenant se déplacer librement sans être bloquée par le rayonnement. La gravité reprend ses droits et attire la matière vers les excès de densité pour les amplifier. Les semences peuvent enfin commencer à germer. D'autre part, la séparation du rayonnement et de la matière stoppe la destruction des fluctuations. Les photons ne peuvent plus entraîner les protons et les neutrons en dehors des irrégularités. Celles-ci peuvent désormais grandir sans crainte.

Mais le travail du jardinier Gravité n'est pas de tout repos. Il doit soutenir une lutte incessante contre l'expansion de l'univers qui veut défaire son ouvrage. De la trois cent millième année jusqu'à maintenant, la distance entre les galaxies a augmenté d'un facteur 1 000 et la densité moyenne de l'univers a diminué d'un facteur 1 milliard. Cette expansion a pour effet de diluer les inhomogénéités et d'affaiblir le pouvoir qu'elles ont de s'attirer entre elles. Les irrégularités ont de plus en plus de mal à s'amplifier à mesure que le temps passe. La situation est analogue à celle d'un cheval de course qui tente vaillamment de rejoindre la ligne d'arrivée sur une piste qui ne cesse de s'allonger. Nous connaissons l'issue de ce combat. La gravité a fini par gagner. Le cheval a fini par franchir le poteau d'arrivée. Les irrégularités se sont développées jusqu'à ce qu'elles soient tellement massives et que leur gravité soit si grande qu'elles se détachent du flot de l'expansion universelle et s'effondrent sur elles-mêmes pour donner naissance aux étoiles, galaxies, amas et superamas. Parce qu'elles ne participent plus à l'expansion, ces structures vont échapper au refroidissement général et permettre à la vie de surgir. Examinons de plus près cette lutte épique.

La masse invisible de l'univers

Mais avant de nous pencher sur la lutte qui oppose la gravité et l'expansion de l'univers et de nous intéresser à l'histoire de la croissance des germes de galaxies en villages, villes et métropoles actuelles du cosmos, il nous faut préciser une donnée fondamentale, à savoir la quantité de matière présente dans l'univers. Celle-ci, par la force gravitationnelle qu'elle exerce, freine et contrôle le rythme de l'expansion universelle et, par conséquent, le taux de croissance des germes de galaxies. Facile, me direz-vous, il suffit de dénombrer les étoiles et les galaxies. Malheureusement, le problème n'est pas si simple. L'astronome peut facilement compter les objets cosmiques qui émettent de la lumière. Il peut s'agir de rayons gamma, X ou ultraviolets, de lumière optique ou d'ondes infrarouges ou radio, pourvu qu'ils puissent être « vus » par un télescope. (Désormais, nous utiliserons le terme « visible » non dans le sens conventionnel de « perceptible à nos yeux », mais dans le sens élargi de « perceptible par les télescopes ».) Mais tout ne brille pas dans l'univers : prenons l'exemple extrême des trous noirs qui peuvent être massifs, mais qui empêchent toute lumière de franchir le rayon de non-retour. L'astronome a dû déployer des trésors d'ingéniosité (nous y viendrons dans le prochain chapitre) pour contourner cette absence de lumière et tenter de recenser le contenu de l'univers. Les résultats sont encore bien fragiles, mais un fait est déjà certain : l'univers contient de 10 à 100 fois plus de masse non lumineuse que de masse lumineuse. L'univers visible semble n'être que l'infime partie visible de l'iceberg.

La quantité totale de matière ne contrôle pas seulement le destin des fluctuations, elle détermine le destin même de l'univers. Si la densité (la masse, à la fois visible et invisible, divisée par le volume) moyenne de l'univers est supérieure à une densité critique* de trois atomes d'hydrogène par mètre cube, la gravité est assez forte pour arrêter l'expansion de l'univers, et celui-ci s'effondrera un jour sur lui-même. C'est le cas d'un univers fermé*. Que l'univers contienne en moyenne moins de trois atomes d'hydrogène par mètre cube et l'expansion sera éternelle. C'est le cas d'un univers ouvert* (voir la note quantitative n° 5). Nous ignorons, à l'heure actuelle, la quantité de matière présente dans l'univers, si ce dernier est ouvert ou fermé. Mais alors, comment raconter l'histoire de la croissance des germes de galaxies? Il nous faut recourir à des univers-jouets.

Des univers-jouets

L'astrophysique occupe une place bien à part parmi les sciences exactes. C'est la seule science qui ne permet pas de faire des expériences en laboratoire comme c'est le cas en physique, en chimie ou en biologie. L'expérience a eu lieu une fois pour toutes il y a 15 milliards d'années. Nous ne pouvons pas concocter des étoiles ou des galaxies dans nos éprouvettes. Nous nous bornons à les observer de loin.

Et pourtant, la situation a beaucoup changé au cours des dernières années, avec l'arrivée d'ordinateurs capables d'effectuer des milliards de calculs par seconde. Faute de pouvoir expérimenter en laboratoire, l'astrophysicien compense sa frustration en faisant des expériences numériques avec un ordinateur puissant qui permet de simuler et d'étudier l'évolution des structures. Étoiles, galaxies, amas, suparamas, univers, tout y passe et l'ordinateur se fait une joie de régurgiter d'innombrables univers-jouets. Ces univers sont ainsi appelés parce que la plupart d'entre eux ne correspondent pas au « vrai » univers. Pour créer un univers-jouet, l'astrophysicien fournit à l'ordinateur un ensemble de conditions (appelées conditions initiales) qu'il pense être « raisonnables » et pouvoir être valables en l'an 300000, quand la matière et le rayonnement se sont découplés. Entre autres, il doit préciser la densité totale de matière (visible et invisible), les diverses composantes de cette matière (protons, neutrons, électrons, neutrinos, etc.) et les types de fluctuations initiales, adiabatique ou isotherme. Ensuite, il laisse évoluer la matière selon les lois connues de la gravité. L'ordinateur peut ainsi suivre les mouvements de millions de galaxies. Après une évolution de 15 milliards d'années (l'ordinateur, lui, ne met que quelques heures pour calculer cette évolution), c'est-à-dire après que la distance entre deux points quelconques de l'univers a augmenté d'un facteur de 1 000, l'astrophysicien ordonne à l'ordinateur de s'arrêter et de produire une image de l'univers-jouet qu'il pourra comparer avec celle de l'univers actuel observé. Si l'univers-jouet est très différent de l'univers observé, il finit dans la poubelle. L'astrophysicien retourne questionner l'ordinateur comme un prêtre de l'Antiquité s'en retournerait interroger l'oracle de Delphes. Les conditions initiales sont légèrement modifiées et l'ordinateur produit un nouvel univers-jouet, qui peut être de nouveau confronté avec l'univers observé... Et ainsi de suite jusqu'à ce que l'univers-jouet ressemble à l'univers observé. L'astrophysicien peut alors conclure que les conditions initiales fournies à l'ordinateur sont assez semblables à celles qui prévalaient dans l'univers à sa trois cent millième année, et qu'il a dissipé un peu du mystère qui enveloppe cette période. Mais examinons plus en détail ces univers-jouets.

Des crêpes trop petites, des germes trop grands

Pour notre premier univers-jouet, donnons-nous des airs d'éternité et attribuons-lui une expansion éternelle. La densité moyenne de matière de cet univers ouvert doit alors être inférieure à la densité critique de trois atomes d'hydrogène par mètre cube. Fixons cette densité à un cinquième de la densité critique. Pourquoi le cinquième ? La contribution des objets lumineux de l'univers (étoiles et galaxies) n'est que d'un petit cinquantième de la densité critique. Mais les études des mouvements des galaxies dans les amas semblent impliquer, comme nous le verrons au chapitre suivant, qu'il y a 10 fois plus de masse non lumineuse, de nature inconnue, que de masse lumineuse dans l'univers, soit une contribution totale d'un cinquième de la densité critique. D'autre part, cette valeur est également en accord avec la quantité de matière nécessaire pour fabriquer les éléments primordiaux⋆ (tels que l'hélium⋆ et le deutérium⋆) pendant les trois premières minutes de l'univers, dans une proportion compatible avec celle observée dans les étoiles et les galaxies.

Semons ensuite des germes adiabatiques de galaxies, où les fluctuations du rayonnement épousent celles de la matière, car ce sont eux qui sont prévus par les théories d'unification des forces qui décrivent l'univers en ses premiers instants. Transportons-nous ensuite à l'époque qui suit tout juste la trois cent millième année de l'univers. Le rayonnement vient de se séparer de la matière. Les électrons ont été emprisonnés dans les atomes. Leur disparition de la circulation a une influence déterminante sur la forme des structures que la gravité va sculpter. Celle-ci crée des structures en attirant la matière vers les fluctuations de densité, les rendant de plus en plus massives jusqu'à ce qu'elles s'effondrent sur elles-mêmes.

Avant l'an 300000, les électrons libres exerçaient sur les fluctuations de densité une pression qui était la même de tout côté. Il n'y avait pas de direction préférentielle, et la gravité, si elle avait pu agir, aurait produit des formes sphériques. Après la disparition des électrons libres, la gravité, sans l'aide de cette pression isotrope, va créer des formes aplaties, des « crêpes » ou des filaments. Cela peut se comprendre si l'on se rappelle que tout mouvement dans l'espace peut se référer à trois directions perpendiculaires, les directions haut-bas, droite-gauche et devant-derrière. Une forme sphérique correspondrait à des mouvements d'effondrement qui auraient exactement la même amplitude et le même sens, et qui se déclencheraient exactement au même moment dans trois directions indépendantes, ce qui est bien improbable. Essayez d'arranger un rendez-vous entre trois personnes aux emplois du temps surchargés et extrêmement différents les uns des autres, et vous vous rendrez compte qu'il y a peu de chance que cela se réalise. Il est bien plus facile d'en rencontrer deux ou, encore mieux, de les voir séparément. De même il est beaucoup plus probable que l'excès de densité s'effondre dans une seule direction, avec un mouvement d'expansion ou d'effondrement, mais beaucoup plus lent, dans les deux autres directions, créant ainsi des structures aplaties en forme de crêpes, avec des densités très élevées (fig. 37).

L'univers-jouet poursuit son évolution. Les structures aplaties continuent à croître en accumulant de la matière et se rejoignent éventuellement pour tisser une vaste toile d'araignée cosmique en

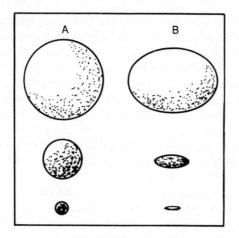

Fig. 37.

Des superamas en forme de crêpes. Les plus grandes structures de matière connues dans l'univers sont les superamas de galaxies. Ceux-ci ne sont pas sphériques, mais ont une forme de crêpe aplatie. Comment de telles formes ont-elles pu surgir des fluctuations initiales de densité de matière (voir la figure 36)? Une fluctuation de densité parfaitement sphérique au début conserverait sa forme sphérique en s'effondrant sous l'effet de sa propre gravité (la séquence A de gauche). En général, les fluctuations n'ont pas une forme sphérique parfaite. La séquence B de droite montre l'effondrement d'une fluctuation qui a une dimension verticale initiale légèrement inférieure à celle qui est horizontale. La gravité amplifie la déformation pendant l'effondrement, la dimension verticale se rétrécissant beaucoup plus vite que la dimension horizontale. Le résultat final est une structure très aplatie, ressemblant à celle des superamas.

trois dimensions. Les régions aplaties contenant la totalité de la matière n'occupent que 10 % du volume total, tandis que 90 % du volume sont vides. Si l'on pousse l'évolution de l'univers-jouet bien au-delà de son âge actuel de 15 milliards d'années, on constate que la structure cellulaire de l'univers n'est que passagère et que, dans le futur, elle disparaîtra au profit de concentrations irrégulières de matière de plus en plus larges. Du point de vue de la formation des structures, l'univers actuel n'est ni très jeune (puisque les structures sont déjà formées) ni très vieux (puisque la structure cellulaire subsiste encore). Pour former des galaxies à partir de ces grandes structures aplaties, on imagine un processus de fragmentation dont la physique n'est pas encore très bien connue. Des calculs très sommaires suggèrent que la masse type d'un de ces fragments de crêpes aplaties est de 100 millions de masses solaires, soit la masse d'une galaxie naine*.

Ainsi, dans un univers ouvert, ensemencé de germes de galaxies adiabatiques, les plus grandes structures (les superamas*) se forment en premier tandis que les plus petites apparaissent ensuite par fragmentation. Les galaxies naines attireront, par le truchement de la gravité, d'autres galaxies naines pour former des galaxies normales et celles-ci se grouperont à leur tour en groupes* et en amas*. Ces structures sont remarquablement semblables à celles observées dans l'univers actuel. On pourrait croire que le problème de la formation des galaxies est résolu. Hélas! il nous faut très vite déchanter. Un examen plus attentif révèle des aspects de l'univers-jouet qui sont en contradiction directe avec les observations. Tout d'abord, la masse des premières structures qui apparaissent n'est que de 100 000 milliards (10^{14}) masses solaires, ce qui est de 10 à 100 fois inférieur aux masses observées des superamas. Les crêpes sont trop petites. De plus, et c'est beaucoup plus grave, les semences de galaxies, pour pouvoir germer et atteindre la taille des structures actuelles, en 15 milliards d'années, devaient être au départ assez grandes. Or de telles irrégularités ne sont pas observées dans le rayonnement fossile, dont les fluctuations sont moins de 0, 01 %, et qui date pourtant de la même époque. Notre espoir aura été de courte durée.

Un univers à neutrinos massifs

Qu'à cela ne tienne, me direz-vous. Revenons à l'ordinateur et demandons-lui de calculer un autre univers-jouet. L'univers-jouet précédent avait besoin de grandes semences parce que sa densité moyenne de matière était trop faible (seulement le cinquième de la densité critique) et que la gravité n'était pas assez forte pour faire croître les germes à la taille voulue pendant la durée de cet univers. Que se passerait-il si l'univers avait exactement la densité critique* ? La gravité serait plus forte, les semences n'auraient plus besoin d'être aussi grandes et les fluctuations de densité ne feraient plus violence aux observations du rayonnement fossile. D'autre part, la densité critique est celle d'un univers plat, géométrie qui est favorisée par la théorie de l'univers inflationnaire. Nous avons vu que l'univers, en s'accroissant dramatiquement durant son extraordinaire phase inflationnaire, avait complètement aplati son paysage.

Mais attention! En augmentant la densité ou la quantité totale de matière, il ne faut surtout pas violer les autres contraintes observationnelles. Cette matière supplémentaire ne doit pas être attachée aux galaxies. Celles-ci semblent bien contenir 10 fois plus de masse non lumineuse que de masse lumineuse, mais pas 50 fois plus. La matière additionnelle ne doit pas exister sous forme de baryons★, car la présence supplémentaire de protons et de neutrons pendant les trois premières minutes de l'univers produirait des quantités de deutérium et de lithium incompatibles avec celles observées dans les étoiles et dans les galaxies. Les candidats ne manquent pas pour constituer cette nouvelle masse invisible et non baryonique. Les théories qui tentent d'unifier les quatre forces de la nature en une seule prédisent, dans les toutes premières fractions de seconde de l'univers, l'apparition d'une foison de particules aux noms plus étranges les uns que les autres, mais qui ne manquent pas d'une certaine poésie : neutrinos, axions, photinos, higgsinos, gravitinos, monopoles magnétiques, pyrgons, maximons, newtorites, etc. Certains physiciens proposent même des objets exotiques tels que les pépites de quarks ou des trous noirs primordiaux.

Mais, me direz-vous encore, hormis les neutrinos et les trous noirs primordiaux, comment se fait-il que toute cette faune n'ait jamais été mentionnée au début de l'histoire de l'univers ? La raison en est simple : à l'exception des neutrinos, aucun de ces objets ou particules n'a été découvert jusqu'à présent ni dans l'univers ni en laboratoire. Jusqu'à nouvel ordre, ils ne vivent que dans l'imagination fertile des physiciens. Ceux-ci, telles de bonnes fées se penchant sur le berceau d'un nouveau-né, les ont cependant dotés de deux propriétés bien particulières, qui attribuent à ces objets exotiques un rôle important dans l'élaboration des structures de l'univers, s'ils existent vraiment. D'abord, ils ont tous une masse. Ensuite, contrairement aux protons, électrons ou photons, ils interagissent très faiblement avec les autres particules, ce qui leur donne une grande liberté de propagation. Cette liberté va beaucoup influencer l'échelle des structures qui surgiront dans l'univers.

Notre nouvel univers-jouet est concocté selon la recette suivante : tout d'abord, un zeste (un cinquantième) de matière baryonique (protons et neutrons) lumineuse, plus une quantité appréciable de matière également baryonique, mais non lumineuse (environ un cinquième). Jusqu'ici, la recette est la même que pour notre univers-jouet précédent. Mais que choisir pour les quatre cinquièmes qui restent ? Il nous faut ajouter de la matière à la fois non lumineuse et non baryonique. Certes, nous n'avons que l'embarras du choix parmi la multitude des particules qui s'offrent à nous. Pour maintenir un pied dans la réalité, choisissons le neutrino. Contrairement à tous les autres candidats, nous savons au moins qu'il existe, d'après nos observations en laboratoire. Malheureusement, nous ignorons encore s'il possède une masse. Celle-ci, prédite par les théories d'unification des forces et égale à environ un dix-millième de la masse de l'électron, n'a pas encore pu être établie. Mais pour l'instant, faisons comme si le neutrino avait une masse, semons des germes adiabatiques, et examinons l'évolution d'un univers-jouet dont la masse serait dominée par des neutrinos.

A première vue, les neutrinos massifs semblent être le médicament miracle pour guérir l'univers-jouet précédent de ses maux. Au fil de l'expansion de l'univers, les neutrinos, comme les photons, perdent leur énergie, s'épuisent et ralentissent. Parcourant l'univers à une vitesse proche de celle de la lumière au tout début, ils sont déjà essoufflés bien avant la trois cent millième année, date fatidique du divorce entre la matière et le rayonnement. La gravité, profitant de cette faiblesse, les attire vers les fluctuations de densité. Les neutrinos, à l'inverse des photons, peuvent rejoindre les fluctuations sans aucune entrave à leur mouvement, grâce à leur manque d'interaction avec les autres particules. Ils sont capturés par les fluctuations qui deviennent de plus en plus grosses. Ainsi, la croissance des grains de galaxies peut commencer juste après la grande explosion, à l'inverse du cas précédent où la gravité devait attendre la séparation entre matière et rayonnement, donc l'an 300000, avant de pouvoir agir. Non seulement la gravité est plus forte (la densité de matière est plus grande), mais les fluctuations disposent aussi de plus de temps pour grandir. Les germes de galaxies peuvent être moins grands au début. Les fluctuations de température qu'ils produisent dans le rayonnement fossile sont considérablement diminuées et bien en accord avec les limites établies par l'observation. Un des points noirs de l'univers-jouet précédent disparaît.

De même, les fluctuations les plus petites subissent une sévère destruction. Les neutrinos* qui y sont enfermés supportent encore plus mal leur emprisonnement que les photons dans l'univers précédent. Ils s'évadent, causant la désintégration de leurs prisons. Parce qu'ils peuvent voyager beaucoup plus loin que les photons, ils vont « gommer » des fluctuations beaucoup plus grandes. Cette destruction se passe bien avant l'an 300000, quand les neutrinos sont épuisés par l'expansion de l'univers. Les fluctuations rescapées de cette destruction vont grandir et la plus petite structure qui survivra aura une masse de 1 à 10 millions de milliards (entre 10^{15} et 10^{16}) de masses solaires, précisément la masse des superamas. Comme dans l'univers-jouet précédent, ces structures prendront la forme de crêpes aplaties qui tisseront une immense tapisserie cosmique. Mais cette fois-ci, les crêpes ne seront pas trop petites, elles auront la bonne taille. L'autre point noir s'évanouit aussi.

Est-ce à dire qu'un univers à neutrinos massifs est la réponse? Malheureusement, là aussi il faut vite déchanter. Le paysage d'un tel univers, après 15 milliards d'années d'évolution, ne ressemble pas du tout à celui qui est observé. Si les superamas ont bien la taille adéquate, les amas sont trop massifs et les vides trop grands. Ce désaccord est dû à la trop grande vitesse de propagation des neutrinos dans les premiers instants de l'univers, qui « gomment » les petites structures (fig. 38a et b).

De la matière invisible « froide »

Que faire pour percer le secret de la formation des structures? Comment sortir de l'impasse? Ce ne sont pas les propositions qui manquent. Les physiciens sont rarement à court d'imagination. Si les neutrinos massifs ne font pas l'affaire, on peut leur substituer d'autres particules. Pour pallier l'absence des petites structures dans les univers-jouets à neutrinos massifs, on inclura dans la recette, à la place des neutrinos, des particules qui seront censées être plus massives, qui se déplaceront moins vite et qui, par conséquent, laisseront survivre des structures plus petites. Parce que l'énergie de mouvement d'une particule peut toujours être caractérisée par une température (les particules « chaudes » se déplacent très vite, tandis que les particules « froides » sont plus léthargiques), ces particules qui bougent lentement constituent ce qu'on appelle, dans notre jargon, de la matière non lumineuse « froide* » (les neutrinos, eux, sont de la matière non lumineuse « chaude* »).

Les candidats ne manquent pas. Il suffit de choisir judicieusement parmi la faune zoologique des particules aux noms poétiques. Les axions et les photinos ont, à présent, la cote pour constituer cette matière non lumineuse « froide ». Mais, malheureusement, nous entrons ici dans l'irréalité la plus complète. Ces particules n'existent pour l'instant que dans l'imagination des physiciens et elles ne sont que le produit de leurs équations complexes. Personne ne les a vues. Si l'on ne peut même pas être sûr qu'elles existent, que dire de leur masse? Est-ce vraiment progresser que d'expliquer un mystère en inventant d'autres entités tout aussi mystérieuses? La science, et plus particulièrement l'astrophysique, doit être fondée sur l'expérience et l'observation. Si elle n'obéit plus à ce précepte, elle perd sa crédibilité. Les physiciens en ont bien conscience. La chasse aux particules qui occupent le top du hit-parade des particules « froides » a été ouverte, mettant en jeu les technologies les plus modernes. Mais, jusqu'ici, les recherches ont été vaines et les particules froides se font désirer.

En attendant, les paysages des univers-jouets où les quatre cinquièmes de la densité critique sont dus à de la matière non lumineuse froide ne semblent pas faire violence aux observations (fig. 38c). Les premières structures qui apparaissent ont également la forme de crêpes aplaties, mais leur masse est, comme prévu, beaucoup plus petite. Au lieu d'avoir une masse comparable à celle des superamas (10^{16} masses solaires), ces structures ressemblent plutôt aux galaxies naines de 1 milliard de masses solaires. Les galaxies normales se forment ensuite de la coalescence des galaxies naines, et les groupes et amas du rassemblement des galaxies normales. Ces structures tissent une tapisserie cosmique qui ressemble davantage à celle que nous connaissons. Mais, par rapport à l'univers-jouet précédent, l'ordre est inversé : les petites structures se forment d'abord, les plus grandes ensuite.

Fig. 38.

Des univers-jouets. A défaut de pouvoir faire des expériences en laboratoire, l'astrophysicien fait des expériences numériques avec un puissant ordinateur pour simuler et étudier l'évolution des structures dans l'univers. Pour construire des univers-jouets, il fournit à l'ordinateur des données initiales : la densité totale de matière, les diverses composantes de cette matière — protons, neutrons, électrons, neutrinos, etc. — et des semences de galaxies (adiabatiques ou isothermes, voir la figure 36). Il laisse ensuite à l'ordinateur le soin de calculer l'évolution de la matière selon les lois de la physique. Celui-ci analyse les mouvements de 30 000 à 1 million de particules de matière. Au terme d'une évolution de 15 milliards d'années (l'âge de l'univers), c'est-à-dire quand la distance entre deux points quelconques de l'univers-jouet a augmenté de 1 000 fois, l'univers-jouet calculé est comparé avec l'univers observé.

La figure 38*a* représente l'univers observé (la distribution projetée du millier de galaxies les plus brillantes dans le ciel de l'hémisphère Nord). La figure 38*b* représente un univers-jouet dont la densité de matière est égale à la densité critique (son expansion ne s'arrêtera qu'après un temps infini) et dont la masse est dominée par des neutrinos massifs. Il est évident que la distribution des galaxies dans cet univers-jouet ne ressemble pas à celle que l'on observe dans la réalité : au lieu de structures minces et allongées, on trouve de grosses concentrations irrégulières de galaxies.

La figure 38*c* représente un univers-jouet dont la densité de matière est égale au cinquième seulement de la densité critique, et dont la masse est dominée par de la matière invisible froide (photinos, axions, etc.). La distribution des galaxies dans cet univers-jouet ressemble plus à celle qui est observée dans la réalité. Mais cet univers-jouet souffre aussi de bien des maux : d'abord, la matière froide n'existe, pour l'instant, que dans l'imagination débridée des physiciens. D'autre part, les fluctuations de température qui y sont prédites sont trop grandes par rapport à celles qui sont observées dans le rayonnement fossile. Finalement, une densité de matière inférieure à la densité critique entre en conflit avec les théories d'unification des forces.

A

B

C

Pouvons-nous chanter victoire ? Avons-nous vraiment réussi à percer le secret de la formation des structures ? A nouveau, il nous faut
refréner notre enthousiasme, car un grave problème apparaît : dans
cet univers-jouet, toute la matière non lumineuse froide est associée à des galaxies, amas ou superamas. Sa densité est celle, critique, de trois atomes d'hydrogène par mètre cube. Or, nous savons,
par l'observation des mouvements de galaxies (que nous décrirons
dans le prochain chapitre), que la densité de la matière (visible et
invisible) associée aux galaxies ne représente que le cinquième de
la densité critique. Une contradiction intolérable ! Les astrophysiciens, jamais à court d'idées, accusent alors les galaxies de nous ber-
ner, de ne donner qu'une vue bien partiale de la répartition de la
matière dans l'univers. Supposons, disent-ils, que l'univers soit rempli uniformément de matière non lumineuse, et que cette matière
ne s'allume qu'en de très rares endroits (ceux qui sont les plus denses) pour devenir galaxies. La matière évaluée dans les galaxies ne
représenterait alors qu'une infime fraction de la totalité. C'est un
peu comme si, du haut d'un avion, vous vouliez mesurer l'étendue
d'un immense océan noyé dans l'obscurité. Çà et là apparaissent
les lumières de quelques navires. Si vous vous fondez sur la distance qui sépare quelques points lumineux, vous sous-évaluerez certainement l'immensité de l'océan. Dans la mer cosmique, au lieu
d'obtenir la densité critique, les galaxies ne vous donneront que le
cinquième de sa valeur réelle.

Les premières briques étaient-elles minuscules ?

Les galaxies, telle une femme infidèle, ne nous disent pas toute
la vérité. Suggestion certes attrayante, mais qui nous plonge de nouveau dans l'irréalité la plus complète. Non seulement nous n'avons
aucune preuve que la matière non lumineuse « froide » existe réellement, mais nous savons encore moins si elle baigne l'univers tout
entier. Ce dernier univers-jouet, qui semble pourtant si irréaliste,
a pourtant le vent en poupe et bénéficie de la faveur de nombre
d'astrophysiciens, parce qu'il est capable de reproduire les observations de la tapisserie cosmique. Pour ma part, je pense que c'est
une solution par trop facile de cacher la plus grande partie de la
matière non lumineuse loin des galaxies. Sans l'aide de ces phares
cosmiques, il nous sera extrêmement difficile de mettre en évidence
et de mesurer cette matière non lumineuse. Dans ce cas, que vaut
une théorie qui ne peut être vérifiée expérimentalement ? Mais avant
que le jury ne rende son verdict final, attendons de voir si les moyens

impressionnants mis en œuvre pour capturer des particules de matière invisible froide venant de l'espace portent leurs fruits, et explorons d'autres solutions.

Jusqu'ici, tous nos univers-jouets étaient ensemencés de germes adiabatiques contenant à la fois matière et rayonnement. Ces germes sont dans le vent parce que les théories d'unification des forces prévoient leur existence. Que se passerait-il si les germes étaient isothermes, c'est-à-dire s'ils ne contenaient que de la matière ? Une différence fondamentale s'impose alors : s'il n'y a pas de rayonnement comprimé dans les fluctuations isothermes, il n'y a pas de destruction des plus petites structures par des grains de lumière tentant de retrouver leur liberté. Les premières structures qui émergent après 300 000 années sont infimes : des amas globulaires* (les mêmes dont Shapley s'est servi pour déterminer la place du Soleil dans la Voie lactée) d'environ 100 000 masses solaires. Les structures plus grandes se formeront ensuite par regroupement gravitationnel : les amas globulaires se rassemblent en galaxies, les galaxies en amas, et les amas en superamas. Mais, là aussi, une difficulté de taille apparaît : il est extrêmement malaisé de construire, à partir des formes minuscules et sphériques que sont les amas globulaires, les formes en crêpes aplaties ou de filaments que sont les superamas.

Ainsi, notre connaissance actuelle de la formation des structures dans l'univers, les oasis dans le désert cosmique qui donneront plus tard naissance à la vie, est encore très sommaire. La période d'après l'an 300000 est encore très floue. Nous ne savons même pas dans quel ordre les événements se sont déroulés. Les premières structures à se former furent-elles les plus grandes (superamas*) et celles-ci se fragmentèrent-elles par la suite pour engendrer les plus petites (galaxies), ou est-ce que les structures les plus petites (amas globulaires ou galaxies naines*) apparurent en premier pour se regrouper ensuite en amas et superamas, grâce aux bons soins de la gravité ? (voir la figure 36). La plupart de nos univers-jouets n'ont pu concilier en même temps la grande uniformité du début avec la structure actuelle en réseau de crêpes aplaties, de filaments et de trous. Le seul qui ait réussi à reproduire la tapisserie cosmique, celui qui est rempli de matière non lumineuse froide, baigne dans l'irréalité la plus complète.

Les astrophysiciens continuent à se poser des questions et à concocter fiévreusement d'autres univers-jouets à l'aide de leurs ordinateurs. Nous avons fait la part belle à la gravité dans nos univers-jouets précédents, en supposant que les grands trous vides de dizaines de millions d'années-lumière de diamètre, complètement dépourvus de galaxies, étaient son œuvre : elle était tellement efficace à

rassembler les galaxies dans les villages et les métropoles que la campagne en était toute désertée ! La récente découverte des formes presque sphériques de ces vides (fig. 33) a suggéré que la gravité n'était
peut-être pas seule en cause. Comme nous le verrons plus loin, il
se peut que l'apparition des premières structures, amas globulaires, galaxies naines ou superamas, soit accompagnée de la formation d'une multitude d'étoiles massives qui ne vivront que quelques
millions d'années (un clin d'œil dans l'histoire cosmique) et mour-
ront de mort violente au cours de grandes explosions appelées supernovae. Et c'est peut-être l'effet conjugué de ces explosions, de ces
feux d'artifice cosmiques qui a vidé l'espace des galaxies, les projetant sur les parois de grandes bulles sphériques. Par ailleurs, la gravité n'est sans doute pas seule responsable de la structure
filamenteuse des superamas. Les théories de l'unification des forces avancent que l'univers — tel un cristal qui développe des imperfections en passant trop vite de la forme liquide à la forme solide —
subit des fêlures en forme de filaments s'étendant sur des milliards
d'années-lumières, lors de ses périodes de cristallisation à son début.
Ces fêlures sont appelées « cordes cosmiques* ». Elles sont incroya-
blement denses : un centimètre de corde peut peser autant que toute
la chaîne montagneuse des Alpes et elles sont un million de milliards (10^{15}) de fois moins épaisses que la taille d'un noyau atomique. Ces cordes sont peut-être à l'origine des grandes structures
presque linéaires tracées par les galaxies dans le ciel (fig. 39).

En tout cas, aucun univers-jouet ne pourra emporter l'adhésion
tant que la lumière ne sera pas faite sur la quantité exacte de matière
contenue dans l'univers et sur la nature de la masse invisible. La
panoplie des univers-jouets possibles serait déjà très réduite si la
masse du neutrino pouvait être mesurée ou si l'existence de certaines particules exotiques pouvait être démontrée dans les accélérateurs à haute énergie. En attendant, il nous faut tirer notre chapeau
bien bas à l'univers. A partir d'une purée initiale presque parfaitement homogène, proche du niveau zéro de l'organisation, il a su,
en dépit de notre ignorance, engendrer un véritable patchwork où
les galaxies tissent une merveilleuse tapisserie de motifs complexes
au milieu de gigantesques espaces vides.

L'univers à la loupe : galaxies et étoiles

Nous avons admiré la toile de l'univers à travers ses structures
les plus grandes. A présent, rapprochons-nous et examinons à la
loupe ses structures les plus petites. Là encore, on ne peut que

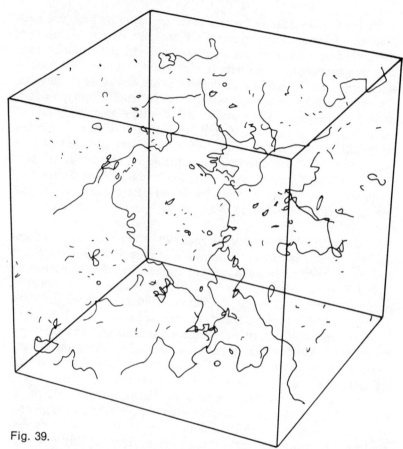

Fig. 39.

Les cordes cosmiques. Les théories qui tentent d'unifier les forces fondamentales de la nature en une seule, aux premiers instants de l'univers,
prédisent que, au cours du refroidissement qui se produisit pendant les
premières fractions de seconde de son existence, l'univers a développé
des fêlures en forme de « cordes » longues et minces dans le tissu de son
espace, comme le montre l'univers-jouet ci-dessus, calculé par ordinateur. Bien qu'aucune corde cosmique n'ait été vue, certains astrophysiciens pensent que ces cordes sont peut-être à l'origine des filaments que
tracent les galaxies dans le ciel.

s'émerveiller de la beauté et de la richesse des motifs. Les briques
de l'univers apparaissent, ces taches « nébuleuses » que Kant appelait « univers-îles » et que nous désignons aujourd'hui sous le nom
de galaxies. Dans la limite de l'horizon de l'univers, elles sont quelques centaines de milliards et leur nombre s'accroît chaque année
d'une dizaine, à mesure que l'horizon recule avec le temps.

Elles sont nées quand l'horloge cosmique a sonné 3 à 4 milliards d'années. La gravité travaillant d'arrache-pied depuis la trois cent millième année ou même avant, et résistant vaillamment à l'expansion de l'univers qui veut défaire son œuvre, est enfin parvenue à transformer les fluctuations de densité en des embryons de galaxies. Ces embryons, des nuages diffus d'hydrogène* et d'hélium*, résultats de la coalescence de petits nuages de la taille d'amas globulaires* ou de galaxies naines*, ou de la fragmentation d'énormes nuages de la taille de superamas, vont s'effondrer sous l'effet de leur propre gravité. Cet effondrement comprime et chauffe la matière gazeuse, la transformant en des centaines de milliards de petites boules gazeuses extrêmement chaudes (la température centrale atteint des dizaines de millions de degrés) appelées « étoiles* ».

Le destin final des embryons galactiques dépend de leur efficacité à convertir la matière gazeuse en étoiles. Certains travaillent si bien que presque toute la matière gazeuse est métamorphosée en étoiles. Ils deviennent alors des « galaxies elliptiques* », ainsi appelées parce qu'elles ont la forme de taches nébuleuses elliptiques dans le ciel (fig. 40). Trois galaxies sur dix appartiennent à ce type. D'autres, moins zélées, ne parviennent à transformer en étoiles que les quatre cinquièmes de la masse gazeuse. Le cinquième restant s'aplatit en un disque mince qui tourne sur lui-même environ tous les deux cent millions d'années. Ce disque gazeux continue à se convertir en étoiles, à un rythme beaucoup plus lent et, de préférence, le long des bras en forme de spirale qui s'y dessinent bientôt (quelques centaines de millions d'années après la formation du disque). Ce sont les « galaxies spirales* » (voir figure 20). Elles dominent la population galactique. Six galaxies sur dix appartiennent à ce genre. D'autres encore, franchement paresseuses, prennent beaucoup de temps pour convertir la matière gazeuse en étoiles. Il s'agit en général de galaxies naines ne contenant que quelques milliards d'étoiles, 100 fois moins que dans les galaxies spirales. Leur masse gazeuse est comparable à celle des étoiles. N'ayant aucune forme spéciale, n'épousant ni la forme d'ellipse ni celle de disque, elles sont baptisées « galaxies irrégulières* » (fig. 41). Une galaxie sur dix appartient à ce type. Pourquoi les galaxies varient-elles tant dans leur capacité à transformer la matière gazeuse en étoiles ? Les raisons en sont encore obscures, mais il semble bien que cela soit relié à leur milieu d'origine. Ainsi, dans un milieu où les fluctuations de densité sont très denses, le gaz, plus comprimé et plus chauffé, s'allume plus facilement en étoiles. Les amas de galaxies, milieux denses par excellence, contiennent en majorité des galaxies elliptiques. Les galaxies isolées ou en groupes★, milieux beaucoup moins denses, sont généralement des spirales.

Fig. 40.

Une galaxie elliptique géante cannibale. Comme son nom l'indique, la forme projetée de la galaxie dans le ciel est celle d'une ellipse. La photo montre la galaxie Messier 87, la plus grosse galaxie de l'amas de la Vierge, à une distance d'environ 45 millions d'années-lumières. Les astronomes pensent que c'est en dévorant quelques-unes de ses compagnes dans l'amas que Messier 87 est devenue aussi grosse (photo, Hale Observatories).

Des accidents de circulation cosmiques

Est-ce à dire que les galaxies, une fois formées, conservent pour toujours leur identité et les propriétés « génétiques » conférées à leur naissance ? Assurément non, car, comme nous l'avons vu, les galaxies ne vivent pas dans un splendide isolement, mais au milieu d'autres galaxies. Elles interagissent avec leur environnement et leurs propriétés génétiques s'en trouvent modifiées. Il arrive même que certaines galaxies soient mangées par d'autres. Ces effets sont surtout importants au cœur des amas de galaxies, où la densité de galaxies est très élevée (de 1 000 à 10 000 galaxies dans un cube de quelques millions d'années-lumières de côté), de 100 à 1 000 fois plus importante que celle du groupe local★ de galaxies dont fait partie notre

Voie lactée. Il y a plus de vide entre les étoiles dans un amas globulaire, même très dense, qu'entre les galaxies dans un amas. Celles-
ci sont séparées en moyenne par seulement 5 diamètres de galaxies
tandis que les étoiles, dans l'amas, sont distantes les unes des autres
de 100 000 diamètres stellaires.

Les galaxies se déplacent dans l'amas à une vitesse de l'ordre de
1 000 kilomètres par seconde. Il y a un tel encombrement dans la
circulation galactique que les « accidents » cosmiques sont fréquents.
Une galaxie risque d'entrer en collision avec une de ses compagnes
tous les 100 millions à 1 milliard d'années. Comme l'âge moyen
d'un amas de galaxies proche est de 4 milliards d'années, toute galaxie
observée aujourd'hui dans un amas a dû subir entre 4 et 40 collisions dans son passé. Dans la plupart des cas, les collisions ne sont
pas directes, et on ne relève que de légères éraflures. Les dégâts
se limitent à une perte d'étoiles des parties extérieures des galaxies
en collision, qui sont arrachées par de violentes forces gravitationnelles. Ces étoiles n'appartiennent plus alors à des galaxies individuelles, mais forment une mer d'étoiles intergalactiques dans laquelle
baignent les galaxies de l'amas. Elles émettent une lumière faible
et diffuse, distincte de la lumière des galaxies.

De temps en temps, la collision a lieu de plein fouet. Les deux
galaxies perdent alors leur identité et fusionnent pour former une
nouvelle galaxie plus massive et plus lumineuse. Si les deux prota-
gonistes sont tous deux des galaxies spirales, la violence du choc
éjecte leur disque gazeux dans l'espace intergalactique. La nouvelle
galaxie, ne possédant plus de matière gazeuse, se mue en galaxie
elliptique. La transformation est aussi radicale qu'une personne qui
changerait de sexe (fig. 42).

Des galaxies cannibales

D'autre part, des drames terribles se déroulent au cœur de l'amas.
Des galaxies disparaissent, dévorées par une galaxie elliptique géante.
Celle-ci, la plus brillante dans l'amas, est près de 10 fois plus grande
et plus lumineuse que les autres galaxies (voir un exemple d'une
telle galaxie dans l'amas représenté dans la figure 30). Son énorme

Fig. 41.

Des galaxies naines irrégulières. Les clichés montrent deux exemples de
galaxies irrégulières (celles qui ne sont ni spirales ni elliptiques ; voir aussi
la figure 17 sur les nuages de Magellan). Ces galaxies ont une taille d'envi-

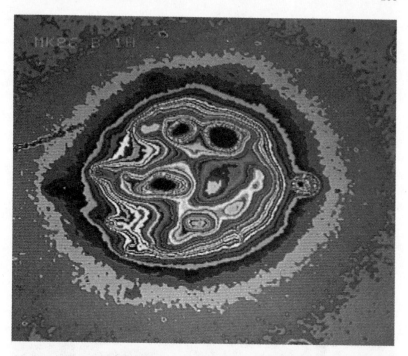

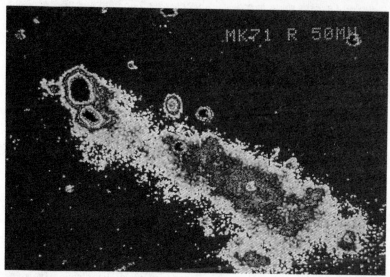

ron 15 000 années-lumières et une masse de 1 milliard de Soleils environ. Elles contiennent beaucoup de gaz qu'elles convertissent activement en étoiles. Les zones les plus foncées (les plus lumineuses) représentent d'énormes crèches d'étoiles jeunes (photo, T. Thuan et H. Loose).

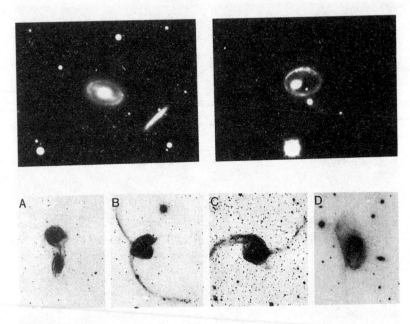

Fig. 42.

L'inné et l'acquis dans le monde des galaxies. Les galaxies ne vivent pas dans un « splendide isolement », mais interagissent avec leur environnement, et leurs propriétés génétiques s'en trouvent modifiées. Elles peuvent entrer en collision directe avec leurs compagnes. Chacune perd alors son identité et elles fusionnent pour former une seule galaxie, plus massive et plus lumineuse. Lors de ces collisions cosmiques, de nombreuses étoiles sont arrachées de leurs galaxies mères par des forces gravitationnelles et projetées dans l'espace intergalactique, formant des bras lumineux diffus. La photo 42*a* montre des exemples de collisions de galaxies, avec des bras lumineux jaillissant du tas informe d'étoiles résultant de la collision. Quand l'effet de collision sera passé (moins de 1 milliard d'années plus tard), ce tas informe prendra la forme d'une galaxie elliptique.

Si les galaxies en collision sont toutes deux des galaxies spirales avec des disques galactiques, la collision peut percer un trou dans l'un des disques, créant une galaxie en forme d'anneau (photo 42*b*). Le trou ne durera pas éternellement : les étoiles en bordure le rempliront après moins de 1 milliard d'années et la galaxie en anneau deviendra à son tour une galaxie elliptique (photos, F. Schweizer).

masse exerce des forces gravitationnelles qui freinent les mouvements des galaxies qui passent à proximité. Les galaxies freinées tombent en spirale, progressivement, vers la galaxie elliptique géante qui finit par les « manger ». La plus grosse galaxie grossit de plus en plus, engloutissant ses compagnes plus petites, et devient ainsi de plus en plus lumineuse. C'est la loi de la jungle appliquée au monde des galaxies. La plus « forte » devient toujours plus « forte » aux dépens des galaxies plus « faibles » qui sont menacées d'extinction. En moyenne, 1 milliard d'années s'écoule entre les « repas » successifs de la galaxie cannibale. Il y a donc bien dû y avoir quatre galaxies victimes depuis la formation de l'amas. Les étoiles intergalactiques, produits des accidents galactiques, sont elles aussi attirées par la forte gravité de la galaxie géante. Elles tombent vers celle-ci et forment un halo de lumière diffuse autour de la galaxie cannibale.

Nous sommes faits à la fois d'« inné » et d'« acquis ». L'inné est le bagage génétique transmis par nos parents et inscrit dans les hélices enchevêtrées de l'ADN. L'acquis est ce qui résulte de notre interaction avec notre environnement : parents, amis, amours, travail, école, etc. De même, les galaxies sont le résultat de l'inné et de l'acquis. Leurs propriétés « génétiques », déterminées au moment de leur naissance, sont inévitablement modifiées par l'environnement. Au cours de leur vie, les galaxies peuvent perdre leurs étoiles, leur disque gazeux, ou grossir en dévorant leurs compagnes. Tout comme le sociologue a bien du mal à séparer l'inné de l'acquis en nous, l'astrophysicien n'a pas la tâche facile pour démêler le génétique de l'environnement dans les galaxies. L'avènement du télescope spatial (voir figure 12) va beaucoup aider. Il permettra d'observer des galaxies beaucoup plus lointaines, donc beaucoup plus jeunes (voir loin, c'est voir tôt) et ayant beaucoup moins subi l'influence de l'environnement. En comparant les propriétés des galaxies lointaines, qui sont surtout innées, à celles des galaxies proches, qui ont aussi une grande part d'acquis, il sera possible de préciser la part relative de la génétique et de l'environnement.

Les premières étoiles

L'univers s'était arrêté brutalement, à la troisième minute dans son ascension vers la complexité, l'hélium primordial refusant de se combiner pour accoucher d'atomes plus complexes. L'univers devait trouver une solution pour sortir de cette impasse et se donner une seconde chance de reprendre son vol. Il va se tirer brillamment d'affaire en inventant, avec le concours de la gravité, galaxies et étoiles. Les galaxies sont nécessaires pour échapper au refroidissement et à la dilution engendrés par l'expansion de l'univers. Le contenu des galaxies, lié par la gravité, ne participe plus au mouvement universel et peut conserver ainsi sa chaleur et son énergie. Mais l'invention de la galaxie ne suffit pas. Cette dernière n'est pas encore assez dense pour permettre la rencontre et la combinaison éventuelle d'atomes d'hydrogène et d'hélium avec d'autres, condition *sine qua non* pour reprendre l'ascension vers la complexité. En moyenne, l'embryon de galaxie ne contient qu'un atome d'hydrogène (10^{-24} gramme) par centimètre cube, ce qui est des millions de milliards de fois moins dense que l'air que nous respirons. Le « vide » des galaxies est plus vide que tous ceux que nous ayons pu créer dans nos laboratoires.

L'univers a besoin de lieux plus denses pour accéder à la complexité. Il invente alors les étoiles. Pendant son effondrement provoqué par la gravité, l'embryon de galaxie se fractionne en des centaines de milliards de petits nuages gazeux d'hydrogène et d'hélium. Poussés par la gravité qui leur donne une forme sphérique, ces petits nuages s'effondrent à leur tour. La densité, dans leur cœur, s'accroît graduellement. Elle dépasse bientôt 160 fois celle de l'eau. La température monte et atteint des dizaines de millions de degrés. Les atomes d'hydrogène et d'hélium au cœur de ces boules gazeuses, nés des premières minutes de l'univers, s'entrechoquent furieusement, libérant électrons, noyaux d'hydrogène (ou protons) et noyaux d'hélium. Ce paysage n'est pas sans nous rappeler celui de l'univers à sa troisième minute. La seule différence est l'absence de neutrons libres. Q'importe ! Les boules gazeuses vont déclencher les réactions nucléaires en n'utilisant que des protons. Ceux-ci s'unissent quatre par quatre pour former des noyaux d'hélium 4. [En fait un noyau d'hélium 4 est fait de deux protons et de deux neutrons, deux des protons originaux se métamorphosant en deux neutrons, avec la libération de deux antiélectrons (ou positons) et de deux neutrinos.] (fig. 43). Les responsables de ces unions sont de nouveau la grande température et le flou quantique. Ceux-ci mettent en échec la force électromagnétique qui tente d'éloigner les protons les uns des autres. Les unions de protons en hélium libèrent de l'énergie qui se manifeste sous forme de rayonnement : le boules gazeuses s'allument. C'est la naissance des premières étoiles. Leur date de naissance n'est pas très bien connue, mais on pense qu'elle se situe aux alentours du troisième ou quatrième milliard d'années de l'univers. Autre conséquence de la libération d'énergie nucléaire : l'effondrement des boules gazeuses est stoppé net. Un équilibre s'établit entre la pression du rayonnement, qui veut faire éclater l'étoile, et celle de la gravité, qui s'efforce de la faire s'effondrer. Mais quelle est la source mystérieuse de l'énergie des étoiles ? Einstein est là pour nous le dire : si l'on compare la masse de quatre protons libres avec celle de l'hélium 4, résultat de leur union, on constate avec stupeur que la masse de l'hélium 4 n'est pas égale, mais légèrement

inférieure, à celle de quatre protons. Où est donc passée la différence de masse ? Elle a été convertie en énergie, et c'est celle-ci qui
allume les étoiles. Pour calculer cette énergie, il suffit de multiplier
la différence de masse par le carré de la vitesse de la lumière.

A

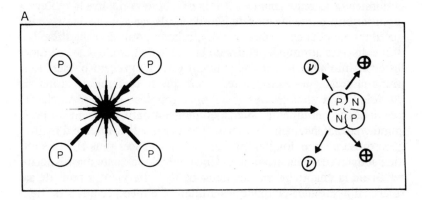

B

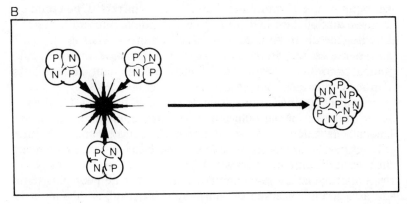

Fig. 43.

L'alchimie nucléaire dans les creusets stellaires. Une étoile comme le
Soleil s'alimente en énergie et brille grâce à de nombreuses réactions
nucléaires en son cœur, chauffé à 10 millions de degrés, chacune fusionnant quatre protons (ou noyaux d'hydrogène) en un noyau d'hélium (avec
la libération de deux positons et de deux neutrinos) (fig. 43a). L'étoile,
quand elle a brûlé toute sa réserve d'hydrogène, n'a plus assez de rayonnement pour la soutenir contre sa propre gravité ; son cœur s'effondre
alors légèrement et sa température centrale grimpe jusqu'à 200 millions
de degrés. Commence alors la fusion de triplets de noyaux d'hélium en
noyaux de carbone, ce qui donne à l'étoile un regain d'énergie (fig. 43b).
L'étoile fabriquera ainsi des éléments de plus en plus complexes, jusqu'au
fer, en fusionnant des noyaux de plus en plus lourds. Cette combustion
de l'hélium et des éléments lourds n'occupera que 1 % de la vie de l'étoile.

Une nouvelle chance pour l'univers

Jusqu'ici, l'invention de l'étoile n'a rien apporté de nouveau : les noyaux d'hélium existaient déjà dès la troisième minute de l'univers. Est-ce que l'étoile va pouvoir franchir l'obstacle de l'hélium et donner sa seconde chance à l'univers ? Pour connaître la réponse, il faut attendre que le cœur de l'étoile épuise sa réserve de protons, qu'elle n'ait plus de carburant d'hydrogène pour se réchauffer. La durée de cette attente dépendra de la masse de l'étoile. Car, comme les êtres humains, les étoiles peuvent être maigres ou obèses. Les plus maigres et les plus petites n'ont que le dixième de la masse du Soleil. Les plus grosses et les plus grandes ont en revanche la masse d'une centaine de Soleils, et elles ont naturellement un plus grand cœur. Naïvement, on pourrait penser que leur réserve d'hydrogène durerait plus longtemps. Grave erreur ! Les plus riches sont bien souvent les plus prodigues. Une étoile de soixante masses solaires brûle la chandelle par les deux bouts. Elle vient à bout de sa réserve d'hydrogène en quelques millions d'années, ce qui n'est rien par rapport aux 15 milliards d'années de l'univers. Une étoile de la masse du Soleil est déjà plus modérée. Elle n'épuisera sa réserve d'hydrogène qu'au bout de 9 milliards d'années. Mais la plus parcimonieuse est une étoile d'un dixième de la masse du Soleil. Elle pourra continuer à brûler de l'hydrogène pendant 20 milliards d'années, plus que l'âge actuel de l'univers.

Suivons la destinée d'une étoile de la masse du Soleil. Les événements seront les mêmes pour toutes les autres étoiles, seule la vitesse à laquelle ils se déroulent sera différente. Ils se succèdent à un rythme effréné chez les étoiles plus massives, mais beaucoup plus lentement chez les étoiles moins massives. L'étoile vient à bout de ses réserves d'hydrogène. Le rayonnement s'affaiblit et ne peut plus tenir tête à la gravité. L'étoile se contracte. La densité augmente et la température monte jusqu'à une centaine de millions de degrés. Les noyaux d'hélium, produit de la combustion de l'hydrogène, ne s'accouplent toujours pas. Mais, miracle : ils veulent bien se grouper à trois pour former un noyau de carbone 12 (fig. 43). Ce carbone 12 qui est dans les arbres, dans les pages de ce livre ou dans les toiles de Van Gogh et de Matisse. Ce prodige s'accomplit parce que la nature s'est arrangée pour que la masse d'un noyau de carbone soit très proche de la masse de trois noyaux d'hélium. En fait, elle est légèrement inférieure, et la différence de masse est, comme auparavant, transformée en rayonnement. Le rayonnement, nouvellement approvisionné, regagne des forces et s'équilibre de nouveau avec la gravité. La contraction du cœur stellaire, devenu plus petit et plus dense, s'arrête. En même temps que le cœur se contracte, l'atmosphère de l'étoile, sous la poussée de l'énorme bouffée d'énergie libérée par la combustion de l'hélium en son cœur, se gonfle démesurément. L'étoile dépasse de dizaines de fois sa taille initiale. Le rayonnement, qui s'échappe d'une surface qui est des centaines de fois plus grande, est beaucoup plus dilué. L'étoile se refroidit à sa surface et sa couleur vire au rouge. Elle devient une géante rouge*.

Pourquoi l'étoile a-t-elle réussi à franchir la barrière de l'hélium, là où l'univers primordial a si misérablement échoué ? Parce qu'il est très difficile de réunir ensemble, par hasard, trois noyaux d'hélium. Il faut du temps. Temps dont ne disposait pas l'univers en expansion. La matière se diluait inexorablement à mesure que l'horloge cosmique égrenait les minutes. Les chances d'une telle rencontre s'amenuisaient de seconde en seconde, et étaient déjà pratiquement nulles à la troisième minute. La géante rouge n'a pas à se soucier de l'expansion et de la dilution de la densité. Elle dispose de millions d'années, une éternité par rapport à trois minutes, pour favoriser ces rencontres. Et c'est pourquoi elle a réussi où l'univers a échoué.

L'ascension vers la complexité peut maintenant reprendre. L'invention de l'étoile a sauvé l'univers à un double titre. Celui-ci dispose désormais des fours cosmiques dont il a besoin pour fabriquer en toute tranquillité les éléments chimiques nécessaires à la vie. Il échappe à la stérilité. Mais aussi, les étoiles sont, comme nous l'avons vu, des machines à fabriquer du désordre. Elles permettent à l'univers d'accéder à la complexité sans faire violence à la thermodynamique, qui veut que le désordre aille toujours croissant.

Une étoile en pelures d'oignon

La combustion de l'hélium en carbone ne va durer que quelque 300 millions d'années, 30 fois moins que la période de combustion de l'hydrogène en hélium. A la fin de cette période, le cœur de la géante rouge, faute d'un rayonnement suffisant pour la soutenir contre la gravité, se contracte de nouveau. La température atteint 1/2 milliard de degrés, et c'est maintenant la combustion du carbone qui commence. Naissent des éléments plus complexes et familiers tels que le néon, l'oxygène, le sodium, le magnésium, l'aluminium et le silicium, ou encore le phosphore et le soufre. L'étoile va ainsi avancer aussi loin que possible sur la voie de la complexité. La même séquence d'événements va se répéter maintes fois : à l'épuisement d'un combustible, le cœur s'effondre et devient plus dense et plus chaud. Un nouveau combustible plus lourd est entamé, engendrant des éléments nouveaux et de plus en plus lourds. Les événements vont en s'accélérant et les cycles prennent de moins en moins de temps. Plus d'une vingtaine de nouveaux éléments chimiques verront le jour en quelques millions d'années.

L'action ne se déroule pas seulement au cœur de la géante rouge. Le rayonnement libéré par les réactions nucléaires au centre chauffe également toutes les couches extérieures, leur permettant aussi de brûler du combustible. Seulement, la température n'est pas uniforme : de quelques milliards de degrés au cœur, elle n'est plus que de quelques milliers de degrés à la surface. Parce que l'hydrogène ne brûle en hélium qu'à 10 millions de degrés, que l'hélium ne brûle en carbone qu'à 100 millions de degrés, etc., le combustible et les produits de la combustion doivent varier en fonction des couches. L'étoile acquiert ainsi une structure en « pelures d'oignon » s'appauvrissant progressivement en éléments lourds loin du centre. Vers la fin de sa vie, le cœur de l'étoile est fait de fer, de cobalt et de nickel, résultat de la combustion du silicium. Au-dessus, le carbone brûle en silicium, phosphore et soufre. Au-dessus encore, l'hélium fusionne pour engendrer le carbone, l'oxygène et le néon. Finalement, l'hydrogène se transforme en hélium dans la couche supérieure. 60 % de la masse de l'étoile participent ainsi au festival de la combustion. Les 40 % restants sont trop froids pour participer à la fête. Ils conservent l'hydrogène né des trois premières minutes.

Le fer récalcitrant

L'étoile poursuit son bonhomme de chemin jusqu'à l'apparition du fer 56. L'ascension vers la complexité a bien progressé. Avec de simples briques-protons et neutrons, l'étoile-maçon a pu construire des édifices aussi imposants que celui du fer 56, une structure nucléaire composée de vingt-six protons et de trente neutrons. Elle porte déjà en elle l'hydrogène, le carbone, l'azote et l'oxygène qui formeront plus de 90 % des atomes de notre corps, et les autres éléments chimiques qui seront responsables de la diversité des formes et des couleurs des choses de la vie. Mais les événements se gâtent avec l'arrivée du fer. L'étoile est stoppée net dans son élan. Elle ne peut aller plus loin. Le fer 56 ne peut être utilisé comme combustible. Il ne peut fournir de l'énergie à l'étoile et l'aider dans son combat contre la gravité. Pourquoi cette impasse ? Dans toutes les combustions précédentes, la masse du produit final est toujours inférieure à la somme des masses des noyaux d'atomes qui fusionnaient (la masse du noyau d'hélium est inférieure à celle de quatre protons, la masse du carbone à celle de trois noyaux d'hélium, etc.). Cette différence de masse convertie en énergie permet à l'étoile de briller et de ne pas s'effondrer sous l'effet de sa masse. La conversion de l'hydrogène en hélium est la plus énergétique. (C'est elle, malheureusement, qui est responsable de la puissance dévastatrice de la bombe d'hydrogène, dite bombe H. C'est elle aussi que les hommes essaient de domestiquer sur Terre. Il faudra encore un travail herculéen pour pouvoir contrôler la fusion thermonucléaire, mais l'enjeu en vaut la peine : elle constitue une source d'énergie propre — il n'y a pas de déchets radioactifs — et illimitée — il suffira de puiser les noyaux d'hydrogène dans l'eau des océans.) Les combustibles plus lourds que l'oxygène mais moins lourds que le fer alimentent moins en énergie, mais suffisent à faire vivre l'étoile. Tout change avec le fer 56. Celui-ci ne se combine avec d'autres noyaux que si on lui fournit de l'énergie. A partir du fer, la masse du produit final est supérieure à la somme des masses des noyaux qui participent à la fusion. Le fer 56 exige un lourd tribut d'énergie pour sa participation aux réactions nucléaires. L'étoile, en manque d'énergie, n'a que faire de cette exigence. A court de combustible, elle s'arrête de rayonner. La gravité, ne sentant plus la résistance du rayonnement, prend le contrôle de la situation et comprime l'étoile. Celle-ci s'effondre et meurt. Dépendant de sa masse, la mort peut être douce ou violente.

Trois morts pour l'étoile

Suivons le destin d'une étoile possédant une masse inférieure à 1,4 fois la masse du Soleil. Elle s'éteint dans la sérénité. A court de combustible, l'étoile passe de la taille d'une géante rouge (50 millions de kilomètres de rayon) à celle de la Terre (environ 6 000 kilomètres de rayon). L'étoile devient naine (fig. 44). Elle est toute chaude, car l'énergie du mouvement d'effondrement a été convertie en chaleur. La température de sa surface est de l'ordre de 6 000 degrés. La chaleur est rayonnée dans l'espace. La couleur blanche du rayonnement, semblable à celle du Soleil, vaut à l'étoile le nom de « naine blanche ». La densité est énorme : un centimètre cube de naine blanche pèse une tonne. Mais qu'est-ce qui empêche la naine blanche de s'effondrer encore plus ? Qui tient tête à la gravité ? Ce n'est certes pas le rayonnement devenu trop faible. Le physicien allemand Wolfgang Pauli, l'un des fondateurs de la mécanique quantique, nous donne la réponse. Il a découvert en 1925 que deux électrons ne peuvent être comprimés ensemble : ils s'excluent mutuellement (la découverte de Pauli est connue sous le nom de « principe d'exclusion »). L'étoile, en s'effondrant, comprime les électrons qu'elle contient dans un volume de plus en plus petit. Plus ceux-ci sont entassés, et plus ils résistent et tentent de s'échapper. Cette résistance crée une pression qui, s'opposant à celle de la gravité, fait que la naine blanche ne s'effondre pas. Cette répulsion mutuelle des électrons n'est pas le fait de la force électromagnétique repoussant des charges électriques semblables, mais une des manifestations de la mécanique quantique.

En même temps que l'effondrement du cœur, les couches supérieures se détachent de l'étoile. Illuminées par la naine blanche, elles prennent l'aspect d'un anneau gazeux jaune et rouge, appelé « nébuleuse planétaire* » (terme trompeur, car les nébuleuses planétaires et les planètes n'ont aucun lien commun) (fig. 45). Cette mort douce

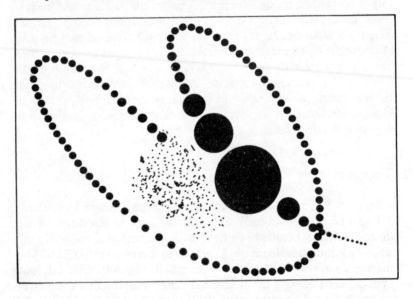

Fig. 44.

Naissance, vie et mort d'une étoile. Ce dessin donne un aperçu, tous les 100 millions d'années, des diverses étapes de la vie d'une étoile comme le Soleil : naissance à partir de l'effondrement d'un nuage interstellaire, étoile brûlant de l'hydrogène pendant 9 milliards d'années, puis transformation en géante rouge brûlant de l'hélium, du carbone, etc. (jusqu'au fer) pendant plusieurs centaines de millions d'années, avant de s'effondrer et de devenir naine blanche. A la fin de sa vie, elle est naine noire, cadavre stellaire perdu dans l'obscurité de l'immensité cosmique.

est le sort réservé à la majorité des étoiles (y compris notre Soleil) :
les étoiles de moins de 1,4 masses solaires dominent la population
des galaxies. Il faut un grand télescope pour repérer les naines
blanches*, car elles brillent très faiblement. Sirius, la plus brillante
étoile dans le ciel nocturne, a une naine blanche pour compagne.
La naine blanche va mettre des milliards d'années à perdre sa chaleur. A la fin, transformée en « naine noire* » invisible, elle rejoin-
dra le rang des innombrables cadavres stellaires qui jonchent
l'immensité des galaxies. Quant à la nébuleuse planétaire, elle se
dispersera dans l'espace, l'ensemençant des éléments lourds fabriqués dans les creusets stellaires.

Fig. 45.

Une nébuleuse planétaire. La photo montre la nébuleuse planétaire de
la Lyre. C'est l'enveloppe éjectée par une étoile moribonde d'une masse
inférieure à 1,4 fois la masse du Soleil. Celle-ci, à court de carburant,
s'effondre pour devenir naine blanche (le point lumineux au centre de la
nébuleuse). C'est le rayonnement de la naine blanche qui illumine la nébuleuse planétaire. Le nom est trompeur : il n'y a aucune connexion avec
les planètes (photo, Hale Observatories).

Que se passe-t-il avec une étoile de plus de 1,4 masses solaires ?
Elle a droit à une agonie beaucoup plus violente. Mais là encore,
le sort final divergera selon que l'étoile est plus ou moins massive
que cinq Soleils environ. Intéressons-nous d'abord à la fin d'une

étoile dont la masse est entre 1,4 et 5 masses solaires. La masse accrue de l'étoile la comprime davantage. L'effondrement se passe si vite (une fraction de seconde) que les électrons sont pris de vitesse et n'ont pas le temps d'organiser leur résistance à la gravité. Le cap des 6 000 kilomètres du rayon de la naine blanche est allégrement franchi. Le rayon du cœur de l'étoile se rétrécit jusqu'à 10 kilomètres. La densité finale est extrême. Elle peut atteindre 1 milliard de tonnes par centimètre cube. C'est comme si vous comprimiez la masse de cent tours Eiffel dans le volume de la pointe de votre stylo à bille. Les noyaux ne peuvent résister à la compression et se brisent en protons et en neutrons. Les électrons sont tellement serrés contre les protons qu'ils sont contraints de s'unir avec eux pour engendrer neutrons et neutrinos. Les neutrinos, que nous avons déjà rencontrés dans les premiers instants de l'univers, sont fidèles à leur réputation. N'interagissant pas avec la matière, ils s'échappent tout de suite. Le cœur de l'étoile devient un gigantesque « noyau » de neutrons. Ceux-ci, qui ne vivent que 15 minutes à l'état libre, perdent leur velléité de mortalité quand ils sont emprisonnés. Ce sont eux qui résistent maintenant à la gravité et font que l'étoile à neutrons ne s'effondre pas. Comme c'est le cas pour les électrons, il existe un principe d'exclusion* pour les neutrons et ceux-ci ne peuvent être trop serrés ensemble.

Au terme de l'effondrement du cœur, une fulgurante explosion se produit. Les couches en pelures d'oignon fertilisées en éléments lourds sont projetées dans l'espace à des milliers de kilomètres par seconde. L'explosion atteint la brillance de 100 millions de Soleils. Un point lumineux surgit dans le ciel, presque aussi brillant qu'une galaxie tout entière. C'est une « supernova ». L'arrêt brutal de l'effondrement du cœur provoqué par la résistance des neutrons est à l'origine de cette explosion cataclysmique. Une onde de choc est créée, qui se propage vers la surface et repousse les couches supérieures de l'étoile, provoquant son éclatement.

Dans les galaxies, ces morts explosives surviennent à peu près tous les siècles. L'homme, depuis qu'il a commencé à consigner ses observations, en a vu environ une dizaine dans la Voie lactée. En 1572, le jeune Tycho Brahe avait observé une « nouvelle étoile » dans la constellation de Cassiopée. Découverte qui sema le doute dans son esprit quant à l'immuabilité des cieux d'Aristote. Ce qui reste de la supernova porte maintenant son nom. Le 23 février 1987, une supernova dans une des galaxies naines* satellites de la Voie lactée*, le grand nuage de Magellan* à quelque 150 000 années-lumières de distance, a secoué le monde astronomique. Tous les moyens d'observation modernes (grands télescopes au sol, satellites spatiaux

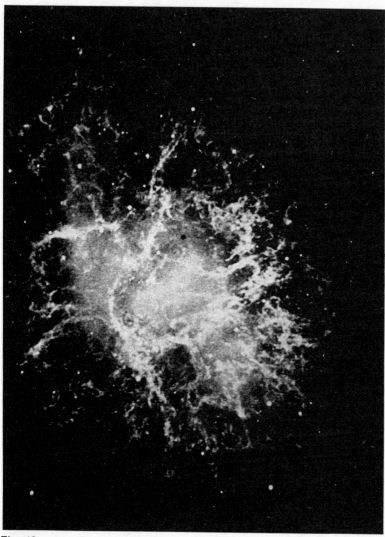

Fig. 46.

La nébuleuse du Crabe. La photo montre ce qui reste de l'étoile qui a explosé dans la Voie lactée le matin du 4 juillet 1054. Le cœur de l'étoile s'est effondré en une étoile à neutrons de 10 kilomètres de rayon, située au centre de la nébuleuse, qui nous envoie périodiquement des signaux radio et qui est aussi connue sous le nom de pulsar (voir aussi la figure 47). L'enveloppe déchiquetée de l'étoile continue à se dilater, propulsée par l'énergie de l'explosion originale, et elle s'étend maintenant sur des centaines de milliards de kilomètres. Ce faisant, elle ensemence le milieu interstellaire d'éléments lourds fabriqués pendant la vie de l'étoile et au cours de l'explosion.

et autres instruments que Tycho Brahe n'aurait jamais pu imaginer) furent mis à contribution pour étudier cet événement extraordinaire. Même les neutrinos échappés du cœur effondré de l'étoile morte furent capturés par des détecteurs placés à des kilomètres sous terre, dans des mines d'or désaffectées. Mais une des supernovae les plus célèbres dans les annales astronomiques est sans nul doute celle qui fut à l'origine du reste de supernova qu'on appelle maintenant « nébuleuse du Crabe ». Cette « étoile invitée » (c'est le joli nom que les astronomes chinois lui donnèrent) apparut le matin du 4 juillet 1054. Aussi brillante que Vénus, elle fut visible de jour, des semaines durant. Pourtant, on ne trouve nulle mention d'elle en Occident dans les écrits astronomiques de l'époque. Leurs auteurs devaient avoir plus confiance en l'univers immuable et inchangeant d'Aristote qu'en leurs propres yeux...

Il y a déjà bien longtemps que l'étoile-hôte n'est plus visible à l'œil nu. Avec un télescope, on peut discerner un reste de supernova rayonnant faiblement et qui a la forme d'un crabe, d'où son nom (fig. 46). Mais ce qui lui donne sa notoriété, c'est la découverte en son sein d'une étoile à neutrons*, en 1967. Celle-ci, imaginée dès 1934 par les astronomes américains Walter Baade et Fritz Zwicky, résultait donc bel et bien de la mort d'une étoile. Elle se manifesta sous la forme d'une étoile qui s'allumait et s'éteignait 30 fois par seconde, d'où son nom de « pulsar ». Ce comportement bizarre vient du fait que l'étoile à neutrons ne rayonne pas sur toute sa surface. La lumière (qui est surtout de nature radio) émerge en un mince faisceau semblable à celui d'un phare. De plus, l'étoile à neutrons tourne très vite sur elle-même, d'où l'impression qu'elle s'allume et s'éteint chaque fois que son faisceau lumineux balaie la Terre (fig. 47). Le pulsar va jouer son rôle de phare céleste pendant plusieurs millions d'années. Sa réserve d'énergie, emmagasinée lors de l'effondrement, va s'épuiser. Il tournera de moins en moins vite et finira par ne plus rayonner. Enveloppé du silence des morts, ce cadavre stellaire ne pourra plus être vu ni entendu. Une étoile sur mille dans la Voie lactée finit sa vie en pulsar.

Nous en arrivons enfin à la plus définitive des morts stellaires. C'est le sort que subit une étoile plus massive que 5 Soleils environ. Une très grande masse provoque un effondrement extrêmement violent. Cette fois, non seulement les électrons, mais également les neutrons, sont pris au dépourvu. Ils n'ont pas le temps de s'organiser pour résister à la gravité. Celle-ci ne peut plus être arrêtée. Elle comprime la matière au cœur de l'étoile en un volume si petit que le champ de gravité qui en résulte est énorme. Le cœur de l'étoile est devenu trou noir.

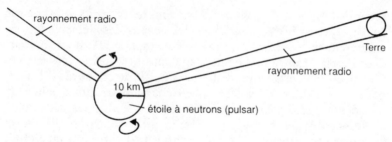

Fig. 47.

Le pulsar. Un pulsar est une étoile à neutrons de 10 kilomètres de rayon qui tourne très vite sur elle-même et qui se comporte comme un phare cosmique. Le pulsar ne rayonne pas sur toute sa surface, mais en faisceaux lumineux (la lumière est surtout de nature radio). Un observateur terrestre recevra un signal radio du pulsar chaque fois que son faisceau balaie la Terre. Les signaux se succèdent, séparés par un intervalle de temps égal au temps mis par l'étoile pour faire un tour complet sur elle-même. Le pulsar le plus rapide qui ait été détecté nous envoie des signaux tous les 1,6 millième de seconde, c'est-à-dire qu'il fait 600 tours sur lui-même en une seconde. Une vraie toupie céleste!

Comme dans le cas précédent, la violence de l'effondrement produit une explosion gigantesque qui projette les couches supérieures de l'étoile dans l'espace : la naissance du trou noir★ est aussi saluée par la déflagration d'une supernova. Cette fois, l'étoile morte ne laissera même pas de cadavre visible. Elle se manifestera désormais, nous l'avons vu, par les effets gravitationnels qu'elle exerce sur tout objet qui passe à proximité. Elle ralentira le temps. Elle transformera les astronautes trop hardis en spaghetti et les broiera. Pour un observateur terrestre, le trou noir sera très difficile à détecter. Sauf, nous l'avons vu, s'il fait partie d'une paire dont l'autre membre serait une étoile encore en vie. Le trou noir attirera alors l'atmosphère gazeuse de l'étoile visible vers lui. Les atomes de gaz dans cette atmosphère émettront de la lumière X en tombant vers le trou noir, et trahiront ainsi la présence de ce dernier. On pense qu'un trou noir existe dans la direction de la constellation du Cygne, à l'emplacement d'une source X très brillante (voir figure 26). Dans la Voie lactée, les trous noirs sont beaucoup moins nombreux que les naines blanches et les pulsars : les étoiles massives sont minoritaires dans la population galactique.

Les bienfaits des supernovae

Nous avons vu que l'univers a inventé galaxies et étoiles pour se sortir de l'impasse de l'hélium. Mais tous les produits de la cuisson stellaire, les édifices magnifiques des noyaux des éléments lourds, n'auraient servi à rien s'ils avaient été emprisonnés pour toujours dans l'étoile. Car la prochaine étape dans l'ascension vers la complexité est la construction d'atomes à partir de ces noyaux. Il faut, par l'intermédiaire de la force électromagnétique, unir les noyaux avec des électrons pour accéder au niveau des atomes. Or, cette union est impossible à l'intérieur des étoiles. Elles sont trop chaudes et les atomes ne peuvent y survivre. L'univers doit trouver un endroit plus froid et plus calme pour l'élaboration atomique. Quoi de mieux que les vastes espaces entre les étoiles, le milieu interstellaire* des galaxies? Les températures qui y règnent varient du froid glacial d'une centaine de degrés Kelvin (− 173° C) à une dizaine de milliers de degrés. Le milieu interstellaire est réchauffé — au-dessus des 3° K (− 270°C) de l'espace intergalactique — par le rayonnement des étoiles massives et chaudes et des supernovae qui résultent de leur mort violente.

Comment sortir les produits de la cuisson de l'intérieur des fours stellaires? D'abord grâce aux bons offices des nébuleuses planétaires*. Mais ce moyen est bien inefficace, car ces nébuleuses sont peu massives, à peine quelques dixièmes d'une masse solaire. D'autre part, elles sont le produit d'étoiles maigres (moins de 1,4 masses solaires) qui n'ont pas pu progresser très loin dans l'élaboration des éléments lourds. Une étoile inférieure à la moitié de la masse du Soleil, par exemple, ne peut rien fabriquer de mieux que de l'hélium. Son cœur n'est pas assez chaud pour vaincre la force électromagnétique et permettre des combinaisons plus compliquées de protons et de neutrons. Mais il existe un deuxième moyen. Les étoiles massives (de quelques masses solaires ou plus) perdent peu à peu leurs couches supérieures. Leur fort rayonnement parvient à vaincre la gravité qui lie l'enveloppe à l'étoile et à la pousser dehors. Comme le vent d'automne arrache les feuilles des arbres squelettiques, le vent stellaire, résultat du rayonnement intense, arrache l'enveloppe de l'étoile pour la disperser dans l'espace interstellaire. Mais, de nouveau, ce moyen pèche par son inefficacité. Les vents stellaires ne transportent pas beaucoup de masse. Les produits de la cuisson ne sortent pas très vite du four. L'univers emploie donc les grands moyens et fait carrément exploser l'étoile. Cette dernière tentative sera la bonne. Plusieurs masses solaires de matière enrichie par l'œuvre créatrice de l'étoile sont projetées dans l'espace. C'est le premier bienfait de la supernova : elle ensemence l'espace entre les étoiles d'éléments lourds.

La supernova ne s'en tient pas là. Elle profite de son énorme énergie pour poursuivre l'alchimie interrompue dans le cœur des étoi-les. Vous vous souvenez que l'ascension vers la complexité dans les creusets stellaires s'était arrêtée au fer. Le noyau de fer, le plus sta-ble de tous les éléments, refusait de s'unir à d'autres particules pour se complexifier, à moins qu'on ne lui donne de l'énergie. Cette éner-gie, la supernova en a à revendre. Le fer s'embrase cette fois-ci et les réactions nucléaires s'emballent. Près d'une soixantaine d'élé-ments vont naître au cours de l'explosion. Cette fois, la nature a trouvé la formule. Elle va pouvoir aller jusqu'au bout de son alchi-mie. Ainsi viennent au monde les noyaux des éléments plus lourds que le fer. Saluons au passage la naissance de l'argent et de l'or qui serviront à parer les jolies femmes, du plomb plus prosaïque, et de l'uranium qui sera responsable de la bombe destructrice d'Hiros-hima. La panoplie des quatre-vingt-douze éléments durables dans la nature, ceux qui ne se désintègrent pas spontanément après quel-ques instants, est désormais complète. Elle va des éléments les plus simples et les plus anciens, l'hydrogène (un proton) et l'hélium (deux protons), jusqu'à l'uranium (quatre-vingt-douze protons), en pas-sant par le fer (vingt-six protons), roi de la stabilité.

Enfin, la supernova va accomplir une dernière bonne œuvre. Avec son énergie fantastique, elle lance dans l'espace interstellaire élec-trons, protons et autres noyaux nés de l'alchimie créatrice de l'étoile. Mues par une vitesse presque aussi grande que celle de la lumière, certaines de ces particules vont entreprendre un long voyage inter-stellaire, traversant la galaxie de part en part. Dans la Voie lactée, ces particules voyageuses vont un jour rencontrer la Terre. Les physi-ciens terrestres qui les capturent avec leurs détecteurs les appellent « rayons cosmiques* ». Les biologistes pensent que les rencontres de ces rayons cosmiques avec les molécules des gènes dans notre corps peuvent profondément modifier la structure de ces derniers. La supernova, à travers les rayons cosmiques, est donc très proba-blement à l'origine des mutations génétiques qui ont jalonné l'évo-lution darwinienne, et qui ont mené de la cellule primitive à nous.

Les quasars

Revenons à notre livre d'histoire. Les premières étoiles sont nées. Elles ont admirablement joué leur rôle d'alchimistes. Ayant emprunté du gaz dépourvu de métaux (nom collectif pour les éléments chi-miques plus lourds que l'hydrogène et l'hélium), elles l'ont resti-tué considérablement enrichi. Les étoiles massives ont vécu le temps d'un clin d'œil. Quelques millions d'années de brillance et de chaleur, et elles s'en sont allées. Seuls restent des cadavres compacts et denses, les étoiles à neutrons et les trous noirs. Quant aux étoiles légères qui, parcimonieuses et économes, ne dépensent pas beaucoup d'énergie, elles vivront encore des milliards d'années. Certaines d'entre elles sont encore en vie aujourd'hui.

Il y a de bonnes raisons de penser que cette première génération d'étoiles fut particulièrement riche en étoiles massives dans certaines galaxies. La moisson de métaux récoltés fut particulièrement abondante. Environ un milliard de cadavres stellaires en forme de trous noirs jonchaient le sol de ces terreaux galactiques après quelques millions d'années. Encore un milliard d'années et ce milliard de trous noirs, attirés les uns vers les autres par leur gravité, s'agglomèrent pour former un gigantesque trou noir au centre de la galaxie, aussi massif qu'un milliard de Soleils. Ce trou noir géant va causer des dégâts dans la galaxie-hôte. Il va happer toutes les étoiles qui vont passer à proximité, leur donner la forme de spaghetti, les déchiqueter et les engloutir. Le gaz des étoiles déchirées tombe à toute vitesse vers le cœur du trou noir. Il s'échauffe et rayonne de toute son énergie avant de franchir le rayon de non-retour, où son rayonnement ne sera plus visible. Les environs du trou noir brillent de mille feux. La brillance est 1 000 fois supérieure à celle de la galaxie-hôte, autant que 100 000 milliards de Soleils réunis. Un quasar* est né. L'énergie prodigieuse du quasar vient pourtant d'une région dont la taille est à peine 100 fois plus grande que notre système solaire. Le quasar n'occupe qu'une région de quelques mois-lumières, moins du centième de millième de la taille moyenne d'une galaxie. Le monstre dans son cœur, qui lui fournit son énergie en dévorant avec gloutonnerie les pauvres étoiles, est encore plus compact. Son rayon de non-retour n'est que de quelques milliards de kilomètres, soit à peu près la taille du système solaire. Pour l'observateur terrestre, le quasar est tellement petit qu'on dirait un point lumineux, une étoile (fig. 48). Ce qui lui donne son nom : « quasar » est la contraction de l'anglais « quasi-star ». C'est d'ailleurs cette apparence d'étoile qui dérouta complètement les astronomes au début des années soixante. La lumière décomposée du quasar ne ressemblait à aucune lumière stellaire connue. L'enquête piétina pendant plusieurs années. Ce ne fut qu'en 1963 que le puzzle fut résolu. La lumière des quasars était bien celle d'ensembles d'étoiles, mais tellement décalée vers le rouge qu'elle était méconnaissable. Hubble nous a appris que plus la lumière d'une galaxie est décalée vers le rouge, plus elle est éloignée. Le grand décalage vers le rouge de la lumière des quasars les situe aux confins de l'univers observable, bien plus loin que la majorité des galaxies. Et comme regarder loin, c'est voir tôt, les quasars nous apparaissent aujourd'hui tels qu'ils étaient lorsque l'univers était encore dans sa prime jeunesse, lorsqu'il n'avait encore que quelques milliards d'années (voir la note quantitative n° 1).

Les quasars sont les seuls jalons dont nous disposons actuellement, en 1988, pour situer la naissance des premières étoiles et galaxies.

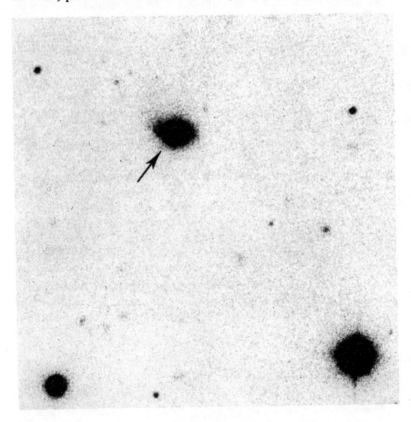

Fig. 48.

Le quasar. Si ce n'est l'extrême décalage vers le rouge de sa lumière, le quasar (sur la photo, il est indiqué par une flèche et a pour nom 3C48) ressemblerait à s'y méprendre à une étoile (comparer l'image du quasar à celles des deux étoiles sur la photo). Le nom de quasar vient d'ailleurs de la contraction du mot anglais « *quasi-star* ». La majorité des astronomes pensent que les quasars sont les astres les plus éloignés et les plus lumineux de l'univers, et que leur énorme brillance est due à l'action d'un trou noir de 1 milliard de masses solaires en leur sein, qui déchiquette et dévore les étoiles de la galaxie sous-jacente. Celle-ci, visible sur la photo, donne au quasar une forme légèrement allongée (photo, Hale Observatories).

La lumière des quasars nous révèle qu'ils contiennent déjà beaucoup de métaux. Ils sont donc nés après l'œuvre créatrice de la première génération d'étoiles. Celles-ci ont probablement vu le jour entre le troisième et le quatrième milliard d'années. Pourrons-nous, un jour, surprendre une galaxie en train de naître, une galaxie dite « primordiale » ? Les étoiles massives de la première génération, dans ces galaxies primordiales, doivent offrir, en mourant de leur agonie explosive, un merveilleux spectacle de feux d'artifice, projetant leur lumière à travers l'immensité de l'univers, comme des lampes perçant l'obscurité de leurs faisceaux lumineux. Peut-être le télescope spatial (voir figure 12), qui peut voir sept fois plus loin, et dont le lancement par la navette spatiale américaine est prévu pour 1990, ravira-t-il nos yeux d'un tel spectacle. Peut-être alors l'épais brouillard qui masque notre connaissance de cette époque mystérieuse se dissipera-t-il enfin.

Les galaxies à quasars ne sont pas les seules à nourrir un monstre cannibale en leur sein. D'autres galaxies surnommées « galaxies à noyaux actifs » possèdent aussi des trous noirs dans leur cœur. Ceux-ci, généralement de 10 à 100 fois moins massifs que les trous noirs des quasars, provoquent moins de dégâts. Mais en déchiquetant et en dévorant les étoiles, ces trous noirs sont aussi responsables d'un fort rayonnement, allant des rayons gamma et X jusqu'aux ondes radio. Il n'est pas jusqu'à notre propre Voie lactée qui semble receler un trou noir de moins de 1 million de masses solaires en son centre. L'univers immuable d'Aristote est bien mort. Nos télescopes, sensibles à toute la gamme des ondes électromagnétiques, nous révèlent des événements d'une violence inouïe au cœur de certaines galaxies.

Les molécules interstellaires

Nous arrivons au terme de notre récit et à la dernière page de notre livre sur l'histoire de l'univers. Les milliards d'années se déroulent. L'univers continue imperturbablement son expansion (les distances augmentent comme le temps à la puissance 2/3) (voir la note quantitative n° 5). Il se dilue et se refroidit. La toile cosmique des superamas, amas et groupes de galaxies se tisse lentement. Les galaxies vivent leur vie. L'élaboration des métaux, commencée avec la première génération d'étoiles, se poursuit en leur sein. Plusieurs générations d'étoiles se succèdent. Comme les êtres vivants, les étoiles naissent, vivent leur vie et meurent. A chaque génération se produit un double phénomène. Les étoiles massives consument vite leur vie et, dans leur agonie explosive, rejettent dans l'espace, entre les étoiles, la matière gazeuse ensemencée de métaux. Cette matière se condense en nuages interstellaires qui se contractent à leur tour sous l'effet de la gravité pour engendrer de nouvelles étoiles. Les étoiles légères, elles, sont là pour un bon bout de temps. Elles viennent s'ajouter à celles de la première génération. Les générations d'étoiles vont se chevaucher. Transformant continuellement la matière gazeuse en étoiles, les galaxies s'enrichissent peu à peu en métaux. Ceux-ci constituent maintenant 2 % de leur masse.

Que devient l'ascension vers la complexité? La galaxie dispose de noyaux d'éléments lourds, produits de l'alchimie créatrice des étoiles massives, éparpillées dans l'espace interstellaire. Avec ce matériel, elle va essayer de fabriquer atomes et molécules. Mais comment favoriser les rencontres entre particules, condition *sine qua non* pour bâtir des structures plus complexes? Les nuages interstellaires sont trop peu denses pour être un lieu favorable de rencontres (la densité est 10^{22} fois moindre que celle de l'eau). Les grains de poussière interstellaire, nés dans les enveloppes des géantes rouges et rejetés dans l'espace entre les étoiles par les vents stellaires, sont beaucoup mieux désignés pour jouer ce rôle. Ce sont de très petites particules d'un millième de millimètre. Leur noyau solide, essentiellement fait de silicium, d'oxygène, de magnésium et de fer (comme l'écorce terrestre), est recouvert d'une mince couche de glace. Sur ces grains, terres fertiles de rencontres, les noyaux des éléments lourds vont s'en donner à cœur joie pour multiplier associations et unions. Ils s'essaient à toutes les combinaisons possibles. C'est une véritable orgie d'accouplements. Des molécules comprenant deux, trois, quatre et jusqu'à onze atomes surgissent. Les radiotélescopes en ont vu près d'une centaine. Chacune de ces molécules émet un signal radio qui lui est propre et qui permet de l'identifier. Parmi les plus abondantes, on trouve les molécules de l'hydrogène (H_2) et du monoxyde de carbone (CO). Les molécules d'eau (H_2O), du méthane (CH_4) et de l'ammoniac (NH_3) sont moins nombreuses.

Toutes les molécules semblent avoir une prédilection pour un quartette d'atomes : ceux du carbone (C), de l'hydrogène (H), de l'oxygène (O) et de l'azote (N). Les êtres vivants sont composés, à plus de 99 %, de ces quatre éléments. Déjà, les briques de la vie pointent leur nez. Mais, me direz-vous, nous sommes encore bien loin des unités fondamentales de la vie (les protéines, les enzymes et les acides nucléiques) qui contiennent des milliers d'atomes ou des millions d'éléments de l'ADN. Bien sûr, la nature n'est pas allée jusqu'au bout de la complexité. La leçon à retenir de cette profusion de molécules interstellaires n'est pas l'échec de la nature, mais son triomphe éclatant. Elle s'est montrée inventive et a su, dans un milieu extrêmement inhospitalier, dans le froid glacial et le vide presque parfait du milieu interstellaire, fabriquer un véritable zoo de molécules. Les astronomes furent les premiers surpris. Ils ne s'attendaient pas le moins du monde à une faune aussi diverse et variée. En tout cas, étant donné la merveilleuse dextérité de la nature à produire les molécules, il serait bien présomptueux de penser qu'elle nous a réservé l'exclusivité de la vie.

La planète imaginée

Le temps passe. L'horloge cosmique sonne 10,4 milliards d'années. Parmi les centaines de milliards de galaxies qui peuplent l'univers observable, nous fixons notre attention sur une galaxie aux jolis bras en spirale. Elle a pour nom Voie lactée. Dans un petit coin perdu de cette Voie lactée, aux deux tiers de la distance du centre vers le bord, un nuage interstellaire se contracte. Son mouvement d'effondrement a peut-être été déclenché par une supernova toute proche. La température au cœur du nuage monte. De quelques dizaines de degrés, la voilà qui franchit allégrement, après quelques millions d'années, le cap des 10 millions de degrés. Les réactions nucléaires se déclenchent. Le nuage gazeux s'allume. Il devient étoile. Le Soleil, astre de la troisième génération, est né.

La nature poursuit sa progression vers la complexité. Des molécules qui ne comprennent qu'une dizaine d'atomes ne lui suffisent pas. Les conditions du milieu interstellaire, avec ses froids bien plus que polaires et ses « presque vides » vertigineux, sont trop rigoureuses pour former des structures plus complexes. Pour accoucher de la vie, il faut trouver un berceau plus accueillant. La nature imagine alors la planète. Pour bâtir cette dernière, elle se sert des poussières interstellaires disséminées dans le nuage. Au moment de la contraction, des grains de poussière s'échappent du nuage. Certains commencent à tourner autour du Soleil, formant de jolis anneaux tels ceux qui parent Saturne. Au sein de ces anneaux, certaines poussières, un peu plus grosses que les autres, commencent à en capturer d'autres. Elles grandissent. Leurs masses croissent : 1 gramme, 1 kilogramme, 1 tonne, puis des milliards de tonnes. Bientôt la quasi-totalité de la matière des anneaux se retrouve dans neuf corps solides sphériques (la gravité aime la sphéricité). Le système solaire commence son existence et la grosse Jupiter en est la souveraine (fig. 49). Autour de chaque planète (sauf Mercure) s'organise un cortège de petites condensations, les Lunes. La Terre a sa Lune et Jupiter trône

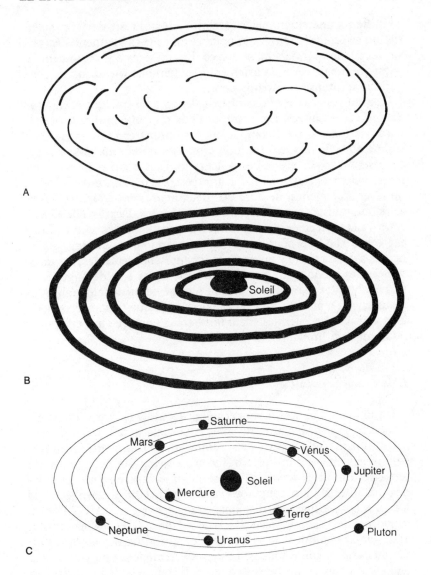

Fig. 49.

La formation du système solaire. Le système solaire est le résultat de
l'effondrement d'un nuage de gaz interstellaire de plusieurs milliers de
milliards de kilomètres de diamètre. En s'effondrant, le nuage s'aplatit (*a*)
et devient tellement chaud et dense en son centre que des réactions
nucléaires se déclenchent (voir aussi la figure 43) : c'est la naissance du
Soleil (*b*). Le gaz, moins dense à la périphérie, se condense à son tour
en planètes et en astéroïdes. Le système solaire est né (*c*).

au milieu d'une vingtaine de satellites. Ce qui reste devient météo-
rite ou astéroïde★. Un grand nombre de ceux-ci viennent s'écraser
sur les planètes fraîchement créées. Les cratères qui parsèment les
paysages lunaire et mercurien sont les témoins silencieux de cette
période d'intense bombardement.

La grande période de chambardement a duré quelques centaines
de millions d'années. La Terre, forte de ses 6 000 milliards de milliards de tonnes, peut commencer à se préparer pour la vie. Elle
tourne sur elle-même à toute vitesse. Les nombreux volcans, qui
déversent à la surface terrestre leurs longues coulées de lave brûlante, voient le Soleil se hâter à travers le ciel. Sa course céleste,
du lever au coucher, ne dure que deux heures et demie : la Terre,
au début, tournait sur elle-même en cinq heures. Depuis, elle a beaucoup ralenti, freinée par les forces gravitationnelles que la Lune
exerce sur elle. Elle continuera à ralentir. La journée de vingt-quatre
heures s'étirera jusqu'à quarante-huit heures, des semaines, des mois,
des années... Mais que ceux qui n'aiment pas être dérangés dans
leurs habitudes se rassurent. Même s'ils deviennent centenaires, ils
n'auront qu'à ajouter tout au plus que quelque trente secondes à
leur journée. Le ralentissement terrestre est presque imperceptible
pour une vie humaine.

L'ascension vers la vie

Un milliard d'années se sont écoulées depuis la naissance du Soleil.
La Terre s'est beaucoup refroidie. A la surface de l'océan de lave
surgit une masse de pierre grise, embryon de continent. Cette lave
solidifiée va gagner du terrain, jusqu'à couvrir 30 % de la surface
terrestre. En même temps qu'elle se solidifie, la lave exhale les grandes quantités de gaz contenues en son sein. Une atmosphère 100
fois plus épaisse que celle d'aujourd'hui enveloppe la Terre. Mélange
d'hydrogène, d'ammoniac (NH_3), de méthane (CH_4), d'eau (H_2O)
et de gaz carbonique (CO_2), l'atmosphère primitive dégage des efflu-
ves malsains et empoisonnés. Le refroidissement se poursuit. L'eau
de l'atmosphère primitive se condense. Il commence à pleuvoir. Des
pluies diluviennes déversent leurs trombes d'eau et inondent la Terre.
Des nappes d'océans finissent par recouvrir les trois quarts de la
surface de la planète.

Soumises à l'incessante action des rayons ultraviolets énergétiques
du jeune Soleil (les rayons ultraviolets solaires pouvaient pénétrer
l'atmosphère primitive sans difficulté, la couche d'ozone [O_3] n'existant pas encore, car tout l'oxygène était emprisonné dans l'eau), frap-

pées par les puissantes décharges électriques et les éclairs fulgurants des grands orages qui grondent en permanence, les molécules simples de l'atmosphère primitive vont se livrer à une orgie de combinaisons et d'unions. L'atmosphère terrestre est des millions de milliards de fois plus dense que le milieu interstellaire. Les rencontres sont beaucoup plus fréquentes. Des substances « organiques » apparaissent. Vingt espèces d'acides aminés, chacun fait d'une trentaine d'atomes, abondent à profusion. Au gré des pluies, ces produits organiques vont se dissoudre dans l'eau des océans. L'eau va enfin jouer son grand rôle de catalyseur de la vie. Par son grand pouvoir de dissolution, elle peut accueillir de nombreuses molécules étrangères. Des millions de fois plus dense que l'atmosphère terrestre, elle est le lieu des rencontres et des combinaisons par excellence. De plus, en parfaite hôtesse, elle sait comment protéger ses invités des effets nocifs du Soleil et des orages.

Dans ce milieu si propice, les acides aminés vont s'assembler en de longues chaînes et, quelques centaines de millions d'années plus tard, les protéines font leur entrée. Plus tard, c'est au tour des protéines de s'assembler pour donner les hélices enchevêtrées des molécules d'ADN. Celles-ci ont découvert le secret de l'immortalité : elles savent comment se reproduire. Ce sont elles qui vont transmettre le bagage génétique de tous les êtres vivants. Puis, à 11,5 milliards d'années, c'est l'arrivée des cellules. Contenant chacune des millions de molécules d'ADN, elles vont servir de briques à construire la vie. Bactéries et algues bleues, organismes monocellulaires, pullulent dans les océans et sont les formes les plus avancées de la vie. Les fossiles les plus anciens datent de cette époque. Trois milliards d'années passent. Pendant cette longue période de gestation, la plaque continentale se construit. Quand l'horloge cosmique sonne 14,4 milliards d'années, il y a 600 millions d'années, les premiers organismes pluricellulaires, les méduses, font leur apparition. Encore 100 millions d'années et les premiers coquillages et crustacés apparaissent. Puis, 100 millions d'années plus tard, ce sont les poissons qui font leurs débuts. A la même époque, il y a 450 millions d'années, la Terre se couvre de plantes et de forêts. Les espèces végétales vont avoir une profonde influence sur l'atmosphère terrestre. Elles absorbent l'eau du sol par leurs racines et le gaz carbonique de l'air par leurs feuilles. Utilisant l'énergie solaire, elles convertissent leurs éléments en sucre, tout en rejetant de l'oxygène : c'est la photosynthèse. Les atomes d'oxygène s'envolent vers l'atmosphère. Certains se mettent à trois pour former de l'ozone. La couche d'ozone, qui filtre les rayons ultraviolets solaires et nous protège par l'atmosphère contre le cancer de la peau, fait son apparition.

La Terre est la seule planète du système solaire qui possède de l'oxygène libre dans son atmosphère. C'est cette même couche d'ozone qui, malheureusement, fait maintenant la une de l'actualité : l'homme, à force de polluer sa niche écologique avec ses usines et automobiles, y a creusé un grand trou qui ne cesse de grandir.

Tout est maintenant prêt pour que la vie, protégée par l'atmosphère contre les effets nocifs du Soleil, sorte de l'eau pour envahir les terres. Il y a 200 millions d'années, les oiseaux et les reptiles (serpents, lézards, tortues) font leur apparition. Encore 50 millions d'années et les dinosaures font leurs premiers pas. Ils dominent la Terre pendant près de 100 millions d'années. Pendant cette période, la plaque continentale se fracture et les continents commencent leur dérive. Puis, brusquement, il y a 63 millions d'années, les dinosaures disparaissent. Certains pensent qu'à cette époque un astéroïde* d'une dizaine de kilomètres est venu percuter la Terre. Sous le choc, un immense cratère se creuse (on ne le voit plus, car il a été effacé par les mouvements de l'écorce terrestre) tandis que d'énormes quantités de poussière sont projetées dans le ciel. A tel point que la poussière forme un voile opaque, empêchant la lumière du Soleil d'arriver sur Terre. Les plantes, ne pouvant plus réaliser la photosynthèse, meurent. La Terre se refroidit et c'est le début d'un long hiver. Les dinosaures (et autres espèces qui se nourrissent de plantes) ne résistent pas longtemps au froid et à la faim. Ils sont éliminés. Mais cette théorie n'est pas universellement acceptée et la mort subite des dinosaures reste un mystère. En tout cas, le malheur des uns fait le bonheur des autres. Les mammifères, qui ont fait leur première apparition il y a quelque 100 millions d'années, peuvent enfin évoluer sans crainte et en toute liberté dans les vertes prairies (tout est rentré dans l'ordre après que les poussières sont retombées sur terre et que la lumière solaire a pu de nouveau réchauffer notre planète). Les singes surgissent il y a quelque 20 millions d'années. C'est aussi le moment où la plaque continentale de l'Inde entre en collision avec celle de l'Asie, soulevant la chaîne de l'Himalaya. Le premier *Homo sapiens* fait son entrée il y a environ 2 millions d'années seulement.

La longue ascension vers la complexité, commencée il y a 15 milliards d'années, a enfin abouti à l'homme (fig. 50). A partir du vide, puis de la purée initiale de particules élémentaires, l'univers a su construire des êtres humains de 30 milliards de milliards de milliards (3 × 10²⁸) de particules, capables de se multiplier et de se reproduire. Vers la fin, l'évolution cosmique s'est considérablement accélérée. L'homme ne représente qu'un clin d'œil dans l'histoire de l'univers. Si toute cette histoire était comprimée en une seule journée, le Soleil et la Terre ne seraient apparus que vers 5 heures du soir. L'essentiel de l'ascension vers l'homme se ferait à la dernière heure. Les méduses entreraient en scène à 23 h 2, les poissons à 23 h 22, les oiseaux et les reptiles à 23 h 41. Les dinosaures passeraient à 23 h 45 et sortiraient de scène 9 minutes plus tard. Les singes prendraient la relève à 23 h 58 et l'homme ne ferait son entrée que 11,5 secondes avant minuit. Quant à l'homme civilisé et technologique des quatre derniers millénaires, il n'aurait occupé que les deux derniers centièmes de seconde de la journée, à peine la durée d'un flash photographique. Aura-t-il la sagesse d'échapper au suicide nucléaire, et de se maintenir en vie sur sa belle planète,

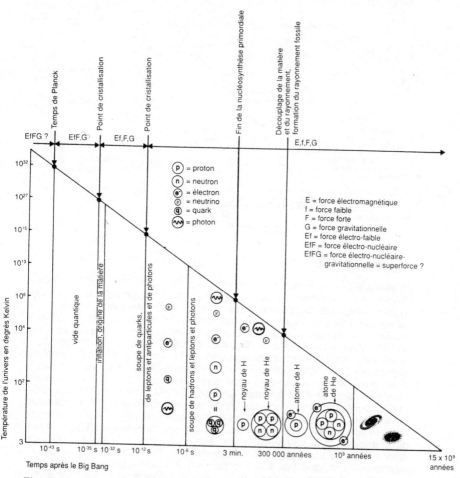

Fig. 50a.

pour accompagner l'univers dans son évolution ne serait-ce que pendant les quelques milliards d'années à venir? La vie n'a probablement pas terminé son ascension vers la complexité. Quelles surprises nous réserve-t-elle encore?

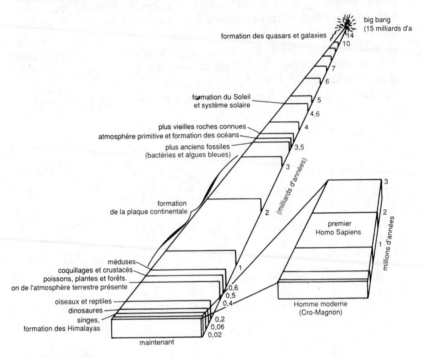

Fig. 50*b*.

L'histoire de l'univers. La figure 50*a* décrit en détail le premier milliard d'années de l'univers et son refroidissement progressif. Utilisant les récents acquis de la physique des particules élémentaires, les astrophysiciens ont pu esquisser une histoire de l'univers jusqu'à 10^{-43} seconde après le big bang. La physique connue ne peut être extrapolée au-delà, car une théorie quantique de la gravitation serait alors nécessaire. C'est peut-être à 10^{-43} seconde que les quatre forces fondamentales de la nature (les forces électromagnétique, gravitationnelle, nucléaires forte et faible) s'unissent en une seule et unique force. À mesure que le temps passe, l'univers se dilate et se refroidit. La phase inflationnaire, c'est-à-dire celle où l'univers s'agrandit exponentiellement, commence à 10^{-35} seconde et se termine à 10^{-32} seconde. C'est durant cette période, lorsque la force forte se différencie de la force électronucléaire, que l'univers acquiert son homogénéité et sa géométrie plate, que les germes des galaxies futures sont semés, et que les quarks, électrons et neutrinos ainsi que leurs antiparticules surgissent du vide. La nature a une infime préférence pour les quarks par rapport aux antiquarks (un milliardième de plus), ce qui tendrait à penser que le futur univers sera plutôt composé de matière que d'antimatière, et qu'il y aura 1 milliard de photons pour chaque particule de matière.

À 10^{-12} seconde, la force faible se différencie de la force électromagnétique. Les quatre forces sont désormais présentes dans l'univers. La soupe de quarks, d'électrons, de neutrinos, de photons, et de leurs antiparticules est présente jusqu'à 10^{-6} seconde, où survient l'annihilation de la majorité des protons et des neutrons (qui se sont formés à partir des quarks) avec leurs antiparticules. L'univers est maintenant peuplé de photons, de neutrinos, et d'une minorité de protons, de neutrons (1 milliard de fois moins nombreux que les photons), et d'électrons. Aux alentours de 3 minutes, la nucléosynthèse primordiale des noyaux d'hydrogène et d'hélium est achevée. Rien d'important ne se passe jusqu'à environ 300 000 ans. Alors l'univers s'est assez refroidi pour permettre aux électrons de se combiner aux noyaux pour former des atomes d'hydrogène et d'hélium. Cela s'accompagne de l'émission du rayonnement fossile que nous observons aujourd'hui à une température de trois degrés. Les électrons liés aux noyaux n'empêchent plus les photons de se propager. L'univers devient transparent (voir aussi la figure 28). Aux alentours de 1 milliard d'années, les premiers quasars et embryons de galaxies se forment.

La figure 50b montre en détail les événements importants qui se sont déroulés pendant les quatorze derniers milliards d'années : la formation du Soleil et de son système planétaire, il y a 4,6 milliards d'années, la formation de l'atmosphère terrestre et des continents, il y a 500 millions d'années, l'apparition de la vie sur Terre et l'évolution des espèces jusqu'à l'arrivée du premier *Homo sapiens*, il y a 2 millions d'années.

VI

L'invisible et le devenir de l'univers

Trois paramètres pour l'univers

Nous nous sommes longuement penchés sur le passé de l'univers. Nous avons partagé ses péripéties, nous inquiétant quand il s'est trouvé dans l'impasse de l'hélium, puis poussant un soupir de soulagement quand il a inventé l'étoile. Nous avons applaudi à la fertilisation de l'espace par les supernovae et à la venue au monde du Soleil et du système solaire. Puis nous avons admiré l'irrésistible montée vers la vie sur la planète Terre, qui a conduit jusqu'à nous. Passionnés par le livre de l'histoire de l'univers, nous aimerions connaître la suite. Nous sommes curieux de l'avenir de l'univers. L'expansion va-t-elle se poursuivre indéfiniment, l'univers deviendra-t-il infini (on dit qu'il est ouvert★)? Ou bien arrêtera-t-il son expansion pour s'effondrer un jour sur lui-même (univers fermé★)? (fig. 51)

Ce futur ne se lit ni dans les cartes ni dans une boule de cristal, mais il est contenu dans trois nombres, appelés paramètres cosmologiques★, si l'on en croit le mathématicien russe Alexandre Friedmann. Celui-ci avait construit, en 1922, un modèle mathématique en se fondant sur la théorie de la relativité générale publiée par Einstein en 1915. Ce modèle, qui a en même temps l'avantage d'être le plus simple, épouse le mieux les contours de l'univers observé. Le premier paramètre est relié à l'âge de l'univers (il est souvent appelé « paramètre de Hubble★ »). Il nous renseigne sur le rythme des événements, la rapidité à laquelle ils se succèdent, le temps que prend chaque chose à se développer. L'évolution universelle se déroule-t-elle à un train d'enfer, comme dans les passages accélérés des vieux films de Charlot, ou va-t-elle à pas de tortue? Nous savons que l'évolution de l'univers a pris entre 10 et 20 milliards d'années. Si ce dernier refuse de nous livrer son âge exact, c'est parce que nous ne savons pas encore mesurer de façon précise la profondeur cosmique.

Le deuxième paramètre décrit la décélération★ subie par l'univers dans son mouvement d'expansion (on l'appelle paramètre de décélération★). Toute galaxie subit l'influence gravitationnelle de toute la masse (visible et invisible) contenue dans l'univers. La galaxie est freinée dans son mouvement d'expansion : elle décélère.

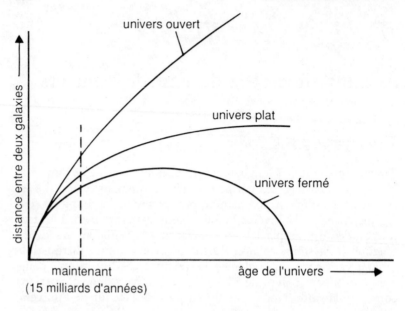

Fig. 51.

Le devenir de l'univers. La gravité exercée par la matière (visible et invisible) ralentit l'expansion de l'univers. Mais parce que nous ne savons pas encore mesurer avec précision la quantité totale de matière, le destin ultime de l'univers n'est pas encore connu. Si la densité de matière est inférieure à une densité critique de trois atomes d'hydrogène par mètre cube, la gravité ne pourra arrêter l'expansion, qui sera éternelle. Les distances entre les galaxies augmenteront sans fin et l'univers sera « ouvert ». Les observations actuelles semblent favoriser ce type d'univers. Si la densité est tout juste égale à la densité critique, l'univers n'arrêtera son expansion qu'après un temps infini. Cet univers, que l'on nomme « plat » (voir la figure 23), aura un destin semblable à celui d'un univers ouvert. Si la densité de matière est supérieure à la densité critique, l'univers atteindra une taille maximale avant de s'effondrer sur lui-même. Dans cet univers dit « fermé », les galaxies se rapprocheront de plus en plus et se désintégreront en particules de lumière et de matière à une température et à une densité extrêmes. L'univers renaîtra-t-il de ses cendres (voir la figure 56)?

Le troisième paramètre est relié au deuxième. Mais au lieu de décrire le ralentissement de l'univers, il s'attaque à la cause même du mouvement de décélération. Il caractérise la masse ou, plus exactement, la densité (la masse divisée par le volume) de l'univers (on l'appelle paramètre de densité*). Si l'univers contient moins de trois atomes par mètre cube, l'expansion ne peut être stoppée. En revanche, il suffit qu'il y ait plus de trois atomes par mètre cube pour que tout bascule : l'univers est condamné à s'effondrer sur lui-même dans le futur. Cette densité critique qui décide du sort de l'univers est un nombre extraordinairement petit, si l'on songe que 1 gramme d'eau contient 1 million de milliards de milliards (10^{24}) d'atomes d'hydrogène. L'univers, en moyenne, est extraordinairement vide.

Un énorme effort d'observation a été fourni au cours des cinq dernières décennies pour mesurer ces paramètres cosmologiques. L'enjeu en vaut la peine. Non seulement ces paramètres nous révéleront le destin de l'univers, mais ils nous ouvriront aussi (nous l'avons vu dans le récit de la formation des structures) les portes de son histoire. Cependant, malgré des efforts prodigieux et des progrès certains, les paramètres cosmologiques ne se sont pas encore laissé cerner avec la précision requise. Comme pour tout ce qui est de nature fondamentale, le secret n'est pas facile à percer. L'univers-sphynx n'a toujours pas répondu.

Admirons de plus près maintenant l'effort acharné des astronomes et les trésors d'invention et d'imagination déployés. Après avoir suivi la lutte farouche engagée pour faire avouer à l'univers son âge véritable, voyons à présent les moyens employés pour lui faire révéler son mouvement de ralentissement.

La décélération de l'univers

Si vous voulez mesurer la décélération de votre voiture, il vous suffit de relever la vitesse de la voiture à deux instants différents, celui où vous commencez à appuyer sur le frein et celui où la voiture est arrêtée. Si elle roule à 100 kilomètres à l'heure (ou à 27,8 mètres par seconde) au début, et s'il vous faut 2 secondes pour freiner complètement, c'est-à-dire pour atteindre une vitesse nulle, la décélération, qui n'est autre que la baisse de vitesse par unité de temps (dans ce cas 1 seconde), serait de (27,8 − 0) mètres par seconde divisé par 2 secondes soit 13,9 mètres par (seconde)^2. En principe, on pourrait mesurer la décélération de l'univers de la même façon. Il suffirait de mesurer la vitesse d'une galaxie quelconque (en utilisant l'effet Doppler*) à deux instants différents, d'en déduire la différence de vitesse et de diviser par la différence de temps pour obtenir la décélération de l'univers. Mais en pratique, ces mesures sont inapplicables. Le ralentissement des galaxies dû à la décélération de l'univers est si infime qu'il est imperceptible pendant les 100 années d'une vie humaine ou même pendant les 2 millions d'années de l'humanité. Il faudrait attendre des milliards d'années, ce qui n'arrange pas nos affaires.

Heureusement, la prodigue nature vole à notre secours. Elle nous donne un moyen précieux pour percer ses secrets. Puisque nous ne pouvons pas attendre que le temps passe, elle s'arrange pour que nous puissions nous promener dans le passé. La lumière porteuse d'information nous permet de voyager dans le temps parce que sa propagation n'est pas instantanée. Bien que possédant la vitesse maximale dans l'univers, elle ne parcourt que 300 000 kilomètres par seconde et met du temps pour nous parvenir. Nous observons l'univers toujours avec un certain retard. En emprisonnant la lumière de galaxies de plus en plus lointaines, nous remontons le fleuve du passé de l'univers : les télescopes sont de vraies machines à remonter le temps. Ainsi, pour mesurer la décélération de l'univers, il suffirait en principe de mesurer la vitesse de deux galaxies à des distances différentes. Cela équivaudrait à mesurer la vitesse de l'expansion de l'univers à deux instants différents, et l'on obtiendrait sa décélération.

Le problème de la profondeur cosmique se dresse une fois de plus sur notre chemin. Pour connaître la décélération de l'univers, il nous faut obtenir l'âge des galaxies en même temps que leurs vitesses. Pour les dater, il nous faut connaître leurs distances. Le marin en mer utilise la brillance apparente d'un phare (dont il connaît la vraie brillance) pour estimer la distance qui sépare son bateau du rivage. De même, nous l'avons vu, l'astronome doit avoir recours à des phares cosmiques dont il connaît la vraie brillance pour obtenir la troisième dimension de l'univers. Parmi la faune des objets astronomiques qui peuplent l'univers, les galaxies elliptiques géantes au cœur des amas* semblent toutes désignées pour jouer ce rôle de phare. Elles brillent d'un feu extrême : étant donné qu'elles sont environ 5 fois plus lumineuses que leurs compagnes de taille normale, on peut les voir à de très grandes distances. Dans notre voyage vers le passé, elles permettent de remonter au moins jusqu'à la moitié de l'âge de l'univers. D'autre part, leur vraie brillance est bien connue et ne varie que très peu d'une galaxie à une autre, tout au moins pour les galaxies elliptiques géantes proches (la variation est inférieure à 40 %). Cette constance en brillance intrinsèque est une propriété absolument essentielle pour un phare : le marin doit pouvoir se dire avec certitude que, si la lumière du phare est faible, c'est qu'il est très loin du rivage. La possibilité qu'il soit en réalité tout proche des rochers qui menacent de couler son bateau, et que la luminosité du phare soit faible parce que sa vraie brillance a diminué, ne doit pas exister. Ainsi, pour tenter de percer le mystère de la décélération de l'univers, l'astronome mesure les brillances apparentes (qui, combinées avec les vraies brillances, donnent les distances et donc les âges) et les décalages vers le rouge (qui indiquent les vitesses par l'effet Doppler) de centaines de galaxies elliptiques géantes (en pratique, il faut observer autant de galaxies elliptiques géantes que possible pour compenser les petites variations de brillance de galaxie en galaxie et les erreurs de mesures individuelles). L'astronome pousse les télescopes et les détecteurs électroniques jusqu'au bout de leurs possibilités. Il traque les galaxies dans leurs repères les plus lointains, si loin que la brillance d'une galaxie entière se réduit à quelques grains de lumière. Il doit essayer de remonter le passé de l'univers autant que faire se peut : la différence de vitesse de l'expansion de l'univers est d'autant plus grande, et donc d'autant plus facile à mesurer, que la différence de temps est élevée. Quant à nous, nous nous frottons les mains : nous allons enfin connaître le paramètre de décélération*. L'univers va enfin nous révéler son ultime destin.

Les galaxies elliptiques géantes ne sont pas de bons phares

Le succès n'était possible que si la vraie brillance des galaxies elliptiques géantes ne variait ni dans le temps ni dans l'espace. Or, on sait maintenant qu'elles évoluent en brillance au moins de deux manières. Il y a d'abord les modifications de brillance dues à l'évolution stellaire*. Les galaxies sont composées d'étoiles qui naissent, vivent et meurent, et qui, par conséquent, varient en brillance. La brillance de la galaxie, qui est la brillance intégrée de toutes les étoiles qui la composent, doit par conséquent changer au cours du temps. Elle diminue de quelques % chaque milliard d'années. Les galaxies lointaines observées dans leur jeunesse exubérante sont intrinsèquement plus brillantes que les galaxies proches entrevues dans leur paisible maturité. Si ce changement de brillance dû à l'évolution des étoiles n'est pas pris en compte, les distances des galaxies lointaines seront sous-estimées (vous les croiriez plus brillantes parce qu'elles sont plus proches), et la décélération de l'univers surestimée (les galaxies lointaines sont plus rapprochées des galaxies proches, donc la décélération est plus grande). Un affaiblissement en brillance de quelques % par milliard d'années peut sembler très insignifiant au premier abord. Mais l'erreur que cela introduit dans la détermination de la décélération de l'univers est telle qu'il n'est plus possible de distinguer un univers ouvert, à expansion éternelle, d'un univers fermé qui s'effondrera dans le futur, notre but ultime.

Nous avons échoué parce que les galaxies elliptiques géantes ne sont pas de bons indicateurs de distance, parce que leur brillance varie en fonction du temps. Qu'importe, me direz-vous ? Puisque nous connaissons la cause de cette variation, il suffit de la calculer et de corriger les brillances des galaxies elliptiques géantes de cet effet afin de leur rendre le statut de phares. Malheureusement, c'est plus vite dit que fait. Pour calculer l'évolution des galaxies due à l'évolution stellaire, il nous faut connaître le taux de formation d'étoiles dans les galaxies en fonction du temps, et leur distribution en masse, deux quantités fort mal connues à l'heure actuelle. Le problème de la formation des étoiles reste un des problèmes fondamentaux en astrophysique et, tant que le voile ne sera pas levé, l'évolution des galaxies ne pourra pas être calculée avec la précision requise.

Des repas de galaxies

L'autre cause d'évolution des galaxies elliptiques géantes vient de leur prédilection à dévorer leurs compagnes plus petites. Nous avons vu que, dans le cœur très dense des amas, les galaxies interagissent à travers la gravité. Ces interactions freinent les galaxies dans l'amas et les font tomber progressivement en spirale vers la galaxie elliptique géante, au centre de l'amas, qui finit par les dévorer. Ce « cannibalisme galactique » fait que la plus grosse galaxie grossit de plus en plus en engloutissant ses compagnes plus chétives et qu'elle devient, de ce fait, de plus en plus lumineuse.

L'effet net de cette évolution dite « dynamique » est l'inverse de celui créé par l'évolution stellaire. Les galaxies elliptiques géantes proches contemplées dans leur maturité gagnent en brillance intrinsèque par rapport aux galaxies lointaines vues dans leur jeunesse : elles ont eu plus de temps pour exercer leurs cannibalisme et se gaver de nourriture. De nouveau, la croissance en brillance est de l'ordre de quelques % par milliard d'années, ce qui est suffisant pour perturber complètement nos efforts pour déterminer la décélération de l'univers. Encore une fois, notre ignorance du cannibalisme galactique est telle que cet effet ne peut être pris en compte avec la précision requise.

En somme, la détermination du paramètre de décélération* se présente mal. Les effets d'évolution nous aveuglent et nous empêchent de distinguer entre un univers ouvert et fermé. Pouvons-nous sortir de cette impasse en utilisant des phares autres que les galaxies elliptiques géantes ? Les quasars, quand ils furent découverts en 1963, soulevèrent un immense espoir. C'étaient des phares idéaux, extrêmement lumineux et aux confins mêmes de l'univers. Malheureusement, il fallut vite déchanter. D'un quasar à l'autre, la brillance intrinsèque variait d'un facteur supérieur à 1 000, ce qui les rendait inutilisables comme phares. D'autres candidats furent proposés, mais en fin de compte, le problème fondamental et mal compris de l'évolution des galaxies dressait toujours une barrière infranchissable. Le télescope spatial (voir figure 12) débloquera-t-il la situation ? Il pourra observer plus loin, et capturer des galaxies à un âge beaucoup moins avancé et à un stade d'évolution inférieur. Ces observations comparées à celles des galaxies proches, dont l'évolution est plus avancée, permettront de raffiner les corrections d'évolution. Peut-être alors seulement l'univers consentira-t-il à nous révéler son taux de ralentissement.

La masse invisible de l'univers

En attendant, nous faut-il renoncer à tout espoir de connaître le destin ultime de l'univers ? Pas le moins du monde, car le troisième paramètre — la densité moyenne de matière dans l'univers — peut nous aider à répondre à cette question. La décélération de l'univers dépend de la quantité de matière qu'il contient. Ainsi, en répertoriant le contenu en masse de l'univers, nous disposerons d'un autre moyen pour connaître son futur.

Retour en arrière. Pasadena, Californie, 1933. Dans un des bureaux du California Institute of Technology, le Suisse Fritz Zwicky vérifie et revérifie ses calculs. Il vient d'achever une série d'observations des mouvements des galaxies de l'amas de la Vierge, ce qui lui permet de déterminer la masse totale de l'amas. Il a fait le bilan de toutes les incertitudes possibles : celles qui sont liées à l'observation ou au manque de données, hypothèses trop simplificatrices, etc. Rien à faire. Il lui faut se rendre à l'évidence : la masse totale de l'amas est considérablement supérieure à la somme des masses des galaxies individuelles.

Pour la première fois, l'observation vient de suggérer l'existence d'énormes quantités de masse invisible*. Cinquante-cinq ans plus tard, le problème de la masse invisible hante et obsède toujours la conscience des astrophysiciens. Les nombreuses observations qui se sont accumulées depuis n'ont fait que donner raison à Zwicky. La masse invisible semble être partout. Elle envahit toutes les structures connues de l'univers, des chétives galaxies naines jusqu'aux superamas les plus gigantesques. Même les physiciens des particules s'en sont récemment mêlés. Ils réclament haut et fort la présence de grandes quantités de masse invisible. Celle-ci est devenue leur enfant chéri. En les cachant sous les voiles de l'invisibilité, ils espèrent ainsi donner un air de respectabilité à toutes les particules exotiques et massives qui, selon eux, sont nées dans les tout premiers instants de l'univers et qui, jusqu'ici, n'existent encore que dans leur imagination débridée.

Avec une grande réticence, l'astronome a dû se faire à l'idée qu'il vit dans un « univers-iceberg », dont la presque totalité de la masse n'est pas directement accessible à ses instruments. Mais il y a une différence fondamentale entre l'iceberg et l'univers : nous savons de quoi est faite la masse immergée de l'iceberg, alors que la nature de la masse invisible reste un formidable défi pour l'esprit humain. Dans notre inventaire du contenu en masse de l'univers, il va falloir faire très attention à inclure à la fois le visible et l'invisible.

Comment peser l'univers

Comment mesurer l'invisible ? La tâche semble insurmontable au premier abord. Heureusement, Newton est là pour nous dire que la solution est plus simple qu'il n'y paraît : lorsque la matière étudiée est répartie en plusieurs corps distincts, étoiles ou galaxies, c'est sa chère gravitation universelle qui mène le bal. Pour obtenir la masse totale d'un ensemble d'étoiles ou de galaxies reliées par la gravité, il suffit d'étudier les mouvements (qu'on mesurera par effet Doppler) des étoiles ou galaxies individuelles. (On suppose que l'ensemble est en équilibre, qu'il n'est ni en expansion ni en train de s'effondrer.) Des vitesses élevées seront alors le signe d'une grande masse. Elles doivent être importantes pour contrebalancer la forte gravitation et l'attraction intense de la forte masse. Inversement, des vitesses faibles trahiront la présence d'une masse réduite.

Point essentiel, ces mouvements mesurent *toute* la masse présente, lumineuse ou non, visible ou invisible. On pourrait, pour illustrer le point, se transporter dans le système solaire, où les planètes évoluent gracieusement dans le champ de gravitation du Soleil. Imaginons qu'une main géante comprime le Soleil au-delà du rayon de non-retour* et qu'il devienne un trou noir*. Les planètes continueront leur révolution autour du trou noir comme si de rien n'était. Seule conséquence catastrophique : la vie sur Terre, faute d'énergie, s'éteindrait. Imaginons que des extra-terrestres visitent notre système solaire. En observant les mouvements des planètes, ils n'auront aucune peine à déduire que, là où se trouve notre astre maintenant, existe un objet invisible de la masse du Soleil. Dans le même ordre d'idées, l'astronome français Le Verrier a découvert en 1846 la planète Neptune en scrutant les perturbations exercées par une masse inconnue sur le mouvement d'Uranus. L'étude très détaillée des orbites des sondes américaines Surveyor autour de la Lune a révélé que celle-ci n'était pas homogène, mais présentait différentes concentrations de masse (des « mascons »). Les mouvements révèlent à l'astronome la « cartographie » du champ de gravitation. Grâce à Newton, nous sommes prêts maintenant à faire l'inventaire de l'univers. Partons à la recherche de la masse invisible.

Le principe cosmologique

Il est bien évident qu'en pratique nous ne pouvons pas dresser une liste du contenu de *tout* l'univers. Des vies entières n'y suffiraient pas. Il nous faut adopter un principe simplificateur qui nous facilitera la tâche. Ici intervient le fantôme de Copernic. Il nous rappelle que ni la Terre, ni le Soleil, ni la Voie lactée, ni le groupe local, ni le superamas local ne sont des endroits privilégiés ou spéciaux. Ces mêmes structures sont reproduites en des milliards d'exemplaires dans l'immensité de l'univers. Notre coin d'univers n'a rien de particulier. Alors, pourquoi ne pas parier que tous les autres coins sont pareils, que l'univers est semblable à lui-même en tout lieu (on dit qu'il est homogène★) et dans toutes les directions (il est isotrope★)? Les cosmologistes acceptent le pari. Le « principe cosmologique★ » qui suppose que l'univers est homogène et isotrope constitue un des postulats fondamentaux de la relativité générale★ d'Einstein. Il a été confirmé de façon spectaculaire par l'observation du rayonnement fossile à 3 degrés qui baigne tout l'univers. La température de ce rayonnement ne varie pas de plus de 0,01 % d'un coin du ciel à l'autre. Nous poussons un grand soupir de soulagement. Il nous suffit de faire l'inventaire de la masse et de mesurer la densité moyenne de matière autour de nous. Selon le principe cosmologique, la densité moyenne de matière dans le reste de l'univers est la même. Il faut cependant prendre bien soin de répertorier le contenu d'un volume assez grand afin qu'il soit représentatif du reste de l'univers, un volume qui aurait au moins la dimension du superamas local.

Quelque chose d'obscur autour des galaxies

Commençons notre exploration de l'invisible. Explorons d'abord notre « jardin », le voisinage solaire. Suivons le mouvement des étoiles dans une région de quelque 300 années-lumières autour du Soleil. Comme dans un immense manège galactique, les étoiles tournent sans relâche autour du centre de la Voie lactée. Se propulsant à travers l'espace à quelque 230 kilomètres par seconde, le Soleil boucle un tour tous les 250 millions d'années. Tout comme des chevaux de bois qui montent et descendent pendant que tourne le manège, les étoiles vont et viennent perpendiculairement au disque galactique* (à environ 10 kilomètres par seconde) pendant leur promenade autour du centre galactique. Ce mouvement de va-et-vient révèle la densité totale de matière dans le disque. Une forte densité se traduirait par un mouvement rapide tandis qu'un mouvement léthargique refléterait une faible densité. Additionnons toute la matière du voisinage solaire visible au télescope : étoiles, naines blanches, gaz d'hydrogène (atomique et moléculaire). Première surprise : la densité de la matière visible n'est que la moitié de la densité totale. L'invisible commence à montrer le bout de son nez. Dans notre petit jardin, il y a autant de masse invisible que de visible.

Continuons notre exploration. A cause de l'absorption de la lumière visible par les grains de poussière interstellaire* dans le plan galactique, nous ne pouvons pas voir plus loin que le bout de notre jardin avec nos télescopes optiques (pour capturer le monde extragalactique lointain, nous pointons nos télescopes optiques dans la direction perpendiculaire au plan galactique, où l'absorption par la poussière est considérablement réduite). En revanche, la galaxie est transparente aux ondes radio émises par le gaz d'hydrogène atomique. Celles-ci peuvent traverser la Voie lactée de part en part sans être absorbées. De plus, dans le plan galactique des galaxies spirales, le gaz d'hydrogène s'étend généralement de 2 à 3 fois plus loin que les étoiles, jusqu'à 100 000 années-lumières du centre (fig. 52). Les mouvements des atomes d'hydrogène vont nous permettre d'explorer une région 300 fois plus vaste que le voisinage solaire. C'est tout le quartier environnant qui s'ouvre à notre curiosité.

Les atomes d'hydrogène, tout comme les étoiles, se déplacent en équilibre sur des orbites quasi circulaires autour du centre de la galaxie, à quelques centaines de kilomètres par seconde. Ces mouvements contiennent en eux le secret de la distribution de la masse dans la Voie lactée (ou dans toute autre galaxie spirale). Une masse plus grande à l'intérieur de l'orbite d'un atome d'hydrogène correspondrait à un mouvement circulaire plus rapide, et *vice versa*. Pour cartographier la masse, il suffit donc de scruter le mouvement de rotation du gaz en fonction de la distance au centre galactique (dans le jargon du métier, on dit qu'on établit une « courbe de rotation »).

Les radioastronomes se mirent au travail avec acharnement. Et, de nouveau, une surprise de taille les attendait au bout du chemin.

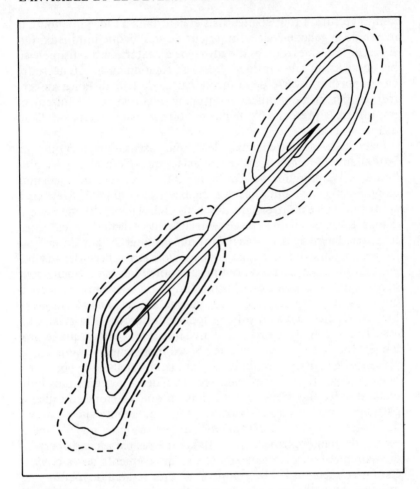

Fig. 52.

Le disque gazeux d'une galaxie spirale vu par un radiotélescope. Le disque de gaz d'hydrogène d'une galaxie spirale, bien que non visible, émet des ondes radio. Avec un télescope radio, on peut le voir s'étendre sur un rayon de 2 à 3 fois plus grand que le rayon du disque visible formé par les étoiles. L'étude des mouvements de ce gaz d'hydrogène permet de conclure à l'existence d'un énorme halo massif et invisible, de nature encore inconnue, qui entoure la partie visible de la galaxie spirale (voir la figure 53).

Les atomes d'hydrogène montraient une constance des plus surprenantes dans leur vitesse de rotation. Quel que fût l'endroit où ils se situaient (excepté près du noyau de la galaxie), ils tournaient obstinément à la même vitesse de 230 kilomètres par seconde. Les astronomes en furent tout ébahis. Ils s'étaient faits à l'idée que toute la masse de la galaxie était à l'intérieur de son disque lumineux. Or, si c'était le cas, les atomes d'hydrogène à l'extérieur du disque visible auraient dû ralentir (leur vitesse de rotation aurait dû décroître en proportion inverse de la racine carrée de leur distance au centre). Le fait même qu'ils ne montraient aucun signe d'épuisement impliquait la présence d'une masse noire invisible bien au-delà du disque visible.

Dans le cas de notre galaxie, le disque gazeux s'arrête à quelque 70 000 années-lumières du centre galactique. Comment aller plus loin dans l'exploration de l'invisible ? Il faut trouver des objets plus éloignés, mais toujours liés à la galaxie par la gravité. Mettons à contribution les mouvements des amas globulaires* (les mêmes qui délogèrent le Soleil de sa place centrale) et les galaxies naines* satellites (tels les nuages de Magellan) qui orbitent autour de la Voie lactée. La masse totale de matière peut alors être répertoriée jusqu'à 200 000 années-lumières du centre galactique. Les mouvements sont décortiqués et la même conclusion s'impose à nouveau : il y a quelque chose d'obscur autour de notre galaxie. Où est la masse-mystère ? Est-elle répartie dans un volume sphérique autour de la galaxie ou est-elle confinée dans un disque invisible qui ne serait que le prolongement de son disque visible ? Si les mouvements trahissent la présence de la masse invisible, ils sont bien incapables de nous indiquer sa répartition. Il faut avoir recours à des arguments plus indirects, d'ordre théorique. Nous avons vu que les étoiles du disque participent à un manège fantastique, tournant à toute vitesse autour du centre galactique à 230 kilomètres par seconde, mais allant et venant de manière léthargique à 10 kilomètres par seconde perpendiculairement au plan galactique. Ces mouvements de va-et-vient étant extrêmement faibles comparés au mouvement de rotation, les calculs montrent que les étoiles devraient s'organiser en une structure qui ressemble à une gigantesque barre d'où partiraient les bras spiraux après un tour de manège, soit 250 millions d'années après. Or il n'en est rien. Notre Voie lactée ne possède pas une telle structure en son cœur. Cette absence pourrait s'expliquer si un halo* sphérique, massif et invisible entourait la galaxie visible. Il empêcherait la formation de la barre centrale. Les mouvements des étoiles, des atomes d'hydrogène, des amas globulaires et des galaxies naines, jalons de la masse invisible, nous disent que la masse du halo croît proportionnellement à la distance au centre de la galaxie visible. La masse du halo intérieure à la sphère délimitée par le Soleil (un rayon de 30 000 années-lumières) est égale à 100 milliards (10^{11}) de Soleils, comme la masse totale du disque. En allant 6 fois plus loin (à un rayon de 180 000 années-lumières), la distance de notre dernier jalon (une galaxie naine), la masse du halo invisible devient 6 fois plus grande, soit la masse de 600 milliards de Soleils.

L'étendue de la masse invisible

Mais où s'arrêtent les halos invisibles des galaxies ? Comment sonder leurs limites ? Il nous faut découvrir des poteaux indicateurs encore plus éloignés. On se rappelle que les galaxies se trouvent souvent en couple (appelé « binaire* »), liées ensemble par la gravité. Le mouvement d'une des galaxies par rapport à l'autre peut en principe nous dévoiler la masse totale, visible et invisible, de la binaire. La masse invisible peut alors être sondée jusqu'à des distances environ 7 fois supérieures au rayon optique d'une galaxie, jusqu'à 300 000 années-lumières. C'est toute la ville qui peut ainsi être explorée. De nouveau, la masse invisible impose sa présence. Ce « quelque chose d'obscur » englobe chacune des galaxies de la paire jusqu'à au moins 300 000 années-lumières. La masse invisible intérieure à ce rayon (toujours proportionnelle à ce rayon) est maintenant 10 fois plus grande que celle du disque visible. Elle atteint la masse de 1 000 milliards (10^{12}) de Soleils.

Nous n'avons toujours pas atteint, semble-t-il, les limites de l'invisible. Il nous faut passer à une échelle 10 fois plus grande que celle des binaires et traquer la masse invisible dans les groupes de galaxies*. Explorons à présent le département où se trouve notre ville. Promenons-nous d'abord dans le groupe local*. Outre notre Voie lactée, il contient notre proche voisine, la galaxie Andromède*. Du point de vue des forces gravitationnelles, le groupe local peut être considéré comme une binaire composée seulement de la Voie lactée et d'Andromède, car les autres galaxies sont naines et de masse négligeable. Comment déterminer la masse du groupe local ? Utilisons notre vieille recette et scrutons le mouvement d'Andromède.

Surprise ! Au lieu de s'éloigner de la Voie lactée, comme le font la plupart des autres galaxies, Andromède se dirige droit vers notre galaxie, à une vitesse de 90 kilomètres par seconde ! Sa lumière, au lieu d'être décalée vers le rouge, vire au bleu ! Cependant, à l'origine, il y a 15 milliards d'années, Andromède devait, comme les autres galaxies, s'éloigner de la Voie lactée. Le mouvement d'expansion de l'univers provoqué par l'explosion originelle l'y obligeait. Le mouvement a donc dû s'inverser à une certaine époque de l'histoire cosmique. La masse totale du groupe local doit être assez grande pour freiner, par gravitation, la fuite d'Andromède et la contraindre à faire demi-tour. Un calcul simple nous indique que cette masse est de l'ordre de 2 000 milliards de masses solaires. Si la Voie lactée et Andromède, très semblables par ailleurs, ont à peu près la même masse, chacune de ces galaxies « pèse » donc 1 000 milliards de Soleils, soit 10 fois plus que ce que « pèsent » les parties visibles. Cela nous rappelle quelque chose : c'est exactement la masse obtenue dans notre exploration des binaires. Pourtant, la séparation d'Andromède et de la Voie lactée (2,3 millions d'années-lumières) est 7 fois plus grande que celle des binaires. Une seule conclusion possible : nous avions déjà atteint les limites de l'invisible avec les binaires. Explorer plus loin ne nous a rien apporté de plus.

Pour en avoir le cœur net, explorons les mouvements des galaxies dans d'autres groupes. Leur taille moyenne, de 6 millions d'années-lumières, nous propose une zone d'investigation vingt fois plus grande que les binaires. La même conclusion s'impose. Il n'y a pas plus de matière invisible dans les groupes que dans les binaires. La matière invisible ne s'étend pas au-delà de 300 000 années-lumières autour des galaxies. Elle est répartie dans des halos géants de 1 000 milliards de masses solaires et constitue 90 % de la masse totale des galaxies (fig. 53).

De la matière invisible intergalactique

Franchissons un nouveau pas dans l'échelle de l'univers et partons à la recherche de la masse invisible dans les amas de galaxies. Une galaxie sur dix dans l'univers se trouve dans ces amas (la majorité des autres sont dans des groupes). Nous disposons maintenant d'un champ d'investigation de quelque 15 millions d'années-lumières. C'est une grande partie du pays qui s'ouvre à notre exploration. C'est dans un de ces amas, l'amas de la Vierge, que le Suisse Fritz Zwicky découvrit pour la première fois la masse invisible. De nouveau, suivons à la loupe les mouvements des galaxies dans les amas. Cette fois, le résultat est différent. La masse invisible se trouve en quantité de 2 à 3 fois supérieure dans les amas que dans les groupes ou dans les binaires. La masse invisible, qui représente plus de 90 % de la masse totale des amas, serait donc de deux types : d'une part, celle attachée aux galaxies individuelles de l'amas et, d'autre part, une masse invisible intergalactique, localisée entre les galaxies de l'amas, en quantité à peu près égale.

Il nous reste à faire le pas final et à explorer la plus grande structure de matière connue dans l'univers, le superamas de galaxies. Concentrons-nous en particulier sur notre superamas local★. Notre

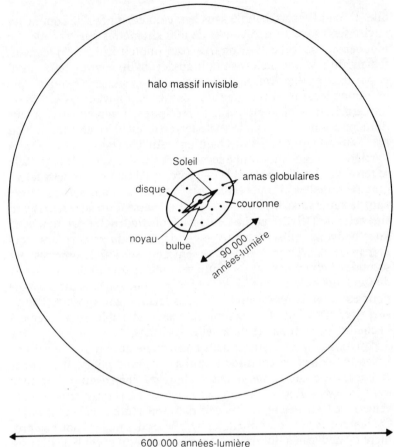

Fig. 53.

Quelque chose d'obscur autour des galaxies. Les études des mouvements des étoiles et du gaz dans les galaxies spirales montrent que celles-ci sont entourées d'un énorme halo invisible, de 5 à 10 fois plus grand et plus massif que la partie visible. Cette masse invisible apparaît omniprésente dans l'univers, mais sa nature reste un mystère.

terrain de recherche est devenu le pays tout entier. Il s'étend sur quelque 60 millions d'années-lumières. Le superamas local contient environ 10 000 galaxies assemblées en une dizaine de groupes et d'amas, tous liés les uns aux autres par la gravité. Ces galaxies s'organisent en une vaste structure en forme de crêpe aplatie. Le groupe local se trouve au bord de la crêpe dont le centre est occupé par l'amas de la Vierge (voir figure 31). Le groupe local n'est pas immobile. Il fend l'espace baigné dans le rayonnement fossile comme un navire fend l'eau, à une vitesse de 600 kilomètres par seconde. Le mouvement se traduit par un très léger (moins de 0,01 %) réchauffement du rayonnement cosmique au-devant du navire-groupe local et par un très léger refroidissement dans son sillage. (Pendant que le groupe local fend l'immensité cosmique, à l'avant les grains de lumière du rayonnement fossile se précipitent à sa rencontre, et leur lumière observée depuis le socle terrestre est décalée vers le bleu par l'effet Doppler. Ils s'échauffent. Au contraire, la lumière à l'arrière s'éloigne du groupe local et est décalée vers le rouge. Elle se refroidit.) Le groupe local bouge parce qu'il est tiré par deux forces gravitationnelles : l'une exercée par la masse de l'amas de la Vierge dans le superamas local et l'autre par la masse d'un superamas voisin, celui de l'Hydre et du Centaure (voir figure 27). De nouveau, nous pouvons utiliser le mouvement de chute du groupe local vers l'amas de la Vierge (celui-ci est environ de 250 kilomètres par seconde ; le mouvement de chute vers le superamas de l'Hydre et du Centaure est plus rapide, de l'ordre de 550 kilomètres par seconde) pour explorer la masse invisible dans le superamas local*. Pas de surprise, cette fois. La quantité de masse invisible est la même à l'échelle des superamas qu'à celle des amas.

Pouvons-nous en rester là dans notre quête de la masse invisible ? Le volume du superamas local est-il assez grand pour nous donner en spectacle toute la merveilleuse chorégraphie cosmique, et donc toute la masse ? Retrouvons-nous, au-delà du superamas local, le mouvement de l'expansion de l'univers dans son expression la plus pure ? On le pensait très récemment encore. Mais des nuages noirs se profilent de nouveau à l'horizon. Le superamas local et celui de l'Hydre et du Centaure, au lieu de suivre sagement l'expansion de l'univers, semblent dériver dans la direction de la constellation de la Croix du Sud, à plusieurs centaines de kilomètres par seconde, probablement attirés par la gravité d'une énorme concentration de matière de nature inconnue. Celle-ci a été surnommée le « Grand Attracteur* », faute d'informations supplémentaires (voir figure 27). Sa masse serait 30 fois supérieure à celle du superamas local et équivalente à celle de dizaines de milliers de galaxies. Les astronomes sont en train de tout faire pour confirmer l'existence du Grand Attracteur. S'ils réussissent, il nous faudra réviser à la hausse la masse et la densité de l'univers. Affaire à suivre...

Étoiles et planètes avortées

La recherche de la masse invisible doit s'arrêter ici, peut-être provisoirement. En attendant, elle se fait sentir, par l'intermédiaire de la gravitation, à toutes les échelles explorées. Obsédante, omniprésente, tout près ou au loin, son influence est dominante quel que soit le système visible considéré. Elle représente environ 90 % de la masse de l'univers. Fritz Zwicky avait soulevé un sacré lièvre !

Le vertige passé, l'astronome — comme le lecteur — doit se ressaisir et essayer d'en savoir plus. Quelle est la nature de la masse invisible ? De quoi est-elle composée ? C'est la plongée dans les eaux froides de l'infini pour tenter de reconnaître l'univers-iceberg, après en avoir découvert l'existence...

Autant le dire tout de suite, la nature de cette masse invisible nous reste totalement inconnue. Le mystère est complet. Après cinquante-cinq années de recherches, nos connaissances n'ont pas beaucoup progressé. Certaines observations permettent d'affirmer ce que la masse invisible ne peut pas être, mais il reste tout de même d'innombrables hypothèses possibles. Privé des photons porteurs d'information, l'astronome est littéralement plongé dans le noir, et ne peut avoir recours qu'à une approche très indirecte, donc très incertaine, pour tenter de percer le secret de la nature de la masse invisible. L'état de notre ignorance est tel que seule l'absurdité inhérente à cette hypothèse m'empêche de proposer comme masse invisible d'innombrables copies de ce livre flottant au milieu de l'espace !

Passons en revue les nombreux candidats qui se sont présentés pour décrocher le rôle de la masse invisible. Aucun n'a soulevé l'enthousiasme unanime du jury. Viennent d'abord les étoiles avortées, celles dont la masse est inférieure à un centième de la masse du Soleil et dont la température au centre n'est pas assez élevée pour que des réactions thermonucléaires puissent s'y déclencher. Comme elles sont petites par rapport aux étoiles et de couleur sombre parce qu'elles ne brillent pas, ces étoiles avortées sont également connues sous le nom de « naines brunes* ». Jupiter, la reine des planètes dans notre système solaire, avec un millième de la masse du Soleil, est elle-même une étoile avortée. Elle est incapable de briller par elle-même : la jolie lumière qu'elle émet par les belles nuits claires n'est autre que celle, reflétée, du Soleil. Pierre Corneille pensait peut-être à ces étoiles ratées quand il évoquait « cette obscure clarté qui tombe des étoiles »... Puis viennent les planètes avortées, les astéroïdes* si chers au Petit Prince d'Antoine de Saint-Exupéry. Morceaux de pierre au paysage déchiqueté, dont la taille va de quelques kilomètres à plusieurs centaines de kilomètres, ils sont si peu massifs que la gravité n'a pas pu les sculpter en sphères. Ces étoiles et ces planètes avortées restent en course, jusqu'à nouvel ordre, comme des candidats plausibles pour la masse invisible : le jury n'a pu trouver d'arguments suffisamment convaincants pour les éliminer.

Dieu joue-t-il aux cosminos ?

On ne peut en dire autant des comètes*, ces grosses boules de neige et de glace qui ne s'allument que lorsqu'elles pénètrent dans notre système solaire, en reflétant la lumière du Soleil. Si elles constituent vraiment 90 % de la masse de l'univers, on devrait les voir visiter beaucoup plus souvent notre système solaire. Et que penser des cadavres d'étoiles ? Après tout, nous savons que les étoiles meurent en laissant des naines blanches*, des étoiles à neutrons* ou des trous noirs*. Ces cadavres stellaires compacts et non lumineux, s'ils étaient en assez grand nombre, seraient tout désignés pour constituer la masse invisible. Mais il faut vite déchanter : les étoiles, nous l'avons vu, éjectent en mourant les métaux lourds fabriqués en leur sein. Si 90 % de la masse de l'univers étaient constitués de cadavres stellaires, la quantité de métaux éjectée dépasserait de loin celle observée dans les étoiles et dans les galaxies. Restent les mini-trous noirs primordiaux* nés, peut-être, dans les premiers instants de l'univers. Ils n'ont pas de parenté avec les étoiles, la contrainte de l'abondance des métaux lourds ne les concerne donc pas. Mais on devrait les voir exploser maintenant avec l'éclat de millions de milliards de galaxies. Or, ils demeurent désespérément absents.

Des nuages de gaz d'atomes d'hydrogène, alors ? Ils émettraient une trop forte émission radio en comparaison de ce qui est observé. Des nuages de gaz d'hydrogène chaud ionisé ? Les atomes d'hydrogène dans le gaz chauffé s'entrechoquent violemment. La force électromagnétique n'est plus assez forte pour maintenir ensemble le proton et l'électron dans l'atome d'hydrogène. Les protons et les électrons se libèrent et on dit que le gaz est ionisé. Il y a bien, au cœur des amas de galaxies, un gaz d'hydrogène chauffé à des millions de degrés dont la présence se manifeste par une forte émission de rayons X détectée par les observatoires spatiaux. Mais la masse de ce gaz chaud ne représente que 10 % de la masse de l'amas.

Rien de très convaincant jusqu'ici. Notre plongée dans l'eau froide n'a rien donné. Face à cette situation, il a bien fallu se tourner vers d'autres possibilités, beaucoup moins conventionnelles. Les spéculations sur la nature de la masse invisible ont ainsi pris une tournure nouvelle, grâce aux développements récents dans le domaine de la physique des particules : les théories de « grande unification » qui tentent de fondre les quatre forces de la nature en une seule, dans les tout premiers instants de l'univers. Elles prédisent, nous l'avons vu, l'existence d'une foison de particules ayant toutes une masse et aux noms plus exotiques et poétiques les unes que les autres : neutrinos, gravitinos, photinos (nous appellerons « cosminos* » toutes ces particules dont le nom se termine par « nos »), axions... Excepté les neutrinos, toutes ces particules n'existent encore que dans l'imagination des physiciens. Quant à mesurer la masse des neutrinos, c'est encore une autre paire de manches. Américains, Soviétiques, Allemands et Français travaillent nuit et jour pour trouver la masse du neutrino. Mais jusqu'à présent, elle demeure insaisissable.

En attendant, signalons seulement que si les neutrinos avaient une masse égale au millionième de celle de l'électron, ils domineraient, en raison de leur grand nombre, la masse de l'univers. Ils pourraient même stopper son expansion si leur masse était le dix-millième de celle de l'électron. Mais un univers à neutrinos massifs ne peut pas, nous l'avons vu, tisser la belle tapisserie cosmique des galaxies. La matière invisible froide (photinos, higgsinos, etc.) ferait mieux l'affaire, mais sa réalité reste à confirmer. « Dieu ne joue pas aux dés », disait Einstein. Jouerait-il aux cosminos ? La nature a plus d'un tour dans son sac et la solution finale du problème de la masse invisible ne manquera pas de nous surprendre tous. En tout cas, il semble bien établi maintenant que de 90 à 98 % de la masse de l'univers est invisible. Admirons une fois de plus la sagesse du renard qui affirmait déjà au Petit Prince : « L'essentiel est invisible pour les yeux. » Mais qu'est-ce que l'essentiel ?

Des mirages cosmiques

Le mystère de la masse invisible reste donc entier. Une lueur d'espoir se profile cependant à l'horizon : depuis quelques années, les astronomes ont découvert un nouveau phénomène qui porte la promesse d'élucider bien des questions sur la quantité totale de matière (visible et invisible) dans l'univers et sur sa répartition spatiale. Il s'agit du phénomène des mirages gravitationnels.

Des mirages gravitationnels se produisent quand deux astres (ou plus) situés à des distances différentes de la Terre sont parfaitement (ou presque) alignés avec cette dernière et paraissent coïncider (ou presque) dans le ciel. La lumière de l'astre le plus éloigné, un quasar par exemple, doit, pour nous parvenir, traverser le champ de gravité de l'astre le plus proche, et, ce faisant, est déviée (voir la figure 25 illustrant la déviation de la lumière par le Soleil). Cette déviation de la lumière entraîne une transformation, une déformation ou même une multiplication de l'image du quasar. Einstein avait démontré, dès 1936, en utilisant la relativité générale*, que si deux étoiles étaient alignées avec la Terre, l'étoile la plus éloignée aurait, en plus de son image habituelle de point de lumière, une autre image en forme d'anneau lumineux l'entourant (fig. 54a). L'anneau de lumière constitue une sorte de mirage cosmique, d'illusion optique, car il n'existe pas vraiment. Le cas est analogue à un mirage dans le désert, où le voyageur assoiffé et fatigué découvre, à son grand désespoir que la belle oasis dans laquelle il avait espéré se désaltérer n'est que l'image d'une vraie oasis éloignée de centaines de kilomètres. Le mirage dans le désert résulte aussi de la déviation de la lumière provenant de la vraie oasis, seulement ce n'est pas le champ de gravité d'un astre, mais l'atmosphère surchauffée au-dessus du désert qui est la cause de cette déviation. L'astre le plus rapproché de la Terre dont la gravité dévie la lumière de l'astre plus lointain est appelé « lentille gravitationnelle* ». Tout comme la lentille de vos lunettes courbe la lumière pour corriger votre myopie, la lentille gravitationnelle courbe la lumière des astres pour créer des mirages gravitationnels.

Einstein pensait que l'alignement de deux étoiles avec la Terre était trop improbable et que le phénomène des mirages gravitationnels resterait à l'état de théorie. Le Suisse Fritz Zwicky (celui de la masse invisible) reprit l'idée d'Einstein un an plus tard, en 1937, mais proposa, au lieu d'étoiles, des galaxies et des amas de galaxies comme lentilles gravitationnelles. Les choses en restèrent là pendant les 42 années qui suivirent, car personne n'avait jamais vu un mirage gravitationnel dans le ciel. Jusqu'en 1979, quand une paire de quasars fut découverte. Les deux quasars étaient très proches l'un de l'autre dans le ciel et leurs propriétés étaient rigoureusement identiques : même décalage vers le rouge, même couleur, etc. Cette grande similarité mit la puce à l'oreille des astronomes. Elle ne pouvait être accidentelle. Et si l'un des quasars était le mirage gravitationnel de l'autre ? Cela expliquerait naturellement le fait qu'ils étaient en tout point semblables. Mais pour créer un mirage, il fallait une lentille gravitationnelle. En scrutant soigneusement la région du ciel autour des quasars, une galaxie fut découverte qui était superposée à l'un des quasars. Il n'y avait plus de doute : le premier mirage cosmique avait été trouvé. Il n'y avait en réalité qu'un quasar. La galaxie alignée avec le quasar et la Terre (ce qui fait qu'un observateur terrestre voit des images superposées du quasar et de la galaxie), et située à une distance intermédiaire entre les deux, était la lentille gravitationnelle qui avait créé le mirage du deuxième quasar. Depuis, d'autres mirages cosmiques ont été découverts. Même les anneaux lumineux (ou plutôt des fragments d'anneaux) dont l'existence a été prévue par Einstein ont été vus dans la direction d'amas de galaxies (fig. 54b). L'existence du phénomène de mirage gravitationnel ne fait plus aucun doute.

Quel est le rapport entre ces mirages cosmiques et la masse invisible? Un mirage cosmique résulte de l'interaction complexe entre la lumière d'un astre (étoile, quasar, galaxie ou amas de galaxies) et le champ de gravité d'une lentille gravitationnelle. Celui-ci dépend de la masse totale de matière (visible et invisible), et de sa répartition spatiale dans la lentille. D'autre part, la trajectoire de la lumière est aussi influencée par le champ de gravité de toute matière intergalactique (visible et invisible) qui peut exister entre l'astre et la lentille, et entre la lentille et la Terre. Les mirages cosmiques peuvent donc nous renseigner non seulement sur la masse invisible dans les lentilles, mais aussi dans l'espace intergalactique.

A l'heure où j'écris ces lignes, les mirages cosmiques ne nous ont pas encore beaucoup aidés à progresser dans la solution du mystère de la masse invisible. Ils ont surtout confirmé des faits concernant la masse invisible que nous savions déjà. Par exemple, la présence des arcs lumineux dans les amas de galaxies (voir figure 54b) implique l'existence de 10 fois plus de masse non lumineuse que de masse lumineuse au cœur des amas de galaxies, une conclusion que nous avions déjà atteinte par l'étude des mouvements des galaxies dans les amas. Une des principales raisons de ce manque de progrès vient du fait qu'il n'est pas facile de découvrir ces mirages cosmiques. Après une dizaine d'années de recherche, on n'en connaît encore que moins d'une dizaine. La rareté de ces mirages gravitationnels nous dit que l'espace intergalactique ne peut être rempli de trous noirs massifs (de l'ordre d'un milliard de masses solaires), car ces derniers constitueraient de très bonnes lentilles gravitationnelles. En tout cas, il faut espérer que le nombre de mirages cosmiques vienne à augmenter rapidement, car l'étude de ceux-ci peut un jour nous révéler les secrets de la masse invisible dans l'univers.

Aux dernières nouvelles, l'univers serait ouvert

Revenons à nos moutons. Nous voulions obtenir la densité de matière de l'univers pour connaître son destin. Pour cela, nul besoin de connaître la nature de la masse invisible. Il suffit de savoir qu'elle existe. Calculons d'abord la densité de la masse lumineuse due aux étoiles et aux galaxies : à peine un cinquantième de la densité critique. Ajoutons la densité de la masse invisible. Elle est 10 fois supérieure à celle de la masse lumineuse. La densité totale de matière de l'univers atteint le cinquième de la densité critique.

Nous avons choisi le chemin des galaxies pour parvenir jusqu'à la densité de matière. Nous aurions pu emprunter un tout autre chemin, celui du deutérium*. Cet élément, vous vous en souvenez, a été fabriqué dans les trois premières minutes de l'univers. Son existence est très sensible à la densité de matière dans l'univers. L'abondance du deutérium dans les étoiles et dans les galaxies implique une densité de matière elle aussi égale au cinquième de la densité critique. Un univers plus dense aurait irrémédiablement détruit, par combustion thermonucléaire, lors des premiers instants de l'univers, toute trace de deutérium.

Fig. 54.

Les lentilles gravitationnelles et la masse invisible. Einstein, utilisant la relativité générale, démontra en 1936 que, si deux étoiles étaient alignées sur la même ligne de visée d'un observateur terrestre, l'étoile la plus proche de la Terre (l'étoile 2 dans la figure 54a) agirait comme une lentille gravitationnelle qui produirait une image déformée de l'étoile la plus lointaine (l'étoile 1) : le champ de gravité de l'étoile 2 dévierait la lumière de l'étoile 1 (voir aussi la figure 25) et l'observateur terrestre, au lieu de ne voir qu'un point de lumière à la vraie position de l'étoile 1, apercevrait aussi un anneau circulaire de lumière centrée sur la vraie position de l'étoile 1 (fig. 54a). Cet anneau de lumière est donc comme une sorte de mirage cosmique ; il n'existe pas réellement et n'est que l'image déformée d'une étoile. Einstein perçut la notion de lentille gravitationnelle comme purement théorique, pensant que l'alignement parfait de deux étoiles par rapport à la Terre était trop peu probable.

En cela, Einstein se trompait ! En 1987 fut découvert, sinon un immense anneau de lumière, tout au moins une portion d'anneau de lumière, un arc géant lumineux dans la direction d'un amas de galaxies, à quelque 4 milliards d'années-lumières, dénommé Abell 370 (photo 54b, Soucail *et al.*). L'explication de cet arc est semblable à celle donnée dans la figure 54a, avec de légères variantes : au lieu de l'étoile 2, c'est l'amas de galaxies Abell 370 (et surtout sa partie centrale, celle qui est la plus dense) qui joue le rôle de lentille gravitationnelle. À la place de l'étoile 1 se trouve maintenant une galaxie. L'image de la galaxie est déformée par la partie centrale de l'amas en un immense arc lumineux. L'image n'est pas un anneau lumineux complet parce que la galaxie et le cœur de l'amas ne sont pas parfaitement alignés. Il a été vérifié, en mesurant les distances grâce aux décalages vers le rouge de la lumière des galaxies dans l'amas et de celle de l'arc, que l'arc se trouve bien à une distance beaucoup plus grande que celle de l'amas, à quelque 6 milliards d'années-lumières de nous.

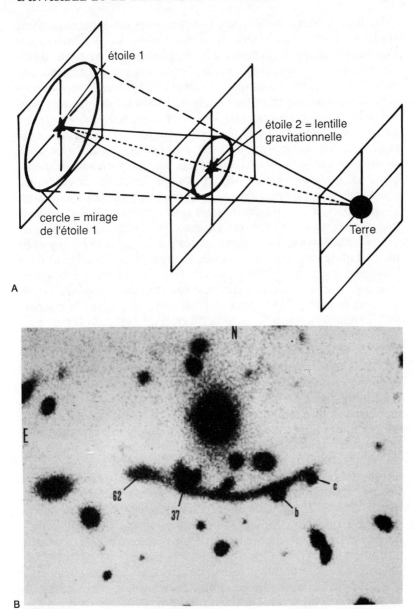

On connaît, à l'heure actuelle, 3 cas d'arcs lumineux géants dans la direction d'amas de galaxies. Les propriétés de ces arcs (forme, longueur, orientation, etc.) permettent de déduire la masse totale, visible et invisible, de la partie centrale des amas qui les produisent. Les lentilles gravitationnelles peuvent donc être considérées comme de nouveaux outils permettant à l'astronome de traquer la masse invisible de l'univers.

Deux méthodes complètement indépendantes ont abouti à la même réponse, ce qui est rassurant. La densité moyenne de matière dans l'univers n'est que d'un atome d'hydrogène par mètre cube. Il faudrait au moins 3 fois plus de matière pour stopper l'expansion universelle (si l'univers a tout juste la densité critique*, son mouvement d'expansion ne s'arrêterait qu'après un temps infini). Jusqu'à nouvel ordre, l'univers est ouvert. Mais la réponse n'est pas aussi catégorique qu'on le voudrait. Des faits nouveaux risquent de surgir et de remettre tout en question. A travers nos pérégrinations, nous avons déjà vu rôder dans l'ombre des monstres massifs et menaçants tels que le « Grand Attracteur* »! Si l'existence de ces monstres se confirme, il faudra revoir la densité de l'univers à la hausse. D'autre part, le chemin des galaxies peut être trompeur. Il suppose que toute la masse de l'univers soit associée aux galaxies et aux amas de galaxies. Mais si nous étions bernés par les galaxies? S'il y avait une composante massive, invisible, distribuée uniformément dans l'univers, qui ne suive pas la distribution des galaxies? Elle aurait échappé à toute méthode utilisant le mouvement des galaxies pour mesurer la masse. Nous nous retrouverions alors dans la position de l'homme qui, une nuit, perd sa clé quelque part dans la rue, mais qui s'obstine à ne chercher que sous les réverbères, parce que ce sont les seuls endroits qui sont éclairés.

Il nous reste cependant le chemin du deutérium, me direz-vous. Il donne la même réponse. Mais là encore, il y a des trous dans le raisonnement. Le deutérium ne peut nous renseigner que sur la matière invisible composée de protons et de neutrons, matière dite baryonique*. Il est muet quant aux neutrinos, photinos, gravitinos et autres cosminos*, bref sur toute la matière non baryonique, car celle-ci n'intervient pas dans la fabrication ou la destruction du deutérium. Or les physiciens prédisent justement l'existence de ces particules exotiques pour marier les quatre forces de l'univers à ses premiers instants. Ils nous disent aussi que si l'univers a vraiment traversé à ses débuts une phase d'expansion extrêmement rapide (la phase dite « inflationnaire »), il ne peut avoir *que* la densité critique.

Au terme de cette longue quête des trois paramètres cosmologiques, faisons le point. Quelle morale pouvons-nous tirer, en 1988, de toute cette histoire? Un univers âgé de 15 milliards d'années, contenant une densité de matière équivalente à un cinquième de la densité critique, et donc à expansion éternelle, épouse bien les contours du paysage observé. Son âge est en accord avec celui des plus vieilles étoiles dans les amas globulaires. Il peut produire les quantités observées d'hélium et de deutérium.

Mais il reste encore bien des problèmes. L'âge de l'univers, qui dépend du paramètre de Hubble, a un facteur d'incertitude de 2. Sa détermination est fondée sur un échafaudage d'indicateurs de distance dont l'équilibre est bien fragile. La situation, pour le paramètre de décélération*, est actuellement sans espoir. Les effets d'évolution des galaxies sont tellement grands qu'ils masquent tout effet de décélération. Quant au paramètre de densité* de la matière, il existe la possibilité qu'une fraction importante de la masse de l'univers (5 fois la masse connue actuellement, ou plus) échappe encore totalement à notre détection. Bien qu'elle constitue au moins 90 % de la masse de l'univers, nous n'avons pas la moindre idée de ce que peut être la masse invisible.

La détermination définitive des paramètres cosmologiques reste encore à faire. En plus de cinq décennies, nous avons certes progressé, mais le chemin à parcourir est encore très long. Comme c'est souvent le cas dans le domaine scientifique, à mesure que certaines questions sont résolues, d'autres ont surgi, encore plus complexes. A mesure que nous avançons, la piste n'a cessé de s'allonger et le poteau d'arrivée de s'éloigner. Le prochain lancement du télescope spatial (voir figure 12) laisse entrevoir une lueur d'espoir. Mais il reste un travail herculéen à faire pour que, au bout du chemin, l'univers nous révèle sa destinée.

Le Soleil s'éteint

Notre tentative de prédiction du futur de l'univers s'est soldée par un demi-échec. Nous croyons savoir que son expansion sera éternelle, mais nous n'en sommes pas très sûrs. Nous résistons mal à l'envie de jouer tout de même au prophète. Puisqu'il n'y a que deux lignes de vie possibles pour l'univers, pourquoi ne pas les suivre toutes les deux et voir où cela nous mène ? Nous avons bien extrapolé du présent vers le passé, et avec succès semble-t-il. Pourquoi ne pas le faire vers le futur ? Les équations ne connaissent pas la direction du temps. Bien sûr, nous pouvions remonter le temps avec nos télescopes et vérifier si le passé se conformait à ces équations. Nous ne pourrons pas agir de même avec le futur. Si la lumière nous apporte des nouvelles fanées, elle n'a rien à nous dire sur le devenir. Sans possibilité de vérification expérimentale, tout au moins à l'échelle humaine de temps, prédire l'avenir de l'univers peut paraître un exercice bien futile. Mais souvent, en science, il est malvenu de refuser une voie qui s'offre. Qui sait quels monts et merveilles nous attendent au bout ?

Nous entreprendrons donc ce voyage dans le futur. Mais avant
de nous lancer, il faut bien préciser les règles du jeu. Nos prédictions seront fondées sur l'extrapolation des lois physiques actuelles. Elles ne doivent pas changer au cours de la partie. Ainsi, la gravité
ne doit pas s'affaiblir dans le futur. Les 15 milliards d'années pas-
sées semblent nous confirmer que les lois physiques sont bien immuables dans le temps. Il faut ensuite supposer que nous disposons déjà
de toute la physique nécessaire, hypothèse bien plus hasardeuse.
La première moitié du XXe siècle a vu surgir deux forces nouvelles
(les forces nucléaires forte et faible), et l'éclosion de la mécanique
quantique* et de la relativité*. Pourquoi aurions-nous le dernier
mot? Mais il faut bien faire avec ce que l'on a. Enfin, il nous faut
parier que l'intelligence, qui s'est révélée un cadeau empoisonné
pour l'évolution écologique de la Terre, ne pourra jamais modifier
le cours de l'évolution de l'univers.

Préoccupons-nous d'abord du sort d'un univers ouvert, puisque
c'est celui qui est favorisé par les observations. L'univers continue
à se diluer et à se refroidir au gré de son expansion dans les quelques dizaines de milliards d'années à venir. Pas d'événements mar-
quants à l'échelle cosmique. Calme et serein, il poursuit
tranquillement son bonhomme de chemin. Quelques incidents, insi-
gnifiants à l'échelle universelle, vont cependant venir troubler le
train-train quotidien de notre Voie lactée. Dans 3 milliards d'années,
le grand nuage de Magellan, une galaxie naine satellite qui tourne
actuellement autour de la Voie lactée à quelque 150 000 années-
lumières, va tomber dans la galaxie. La galaxie naine, freinée dans
son mouvement par la gravité de la Voie lactée, a déjà amorcé un
mouvement en spirale qui va la conduire tout droit dans la bouche
grande ouverte de la Voie lactée. La galaxie cannibale brillera alors
de la lumière d'un milliard de Soleils de plus. Encore 700 000 millions d'années (dans 3,7 milliards d'années) et Andromède, notre
voisine proche (à 2,3 millions d'années-lumières) qui fonce droit
sur nous maintenant à 90 kilomètres par seconde, va heurter de plein
fouet notre galaxie. Le choc se fera sans trop de dégâts, car il y a
énormément de vide (3 années-lumières en moyenne) entre les étoiles. Les deux galaxies s'interpénétreront et elles perdront leurs disques de gaz d'hydrogène. Le Soleil modifiera légèrement son orbite,
et les orbites des planètes du système solaire seront un peu pertur-
bées, il y aura peut-être plus de risque de tremblements de terre.
Mais, en somme, pas de quoi fouetter un chat.

Les choses deviennent plus sérieuses avec l'événement qui va suivre, car la survie même de l'espèce humaine en dépend. Dans 4,5
milliards d'années environ, le Soleil aura brûlé toute sa réserve

d'hydrogène. Il entamera alors sa réserve d'hélium. Cette nouvelle source d'énergie fera gonfler l'enveloppe de notre astre jusqu'à 100 fois sa taille actuelle, et il deviendra géante rouge★. Mercure et Vénus se perdront dans son enveloppe brûlante. Les terrestres verront le Soleil envahir de son disque rouge une grande partie de leur ciel (environ un quinzième). La géante rouge chauffera notre planète jusqu'à 1 200° C. L'atmosphère s'envolera. Les mers s'évaporeront. Les rochers se volatiliseront. Les jungles brûleront. La vie ne sera plus possible. Nos arrière-arrière... petits-enfants s'embarqueront dans leurs vaisseaux spatiaux. Ils s'en iront vivre au bord du système solaire, sur les mondes éloignés de Neptune et Pluton, loin des tentacules brûlants de la géante rouge. Mais le répit sera (relativement) de courte durée. Encore 50 millions d'années et la réserve d'hélium s'épuisera à son tour. La combustion du carbone jusqu'au fer durera encore moins longtemps. Le Soleil s'éteindra, laissant pour cadavre une naine blanche★ qui se refroidira inexorablement pour devenir naine noire (voir figure 44). Il sera temps de partir à la recherche d'une autre source d'énergie, d'un autre Soleil. Commencera peut-être alors la grande colonisation de la galaxie, dont les auteurs de science-fiction sont si friands...

La longue nuit

A plus long terme, ce sont toutes les étoiles de l'univers qui s'éteindront. Les galaxies s'arrêteront de briller. Elles auront épuisé leur réserve de gaz d'hydrogène et ne pourront plus fabriquer de nouvelles étoiles. La merveilleuse alchimie créatrice stellaire s'arrêtera pour de bon. Elle n'illuminera plus jamais l'univers. Les sols des terreaux galactiques seront jonchés de cadavres stellaires. Trous noirs★, étoiles à neutrons★ et naines noires★ giseront en abondance au milieu d'innombrables planètes, astéroïdes★ et météorites. Une nuit noire sans fin s'abattra sur l'univers (tout au moins pour nos yeux humains : l'univers, baigné dans un rayonnement fossile de plus en plus refroidi par l'expansion universelle, continuera à rayonner pour des yeux radio). L'univers sera alors 100 fois plus vieux. La distance moyenne entre les galaxies aura augmenté de 1 à 20 millions d'années-lumières. L'ère des étoiles aura duré en tout 1 000 milliards (10^{12}) d'années.

Au bout de cette période, les 100 milliards d'étoiles de chaque galaxie morte, devenues autant de cadavres, seront encore reliées par la gravité, et continueront à suivre inlassablement leurs anciennes orbites. Mais la gravité, disposant d'un temps illimité, essaiera

de réarranger les choses. Grâce à ses bons offices, les ex-étoiles inter-
agiront et s'échangeront de l'énergie. Certaines en gagneront, d'autres
en perdront (l'énergie doit se conserver). Les gagnantes convertiront
leur énergie supplémentaire en vitesse. Elles iront plus vite, élargi-
ront leur orbite et gagneront le bord de la galaxie. Emportées par
leur élan, elles s'échapperont de l'emprise gravitationnelle de leur
galaxie mère pour aller se perdre dans l'immensité de l'espace intergalactique. Les perdantes, elles, en perte de vitesse, tomberont vers
le centre galactique, formant un noyau de plus en plus dense. Quand
l'horloge cosmique sonnera 1 milliard de milliards (10^{18}) d'années,
la galaxie se sera littéralement évaporée. Elle aura perdu 99 % de
ses étoiles mortes. Le petit pourcentage d'étoiles qui aura échappé
à l'expulsion (1 milliard d'entre elles) se retrouvera dans le noyau
de la galaxie. Celui-ci, de plus en plus massif et dense, continuera
à se contracter jusqu'à atteindre le rayon de non-retour (égal à environ la moitié de la distance du Soleil à Pluton, la plus lointaine des
planètes). Il deviendra trou noir. Pendant la contraction du noyau,
dans l'encombrement de la circulation, de nombreuses collisions fron-
tales se produiront entre les cadavres stellaires, les faisant voler en
éclats. La matière martyrisée rayonnera. De gigantesques feux d'artifice se déclencheront, qui illumineront la nuit d'encre des galaxies
mortes. Toute la gamme du rayonnement électromagnétique sera
présente, des rayons gamma jusqu'aux ondes radio en passant par
la lumière visible. La fête continuera après la formation du trou
noir qui, en happant et en déchiquetant les étoiles mortes, fera briller leur matière chauffée. La galaxie retrouvera l'éclat et la brillance
de sa période d'antan quand elle nourrissait un quasar en son sein,
quelques milliards d'années après l'explosion originelle. Cette période
faste ne durera que 1 milliard d'années et, de nouveau, l'obscurité
obsédante et le froid glacial prédomineront. Des galaxies du temps
passé ne resteront que des trous noirs galactiques de 1 milliard de
masses solaires.

Les amas de galaxies ne seront pas en reste. Ils se transformeront
aussi en trous noirs au bout de 10^{27} années. Comme les étoiles du
cas précédent, chacune des milliers de galaxies dans chaque amas
jouera au jeu de l'échange d'énergie à travers la gravité. Comme
auparavant, les gagnantes (99 %) quitteront l'amas et deviendront
des trous noirs galactiques tandis que les perdantes se rassembleront au cœur de l'amas pour former un trou noir hypergalactique

Fig. 55.

La formation des trous noirs galactiques et hypergalactiques. Les étoi-

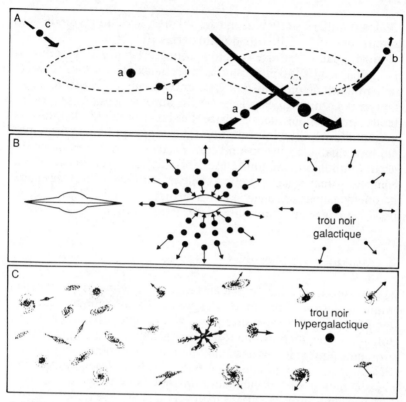

les échangent de l'énergie par interaction gravitationnelle quand elles passent à proximité les unes des autres. Dans la figure 55a, l'étoile c communique de l'énergie aux étoiles a et b, liées par la gravité et tournant en orbite l'une autour de l'autre, d'un système binaire. Les étoiles a et b, fortes de leur gain d'énergie, partent chacune de leur côté, disloquant le système binaire.

Au jeu de l'échange de l'énergie, de 90 à 99 % des étoiles d'une galaxie (les moins massives) jouent gagnantes. Elles acquièrent assez d'énergie pour quitter leur galaxie mère, laquelle s'évapore littéralement après 10^{18} ans. En même temps, les étoiles les plus massives (de 1 à 10 % du nombre total) jouent perdantes et, n'ayant plus assez d'énergie, tombent vers le centre. La gravité les fait s'effondrer en un trou noir galactique d'une masse de 1 milliard de Soleils, seul vestige de la galaxie originale de 100 milliards de Soleils (fig. 55b).

Les mêmes phénomènes d'évaporation et de formation de trou noir se déroulent dans les amas de galaxies. Là, les acteurs du jeu de l'échange de l'énergie ne sont plus les étoiles d'une galaxie, mais des galaxies entières de 100 milliards d'étoiles chacune. Au bout de 10^{27} ans, de 90 à 99 % des galaxies (les moins massives) s'évaporeront de leur amas mère. Ne restera de l'amas qu'un trou noir hypergalactique de 1 000 milliards de Soleils, résultat de l'effondrement provoqué par la gravité des galaxies perdantes — c'est-à-dire les plus massives — au jeu de l'échange de l'énergie (fig. 55c).

de 1 000 milliards (10^{12}) de masses solaires, avec un rayon de non-retour* de 3 000 milliards de kilomètres (fig. 55).

Ainsi, quand l'horloge cosmique sonnera 1 milliard de milliards de milliards (10^{27}) d'années, quand les galaxies se seront séparées de 1 milliard de milliards (10^{18}) d'années-lumières, la merveilleuse tapisserie cosmique des galaxies et des amas de galaxies se sera littéralement évanouie dans l'espace. Perdus dans la nuit de l'univers vivront d'innombrables trous noirs galactiques et hypergalactiques emportés par l'expansion universelle. Au milieu de ces monstres géants pulluleront de multiples débris de toute sorte (astéroïdes, comètes, planètes, naines noires, étoiles à neutrons, petits trous noirs de quelques masses solaires), les gagnants du jeu de l'énergie éjectés de leur galaxie mère ou de leur amas d'origine.

L'évaporation des trous noirs

Les trous noirs* ne sont pas éternels. Nous avons vu que la mécanique quantique, dans un défi suprême à la mécanique classique, les fait évaporer et volatiliser en rayonnement. Elle accomplit ce tour de force en empruntant de l'énergie au champ de gravité du trou noir pour aider les particules fantômes, qui pullulent juste au-delà du rayon de non-retour*, à se matérialiser. Celles-ci, une fois dans le monde réel, deviennent lumière lors de rencontres mortelles avec leurs antiparticules. L'emprunt d'énergie se traduit par une diminution de la masse du trou noir (la masse et l'énergie sont équivalentes, nous dit Einstein). Plus le trou noir s'amaigrit, plus il s'échauffe (sa température est inversement proportionnelle à sa masse) et plus il rayonne. Le processus s'accélère jusqu'à ce que le trou noir s'évapore complètement dans une apothéose de lumière. Bien sûr, il faut du temps pour que la mécanique quantique mène son action à bien. Il faut d'autant plus de temps que le trou noir est plus massif (la longévité d'un trou noir est proportionnelle au cube de sa masse). Mais la mécanique quantique n'est pas pressée. Elle dispose de l'éternité...

Nous avons aussi vu que la mécanique quantique ne peut pas commencer son action évaporatoire quand elle le veut. Elle doit attendre que l'univers se soit assez refroidi. En effet, tout comme l'eau bouillante ne peut s'évaporer qu'au contact d'un air plus froid (la chaleur va du chaud au froid, et non le contraire), les trous noirs ne peuvent s'évaporer que s'ils sont plus chauds que le rayonnement fossile qui les baigne. La température d'un trou noir de la masse du Soleil est d'un dixième de millionième (10^{-7}) de degré, celle d'un trou noir galactique d'un dixième de millionième de milliardième (10^{-16}) de degré et celle d'un trou noir hypergalactique d'un dixième de milliardième de milliardième (10^{-19}) de degré. En l'an 10^{20}, l'univers se sera assez refroidi pour permettre l'évaporation des trous noirs de la masse solaire. Les trous noirs galactiques pourront commencer leur lente évaporation vers la mort au temps cosmique de 10^{34} années. Les trous noirs hypergalactiques devront attendre jusqu'à 10^{39} années pour commencer à se convertir en lumière. Le temps passera et la mécanique quantique œuvrera patiemment. Les trous noirs solaires compléteront leur conversion en lumière en l'an 10^{65}. L'année cosmique 10^{92} arrivera et ce sera au tour des trous noirs galactiques de disparaître. Les trous noirs hypergalactiques subiront le même sort en l'an 10^{100} (voir la note quantitative n° 3). Tous illumineront brièvement les profondes ténèbres de leur lumineuse agonie explosive. En ce temps extrêmement lointain ne resteront qu'étoiles à neutrons, naines noires, planètes, météores, astéroïdes et autres petits débris, gagnants du jeu de l'énergie et perdus par leurs galaxies mères, plongés dans un immense océan de rayonnement, toujours plus glacial (la température ne sera plus que de 10^{-60} degré au-dessus du zéro absolu en l'an 10^{100}).

Les diamants ne sont pas éternels

Dans notre société, les diamants sont symboles à la fois de luxe et de pérennité. Non seulement ils parent le cou des femmes élégantes, mais ils sont aussi considérés comme inusables et éternels, étant les plus durs des minéraux naturels. Cette immortalité du diamant se vérifie certainement à l'échelle des 100 ans de nos vies humaines, des 2 millions d'années de l'histoire de l'humanité ou même des 15 milliards d'années de l'histoire de l'univers. Mais elle ne se vérifiera plus à l'échelle de 10^{65} années. Au bout de ce temps très, très long, la température du diamant serait si proche du zéro absolu que les atomes qui le composent devraient être figés en une structure cristalline permanente, cimentée par les forces électromagnétiques. Et cela serait le cas si la mécanique classique avait son mot à dire. Mais, à nouveau, la mécanique quantique n'aura que faire des interdictions de la mécanique classique. Elle libérera les atomes de leur rigidité, défera les liens des forces électromagnétiques. Les atomes pourront alors, de temps à autre, quitter leur place, virevolter dans le diamant et se réarranger. Le diamant solide se comportera alors comme un liquide qui pourra changer de forme à souhait. Lui qui fut si finement taillé par les mains habiles du diamantaire prendra alors la forme toute banale d'une sphère sous l'influence de la gravité.

Mais la mécanique quantique n'aura pas encore achevé son travail. Elle essaiera alors de changer la nature même des atomes dans le diamant. La nature est paresseuse. Elle suit la politique du moindre effort et n'aime pas dépenser plus d'énergie qu'il n'en faut. Tout système doit évoluer vers un état d'énergie minimal. Dans le monde atomique, l'état ferreux est celui de la moindre énergie. Le fer est l'enfant chéri de la nature. Celle-ci l'a doté de la structure atomique la plus stable qui soit (le noyau de fer a vingt-six protons et trente neutrons), et veut que toute la matière atomique devienne fer. La mécanique quantique contraindra les noyaux atomiques plus lourds que ceux du fer à se fissionner et se débarrasser des protons et des neutrons superflus. Ceux qui seront plus légers devront fusionner et acquérir les protons et les neutrons manquants. Tout deviendra fer. Vous vous souvenez que ce sont ces mêmes réactions nucléaires de fusion qui font briller les étoiles. Elles surviennent en abondance au cœur des étoiles, chauffé à des dizaines de millions de degrés. Dans le froid glacial de l'univers du futur, les réactions seront beaucoup plus rares. Il faudra du temps, beaucoup de temps pour qu'elles aient un effet. La mécanique quantique mettra 10^{1500} années à convertir toute la matière en fer. (Les heureux propriétaires de diamants peuvent dormir tranquilles : ce n'est pas demain qu'ils trouveront à leur réveil des boules de fer à la place de leurs chers bijoux !) Un nouvel âge de fer commencera. Hormis les étoiles à neutrons, tout deviendra sphère de fer, des plus petits grains de poussière jusqu'aux naines noires de quelques masses solaires en passant par les planètes et les astéroïdes. Les réactions nucléaires menant au fer libéreront de l'énergie, mais seront bien incapables de freiner l'inexorable refroidissement de l'univers vers le zéro absolu (la température sera alors de 10^{-1000} degré).

Les boules de fer ne sont pas situées au plus bas de l'échelle de l'énergie. Les sphères de neutrons sont en dessous et les trous noirs plus bas encore. De nouveau, la mécanique quantique se mettra à l'œuvre. Elle convertira les noyaux de fer en neutrons. Les protons, dans ces noyaux, se combineront avec des électrons pour donner neutrons et neutrinos. (En mécanique classique, cela est impossible. Les forces électromagnétiques ordonnent que protons et électrons, de charges opposées, se repoussent. La mécanique quantique permet de passer outre.) Les neutrinos se perdront dans l'espace tandis que les boules de fer se métamorphoseront en sphères à neutrons. L'univers entrera dans l'ère neutronique. La mécanique quantique poursuivra patiemment son travail. Elle essaiera maintenant de convertir la quasi-totalité de la matière en trous noirs. Elle permettra aux neutrons, dans les objets neutroniques, alignés impeccablement en réseaux cristallins comme des rangées de soldats disciplinés, de s'écarter un peu des rangs. Certains neutrons proches de la surface iront se perdre dans l'espace. D'autres tomberont vers le centre et, s'y accumulant, provoqueront l'effondrement des sphères à neutrons en trous noirs. La métamorphose des boules de fer, d'abord en sphères à neutrons, ensuite en trous noirs, sera célébrée par de nombreux feux d'artifice libérant neutrinos et rayons X, mais aussi de la lumière visible qui tirera brièvement l'univers de l'obscurité totale.

Tout cela se déroulera avec une extrême lenteur. A la fin de cet épisode, l'univers serait âgé environ de $10^{10^{76}}$ ans (l'âge exact dépend de la plus petite masse possible qui puisse s'effondrer en trou noir). Cet âge est inimaginable. Pour l'écrire en entier, je devrais faire suivre le 1 de presque autant de zéros qu'il y a d'atomes d'hydrogène dans les centaines de milliards de galaxies de l'univers observable. Tous les livres du monde écrits depuis l'aube de l'humanité ne seraient pas suffisants pour contenir un tel nombre. Même si j'avais le papier nécessaire, je n'essaierai pas de l'écrire. En alignant un zéro par seconde, il me faudrait jusqu'à l'année 10^{68} pour terminer ce chiffre, époque où toutes les galaxies et tous les amas de galaxies se seraient déjà transformés en trous noirs et où les trous noirs d'une masse solaire auraient déjà achevé leur évaporation.

Dans ce futur extrêmement lointain (voir la table 2), les trous noirs s'évaporeront en un temps relativement court. Ainsi, la quasi-totalité de la matière (y compris nos chers diamants) termine sa vie en lumière. L'univers ne sera plus alors qu'un immense océan de rayonnement (photons) et de neutrinos (ainsi que d'autres particules plus rares comme les protons et les électrons) d'où la chaleur se retirera chaque jour un peu plus. La température se rapprochera de plus en plus du zéro absolu, sans jamais l'atteindre. Çà et là, éparpillés dans l'obscurité glaciale, emportés par l'expansion universelle, flotteront encore quelques microscopiques grains de poussière (ceux dont la masse était inférieure à 20 microgrammes, qui n'avaient pu s'effondrer en trous noirs). L'univers, au fil de son expansion, se diluera de plus en plus : il se videra toujours plus de son contenu de matière et de rayonnement. Mais le « vide » ne sera jamais complet. Les particules fantômes, apparaissant et disparaissant au gré des prêts et des remboursements d'énergie à la banque Nature, permis par le flou quantique de l'énergie, le peupleront pour l'éternité.

Table 2

Le futur lointain d'un univers ouvert

Temps (en années)	Événement
10^{12}	Les étoiles s'éteignent.
10^{18}	Les galaxies deviennent des trous noirs galactiques.
10^{27}	Les amas de galaxies deviennent des trous noirs hypergalactiques.
$[10^{31}\text{-}10^{36}]$	[Les protons meurent.]
10^{100}	Les trous noirs s'évaporent.
10^{1500}	Toute la matière (hormis les étoiles à neutrons) se métamorphose en boules de fer.
$10^{10^{76}}$	Les étoiles à neutrons et les boules de fer s'effondrent en trous noirs. Ces derniers s'évaporent en lumière.

Le proton serait-il mortel?

Les diamants ne sont pas éternels. Ils finiront pas s'effondrer pour devenir trous noirs et s'évaporer en lumière. Mais cela prendra presque l'éternité. Le chiffre qui décrit cette durée serait tellement long que l'on ne pourrait l'écrire en entier, même en y passant toute sa vie. La mort des diamants surviendrait à bien plus brève échéance, et nous pourrions bien plus facilement écrire leur durée de vie, si une prédiction des nouvelles théories d'unification des forces aux premiers instants de l'univers se révélait correcte. Cette prédiction enlève l'immortalité au proton qui, jusque-là, faisait partie de la bande des quatre immortels avec le photon, le neutrino et l'électron. Toutes les autres particules se désintégreraient, au bout de quelques instants, sous l'impulsion de la force électromagnétique ou de la force nucléaire faible, en particules plus légères. Nous avons vu que le neutron à l'état libre ne vit en moyenne que 15 minutes.

Selon les théories de grande unification, le proton, bien que déchu au rang des mortels, a encore une durée de vie très respectable. Il ne se désintégrera qu'au bout de quelque 10^{32} années ou plus. On n'a encore jamais vu un proton mourir. Bien que notre corps possède 3×10^{28} protons, il faudra attendre au moins 3 000 ans, 30 fois la durée d'une vie humaine, pour qu'un de ces protons disparaisse. Pour pallier la brièveté de la vie humaine, les physiciens pressés vont épier la mort du proton dans de grandes masses de matière. Dans 1 000 tonnes de matière, il y a environ 5×10^{32} protons, et 5 protons en moyenne devraient se désintégrer par année. Les expériences sont généralement faites à quelques kilomètres sous terre pour isoler des rayons cosmiques les protons et les électrons projetés dans l'espace par les supernovae (l'interaction de la masse de matière avec un rayon cosmique* peut simuler la mort d'un proton). Une ancienne mine d'or dans le Dakota du Sud (États-Unis), une autre près de Bangalore, en Inde, et deux tunnels sous le Mont-Blanc ont été mis à contribution. Les physiciens, guetteurs de la mort du proton, y ont remplacé les chercheurs d'or. Jusqu'ici, pas un seul proton n'a été surpris en train de se désintégrer. Le proton serait-il plus immortel qu'on ne le croyait? Affaire à suivre...

En tout cas, si le proton était mortel, le destin de l'univers ouvert bifurquerait dramatiquement après la formation des trous noirs galactiques et hypergalactiques. Les divers débris de l'espace subiront un tout autre sort. Les naines noires et les étoiles à neutrons verront chaque année 10^{25} de leurs 10^{57} protons se désintégrer en positons (les antiparticules des électrons), neutrinos et photons. Les neutrinos, toujours réfractaires à toute interaction, quitteront les cadavres stellaires pour aller se perdre dans l'immensité de l'espace. Les autres particules seront réabsorbées par les étoiles qui se réchaufferont légèrement, à une température de 3 degrés K pour les naines noires les moins massives et de 100 degrés K pour les étoiles à neutrons. Les étoiles mortes auront alors un semblant de regain de vie. Elles rayonneront très faiblement jusqu'à environ 10^{30} années. Quand l'an 10^{33} arrivera, tous leurs protons se seront désintégrés, et elles achèveront leur existence. Nos chers diamants et autres objets dans l'univers auront subi le même sort. L'univers ne sera plus qu'un vaste océan dilué d'électrons, de positons, de neutrinos et de photons. Il y aura quelques îlots invisibles çà et là, les trous noirs galactiques et hypergalactiques. Ceux-ci traîneront leur existence jusqu'à leur évaporation complète en lumière en l'an 10^{100}, comme avant.

Qu'adviendra-t-il des électrons et de leurs antiparticules, les positons? S'ils pouvaient s'embrasser, ils s'envoleraient aussi en une apothéose de lumière. Un univers ouvert, où la densité de matière est inférieure à la densité critique, serait si peu dense qu'électrons et positons n'auraient que très peu de chances de se rencontrer. Sur 10^{42} paires électron-positon, il y en aura peut-être une qui pourra s'étreindre dans une envolée de lumière. Les électrons et leurs anti-particules survivront séparément très longtemps encore.

Dans le cas d'un univers plus dense, avec la densité critique par exemple, les particules seront encore extrêmement éloignées les unes des autres — leur séparation moyenne serait 1 milliard de fois plus grande que la dimension de l'univers d'aujourd'hui —, mais assez rapprochées pour que la force électromagnétique puisse agir et lier des couples électron-positon pour former de gigantesques atomes de positonium. Dans les vastes salles de bal de milliards de mil-liards d'années-lumières du positonium, la mécanique quantique per-mettra à l'électron de danser et de virevolter jusqu'à sa rencontre avec le positon, après quelque 10^{120} ans, pour s'envoler dans un éclat de lumière.

Comme dans le cas d'un proton immortel, l'univers ouvert devien-dra mer de rayonnement, de neutrinos et d'électrons avec, en prime, des positons, mais les protons et les grains de poussière microsco-piques en moins. Seulement, la voie de la mortalité du proton sera beaucoup plus rapide que la voie de l'effondrement des boules de fer en sphères à neutrons et en trous noirs. A raison d'un zéro par seconde, il ne me faudra que 2 minutes pour écrire le nombre 10^{120} en entier.

Un brasier infernal

Parce que de grands monstres massifs, tel le Grand Attracteur*, risquent de rôder dans l'obscurité, parce que de vastes populations de particules, nées dans les premières fractions de seconde et sur-gies de l'imagination créatrice des physiciens, peuvent remplir l'uni-vers de leur masse, la possibilité que l'univers soit fermé, que sa densité de matière soit supérieure à la densité critique, ne peut être exclue. L'expansion s'arrêterait alors et l'univers s'effondrerait sur lui-même. L'obscurité glaciale serait remplacée par une fantastique apothéose de lumière et de chaleur, et le feu de l'enfer se substitue-rait à la froideur désolée.

Le futur de l'univers fermé se déroulera à un rythme dicté par sa densité de matière. Celle-ci freine l'expansion par la force gravi-tationnelle qu'elle exerce. L'arrêt complet de l'expansion se fera d'autant plus tard que la densité, et donc sa gravité, sera moins éle-vée. Un univers doté précisément de la densité critique poursuivrait son expansion indéfiniment, mais de plus en plus lentement. Son destin se confondrait avec celui d'un univers ouvert. Un univers de 2 fois la densité critique (c'est-à-dire contenant six atomes d'hydrogène par mètre cube) arrêterait son expansion au bout de 40 milliards d'années (il serait alors âgé de 50 milliards d'années).

Embarquons-nous avec ce dernier et partageons ses péripéties. Au début, les événements dans l'univers fermé ressemblent à ceux dans l'univers ouvert. D'abord, l'anéantissement du grand nuage de Magellan* par la galaxie cannibale dans 3 milliards d'années, puis la grande collision avec Andromède dans 3,7 milliards d'années. Ensuite, le gonflement du Soleil en géante rouge dans 4,5 milliards d'années, la grande chaleur qui évacuera la vie de la Terre et la mort du Soleil laissant derrière un pauvre cadavre stellaire de naine blanche qui, après une dizaine de milliards d'années, deviendra naine noire. L'univers continuera son expansion tout en décélérant progressivement. Les galaxies auront encore le temps de fabriquer plusieurs générations additionnelles d'étoiles, et les cimetières stellaires s'enrichiront de nombreux autres cadavres stellaires.

Arrivera l'an 50 milliards. L'univers aura triplé sa taille. Il y aura en moyenne 3 millions (au lieu de 1) d'années-lumières d'espace entre les galaxies. La température du rayonnement fossile aura diminué d'un facteur 3, à 1 degré K au-dessus du zéro absolu. La force attractive de la gravité triomphera enfin de la force de répulsion de l'explosion originelle. C'est elle qui mènera désormais le bal. L'univers commencera à se contracter sous son propre poids. Les galaxies arrêteront de se fuir, inverseront leurs mouvements et commenceront à tomber les unes vers les autres. Nos descendants verront la lumière des galaxies proches se décaler vers le bleu (par l'effet Doppler*). La lumière des galaxies les plus lointaines continuera à être décalée vers le rouge : les nouvelles de l'effondrement de l'univers dans les contrées éloignées (qui se manifesteront par un décalage vers le bleu de la lumière des galaxies) ne parviendront à nos arrière-arrière-... petits-enfants que des dizaines de milliards d'années plus tard.

L'univers poursuivra sa contraction pendant quelque 100 milliards d'années, sans que rien d'extraordinaire ne se passe. Les galaxies continueront à se rapprocher les unes des autres. Le rayonnement fossile, comprimé dans un univers de plus en plus petit, se réchauffera progressivement. Quand l'univers aura rétréci jusqu'au cinquième de sa taille actuelle, les amas de galaxies, serrés comme des sardines en boîte, commenceront à fusionner et à perdre leur identité. Les événements iront en s'accélérant. Encore 900 millions d'années et, dans un univers 100 fois plus petit que le nôtre, ce sera au tour des galaxies de s'agglomérer et de perdre leur individualité.

L'univers sera alors un immense champ d'étoiles baigné dans un rayonnement fossile de 300 degrés K (27° C), aussi chaud que sur Terre. L'effondrement de l'univers aura insufflé beaucoup d'énergie à ces étoiles qui fendront l'espace à quelque 3 000 kilomètres par seconde.

La contraction continuera : 100 millions d'années passeront et l'univers deviendra 1 000 fois plus petit que l'univers actuel. Le rayonnement fossile sera chauffé à 3 000 degrés K, il sera proche de la température de la surface des étoiles. La nuit disparaîtra. La lumière du ciel sera aussi aveuglante que celle du Soleil. Les étoiles sillonneront l'espace à des vitesses si proches de celle de la lumière (300 000 kilomètres par seconde) qu'elles seront aplaties comme des crêpes. Encore 900 000 années et la température atteindra 10 000 degrés K. La surface des étoiles commencera à s'évaporer. Les molécules, puis les atomes des atmosphères stellaires, ne pouvant plus supporter la chaleur extrême, commenceront à se dissocier, libérant noyaux et électrons qui rempliront l'espace. La lumière aura de plus en plus de mal à se frayer un chemin à travers la jungle des électrons. L'univers redeviendra opaque, comme dans ses 300 000 premières années. L'évolution se précipitera. La température continuera d'augmenter. Les étoiles s'évaporeront de plus en plus en noyaux et en électrons. 100 000 ans plus tard, la température de l'univers sera de 10 millions de degrés K, aussi torride que celle qui règne au cœur du Soleil. Cette température extrême déclenchera des réactions nucléaires dans les étoiles et provoquera leur mort explosive. Dans un tumulte de détonations nucléaires, toutes les étoiles se volatiliseront en des gerbes de noyaux, d'électrons et de photons. Les noyaux libérés, incapables de subsister dans cette fournaise, se désintégreront très vite en protons et en neutrons.

L'univers retrouvera presque son visage d'enfance : océan de lumière et de particules comme avant, mais parsemé de nombreux trous noirs, cadavres des étoiles d'antan. Les trous noirs gloutons s'empresseront de happer tout ce qui passera à leur portée, lumière ou particules, pour grossir et redoubler de voracité. Leur croissance s'accélérera. Certains fusionneront et une partie grandissante du contenu de l'univers sera absorbée par eux. Les événements iront en s'accélérant. Le cap des 10 000 milliards de degrés K sera franchi en un millier d'années. Les photons auront tellement d'énergie qu'ils pourront accoucher de paires particule-antiparticule. Antiélectrons et antiprotons surgiront. Protons, neutrons et leurs antiparticules se briseront, libérant quarks et antiquarks. La purée universelle deviendra un mélange de quarks, d'électrons, de neutrons et de leurs antiparticules. Les trois forces (électromagnétique, nucléaire faible et forte) redeviendront une, la gravité restant obstinément à l'écart. Tout se passera comme si le film du big bang se déroulait à l'envers, excepté le fait que l'univers sera beaucoup plus hétérogène en raison de la présence de nombreux trous noirs. L'univers continuera à se contracter (jusqu'à 10^{-28} centimètre, 1 million de milliards de fois plus petit que le diamètre d'un atome d'hydrogène) et à se réchauffer jusqu'à la température fatidique de 10^{32} degrés. Nous ne pourrons accompagner l'univers plus loin dans sa contraction. Sa mort ultime (le big crunch) nous échappera comme les tout premiers moments de sa naissance lors du big bang. Le barrage de Planck*, le mur de la connaissance, se dressera devant nous. La physique connue s'arrêtera là et nous ne pourrons extrapoler davantage (table 3).

Table 3

Le compte à rebours vers l'effondrement final d'un univers fermé

Temps avant l'effondrement final (en années)	Événement
-10^9	Les amas de galaxies fusionnent.
-10^8	Les galaxies fusionnent.
-10^6	Les étoiles, aplaties comme des crêpes, traversent le ciel à des vitesses proches de celle de la lumière.
-10^5	Les enveloppes des étoiles s'évaporent en particules élémentaires. La lumière ne peut plus se propager : l'univers redevient opaque.
-10^3	Les étoiles explosent. Les trous noirs, cadavres stellaires des étoiles d'antan, dévorent la matière environnante et grandissent à vive allure.
-1	L'univers est rempli d'une soupe de quarks, d'électrons, de neutrons et de leurs antiparticules.

Un univers cyclique ?

Que se passera-t-il derrière le mur de Planck ? L'univers mourra-t-il dans une densité et une chaleur infinies ? Ou est-ce qu'un méca-nisme encore inconnu arrêtera son effondrement final, lui permet-tant de « rebondir » et de repartir vers un nouveau big bang ? Pourra-t-il, tel un phénix, renaître éternellement de ses cendres ? Connaîtra-t-il une série infinie de cycles d'expansion et de contrac-tion ? Autant de questions qui resteront sans réponse tant que nous ne saurons pas décrire la gravité dans le monde de l'infiniment petit. En tout cas, une chose est sûre : les cycles se suivront peut-être, mais ne se ressembleront pas. Chaque cycle successif aura un net gain d'énergie, car le réchauffement pendant la contraction l'empor-tera sur le refroidissement pendant l'expansion. Ce gain d'énergie permettra à l'univers de se dilater de plus en plus, avant de com-mencer son effondrement. Les cycles s'allongeront (fig. 56). Cha-que cycle amènera aussi une nouvelle moisson de trous noirs et sa part de désordre (ou entropie*). Les univers successifs deviendront de plus en plus hétérogènes et désordonnés. Le fait que le nôtre soit si extraordinairement homogène à son début, comme le mon-tre le rayonnement fossile, implique que si l'univers est cyclique, nous sommes dans un des tout premiers cycles (ce qui ne plaira pas au fantôme de Copernic, car cela sous-entend que nous vivons un instant privilégié de l'histoire de l'univers), ou que, l'univers, der-rière le mur de Planck, a su gommer toutes les « rugosités » dues aux trous noirs et remettre de l'ordre dans le désordre.

Une dernière énigme concerne la flèche du temps. Nous avons vu que la direction de la flèche du temps cosmologique, qui est la même que celle des temps psychologique et thermodynamique, est liée à l'expansion de l'univers. Cela signifierait-il que la direction du temps cosmologique s'inverserait dans un univers en contrac-tion ? Mais si la direction du temps psychologique faisait de même, nos descendants n'auront-ils pas l'impression d'être eux aussi dans un univers en expansion ? De nouveau, pas de réponse certaine. Au premier abord, rien de très spécial ne se passera lorsque l'univers commencera sa contraction : la lumière des galaxies lointaines conti-nuera à être décalée vers le rouge et ne virera au bleu qu'au terme de milliards d'années. Alors, pourquoi le temps changerait-il de direction ?

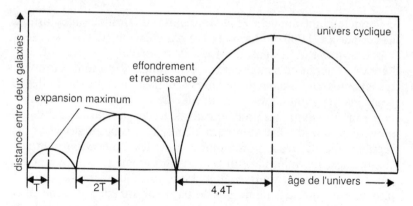

Fig. 56.

Un univers cyclique. Un univers fermé (voir la figure 51) qui s'effondre sur lui-même peut-il renaître de ses cendres, tel un phénix, pour repartir dans un nouveau cycle avec, peut-être, de nouvelles lois physiques? Nul ne le sait, car la physique actuelle perd pied à des densités et à des températures trop extrêmes. En tout cas, même si l'univers repart dans un nouveau cycle, les cycles se suivront, mais ne se ressembleront pas. L'univers accumulera de plus en plus d'énergie au cours des cycles, ce qui aura pour effet que chaque cycle successif durera plus longtemps et que la taille maximale de l'univers deviendra de plus en plus grande.

Domestiquer les trous noirs

L'avenir de l'univers n'est pas rose. Selon la densité de matière qu'il contient, il finira écrasé dans un feu d'enfer ou étiré dans une froideur glaciale, interminable. La vie pourra-t-elle se maintenir dans ce lointain futur? En admettant que nos descendants aient assez de sagesse pour échapper au suicide nucléaire, et que le rythme des progrès technologiques ne se ralentisse pas, quelles stratégies devront-ils adopter pour survivre et maintenir l'habitabilité de l'univers? Seuls les problèmes de survie de nos éventuels descendants dans un univers ouvert peuvent nous intéresser. En effet, le cas d'un univers fermé est vite réglé. Il n'y aura àucune chance pour nos arrière-arrière-... petits-enfants de s'en sortir : dans quelques dizaines de milliards d'années, ils finiront dans un four crématoire infernal. La chaleur infinie effacera toute forme de vie.

La survie, dans le cas d'un univers ouvert, dépend d'abord de l'accès à une source d'énergie. La mort du Soleil conduira inévitablement à un exode interstellaire, à la recherche d'un autre astre. Celui-ci s'éteindra à son tour après une dizaine de milliards d'années, et la quête d'une nouvelle étoile reprendra. Et ainsi de suite, jusqu'à la période de 1 000 milliards (10^{12}) d'années où toutes les étoiles s'éteindront et où les galaxies finiront de briller. Ce sera la fin de l'ère de l'énergie thermonucléaire des étoiles. Resteront d'immenses champs de cadavres stellaires : naines blanches*, étoiles à neutrons* et trous noirs*. Paradoxalement, seuls les trous noirs* pourront être exploités pour fournir de l'énergie. Nos descendants pourront d'abord tenter d'extraire l'énergie de rotation de ces astres occultes. Car les trous noirs, tout comme les étoiles, tournent sur eux-mêmes. Le Soleil fait un tour sur lui-même tous les vingt-six jours. Les étoiles effondrées, ramassées sur elles-mêmes, tournent plus vite encore, de même que le patineur sur glace tourne plus vite quand il se ramasse sur lui-même en ramenant ses bras le long du corps. Ainsi, les étoiles à neutrons les plus rapides peuvent atteindre près de 1 000 tours par seconde. La rotation est l'une des 3 quantités principales qui caractérisent un trou noir (les deux autres étant sa masse et sa charge électrique. Celle-ci est généralement nulle puisque les étoiles progénitrices sont en général électriquement neutres). Selon le physicien britannique Roger Penrose, nos descendants devront, pour soutirer de l'énergie aux trous noirs, « nourrir » ces monstres tournant à toute vitesse de déchets radioactifs. Si une particule radioactive, en descendant dans la gueule béante du trou noir, se scindait en deux autres avant de franchir le rayon de non-retour, une des nouvelles particules serait dévorée par le trou noir, mais l'autre, dans certaines conditions, pourrait s'échapper avec plus d'énergie que la particule originelle en emportant de l'énergie de rotation du trou noir qui tournerait alors un peu moins vite. Nos descendants n'auront qu'à cueillir ces particules rescapées. Ils feront ainsi d'une pierre deux coups : se débarrasser de leurs produits radioactifs nocifs et subvenir à leurs besoins d'énergie (fig. 57).

Il leur faudra être constamment sur le qui-vive. La période de 10^{12} à 10^{27} années est une époque de grand chambardement : les cadavres stellaires joueront au jeu de l'échange d'énergie qui finira par l'éjection de 90 % des trous noirs hors de la galaxie mère. Nos descendants devront abandonner le trou noir exploité dès qu'il y aura un danger d'éjection, sous peine d'être rejetés eux aussi dans le grand vide intergalactique. Ils partiront à la recherche d'un autre trou noir dans la galaxie, et l'exploitation recommencera. Après une longue migration de trou noir en trou noir, ils se retrouveront au centre de la galaxie, exploitant le grand trou noir galactique de 1 milliard de masses solaires, produit de l'agglomération des trous noirs perdants dans le jeu de l'échange d'énergie. Par des migrations similaires, les autres civilisations de la galaxie (si elles existent) seront aussi parvenues au même trou noir galactique. Elles se rassembleront toutes aux abords du trou noir dont le rayon de non-retour est de 3 heures-lumières (environ la taille du système solaire). Elles s'engageront dans de grands dialogues intersidéraux et exploiteront ensemble le trou noir. Quand l'énergie de rotation des trous noirs galactiques sera épuisée, viendra l'exploitation des trous noirs hypergalactiques de 1 000 milliards (10^{12}) de masses solaires qui perdront aussi progressivement leur énergie de rotation et ralentiront de plus en plus jusqu'à ne plus tourner.

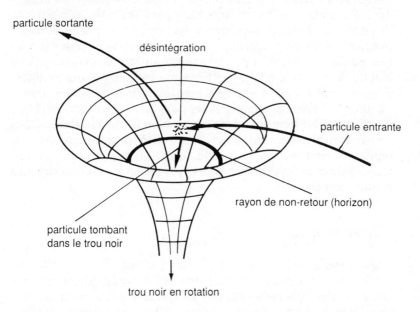

Fig. 57.

L'exploitation des trous noirs. Pour extraire l'énergie d'un trou noir (représenté dans la figure par l'espace courbe), il faut lui envoyer des particules radioactives. Une telle particule peut se désintégrer en deux juste avant de traverser le rayon de non-retour du trou noir. Une des deux particules s'engouffre dans le trou noir, et l'autre s'échappe vers l'extérieur avec plus d'énergie que la particule originale. Ce gain d'énergie (que l'on peut exploiter pour alimenter nos besoins énergétiques) se fait aux dépens de l'énergie de rotation du trou noir qui tourne de moins en moins vite.

Le même mécanisme opère quand un trou noir s'évapore. Mais la paire de particules, au lieu d'être le produit de la désintégration d'une particule radioactive, se matérialise grâce au prêt d'énergie consenti par le champ de gravité intense qui entoure le trou noir. Comme auparavant, une des particules de la paire tombe dans le trou noir, tandis que l'autre s'échappe en emmenant de l'énergie empruntée au trou noir. Celui-ci s'évapore ainsi lentement.

Nos descendants se tourneront alors vers l'énergie du rayonnement résultant de l'évaporation des trous noirs. Ils construiront
d'énormes réservoirs autour des trous noirs, au-delà de leur rayon
de non-retour, pour emmagasiner cette précieuse énergie. Cette énergie sera bien moindre que celle qui provenait de la rotation des trous
noirs. Nos descendants deviendront très économes. Ils seront obligés d'hiberner pendant de longues périodes pour ne pas dépenser
trop d'énergie. L'évaporation réduira de plus en plus la masse des
trous noirs. Leur température s'accroîtra et leur perte de matière
s'accélérera jusqu'à la grande explosion finale. Pour ralentir la mort
des trous noirs, nos descendants partiront à la chasse des débris de
l'espace : planètes, comètes, astéroïdes, etc., pour nourrir les monstres, les engraisser et ralentir leur évaporation (la durée de vie d'un
trou noir est inversement proportionnelle au cube de sa masse). (Voir
la note quantitative n° 3). Tel l'homme antique qui domestiquait
et nourrissait les bêtes sauvages pour manger à sa faim, l'homme
du futur maîtrisera et alimentera les trous noirs pour survivre. Dans
un ultime effort pour retarder l'évaporation finale, nos descendants
pourront même faire fusionner les trous noirs entre eux. Mais le
répit sera (relativement) de courte durée. Au bout de 10^{100} années,
tous les trous noirs galactiques et hypergalactiques seront devenus
rayonnement.

D'autres formes de vie

Qu'adviendra-t-il de la vie à plus long terme ? Pourra-t-elle per-
sister dans un univers à énergie limitée ? Pourra-t-elle faire face à
une crise d'énergie sans solution ? La vie, telle que nous la connaissons, faite de chair et de sang, de molécules organiques et d'hélices
d'ADN, ne pourra pas se maintenir dans un univers si glacial. Le
métabolisme d'une telle forme de vie exigera une source d'énergie
continue qui ne pourra plus être fournie. Le physicien anglo-
américain Freeman Dyson pense que la vie pourra continuer si elle
sait adapter sa forme et son métabolisme à un environnement toujours plus froid. Il adopte le point de vue optimiste selon lequel
la survie de la conscience et de l'intelligence ne dépend pas de la
nature particulière du matériel qui leur sert de support, mais de
la complexité de l'agencement de ce matériel. Ainsi, nul n'est besoin
des hélices enchevêtrées des molécules organiques d'ADN pour fabriquer un cerveau. Un nuage de grains de poussière microscopiques
(ceux qui pèsent par exemple moins de 20 microgrammes et qui
ne pourront jamais s'effondrer en trous noirs) ou, si le proton est

instable, une nuée d'électrons et de positons, avec une organisation
sophistiquée, feront aussi bien l'affaire. Ces formes de vie, en adap-
tant leur métabolisme à un froid de plus en plus intense et en hiber-
nant sur des périodes de plus en plus longues pour conserver leur
énergie, pourront peut-être se perpétuer pour l'éternité. Certes, nous
sommes en pleine science-fiction. Mais il ne faut pas sous-estimer
la nature. Il lui a suffi d'une dizaine de milliards d'années pour créer,
à partir du vide, un univers d'étoiles et de galaxies ainsi qu'une intelligence assez évoluée pour questionner l'univers qui l'a engendrée.
Qui sait de quelles prouesses elle est capable si elle dispose de
l'éternité?

VII

Un univers accidentel ou nécessaire?

Le fantôme de Copernic remis en question

Copernic avait, au XVIᵉ siècle, délogé l'homme de sa place centrale dans le système solaire. Depuis, son fantôme n'a cessé de nous hanter et de causer d'autres ravages. La Terre perdit sa place centrale, puis le Soleil fut à son tour ramené au rang d'une simple étoile reléguée dans une lointaine banlieue de la Voie lactée. Voie lactée qui se retrouva vite perdue parmi les centaines de milliards de galaxies de l'univers observable. L'homme était réduit à l'insignifiance face à l'immensité de l'espace. L'émergence de l'intelligence et de la conscience n'était qu'un simple fait du hasard, un accident de parcours dans la longue marche de l'univers. Celui-ci n'avait que faire de notre présence. Il s'en souciait comme d'une guigne. Cette réduction de la conscience humaine au néant plongea certains dans un profond désespoir. Blaise Pascal poussa déjà, au XVIIᵉ siècle, un immense cri d'angoisse devant « le silence éternel des espaces infinis », auquel répondirent, trois siècles plus tard, les appels de détresse conjugués du biologiste français Jacques Monod : « L'homme est perdu dans l'immensité indifférente de l'univers d'où il a émergé par hasard[7] », et du physicien américain Steven Weinberg : « Plus on comprend l'univers, plus il nous apparaît vide de sens[8]. »

Face à cette sombre perspective, un mouvement de résistance s'organisa. Le fantôme de Copernic fut remis en question. Las de son pouvoir dévastateur, quelques physiciens tentèrent, au cours des vingt dernières années, de briser son joug écrasant et de rendre à l'homme sa place privilégiée dans le cosmos. Pour eux, l'homme n'a pas émergé par hasard dans un univers indifférent. Au contraire, tous deux sont en étroite symbiose : si l'univers est tel qu'il est, c'est parce que l'homme est là pour l'observer et se poser des questions. L'existence de l'être humain est inscrite dans les propriétés de chaque atome, étoile et galaxie de l'univers et dans chaque loi physique qui régit le cosmos. Que des propriétés et des lois de l'univers se modifient un tant soit peu et nous ne serons plus là pour en par-

7. Jacques Monod, *Le Hasard et la nécessité*, Le Seuil, 1970.
8. S. Weinberg, *Les Trois Premières Minutes de l'univers*, Le Seuil, 1978.

ler. Le visage de l'univers et notre existence sont donc inextricablement liés. « L'univers se trouve avoir, très exactement, les propriétés
requises pour engendrer un être capable de conscience et d'intelligence. » L'astronome britannique Brandon Carter, l'un des chefs
de file de l'attaque concertée contre le fantôme de Copernic et l'auteur
de cet énoncé, a baptisé ce dernier « principe anthropique* » (du
grec *anthropos*, qui signifie « homme »). Reste à voir si cette attaque est justifiée. Il nous faut examiner les dessous de l'affaire.

Des nombres dans la nature

Vous lancez une balle en l'air. Elle décrit une courbe gracieuse
dans l'espace avant de retomber sur le sol. Cette courbe, loin d'être
quelconque, a une forme mathématique très précise. Un physicien
vous dira qu'il ne peut s'agir que d'une ellipse, d'une parabole ou
d'une hyperbole. Il vous révélera combien de temps la balle restera
en l'air et l'emplacement exact où elle retombera au sol. Pour donner ces indications, il utilisera deux types de renseignements : d'abord
les lois de la physique et, ensuite, ce qu'il appelle les « conditions
initiales ». La loi physique qui commande la trajectoire de la balle
est celle de la gravité : la force gravitationnelle qui attire la balle
vers la Terre varie de façon proportionnelle au produit de leurs masses et de façon inversement proportionnelle au carré de leurs distances. Cet énoncé qualitatif « proportionnel » peut être rendu
quantitatif (c'est-à-dire permettre de faire des calculs précis) si l'on
introduit dans la loi un nombre appelé « constante de gravitation »
et que l'on distingue traditionnellement par la lettre G. Ainsi, la
loi de Newton peut aussi bien s'énoncer comme suit : la force gravitationnelle est *égale* au produit de G par les deux masses divisé
par le carré de leurs distances. Ce nombre G dicte la force de gravité. S'il est grand, la gravité est vigoureuse. S'il est petit, la gravité
est faible. La valeur de G, mesurée maintes fois dans les laboratoires, est très petite : la gravité est la plus faible de toutes les forces.
Mais aucune théorie physique, et c'est là que le bât blesse, ne peut
expliquer pourquoi G a cette valeur plutôt qu'une autre. Ce nombre nous est « donné » et il faut vivre avec.
    La loi de Newton ne suffit pas pour évaluer la courbe gracieuse
de la balle dans l'espace. Il faut également connaître les conditions
initiales, le point précis dans l'espace où elle a quitté votre main
et sa vitesse initiale de lancement. Lancée avec force, elle aura une
grande vitesse initiale et atterrira loin. Avec un lancer plus mou,
sa vitesse initiale sera plus faible et elle touchera le sol plus près.

Ce qui est vrai pour la balle est également vrai pour l'univers. Son évolution et son destin dépendent de la même dualité : des lois physiques gouvernées par quelques « nombres » (ces paramètres numériques sont appelés « constantes fondamentales de la nature ») et des conditions initales, celles qui furent attribuées par les fées qui se sont penchées sur le berceau de l'univers lors du big bang.

Combien faut-il de « nombres » pour décrire l'univers? Notre connaissance actuelle nous dit qu'il faut un peu plus d'une dizaine. De même que G dicte la force de gravité, il y a deux autres paramètres numériques qui contrôlent l'intensité des forces nucléaires forte et faible. Il y a ensuite c, la vitesse de la lumière et la plus grande dans l'univers. Puis vient h, la constante dite de Planck (celui du mur de la connaissance), qui dicte la taille des atomes. Les atomes sont petits parce que h est minuscule. Puis viennent les nombres qui caractérisent les masses des particules élémentaires. Il y a, bien sûr, la masse de l'électron, mais aussi la masse du proton. (Pourquoi pas la masse du quark, puisqu'un proton est supposé être composé de trois quarks? Parce que les quarks n'ont jamais été isolés à l'état libre et restent jusqu'à nouvel ordre des entités théoriques.) Puis c'est e, la charge de l'électron (la charge du proton est égale et opposée). Viennent encore quelques autres. On en compte une quinzaine en tout. Ces nombres, comme leur autre nom l'indique, sont véritablement constants. Ils semblent ne varier ni dans le temps ni dans l'espace. Nos descendants lointains ou des extraterrestres vivant à l'autre bout de l'univers mesureront exactement les mêmes nombres. Nous avons pu nous en assurer en remontant le temps et en sondant l'espace grâce à l'observation de galaxies très lointaines. Les propriétés de ces galaxies ne sont pas très dissemblables de celles de notre Voie lactée, ce qui ne peut se comprendre que si les constantes n'ont pas varié de manière appréciable. (En tout cas, cette constance des nombres de la nature sera bien utile le jour où nous entrerons en contact avec des civilisations extraterrestres. Nous communiquerons par la lumière en utilisant les mêmes données physiques [la même masse du proton, la même masse de l'électron, la même vitesse de la lumière, etc.]. Autrement, tout serait chaos, et le dialogue impossible.)

Avons-nous répertorié tous les « nombres » de la nature? Nul ne le sait. Si, demain, d'autres forces ou particules venaient à être découvertes, la liste s'allongerait. Mais elle pourrait aussi être raccourcie. Les physiciens s'emploient en fait activement à la réduire. Ils veulent unifier les quatre forces fondamentales en une seule. S'ils réussissent, ils pourront décrire les quatre forces avec un seul paramètre au lieu de plusieurs. Et puis, pourquoi ne découvrirait-on pas une théorie grandiose qui pourrait prédire la vitesse de la lumière, la constante du monde atomique (h) ou la masse de l'électron? Ou un grand principe unificateur qui décrirait tout l'univers et qui ne reposerait sur aucun nombre « donné », auquel cas la liste des paramètres serait réduite à zéro? La physique actuelle est encore très, très loin de ce grand principe à zéro paramètre. Nous ne sommes pas arrivés à unir la gravité avec les autres forces. Et nous sommes encore moins certains que le fait même de parler d'un grand principe unificateur a un sens. En attendant, contentons-nous d'accepter ces nombres comme des « données » de la physique. Acceptons que la lumière voyage à 300 000 kilomètres plutôt qu'à 1 kilomètre par seconde, ou que la masse du proton soit 1 826 fois supérieure à celle de l'électron et non le contraire, et voyons comment ces « constantes » de la physique sont responsables de la diversité et de la richesse des structures dans l'univers, et de l'éclosion de la vie.

Les choses de la vie

Les nombres de la nature gouvernent notre vie quotidienne. Ils déterminent la taille et la masse des choses de la vie. Ils font que le monde est tel qu'il est, au lieu d'être tout autre. Ce qui semble être une lapalissade reflète l'infinité des choix de masse et de taille que la nature tient à sa disposition pour bâtir le contenu de l'univers. Ainsi, les planètes, au lieu d'être des boules sphériques de quelques milliers de kilomètres, auraient pu se réduire à de minuscules grains de poussière. Les être humains auraient pu avoir la taille de microbes. Pourquoi le jour, la durée d'une rotation de la Terre sur elle-même, n'a-t-il que vingt-quatre heures? Pourquoi toutes les choses qui font que la vie vaut la peine d'être vécue sont-elles ce qu'elles sont? Pourquoi la plus haute montagne sur Terre a-t-elle moins de 10 kilomètres d'altitude? Pourquoi les fleurs sont-elles moins hautes que 1 mètre et les arbres moins que quelques dizaines de mètres? Pourquoi une goutte d'eau de pluie n'a-t-elle que quelques centimètres de diamètre? La réponse est dans les nombres, dans les constantes fondamentales de la nature.

Les objets sont faits d'atomes, et ce sont ces derniers qui leur confèrent la solidité. L'atome est le résultat de l'équilibre entre deux forces : la force électromagnétique qui attire les électrons vers les protons du noyau, et qui dépend de la masse du proton m_p et de celle de l'électron m_e, et de la charge e de l'électron, et la force qui lui est opposée, qui résulte du principe d'exclusion* selon lequel les électrons ne peuvent être trop serrés les uns contre les autres, et qui fait intervenir la constante de Planck (h). La constante de gravitation G n'intervient pas, car la gravité ne joue aucun rôle dans le monde atomique (la force gravitationnelle entre un proton et un électron est 10^{40} fois plus faible que la force électromagnétique). Les « nombres » m_p, m_e, e et h contrôlent les deux forces de telle sorte que la taille de l'atome est extrêmement petite, de l'ordre d'un cent-millionième de centimètre. La nature aurait pu construire des atomes de la taille de la tour Eiffel en choisissant d'autres constantes physiques, mais elle ne l'a pas fait.

Les atomes s'organisent ensuite en des réseaux cristallins pour former les objets solides de formes et de couleurs variées qui font l'agrément de la vie : les pots de fleurs, l'Arc de Triomphe, les tableaux de Degas et de Monet, etc. En raison de la petitesse de G, la gravité n'intervient pas tant que la masse de l'objet ne dépasse pas 100 milliards de milliards de tonnes (10^{26} grammes), ce qui est le cas de presque toutes les choses de la vie. Au-delà de cette masse, la force gravitationnelle est assez grande pour avoir son mot à dire. Elle n'aime que les formes sphériques et transforme toute masse supérieure à 10^{26} grammes en sphères que nous appelons planètes. Nous l'avons échappé belle ! Si G avait été beaucoup plus grand, la gravité serait intervenue pour des masses beaucoup plus petites et nous aurions vécu dans un monde triste et morne où seule la forme sphérique aurait été tolérée ! (Nous avons vu que, dans un futur très lointain, la mécanique quantique réduira toute forme en sphère. Mais nous ne serons alors plus faits de chair et de sang et, sous forme de nuées de poussières ou d'électrons plongés dans une obscurité glaciale, nous aurons peut-être perdu tout sens esthétique.)

Pour qu'une planète soit habitable, il lui faut une atmosphère qui la protège contre les effets nocifs des rayons ultraviolets du Soleil, et qui permette l'ascension vers la complexité, la formation des molécules organiques et l'éclosion de la vie. Il faudra une planète suffisamment massive pour retenir l'atmosphère, mais pas trop massive pour que l'atmosphère retenue ne soit pas trop épaisse et ne bloque pas la lumière du Soleil, source d'énergie. Les nombres nous disent qu'une telle planète aura un rayon approximatif de 6 400 kilomètres et une masse proche de 6×10^{27} grammes, les paramètres de la Terre. La force centrifuge qui projette un passager contre la paroi de la voiture quand le conducteur amorce trop brusquement un virage tente aussi de disloquer les réseaux cristallins de la Terre, de briser les liens atomiques et moléculaires, et de la faire voler en éclats. Il ne faut donc pas qu'elle tourne trop vite. A nouveau, d'après les constantes physiques, une journée de vingt-quatre heures fera très bien l'affaire. Quelle est la plus grande montagne qui puisse se dresser sur Terre ? Celle que les réseaux cristallins de l'écorce terrestre pourront supporter sans se briser. Un petit calcul et les constantes physiques indiquent que la plus haute montagne ne doit pas dépasser le centième du rayon de la planète, c'est-à-dire 64 kilomètres. L'Himalaya ne dépasse pas 7 kilomètres.

Les constantes de la physique nous disent aussi pourquoi les êtres humains ne peuvent pas dépasser une taille de 2 mètres environ : un corps humain plus grand se briserait lors d'une chute accidentelle. (Cela serait également valable pour les chevaux, les éléphants ou les girafes. Les constantes physiques ne savent pas les distinguer des humains.) Les nombres nous révèlent que l'homme occupe une place bien précise, entre l'atome et la planète. Sa masse et sa taille sont les moyennes géométriques des masses et des tailles d'une planète et d'un atome (la moyenne géométrique est la racine carrée du produit : ainsi, 9 est la moyenne géométrique des nombres 3 et 27, alors que 15 est la moyenne arithmétique qui nous est plus familière).

Ainsi, une quinzaine de constantes physiques déterminent le paysage qui nous entoure. Ce sont d'elles que dépend la magnifique hiérarchie des structures et des masses dans l'univers, du plus petit atome au plus grand superamas de galaxies en passant par l'homme, la planète, l'étoile et la galaxie (fig. 58). Ce sont elles qui limitent les sommets des montagnes et nous empêchent d'avoir une taille de microbe. Mais le plus extraordinaire, ce sont aussi les constantes physiques, conjuguées aux conditions initiales de l'univers, qui ont permis l'éclosion de la vie et l'apparition de la conscience et de l'intelligence. L'existence de la vie dépend d'un équilibre très précaire et d'un concours de circonstances extraordinaire. Modifiez un tant soit peu les paramètres numériques ou les conditions initiales, et l'univers sera complètement différent et nous n'existerons plus.

Les univers-jouets sont infertiles

Les physiciens se sont rendu compte de l'extrême improbabilité de l'émergence de la vie et de l'intelligence dans un univers aux paramètres numériques et aux conditions initiales quelconques, en cédant à leurs impulsions de vouloir jouer aux dieux créateurs. Pour pallier le fait que nous ne disposons que d'un seul univers pour effectuer nos observations, le nôtre, ils vont créer une multitude d'univers fictifs et suivre leur évolution hypothétique à l'aide d'équations complexes et de puissants ordinateurs. Tout comme ils se sont servis d'univers-jouets pour étudier la formation de la merveilleuse tapisserie cosmique des galaxies, les astrophysiciens vont utiliser des univers-jouets pour étudier les conditions nécessaires à l'émergence de la vie et de la conscience. Ces univers-jouets auront tous des paramètres numériques et des conditions initiales différents. Dans l'un, la force nucléaire faible sera moins intense, dans l'autre ce sera la force électromagnétique qui augmentera. Le suivant contiendra tellement de matière qu'il s'effondrera au bout d'une seconde tandis qu'un autre sera peuplé d'une telle quantité de trous noirs qu'il sera complètement inhomogène. La question à mille francs serait : ces univers-jouets sauront-ils gravir les différents échelons de la pyramide de la complexité pour aboutir à la conscience ? Est-ce qu'ils sauront inventer galaxies, étoiles, planètes et océans primitifs pour engendrer la vie ?

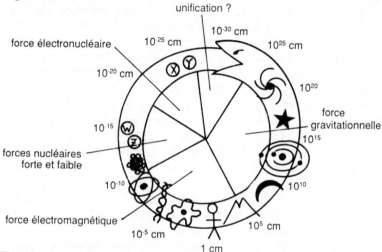

Fig. 58.

Le réglage précis des quatre forces de l'univers. Ce serpent qui se mord la queue illustre le domaine d'influence de chaque force. La force gravitationnelle contrôle le domaine cosmique (galaxies, étoiles, planètes et Lune). La force électromagnétique opère de l'échelle des hommes à celle des atomes en passant par celle des amibes et des hélices enchevêtrées de l'ADN. Les forces nucléaires forte et faible contrôlent le domaine des noyaux d'atomes et des particules élémentaires. À des échelles plus petites (comme celle de l'univers à ses débuts), les forces nucléaires et la force électromagnétique s'unissent pour former la force électronucléaire. La gravité s'unira-t-elle avec la force électronucléaire pour ne former qu'une seule « superforce » à des échelles encore plus petites ? L'intensité relative de ces quatre forces a été réglée de façon très précise pour permettre l'apparition de la vie et de la conscience. Que ces forces diffèrent un tant soit peu et nous ne serons plus là pour en parler (dessin d'après S. Glashow).

La réponse à ces questions est surprenante au premier abord. La vie telle que nous la connaissons n'aura aucune chance de surgir dans un univers un tant soit peu différent du nôtre. Tous les univers-jouets seront donc infertiles et vides de conscience. Les paramètres numériques ne souffrent aucune modification. Augmentons un peu (de quelques % par exemple) la valeur du paramètre qui contrôle l'intensité de la force nucléaire forte, et les protons, noyaux d'hydrogène, ne pourront plus rester libres. Ils se transformeront en noyaux lourds en se combinant avec d'autres protons et neutrons. Sans hydrogène, adieu eau, molécules d'ADN et vie. Des étoiles pourront se former, mais elles s'éteindront très vite, faute de carburant d'hydrogène. Diminuons un peu l'intensité de la force nucléaire forte. Nous versons alors dans l'excès contraire : aucun noyau autre que celui d'hydrogène ne pourra survivre. Les noyaux d'hydrogène ne pourront plus se combiner pour brûler en hélium. Les réactions nucléaires ne pourront plus se déclencher et les étoiles, sources d'énergie vitale, ne pourront plus s'allumer.

La force nucléaire forte refuse de se laisser changer. Laissons-la de côté et augmentons la valeur du « nombre » qui contrôle la force électromagnétique. Les électrons chargés négativement seront plus fortement liés aux noyaux de charge contraire. Les réactions chimiques qui réarrangent les électrons entre les noyaux de divers éléments demanderont beaucoup plus d'énergie et seront très rares, ce qui rendra la formation des hélices enchevêtrées d'ADN extrêmement improbable. Si nous diminuons un peu la force électromagnétique, ni les liaisons chimiques ni les molécules organiques complexes ne seront possibles. En désespoir de cause, diminuons G. La gravité devient si faible que les nuages interstellaires ne pourront plus s'effondrer assez sous leur propre poids et atteindre une densité et une température suffisamment élevées pour déclencher les réactions nucléaires. Les étoiles ne s'allumeront plus. C'en sera fini des éléments chimiques et de l'énergie nécessaires à la vie. Augmenter G n'arrange pas davantage nos affaires. Le cœur des étoiles, trop comprimé par le poids des couches extérieures, est si chaud et si dense que les réactions nucléaires s'enclenchent à toute vitesse. Le carburant hydrogène est très vite consommé, trop vite pour que l'évolution cosmique ait le temps de gravir les échelons nécessaires à l'ascension vers la vie.

Une argumentation similaire s'applique aux autres « nombres ». La même conclusion est toujours répétée : les paramètres numériques sont inflexibles. Changer légèrement leurs valeurs élimine toute chance d'éclosion de la vie. Que se passerait-il si les conditions initiales de l'univers étaient modifiées ? Nous donneraient-elles des univers-jouets plus fertiles? Là encore, il nous faudra conclure que les conditions initiales de notre univers sont très particulières et que toute modification entraîne la suppression de la vie.

Un univers réglé avec une extrême précision

Une des conditions initiales les plus importantes de l'univers est la quantité de matière par unité de volume (ou densité de matière) qu'il contient. Cette quantité détermine, nous l'avons vu, le destin de l'univers. Un univers très dense au départ aura une durée de vie très courte. Une expansion d'une année, d'un mois ou même d'une seconde, et la gravité provoquera l'effondrement et l'écrasement dans une chaleur infernale. La vie n'aura plus le temps nécessaire pour gravir les échelons de la complexité. Les êtres vivants sont faits de noyaux d'éléments lourds (tel le carbone) fabriqués au cœur des étoiles. Pour que ces noyaux soient disponibles, il faut d'abord attendre qu'une génération d'étoiles vivent leurs vies et se consument en des agonies explosives pour ensemencer le milieu interstellaire des produits de leur combustion. Puis attendre l'invention de la planète et patienter pendant la longue progression des acides aminés jusqu'au cerveau humain. En tout, il faut compter au moins quelques milliards d'années. Facile, me direz-vous. Il suffit de diminuer la densité initiale pour allonger la durée de l'univers et donner à la vie le temps de se développer. Mais il ne faut pas verser dans l'excès inverse. Un univers de très faible densité aura une longue durée, certes. Mais la matière y sera tellement diluée qu'étoiles et galaxies ne pourront plus s'y condenser et il sera lui aussi condamné à la stérilité.

En fait, seul un univers ayant une densité extrêmement précise pourra à la fois durer longtemps et héberger galaxies et étoiles. C'est le cas du nôtre. Nous avons vu qu'il possède une densité très proche de la densité critique* (trois atomes d'hydrogène par mètre cube), c'est-à-dire de la densité d'un univers qui n'arrêterait son expansion qu'après un temps infini. La densité de notre univers n'est, aux dernières nouvelles, que le cinquième de la densité critique. Elle pourrait être égale à la densité critique si l'univers contenait d'innombrables particules élémentaires nées à ses premiers instants ou si de nombreux monstres massifs, tel le « Grand Attracteur », rôdaient dans l'immensité de l'espace. En tout cas, il est extraordinaire que la densité actuelle de l'univers soit si proche de la densité critique, alors qu'elle aurait pu être des milliers, voire des milliards de fois plus petite ou plus grande que cette dernière. Les calculs

montrent que la différence entre la densité réelle et la densité critique augmente avec le temps. Cette différence a été amplifiée d'un
facteur de 1 million de millions de fois depuis l'ère de la nucléosynthèse primordiale★. Le fait que les deux densités soient encore presque égales après 15 milliards d'années d'évolution signifie que, au
moment de la fabrication de l'hydrogène et de l'hélium, environ
trois minutes après l'explosion originelle, la densité de l'univers ne
différait pas de plus d'un millionième de millionième de la densité
critique. La densité de l'univers a été parfaitement réglée pour que
les galaxies, oasis de vie, surgissent dans le désert cosmique, et que
l'évolution cosmique ait le temps nécessaire pour accéder à l'intelligence. Le paysage universel qui correspond à la densité critique
est plat et dénué de toute courbure. S'il y avait assez de matière
pour sculpter ce paysage en montagnes et vallons, l'univers se serait
effondré au bout de quelques secondes.

Il existe d'autres réglages tout aussi précis. L'univers est
homogène★ et isotrope★ à un très haut degré. Ses propriétés sont
presque les mêmes partout et dans toutes les directions. La température du rayonnement fossile ne varie pas de plus de 0, 01 % d'un
point du ciel à l'autre. C'est fort heureux pour nous. Un univers
initialement trop chaotique et désordonné ne contiendrait aucune
galaxie. Les mouvements anarchiques se dissiperaient en chaleur,
réchauffant l'univers et empêchant la formation des galaxies. Un
univers homogène, oui, mais pas trop. Il doit contenir çà et là les
graines d'inhomogénéité qui germeront sous forme de galaxies nour-
ricières. De nouveau, tout se joue sur l'équilibre : l'univers ne doit
être ni trop homogène pour permettre l'existence de graines de
galaxies, ni trop inhomogène pour permettre leur croissance. Le
réglage initial est, encore une fois, d'une virtuosité époustouflante :
l'écart du taux d'expansion de l'univers à son début (au temps de
Planck de 10^{-43} seconde), dans les différentes directions de l'espace
ne doit pas être supérieur à 10^{-40} (un nombre extrêmement petit :
le chiffre 1 arrive seulement après 40 zéros). On pourrait comparer
la précision de ce réglage à l'habileté d'un archer qui réussirait à
planter sa flèche au milieu d'une cible carrée de 1 centimètre de
côté, éloignée de 15 milliards d'années-lumières, la taille de
l'univers...

Certes, lorsque nous parlons de vie et d'intelligence, nous faisons
l'hypothèse contestable d'une vie et d'une intelligence semblables
aux nôtres, fondées sur l'activité biochimique des molécules géantes d'hydrogène, de carbone, d'oxygène, etc. La voie biochimique
n'est peut-être pas la seule qui mène à la conscience. Le physicien
anglo-américain Freeman Dyson a, nous l'avons vu, avancé l'idée

d'un cerveau fait à partir d'un nuage de grains de poussière microscopiques ou d'assemblages d'électrons et de positons. Mais ces propositions relèvent encore de la science-fiction. La voie biochimique qui mène à la vie est, jusqu'à nouvel ordre, la seule que nous connaissons. Peut-être est-ce là faire preuve d'un nombrilisme exagéré et d'un anthropocentrisme outré que le fantôme de Copernic aurait certainement désavoués. Mais que faire d'autre en l'absence d'informations supplémentaires?

En tout cas, il est certain que les constantes fondamentales de la nature et les conditions initiales ont été réglées avec une extrême précision pour que l'univers franchisse les étapes qui mènent des particules élémentaires à la vie biochimique en passant par les planètes, les étoiles et les galaxies. Une petite modification et l'univers serait stérile et vide d'observateurs. Que penser de ce stupéfiant concours de circonstances? Certains n'y voient que le fruit du hasard. L'univers, dans ce cas, serait accidentel. Le fait que les constantes physiques et les conditions initiales aient été à même d'engendrer la vie ne serait qu'une coïncidence heureuse, sans grand intérêt. L'homme est perdu « dans l'immensité indifférente de l'univers d'où il a émergé par hasard ». Cette attitude, qui rencontre l'approbation du fantôme de Copernic, suscite le désespoir.

Pour d'autres, ce concours de circonstances n'est pas accidentel, il a sa signification et si l'univers existe en tant que tel, c'est bien pour faire émerger la conscience et l'intelligence. Il contenait en germe, dès le début, les conditions requises pour l'arrivée d'un observateur. Il tendait à prendre conscience de lui-même par la création de l'intelligence. « Quelque part, il savait que l'homme allait venir[9] ! » Les partisans de ce point de vue, l'astrophysicien anglais Brandon Carter en tête, l'ont même élevé au statut de principe anthropique ! (Ce qualificatif d'« anthropique », qui sous-entend que seul l'homme a le privilège de la conscience et de l'intelligence, est, encore une fois, le reflet d'un anthropocentrisme excessif, d'une vanité humaine mal placée. Les amibes, les chimpanzés et les baleines seraient en droit de protester. L'astrophysicien franco-canadien Hubert Reeves a proposé de remplacer « principe anthropique » par le terme plus général de « principe de la complexité », qu'il énonce comme suit : « L'univers possède, depuis les temps les plus reculés accessibles à notre exploration, les propriétés requises pour amener la matière à gravir les échelons de la complexité[10]. » Cet énoncé place à égalité hommes et chimpanzés.)

9. F.J. Dyson, *Les Dérangeurs d'univers*, Payot, 1987.
10. H. Reeves, *L'Heure de s'enivrer*, Le Seuil, 1986.

Avec le principe anthropique, la défaite du fantôme de Copernic est totale. L'homme, sous l'éclairage de la cosmologie moderne, reprend la première place. Non pas la place centrale, dans le système solaire et dans l'univers, qu'il occupait avant Copernic, mais dans les desseins de l'univers. Il ne doit plus craindre l'immensité de l'univers, justement faite pour l'accommoder. L'univers est vaste parce qu'il doit être suffisamment âgé pour que l'homme ait le temps d'apparaître sur scène. L'âge en question doit être supérieur à quelques milliards d'années et c'est pourquoi l'univers a une quinzaine de milliards d'années-lumières, et non pas la taille du système solaire qu'on lui attribuait du temps de Copernic.

Les univers parallèles*

Le principe anthropique a auréolé l'univers de finalité : il tend vers la conscience. Comment réagir ? Le scientifique éprouve une méfiance bien justifiée vis-à-vis de tout argument finaliste. La science moderne est née du rejet systématique et catégorique de l'explication des phénomènes naturels en termes de « causes finales » ou de « projet », démarche propre aux doctrines religieuses. Dire comme l'écrivain Bernardin de Saint-Pierre que « les citrouilles sont grosses parce qu'elles sont faites pour être mangées en famille », c'est jouer la politique de l'autruche, c'est se cacher la tête dans le sable pour ne pas voir l'existence de causes plus profondes. De même, nous aurions pu dire : « L'univers a un paysage aussi plat et homogène parce qu'il avait pour but l'homme, et que ces conditions sont nécessaires à la réalisation de ce but », et nous en tenir là, sans chercher plus loin. Nous n'aurions jamais découvert la phase inflationnaire* dans les premières fractions de secondes de l'histoire de l'univers, qui explique naturellement les propriétés d'homogénéité* et de platitude*, sans invoquer une cause finale : avant sa croissance exponentielle (l'« inflation »), l'univers était si petit que toutes ses parties infinitésimales étaient en contact les unes avec les autres, ce qui leur a permis de s'homogénéiser. Après l'inflation, les zones ne sont plus en contact mais elles « se souviennent » de l'avoir été. Quant à la géométrie de l'espace, elle s'est aplatie durant l'inflation, de même que la surface d'un ballon s'aplatit quand ce dernier est gonflé. A trop invoquer l'idée de « projet », on risque de passer à côté de grandes découvertes.

Que doit faire le scientifique qui refuse d'attribuer au hasard l'extraordinaire précision de réglage des constantes physiques et des conditions initiales nécessaires à l'émergence de la conscience, s'il dénie également toute finalité à l'univers ? Il appelle la mécanique quantique à la rescousse et introduit la notion d'univers parallèles.

La mécanique quantique enveloppe, nous l'avons vu, le monde des atomes et des particules d'un grand flou. L'électron, au lieu de suivre sagement une orbite bien définie autour du noyau d'atome, comme la Terre autour du Soleil, peut virevolter, faire des pirouettes et être partout à la fois dans la grande salle de bal de l'atome. Quand je ne l'observe pas, l'électron rejette son masque de particule et revêt son visage d'onde. Impossible de le localiser avec certitude. Je ne pourrai qu'avancer la probabilité de le rencontrer ici ou là. L'onde de l'électron, telles les vagues de la mer, a des zones de grande amplitude (les crêtes des vagues) et de faible amplitude (le creux des vagues). La probabilité de rencontrer l'électron, proportionnelle au carré de l'amplitude de l'onde, est donc maximale sur les crêtes de l'onde et minimale dans ses creux. Tant que je n'utilise pas mon appareil de mesure pour observer l'électron, je ne pourrai décrire sa réalité que par probabilités. Le déterminisme est banni. J'active mon instrument de mesure et fais une observation en un endroit quelconque dans l'atome, disons sur la crête d'une onde. L'électron se mue en particule et apparaît — ou non — à l'endroit observé. Si je le localise à cet endroit, je peux me demander s'il était là avant que l'observation ne le capture. En cas de réponse positive, je me heurte à un grave problème conceptuel : si l'électron était là et nulle part ailleurs, sa probabilité d'être en tout autre endroit dans la vaste salle de bal de l'atome devait être nulle. Or l'électron, revêtu de son habit d'onde, avait, selon la mécanique quantique, une probabilité non nulle d'être à tous les autres endroits. La mécanique quantique serait-elle fautive ?

Des physiciens tels qu'Albert Einstein ou Erwin Schrödinger, qui n'aimaient pas penser que Dieu jouait aux dés avec la nature, s'efforcèrent de trouver des exemples de situation où la mécanique quantique serait prise en défaut (ironie du sort, c'est Schrödinger qui nous apprit à calculer la forme de l'onde de l'électron et autres particules, et qui détermina que la probabilité de localiser une particule est proportionnelle au carré de l'amplitude de l'onde). Schrödinger imagina en particulier une situation où les paradoxes de la mécanique quantique dans le monde microscopique des atomes envahiraient le monde macroscopique de la vie de tous les jours. Considérons, dit-il, un chat enfermé dans une chambre avec un flacon de poison de cyanure. Au-dessus de la bouteille de poison est suspendu, telle l'épée de Damoclès, un marteau contrôlé par une substance radioactive, c'est-à-dire une substance dont les noyaux se désintègrent spontanément au bout d'un certain temps. Lors de la première désintégration, le marteau tombe sur le flacon et le brise, libérant le contenu qui va empoisonner le chat. Jusqu'ici, rien d'extraordinaire. Mais les problèmes surgissent dès que nous essayons de prédire le destin du chat. La vie de ce dernier dépend de la première désintégration. Or, celle-ci ne peut être décrite qu'en termes de probabilités : il y a 50 % de chances pour qu'un noyau se désintègre (ou ne se désintègre pas) au bout d'une heure. Tant que nous ne pénétrons pas dans la chambre pour vérifier si le chat est mort ou vivant, tant que nous n'intervenons pas comme observateur, nous pouvons seulement dire qu'au bout d'une heure le félin est une combinaison de 50 % de chat mort et de 50 % de chat vivant (fig. 59). L'interdéterminisme du monde microscopique a gagné le monde macroscopique par l'intermédiaire de la matière radioactive. Schrödinger ne pouvait accepter cette description de la réalité. Pour lui, le chat est soit mort, soit vivant. Parler d'un chat suspendu entre la vie et la mort, et qui ne se décide à vivre ou à mourir pour de bon qu'après l'entrée de l'observateur dans la chambre, lui semblait d'une absurdité totale. Les difficultés conceptuelles ne s'arrêtent pas là : même si nous acceptons le rôle souverain de l'observateur, même si nous admettons que ce dernier a le pouvoir de dissiper le flou des électrons et du destin des chats, que se passerait-il si l'objet observé était l'univers tout entier ? Par définition, l'univers englobe tout. Il ne peut y avoir d'observateur en dehors de l'univers (à moins d'un être suprême : nous verrons cette possibilité plus en détail dans le prochain chapitre). Cela signifie-t-il que l'univers, faute d'observateur extérieur, n'est que flou, qu'il n'est pas fait d'une seule réalité, mais de la combinaison d'une multitude de réalités, toutes aussi valables les unes que les autres ? Cette supposition ne peut être la bonne : les choses qui nous entourent ont bien une réalité unique et concrète. Le flou des atomes n'existe pas dans la vie de tous les jours.

C'est pour résoudre ces difficultés conceptuelles et éviter les chats suspendus entre la vie et la mort que le physicien américain Hugh Everett proposa en 1957 la notion d'univers parallèles*. Selon lui, l'univers se divise en deux copies presque semblables chaque fois qu'il y a alternative d'action, choix ou décision. Il y aurait un univers où le chat serait vivant et un autre où il serait mort. Les deux univers parallèles seraient aussi réels l'un que l'autre. Ils contiendraient tous les deux des observateurs identiques qui se seraient dédoublés. Ces univers seraient totalement déconnectés l'un de l'autre : les observateurs d'un univers ne pourraient jamais examiner ce qui se passe dans l'autre. Quant à l'électron, revêtu de son habit d'onde, virevoltant dans la vaste salle de bal de l'atome, la

notion d'univers parallèles met sur un pied d'égalité la position observée avec toutes les autres positions où la probabilité (donnée par
le carré de l'amplitude de l'onde) est non nulle. L'électron occupe
toutes les positions, observées ou non, mais chaque position se trouve
dans un univers parallèle différent. De cette multitude d'univers,
l'observateur sélectionne un univers particulier avec une position
bien précise de l'électron. Chaque univers étant aussi réel que son
voisin, la présence d'un observateur extérieur, nécessaire pour dissiper le flou quantique, n'a plus de raison d'être.

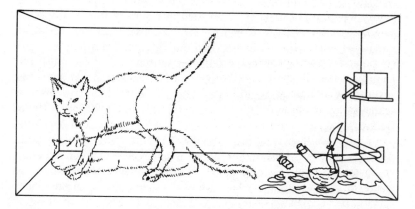

Fig. 59.

*Un chat suspendu entre la vie et la mort ou les paradoxes de la mécani-
que quantique.* La mécanique quantique décrit la réalité en termes de probabilités. Certains physiciens illustres (dont Einstein) n'aimaient pas cette
interprétation non déterministe du monde réel. Pour la mettre en défaut,
le physicien autrichien Erwin Schrödinger imagina la situation suivante :
un chat est enfermé dans une chambre avec un flacon de cyanure, lequel
est placé sous un marteau contrôlé par une substance radioactive. À la
première désintégration de la substance radioactive, le marteau tombe,
brisant le flacon, libérant le poison et tuant le chat. Selon les lois de la
mécanique quantique, nous ne pouvons pas prévoir exactement quand
la première désintégration aura lieu. Nous ne pouvons parler qu'en termes de probabilités : il y a, par exemple, 50 % de chance qu'une désintégration se produise (ou ne se produise pas) au bout d'une heure. Ainsi,
en ce qui concerne le chat, tout ce que nous pouvons dire (sans pénétrer
dans la chambre), c'est que, au bout d'une heure, il existe une combinaison de 50 % de chat mort et 50 % de chat vivant, une description de la
réalité que Schrödinger trouvait inacceptable. C'est pour remédier à ce
genre de paradoxe que la théorie des univers parallèles (ou multiples) fut
introduite. Selon cette théorie il existerait un univers où le chat serait mort
et un autre, parallèle au premier mais entièrement déconnecté de lui, où
il serait en vie.

Vous objecterez, avec raison, que cette notion d'univers parallèles est bien étrange. Votre bon sens se rebelle à l'idée que les capri-
ces d'un seul électron sont à même de diviser l'univers en
d'innombrables copies presque identiques, où votre conscience et
votre personnalité sont également reproduites à l'infini. Mais le bon
sens peut-il servir de guide dans le monde étrange de la mécanique
quantique ? En tout cas, la notion d'univers multiples ne contredit
aucune expérience en laboratoire. Jusqu'à preuve du contraire, on
ne peut la rejeter. L'univers peut donc, en principe, se livrer à une
orgie de divisions, à une frénésie de dédoublements, chaque fois
qu'il y a alternative. Qu'un atome change d'état dans une étoile quelconque perdue dans une galaxie lointaine, elle-même égarée dans
l'immensité de l'espace, et le monde qui nous entoure se divise en
deux copies semblables. Certains univers ne seraient pas très différents du nôtre. Ils ne s'en distingueraient, par exemple, que par
la position d'un seul électron dans un seul atome. Bien malin qui
pourrait voir la différence. D'autres différeraient davantage, par
exemple par leurs populations de chats vivants. D'autres univers
existeraient encore où Judas n'aurait pas trahi le Christ, où la Révolution française n'aurait pas eu lieu, où la France serait encore sous
un régime monarchique, où Napoléon n'aurait pas perdu la bataille
de Waterloo, où Hitler n'aurait pas existé, où le maréchal Pétain
n'aurait pas signé l'armistice, etc. D'autres encore différeraient de
façon plus fondamentale : ils auraient d'autres constantes physiques
et d'autres conditions initiales, avec des lois physiques différentes.
Tout ce qui peut arriver arrive dans ce vaste ensemble d'univers.
Mais en aucun cas ces univers parallèles, qu'ils diffèrent d'un seul
électron ou qu'ils aient de tout autres lois physiques, ne seraient
accessibles à notre expérience. Ils sont aussi réels que le nôtre, mais
nous sont interdits à tout jamais.

Si l'on accepte cette notion d'univers parallèles, il n'y a plus à
discuter de notre univers en termes de causes finales ni à lui attribuer le projet de faire apparaître l'homme. La fabuleuse précision
du réglage des constantes physiques et des conditions initiales n'est
plus surprenante. Ces constantes physiques et ces conditions initiales ont été sélectionnées, parmi un nombre infini de choix possibles, par le fait même que nous existons. Une écrasante majorité
d'univers parallèles n'auront pas au départ les conditions nécessaires à l'émergence de la vie et ils seront vides de conscience. Dans
ces univers inhospitaliers, il n'y aura personne pour se poser des
questions. C'est parce que notre univers possède des paramètres « fertiles » que nous sommes là pour en parler. Sous ce nouvel éclairage, l'homme n'est plus le but de l'univers qui le contient (l'énoncé

« fort » du principe anthropique), mais un simple observateur et les propriétés de l'univers doivent être compatibles avec son existence (l'énoncé « faible » du principe anthropique).

Nous voilà en pleine science-fiction. L'existence de ces univers parallèles ne pourra jamais être vérifiée, car ils échappent à notre observation. Et pourtant, la notion d'univers multiples n'a cessé de pointer son nez sous d'autres formes dans le paysage de la physique. Pour le physicien américain John Wheeler, l'univers traverse une interminable série de cycles d'expansions et de contractions. Après chaque contraction à une température et une densité infinies, l'univers renaît, tel un phénix, de ses cendres, pour entamer un nouveau cycle d'expansion (voir figure 56). Mais à chaque nouveau cycle, l'univers repart avec des constantes physiques, des conditions initiales et même des lois physiques différentes. La plupart de ces cycles ne possèderont pas les conditions nécessaires à l'émergence de l'intelligence. Le cycle qui est le nôtre a, par chance, les paramètres fertiles nécessaires et c'est pourquoi je suis là pour écrire ces lignes et vous pour les lire. Wheeler a remplacé la division frénétique des univers d'Everett par une succession infinie d'univers, mais l'idée reste la même : une infinité d'univers où les constantes physiques, les conditions initiales et même les lois physiques peuvent varier à volonté. A nouveau, ces univers sont totalement déconnectés les uns des autres. Le fondement scientifique de l'univers cyclique de Wheeler est encore plus fragile que celui des univers parallèles d'Everett : nous ne savons même pas si l'univers contient assez de matière pour s'effondrer lui-même. Quant à savoir ce qui se passe à des températures et à des densités extrêmement élevées, derrière le mur de Planck (l'univers peut-il redémarrer avec de nouvelles constantes physiques ?), la physique actuelle ne dispose pas de moyens suffisants pour le dire.

La notion d'univers multiples a également pointé son nez, on s'en souvient, lors de la description de la phase inflationnaire dans le livre de l'histoire de l'univers. Dans ce scénario, notre univers n'est qu'une petite bulle perdue dans l'immensité d'une bulle méta-univers, beaucoup plus vaste. Cette bulle méta-univers se perd à son tour dans une multitude d'autres bulles méta-univers. Bien que notre connaissance de ces premiers moments de l'univers soit encore très sommaire, il est intéressant de constater que des univers multiples surgissent naturellement des théories d'unification*, celles qui tentent d'unir les forces fondamentales de la nature en une seule. Ces univers multiples n'ayant pas été invoqués spécialement pour résoudre les paradoxes de la mécanique quantique (comme ce fut le cas des univers d'Everett) ou pour expliquer le réglage précis de l'univers (comme ce fut le cas de l'univers cyclique de Wheeler), ils sont peut-être plus crédibles. Mais ils souffrent toujours du plus grave défaut qui soit en science : ils ne peuvent être vérifiés par l'observation, étant tous déconnectés les uns des autres, et en particulier du nôtre.

Le hasard réinterprété

Que penser du principe anthropique* ? Il est difficile de nier qu'il y a dû y avoir un ajustement extraordinaire des paramètres physiques pour que la conscience (fondée sur la chimie du carbone) fasse son apparition. Le philosophe Pangloss de Voltaire ne croyait pas si bien dire quand il proclamait que « tout est bien dans le meilleur des mondes ». Tout est bien parce que le monde a été réglé minutieusement pour notre venue. Le fantôme de Copernic n'a plus qu'à baisser la tête. Notre existence même est un événement remarquable et porteur d'informations. L'astronome sait que l'univers qu'il va observer cette nuit a des propriétés qui doivent être compatibles avec le fait qu'il est là. Mais cette connaissance l'aide-t-il à mieux appréhender les principes fondamentaux qui régissent l'univers ? Le principe anthropique a-t-il sa place dans la démarche scientifique ? La science prédit. Des conditions initiales sont précisées (par exemple la position et la vitesse initiales d'une balle qu'on jette en l'air), des lois physiques sont appliquées (la loi de la gravitation universelle de Newton) et des prédictions sont faites (quand et où la balle va atterrir), prédictions qui peuvent être vérifiées par des mesures précises. Le principe anthropique opère en sens inverse. C'est un énoncé a posteriori. Nous savons que nous existons. Que peut-on en déduire des conditions initiales et des principes qui régissent l'univers ? Ce principe est-il stérile et dépourvu de tout caractère prédictif, ce dont on l'a maintes fois accusé ?

Il faut bien reconnaître que, depuis son énoncé par Brandon Carter en 1974, le principe anthropique ne nous a pas apporté une moisson de découvertes scientifiques. Il me semble qu'en lui-même le principe ne peut être révélateur de grandes vérités. Mais il peut guider notre intuition et nous aiguiller sur le bon chemin pour percer les secrets de la nature. Un exemple me vient à l'esprit. En 1961, treize ans avant l'énoncé formel du principe anthropique par Carter, le physicien américain Robert Dicke avait déjà relevé une étrange coïncidence : l'univers et les étoiles ont à peu près le même âge, une dizaine de milliards d'années environ. Dicke comprit tout de suite que cette étrange coïncidence n'était pas accidentelle, mais nécessaire : l'univers doit être assez âgé pour avoir le temps de fabriquer du carbone, qui est nécessaire à l'existence des hommes en général, et des physiciens en particulier. L'univers ne pouvant aller plus loin que l'hélium dans ses trois premières minutes, il fallait attendre l'invention de l'étoile, son alchimie créatrice, et son agonie explosive pour disséminer les produits de la combustion stellaire dans l'espace, le temps de quelques milliards d'années. L'univers ne peut pas non plus être beaucoup plus âgé que la durée de vie d'une étoile. Un univers trop vieux ne contiendrait que cadavres stellaires, naines blanches*, étoiles à neutrons* ou trous noirs*. Les physiciens ne pourraient y vivre. L'âge de l'univers n'est pas accidentel, mais déterminé par notre présence. Dicke aurait pu utiliser cet argument pour s'opposer à la théorie de l'univers stationnaire* (steady state en anglais) qui était la grande rivale de la théorie du big bang dans les années cinquante. Cette dernière prédisait un univers sans commencement ni fin, avec un âge sans limite dans le passé et dans le futur. Dans cette théorie, il n'y aurait eu aucune connexion évidente entre l'âge de l'univers et celui d'une étoile. Dicke aurait pu argumenter (il ne l'a pas fait) que la similarité de ces deux âges faisait pencher la balance en faveur d'un commencement de l'univers, c'est-à-dire en faveur du big bang. Mais il n'aurait pas pu s'en tenir là. Dire que la théorie du big bang est la bonne parce que, dans cette théorie, notre présence explique naturellement la coïncidence entre l'âge de l'univers et celui des étoiles, n'aurait convaincu personne. Mais se rendre compte que notre existence est extraordinaire peut aider à canaliser notre intuition et à aiguiller nos observations. Ainsi, le raisonnement de Dicke, pris au sérieux, aurait peut-être pu faire avancer la date de la découverte qui, en 1965, fit triompher le big bang, celle du rayonnement fossile de l'univers chaud et dense du début. Le principe anthropique peut guider notre pensée, mais ne peut en aucun cas se substituer aux recherches des grands principes physiques qui régissent la nature et aux observations qui les vérifient.

Jacques Monod pensait que toute l'évolution cosmique menant à l'homme n'était qu'une suite de coups de dés chanceux, qu'une succession d'heureuses coïncidences qui auraient bien pu ne jamais se produire. Le biochimiste pensait aux rencontres de hasard entre les quarks pour former les noyaux d'atomes, entre les atomes au cœur des étoiles pour alimenter leurs feux, entre les atomes, produits de la combustion stellaire, pour former les molécules interstellaires et les planètes, entre les molécules organiques de l'océan primitif pour engendrer les hélices enchevêtrées de l'ADN. L'homme a surgi à la suite de cette longue chaîne de hasards heureux, mais il aurait aussi bien pu ne jamais apparaître. La notion d'univers multiples et parallèles et le principe anthropique donnent à la notion de hasard un tout autre sens que celui que lui attribuait Monod. Le vrai hasard ne réside plus dans les rencontres de particules, de quarks, d'atomes et de molécules, mais dans le choix des constantes physiques et des conditions initiales. Une fois celles-ci fixées, la matière contient déjà en elle les germes de l'éclosion de la conscience, et la gestation cosmique va mener inexorablement jusqu'à nous.

Le scientifique et le finalisme

L'idée d'univers multiples a permis au scientifique d'apaiser sa méfiance vis-à-vis du finalisme et de contourner l'idée d'un « projet » par l'univers. Mais chaque fois qu'il est bercé par une fugue de Bach ou une sonate de Mozart, qu'il contemple les tournesols de Van Gogh ou les pommes de Cézanne, qu'il est transporté d'enthousiasme devant les couleurs chaudes et douces d'un coucher de Soleil, ou qu'il s'émerveille de la beauté d'un paysage, le doute s'insinue à nouveau en lui : et s'il y avait tout de même, malgré tout, un projet? Affirmer, sans aucune preuve, qu'il n'y en a pas est une attitude aussi peu scientifique et dogmatique que de proclamer qu'il en existe un. Et puis, postuler une infinité d'univers invérifiables n'est pas très satisfaisant pour l'esprit. Pourquoi la nature devrait-elle se livrer à une orgie de création d'univers infertiles uniquement pour en créer un qui soit fertile? Cela semble être du gaspillage pur et simple, et n'est pas du tout conforme à la simplicité et à l'économie des lois naturelles connues.

Parler d'un projet revient à parler d'un créateur suprême, de Dieu. Oser mêler Dieu et science relève de la pire hérésie aux yeux de certains scientifiques, tels Monod ou Weinberg. Ces derniers considèrent que la méthode scientifique est incapable de répondre directement à la question de l'existence d'un projet et d'un être suprême, et ils ont bien raison. Dieu ne se démontre pas comme un théorème de mathématiques. Il ne se vérifie pas par des observations au télescope, des mesures en laboratoire ou des calculs sur ordinateur. On possède la foi ou on ne l'a pas. Mais les découvertes récentes de la cosmologie ont éclairé la plus fondamentale et la plus vieille des questions d'une lumière nouvelle. Et il importe que toute réflexion sérieuse sur l'existence de Dieu en tienne compte. Après tout, les questions que se pose le cosmologiste sont étonnamment proches de celles qui préoccupent le théologien : comment l'univers a-t-il été créé? Y a-t-il un début du temps et de l'espace? L'univers aura-t-il une fin? D'où vient-il et où va-t-il? Le domaine de Dieu est celui du mystérieux et de l'invisible, celui de l'infiniment petit et de l'infiniment grand. Ce domaine n'appartient plus aujourd'hui exclusivement au théologien, il est aussi celui du scientifique. La science est là, qui accumule les découvertes et bouleverse les perspectives. Le théologien n'a plus le droit de rester indifférent. Confrontons les arguments religieux et philosophiques concernant l'existence de Dieu avec la nouvelle vision scientifique de l'univers. Examinons le face à face de Dieu et de la cosmologie moderne.

VIII

Dieu et le big bang

Une cause première est-elle nécessaire ?

Un des arguments les plus fréquemment utilisés pour démontrer l'existence de Dieu et qui a attiré l'attention des plus grands philosophes et théologiens à travers les âges, de Platon et Aristote à Emmanuel Kant, en passant par saint Thomas d'Aquin, est celui qui concerne l'enchaînement des causes : toute chose a une cause. Il ne peut y avoir une chaîne infinie de causes. Tôt ou tard, on doit aboutir à une cause première, responsable de tout le contenu de l'univers. Cette cause première est Dieu.

Cet argument repose bien sûr sur le concept occidental de temps linéaire. Un événement A se produit, qui cause B, qui provoque à son tour C, et ainsi de suite. Dans certaines philosophies et religions orientales, tel le bouddhisme, le temps n'est plus linéaire, mais cyclique. L'événement A provoque B qui cause C qui, à son tour, cause A. La boucle se referme sur elle-même et il n'y a plus nécessairement de cause première. De nouveau, les bizarreries de la mécanique quantique n'excluent pas ce cas de figure. En effet, dans les années soixante, une théorie physique proclamait qu'il n'y avait *pas* de particule élémentaire, que chaque particule était composée de toutes les autres, qu'il y avait un peu de toutes les particules dans chaque particule : A est composé de B et C, B de A et C, et C de A et B. Cette théorie n'a plus le vent en poupe, car la théorie d'une hiérarchie de particules de plus en plus élémentaires semble mieux épouser les contours de la nature : la matière est faite de molécules, qui sont faites d'atomes, qui sont composés d'électrons et de noyaux d'atomes, dont les briques sont des protons et des neutrons, qui sont construits à leur tour de quarks. La chaîne s'arrête là, jusqu'à nouvel ordre.

Le flou quantique a fait voler en éclats l'argument d'une cause première. Dans le monde microscopique des particules élémentaires, les relations causales et le déterminisme ne sont plus de mise. Des particules fantômes peuvent surgir, nous l'avons vu, de façon soudaine et imprévisible, en empruntant de l'énergie à la banque Nature. Impossible de savoir à coup sûr où et quand elles vont apparaître, nous pouvons seulement annoncer leur probabilité de surgir à tel et tel endroit. Elles auront plus de chance d'émerger dans l'espace courbé et rempli d'énergie gravitationnelle près du rayon de non-retour d'un trou noir de la Voie lactée que dans l'espace plat de la chambre où vous lisez ce livre : pourtant, grâce aux tours de magie de la mécanique quantique, la probabilité qu'une particule fantôme apparaisse sans crier gare tout près de votre main, quoique infinitésimale, est non nulle. Ces particules fantômes n'ont pas de cause précise et leur comportement ne peut être prévu à l'avance.

Les physiciens pensent, nous l'avons vu également, que ce qui est vrai pour une particule élémentaire l'est aussi pour l'univers tout entier à ses débuts. Le flou quantique permet au temps et à l'espace, puis à l'univers, de surgir spontanément du vide. Au temps de Planck (10^{-43} seconde), l'univers n'avait qu'une taille de 10^{-33} centimètre, 10 millions de milliards de milliards de fois plus petit qu'un atome, et la mécanique quantique qui régit le monde microscopique peut faire son œuvre. L'univers n'a plus besoin d'une cause première. Il apparaît par la grâce d'une fluctuation quantique. Une fois créé, l'inflation le gonfle exponentiellement dans ses premières fractions de seconde, les quarks et les antiquarks font leur entrée sur scène et la gestation cosmique qui va mener jusqu'à nous commence, guidée par les lois de la physique et de la biologie. Cette description de la création de l'univers ressemble étrangement à la création *ex nihilo* invoquée dans beaucoup de religions. La grande différence est que l'apparition de l'univers, par la magie du flou quantique, ne semble plus nécessiter une cause première ni l'existence de Dieu. Son émergence peut s'expliquer par des processus purement physiques.

Dieu et le temps

La mécanique quantique a rendu obsolète la notion de cause première. Mais cela n'est pas tout. La notion même de « cause à effet » perd son sens habituel quand il s'agit de l'univers. Cette notion présuppose l'existence du temps : la cause arrive avant l'effet. Le père et la mère viennent avant l'enfant, et non le contraire. Le temps s'écoule de la cause à l'effet. Or, la physique moderne pense que le temps et l'espace sont créés en même temps que l'univers. Cette notion n'est pas nouvelle : saint Augustin écrivait déjà, au IVe siècle ap. J.-C., que le monde devait être créé non pas dans le temps, mais avec le temps. Il trouvait ridicule la pensée de Dieu attendant un temps infini, puis se décidant tout d'un coup à créer l'univers. Que veut alors dire la phrase « Et Dieu créa l'univers » si le temps n'existait pas encore et qu'il a été créé avec l'univers ? L'acte de création n'a de sens que dans le temps. Il est aussi absurde de penser que Dieu existait avant l'univers que de se demander ce qui est arrivé « avant » le big bang. « Avant » n'a pas de sens parce que le temps n'avait pas encore fait son apparition.

Pour éviter ces contradictions logiques, certains physiciens ont avancé des théories plus bizarres les unes que les autres. Le physicien américain John Wheeler (celui de l'univers cyclique) propose d'inverser l'ordre de la causalité dans le temps : la cause ne viendrait plus avant, mais après l'effet ; l'univers n'a plus besoin d'un esprit créateur, car c'est l'homme qui est responsable de l'apparition de l'univers. Par une mystérieuse connexion causale homme-univers qui agirait en sens inverse de la direction habituelle du temps, notre existence causerait rétroactivement l'émergence de l'univers. C'est le principe anthropique* poussé à l'extrême. Cette inversion de la causalité dans le temps peut conduire à des contradictions logiques autrement plus graves — vous pourrez, par exemple, empêcher la rencontre de vos parents et votre venue au monde —, et la plupart des physiciens la rejettent. Mais certaines théories physiques n'excluent pas la causalité rétroactive. Des particules baptisées « tachyons », qui se déplaceraient plus vite que la lumière, pourraient influencer le passé. Heureusement pour notre santé d'esprit, elles n'existent encore que dans l'imagination débridée des physiciens. Dans certaines situations, la mécanique quantique (encore elle !) semble impliquer que l'acte d'observer peut modifier rétroactivement une situation passée. Mais cela se passe au niveau microscopique et il n'est pas évident que l'univers tout entier soit sujet à ce genre de causalité rétroactive.

Il existe d'autres difficultés conceptuelles associées à l'idée d'un Dieu situé dans le temps. Le passage du temps se traduit par des changements. Mais peut-on parler d'un Dieu changeant, lui qui est la cause première de toute transformation dans l'univers ? Qui peut changer Dieu ? D'autre part, le temps, Einstein nous l'a bien enseigné, n'est pas universel. Il peut varier d'un point à l'autre de l'univers. Le temps près d'un trou noir n'est pas le même que sur la Terre. Il est élastique et la volonté humaine peut le modifier. Un coup de pied sur l'accélérateur et le temps ralentira. Le temps peut même changer de direction ou s'arrêter si l'univers s'effondre sur lui-même. Un Dieu situé dans le temps ne serait plus tout-puissant. Il serait soumis aux variations du temps causées par des trous noirs, étoiles à neutrons ou autres champs de gravité, ou par des actes humains. C'en serait fini de son omnipotence.

La solution à ces dilemmes serait un Dieu en dehors du temps, un Dieu qui transcende le temps. Mais cela soulève aussi des difficultés : un tel Dieu, distant, impersonnel, ne serait plus à même de nous secourir. Le Dieu auquel nous adressons nos prières est un Dieu capable de ressentir des émotions, qui peut être content ou insatisfait du progrès moral des êtres humains, qui peut décider d'exaucer nos vœux ou de nous punir, qui peut planifier et modifier notre futur, bref un Dieu qui a des activités temporelles. Un Dieu en dehors du temps ne pourrait plus nous aider. D'ailleurs, si Dieu transcende le temps, il connaît déjà le futur. Pourquoi se préoccuperait-il du progrès de la lutte humaine contre le mal ? Le résultat lui est connu d'avance. Un Dieu en dehors du temps ne pensera plus, car la pensée est, elle aussi, une activité temporelle. Le savoir de Dieu ne changera plus au cours du temps. Dieu devra connaître, à l'avance, tous les changements en fonction du temps du moindre atome dans l'univers.

Ainsi, la physique moderne nous donne le choix entre un Dieu personnel, mais sans omnipotence, ou un Dieu tout-puissant, mais impersonnel. Le temps devenu élastique n'autorise plus un Dieu à la fois personnel et omnipotent[11].

Dieu et la complexité

Qui d'entre nous n'a pas connu l'extrême plaisir esthétique que procure l'écoute d'une belle musique, la contemplation d'une œuvre d'art, la vue d'une jolie femme ou d'un paysage ravissant ? Dans ces moments privilégiés, nous ne pouvons accepter que l'univers soit vide de sens et de projet. Nous pensons que tant de beauté et de complexité ne peut être le fruit du pur hasard, qu'il doit y avoir un esprit créateur. Ce faisant, nous reprenons instinctivement à notre compte un des arguments favoris des théologiens pour prouver l'existence de Dieu : seul un Créateur peut être responsable d'une nature si complexe et si bien agencée. L'archevêque anglais William Paley écrivait en 1802 : « Si, en me promenant, je bute contre une pierre, je ne m'interrogerai pas sur l'origine de la pierre. Elle aurait pu être là depuis des siècles. Mais si je tombe par hasard sur une montre gisant au sol, je me dirais qu'elle est l'œuvre d'un horloger. » L'organisation et la complexité de la montre sont la preuve de l'existence d'un artisan. De même, l'organisation et la complexité de l'univers démontrent l'existence d'un Dieu-horloger.

Cet argument est certainement très convaincant. Malheureuse-

11. P. Davies, *God and the New Physics*, Simon and Schuster, 1983.

ment, la science moderne n'est pas tout à fait en accord avec un tel raisonnement. Elle nous dit que des systèmes très complexes peuvent être le résultat d'une évolution tout à fait naturelle selon des lois physiques ou biologiques bien comprises, et que nul n'est besoin d'invoquer un Dieu-horloger. Complexité n'entraîne pas nécessairement créateur et projet. Nous avons vu dans le livre de l'histoire de l'univers que celui-ci, parti d'un état primordial très simple, une purée de particules élémentaires, a su, en 15 milliards d'années, suivant des lois physiques et biologiques bien déterminées, construire la merveilleuse tapisserie cosmique des galaxies, et faire apparaître dans une de ces galaxies une conscience capable de l'observer. Une fois lancé, l'univers n'a pas besoin d'horloger pour développer sa complexité. A première vue, cela semble en contradiction flagrante avec la deuxième loi de la thermodynamique (la physique de l'énergie et de la chaleur) qui part du principe que le désordre total de l'univers va toujours croissant, que les jolies cathédrales non entretenues tombent en ruine, que les roses flétrissent, que les choses et les êtres vivants vieillissent et s'usent au fil du temps, que celui-ci fait affront aux plus belles choses, que l'ordre devient chaos. L'émergence de la vie, cet état d'organisation et de complexité suprêmes, à partir d'un niveau de complexité zéro, un vide rempli d'énergie gravitationnelle, semble constituer un défi à la physique.

Mais nous avons vu que ce qui semble être un grand paradoxe n'en est pas vraiment un. Si vous faisiez l'inventaire de tout ce qui est ordre et désordre dans l'univers (le désordre est mesuré quantitativement par une fonction que les physiciens appellent entropie*), le désordre l'emporterait toujours et il irait toujours croissant avec le temps. La thermodynamique n'interdit pas qu'en certains endroits particuliers et privilégiés l'ordre s'installe, que les structures s'organisent, que la complexité se construise, que la conscience émerge. A condition qu'en d'autres lieux il y ait un plus grand désordre compensatoire et que le bilan net soit toujours un désordre croissant. L'ordre que représente la vie sur Terre n'est possible que grâce au désordre plus grand que crée le Soleil en convertissant les atomes d'hydrogène en énergie, lumière et chaleur. Toutes les structures de l'univers, galaxies ou planètes, doivent leur existence à deux facteurs : l'expansion de l'univers et la création de désordre par les étoiles. L'expansion de l'univers est essentielle pour refroidir le rayonnement fossile et créer un déséquilibre de température entre les étoiles et l'espace qui les entoure. Ce déséquilibre permet à son tour aux étoiles de se transformer en machines à fabriquer du désordre. Celles-ci rejettent leur lumière chaude désordonnée dans la lumière plus froide et plus ordonnée qui les enveloppe. Le désordre se communique de la lumière chaude à la lumière froide, le désordre total augmente et des coins d'ordre peuvent surgir sans violer la deuxième loi de la thermodynamique. D'autre part, l'expansion de l'univers est nécessaire à l'existence même des étoiles. C'est elle qui, en diluant l'univers, a limité la nucléosynthèse primordiale* aux noyaux atomiques les plus légers et qui a permis que, au bout des 3 premières minutes, les trois quarts de la masse baryonique (protons et neutrons) soient constitués d'hydrogène et le reste d'hélium. Sans l'expansion, l'univers aurait converti toute la matière en fer et, alors, adieu aux réserves d'hydrogène qui alimentent le feu et le désordre des étoiles! Sans ce désordre, adieu à l'ordre, à la vie et à la conscience!

Ainsi, la complexité et l'organisation peuvent surgir spontanément dans un univers en expansion et inventeur d'étoiles. La main d'un Dieu organisateur ne semble plus être nécessaire.

Dieu et la vie

Vous restez sceptique. Admettons, dites-vous, que les structures de l'univers ont des causes naturelles et nul besoin de l'intervention de Dieu. Mais qu'en est-il de la vie? N'a-t-elle pas besoin d'une cause supranaturelle, de Dieu? L'homme n'est, après tout, qu'une combinaison de 30 milliards de milliards de milliards de particules inanimées. La somme d'une multitude de choses inanimées ne peut être qu'inanimée. Si les espèces humaines, animales et végétales sont vivantes, c'est que Dieu a ajouté à la combinaison d'atomes un ingrédient essentiel, la vie.

Cet argument ne tient pas compte du fait que le tout peut être plus grand que la somme des composantes individuelles, qu'il peut acquérir au niveau macroscopique des propriétés qui sont absentes au niveau microscopique. Vous admirez une toile pointilliste du peintre Georges Seurat. Les innombrables points de peinture, tout chatoyants de couleurs, n'évoquent rien si vous les contemplez individuellement. Ce n'est qu'en reculant et en contemplant le tableau dans son ensemble que les personnages et les paysages se dessinent et prennent forme, et que la peinture acquiert sa signification. De même, les notes de musique isolées nous laissent froids. Ce n'est que lorsqu'elles sont assemblées en une symphonie ou une sonate par le génie d'un Beethoven ou d'un Mozart que la musique nous émeut. Les mots du dictionnaire sont froids et impersonnels, mais mis en poèmes par Rimbaud ou Baudelaire, ils nous touchent profondément. Le tout a des qualités que les parties n'ont pas. De même, on peut imaginer des atomes parfaitement inanimés qui se combinent selon des lois physiques tout à fait naturelles et qui, passé un certain seuil de l'organisation et de la complexité, engendrent la vie sans avoir recours à une intervention divine. La vie est le résultat d'un phénomène collectif (ou holistique). On ne peut la réduire à un ensemble de cellules, d'hélices d'ADN ou de chaînes d'atomes.

Nous sommes encore dans l'ignorance la plus complète des processus qui ont engendré la vie à partir d'atomes inanimés. Quel degré minimal de complexité et d'organisation doit être atteint pour que la vie surgisse? Comment parvenir à cette complexité par les voies de la physique et de la chimie? La vie a probablement commencé son ascension, nous l'avons vu, dans l'atmosphère primitive de la Terre. En 1953, les chimistes américains Stanley Miller et Harold Urey ont, au cours d'une expérience restée célèbre, reproduit dans leurs éprouvettes l'atmosphère terrestre primitive : mélange d'ammoniac, de méthane, d'hydrogène et d'eau, le tout soumis à des décharges électriques pour simuler les orages qui grondaient sur la Terre, il y a 4,6 milliards d'années. Après quelques jours, des molécules bases de la vie, les acides aminés, ont fait leur apparition. Miller et Urey étaient sur la bonne voie pour déchiffrer le mystère de la vie. Mais il y a très loin des acides aminés aux hélices enchevêtrées de l'ADN capables de se reproduire. L'origine de la vie reste l'une des plus grandes énigmes scientifiques. Tout ce que nous pouvons dire, c'est que cette origine n'est pas incompatible avec les lois naturelles connues, qu'elle ne nécessite pas nécessairement une intervention divine.

Dieu et la conscience

Une fois créée, la vie va s'accélérer d'elle-même pour arriver à l'intelligence et à la conscience, à la raison et à l'esprit. Il y a 3,5 milliards d'années, les premières formes de vie, les premières cellules vivantes apparaissent sur Terre. Pendant près de 3 milliards d'années, soit environ les trois quarts du temps écoulé depuis la première forme de vie terrestre jusqu'à aujourd'hui, l'évolution est extrêmement lente et le stade monocellulaire n'est pas dépassé. Puis, en moins de 1 milliard d'années, l'évolution passe à la vitesse supérieure : les animaux pluricellulaires (mollusques, poissons, reptiles et mammifères) envahissent la Terre. Ensuite, en moins de 100 millions d'années, soit moins de 3 % de l'âge des vivants, trois espèces douées d'une intelligence primaire font leur apparition : primates, dauphins et rats. Et puis, il y a environ 2 millions d'années, apparaît l'*Homo sapiens* doté d'une conscience et d'une « âme ».

Il est bien difficile de dire à quelle étape précise la conscience a fait son apparition. Les orangs-outangs, les gorilles et les chimpanzés semblent être capables d'éprouver des émotions bien humaines : amour, peines et joies. Ils semblent même avoir un rudiment de langage. Mais sont-ils capables d'abstraction ? En tout cas, on ne les voit pas en train de composer fiévreusement des symphonies et des pièces de théâtre, d'écrire des romans, de peindre ou de sculpter... De nouveau, la question se pose : la conscience nécessite-t-elle une intervention divine ? Faut-il « injecter » une âme dans un corps fait de milliards d'atomes ? Faut-il « greffer » un esprit sur un cerveau composé de milliards de neurones ?

De nouveau, la réponse est que ces questions n'ont pas de sens. Formuler ainsi les questions revient à confondre des concepts descriptifs situés à des niveaux complètement différents. Parler des atomes d'un corps ou des neurones d'un cerveau, c'est parler des notes de musique ou des mots du dictionnaire. Parler de la vie et de la conscience, c'est passer à un autre niveau, c'est abandonner la description réductionniste pour adopter la description collective et holistique, c'est se référer à la mélodie d'une symphonie ou à l'intrigue d'un roman. Le corps et l'âme ne sont pas des concepts que l'on peut placer au même niveau descriptif. Les mettre à pied d'égalité (comme l'a fait Descartes en parlant de la dualité corps-âme), c'est s'exposer à des questions absurdes du genre : où est l'âme dans l'espace et le temps ? (Descartes croyait que la glande pinéale dans le cerveau était le site de l'âme, Teilhard de Chardin pensait que la conscience était répartie dans tous les atomes du corps, idées qui n'ont aucun fondement expérimental.) Où est l'âme avant que le corps ne vienne au monde ? Où va-t-elle après la destruction du corps ? Est-ce que Dieu a une réserve d'âmes à sa disposition, dans laquelle il puise pour les greffer sur des ensembles d'atomes ? Ces questions n'ont pas de sens, car l'esprit et le corps ne sont pas deux substances matérielles distinctes, l'une contenant l'autre. On ne peut en parler en les situant sur le même plan.

Avec une description à deux niveaux de l'âme et du corps, rien n'empêche l'apparition naturelle et spontanée de la conscience, si l'évolution dépasse un certain seuil d'organisation et de complexité. L'étincelle divine n'est plus requise. Cette conclusion a des implications assez peu agréables pour notre amour-propre : le cerveau ne serait plus qu'une machine pensante, qu'une somme de composants constituant une sorte de société, et ce sont les relations à l'intérieur de cette société qui constitueraient ce qu'on appelle l'esprit[12].

12. M. Minsky, *La Société de l'esprit*, Interédition, 1988.

Cela veut aussi dire que les machines, si elles deviennent assez complexes, pourront penser et sentir. Les machines auront du cœur. Bien sûr, bien que les capacités mentales des machines intelligentes actuelles nous dépassent dans beaucoup de domaines (elles calculent beaucoup plus vite et sans erreur, et peuvent nous battre aux échecs), leurs capacités sensorielles sont encore très limitées : elles ne voient pas très bien, reconnaissent difficilement leurs interlocuteurs, ne comprennent que jusqu'à 10 000 mots (à condition qu'on leur parle très lentement et très distinctement) et parlent d'une voix bien pâteuse. Mais ces machines intelligentes n'existent que depuis quinze ans (et elles ont déjà atteint une complexité comparable à celle des insectes) alors que l'homme est le produit de millions d'années d'évolution ! Cette vision de machines pensantes dans le futur n'est peut-être pas très réjouissante, mais elle n'est pas exclue par la science de l'intelligence artificielle actuelle.

Dieu et les extra-terrestres

Si nous acceptons l'hypothèse que la vie et la conscience ont émergé naturellement sur Terre, sans aucune aide divine, il nous faut envisager la possibilité de l'existence d'autres formes d'intelligence dans l'univers. Après tout, l'univers observable contient 100 milliards de galaxies rassemblant chacune 100 milliards d'étoiles. Si chaque étoile possède, comme notre Soleil, un cortège d'une dizaine de planètes, on peut évaluer à 100 000 milliards de milliards (10^{23}) la population totale de planètes dans l'univers. Pourquoi notre planète serait-elle la seule à héberger la vie ? (Elle semble pourtant bien être la seule parmi les neuf planètes du système solaire. L'exploration de Mars qui, après la Terre, est la planète la plus propice à la vie telle que nous la connaissons, par les sondes américaines Viking, n'ont révélé ni Martiens ni organismes vivants.) Pourquoi les échelons de la complexité ne seraient-ils gravis que sur Terre ? Cela paraît bien improbable et le fantôme de Copernic est tout indigné qu'on puisse seulement envisager cette hypothèse. Il y a un vaste débat à ce sujet. Certains pensent que nous sommes seuls dans l'univers parce que nous n'avons jamais reçu de messages provenant du cosmos. On peut répliquer que nous ne disposons peut-être pas encore de la technologie ou des connaissances nécessaires pour capter et déchiffrer ces messages intersidéraux, ou que les extra-terrestres n'ont aucune envie de communiquer avec nous, qu'ils nous observent de loin comme des spectateurs observeraient des bêtes en cage dans un zoo. L'absence de preuve n'est pas preuve de l'absence.

L'existence de civilisations extra-terrestres soulèverait en tout cas des questions théologiques fort intéressantes, concernant notamment la religion chrétienne. Selon celle-ci, nous aurions hérité le « péché originel » de nos ancêtres Adam et Ève. Une race extra-terrestre qui se serait développée indépendamment sur une autre planète n'aurait pas eu cet héritage : serait-elle dépourvue de péché ? D'autre part, Dieu a envoyé son Fils Jésus-Christ sur Terre pour sauver la race humaine. Y aurait-il une multitude de Jésus-Christ extra-terrestres visitant chaque planète fertile pour sauver les vivants qui s'y sont développés ? Des questions qui paraissent absurdes au premier abord, mais auxquelles les théologiens devraient faire face si, demain, nous entrions en contact avec une telle civilisation.

Giordano Bruno avait déjà soulevé ces questions en l'an 1600 en avançant l'idée d'un univers infini contenant une infinité de mondes habités par une infinité de formes de vie, célébrant toutes la gloire de Dieu. Mais l'Église, au lieu d'essayer de résoudre le problème, a préféré faire taire Giordano Bruno en le condamnant à mourir sur le bûcher.

Le pari final

La cosmologie moderne a profondément modifié nos idées concernant la nature du temps et de l'espace, l'origine de la matière, le développement de la vie et de la conscience, l'ordre et le désordre, la causalité et le déterminisme. Elle aborde des sujets qui furent longtemps la propriété exclusive de la religion et les illumine d'un éclairage nouveau. A force d'attaquer le mur qui entoure la réalité physique avec les marteaux-pilons que sont les lois physiques et mathématiques, les cosmologistes et les astronomes se sont retrouvés face à face avec les théologiens.

A première vue, la physique contemporaine semble avoir aboli la nécessité de Dieu. Les deux arguments favoris pour démontrer l'existence divine semblent définitivement écartés. L'argument de la cause première n'a plus de sens parce que le flou quantique a aboli le déterminisme dans le monde microscopique. L'argument d'un Dieu-horloger, créateur de la beauté, de l'organisation et de la complexité de l'univers, n'est plus infaillible. L'ordre peut apparaître dans des oasis de l'immensité cosmique sans intervention divine si un plus grand désordre est créé ailleurs. Les étoiles sont les auteurs de ce désordre, elles qui rejettent leur lumière chaude dans l'univers refroidi par son expansion. La vie et la conscience peuvent jaillir de la matière sans étincelle divine, car ce sont des phénomènes collectifs, des manifestations holistiques.

Et pourtant, un doute subsiste. L'évolution cosmique a été, nous l'avons vu, minutieusement réglée pour mener jusqu'à nous. Que les constantes fondamentales, les conditions initiales ou les lois physiques diffèrent un tant soit peu, et nous ne serons plus là pour en parler. Toute la gestation cosmique peut s'expliquer par des lois naturelles (des lois disparates que les physiciens espèrent, un jour, amalgamer en une seule super-loi, un grand principe unificateur), mais encore faut-il établir ces constantes physiques et définir précisément ces lois (ou ce grand principe). Face à cette situation, il y a deux attitudes possibles. On peut invoquer un être suprême, auteur de ces lois, qui a tout planifié et réglé, ou faire la part belle au hasard en introduisant l'hypothèse d'univers multiples et parallèles. Dans cette hypothèse, il y aurait une infinité d'univers avec toutes les combinaisons possibles de constantes et de lois physiques. La plupart des univers auraient des combinaisons perdantes et infertiles. Le nôtre a eu, par hasard, une combinaison gagnante, dont nous sommes le gros lot, et ce qui apparaît comme réglage précis n'est alors que pure coïncidence.

Quelle attitude adopter? Face à ce dilemme, l'homme de science, malgré toutes ses connaissances, se trouve tout aussi dépourvu et démuni que son voisin. La science n'est d'aucune utilité quand il est question de foi. Le scientifique doit mesurer ses risques et se jeter à l'eau. Il doit parier, comme Pascal. Pour ma part, je suis prêt à parier sur l'existence d'un être suprême. L'hypothèse d'une multitude d'univers fictifs et invérifiables fait violence à mon sens de la simplicité et de l'économie. Sans aller aussi loin que le philosophe autrichien Karl Popper, pour qui « ce qui ne peut être observé ou réfuté relève de la magie ou de la mystique, mais n'appartient pas au domaine scientifique[13] », je trouve bien gratuite l'hypothèse d'innombrables univers inaccessibles à l'observation. Et puis, j'aime disposer d'un libre choix. Dans le monde des univers parallèles, tout ce qui peut arriver arrive. Supposons que le vendredi soir, j'ai le choix entre aller au cinéma ou rester à la maison pour regarder l'émission « Apostrophes » à la télévision. La théorie des univers multiples dirait que je ferais les deux à la fois. L'univers et moi se dédoubleraient. Dans un univers, j'irais au cinéma et, dans l'autre, je regarderais « Apostrophes » à la télévision. Tous les choix étant obligés, il n'y a plus de choix. Un criminel, dans ce monde d'univers parallèles, aurait beau jeu pour plaider la clémence du jury au tribunal : les lois de la mécanique quantique l'auraient contraint

13. K. Popper, *The Logic of Scientific Discovery*, Harper and Row, 1965.

de commettre son crime. S'il ne l'avait pas commis dans cet univers, un de ses doubles l'aurait de toute façon commis dans un autre univers parallèle. Enfin, parier sur le hasard implique le non-sens et le désespoir. Les cris de détresse de Monod et Weinberg en sont bien la preuve. Alors, pourquoi ne pas parier plutôt sur le sens et l'espérance ?

IX

La mélodie secrète

Un univers stationnaire et une création continue

La nature n'est pas silencieuse. Elle se plaît à nous envoyer en permanence des notes de musique. Mais elle ne nous livre pas l'organisation des notes, ni ne nous révèle le secret de sa mélodie. C'est à nous de percer le secret, de découvrir la mélodie et d'écrire la partition. La mélodie du big bang s'est imposée et a rallié la majorité des cosmologistes. Pourtant, pour une petite minorité d'astrophysiciens, le big bang sonne faux. Ils entendent les mêmes notes de musique, mais la mélodie qu'ils construisent à partir de ces notes est complètement différente. Il existe quantité de théories cosmologiques rivales qui ont tenté, jusqu'ici sans succès, de détrôner le big bang. Prêtons l'oreille à ces mélodies alternatives.

Après le big bang, la théorie cosmologique qui a été sans doute poussée le plus loin est celle de l'univers stationnaire (« steady state » en anglais). Cette théorie fut conçue en 1948 par les astronomes anglais Hermann Bondi, Thomas Gold et Fred Hoyle. Elle a exercé une influence énorme sur la pensée cosmologique des années cinquante et soixante, et a suscité maints travaux visant à la différencier du big bang.

La théorie de l'univers stationnaire est née à la fois d'un souci d'esthétique et d'une préoccupation philosophique et religieuse, mais aussi d'une observation qui s'est révélée fausse par la suite. Le souci d'esthétique ressort du principe cosmologique*, un des postulats fondamentaux de la relativité générale*, qui va être confirmé par la suite de façon spectaculaire par l'observation du rayonnement fossile, et selon lequel l'univers doit être homogène et isotrope, c'est-à-dire identique à lui-même en tout lieu et dans toutes les directions. Pourquoi ne pas aller plus loin? Pourquoi ne pas élargir au temps le concept d'homogénéité et d'isotropie de l'espace? On aurait alors un principe cosmologique parfait, un univers immuable à la fois dans l'espace et le temps. L'univers serait de tout temps semblable à lui-même : il serait stationnaire. Cette théorie rejette ainsi la notion d'évolution et de changement inhérente à la théorie du big bang. L'idée aristotélicienne de l'immuabilité des cieux refait surface sous une autre forme.

Dans la théorie de l'univers stationnaire, celui-ci n'aurait ni commencement ni fin. Et c'est là où la préoccupation religieuse et philosophique intervient. Dans les années cinquante et soixante, la notion de création et de commencement (et, par conséquent, celle d'un créateur suprême), dans le domaine scientifique, sentait le soufre. Maints cosmologistes ne voulaient pas en entendre parler et étaient tout heureux qu'une théorie leur offre sur un plateau un univers qui a existé de tout temps. Cela leur permettait d'envoyer aux oubliettes le problème de la création tout en gardant bonne conscience. D'autre part, un univers d'un âge infini permettait de résoudre le problème posé par les âges respectifs de l'univers et de la Terre tels qu'on les évaluait à ce moment-là. En effet, si l'on acceptait le big bang, l'univers, selon Hubble, n'avait que 2 milliards d'années, alors que des mesures d'éléments radioactifs dans l'écorce terrestre évaluaient la Terre à 4,6 milliards d'années. Comment celle-ci pouvait-elle être plus vieille que l'univers? Le modèle du big bang devait être faux, conclurent Bondi, Gold et Hoyle. Nous savons aujourd'hui que la faute n'était pas à mettre sur le compte du big bang, mais sur celui de Hubble. Celui-ci s'était trompé sur la brillance intrinsèque de ses phares cosmiques, les étoiles céphéides. Actuellement, on évalue l'univers à 15 milliards d'années et il n'y a plus de danger que le contenu soit plus vieux que le contenant, que la Terre soit plus âgée que l'univers, dans le cadre de la théorie du big bang.

Mais comment concilier l'idée d'un univers immuable dans le temps avec l'observation de l'expansion de l'univers? Si les galaxies s'éloignent constamment les unes des autres, si de plus en plus d'espace vide se crée entre elles, l'univers ne peut rester semblable à lui-même dans le temps. Pour sauver le principe cosmologique parfait*, Bondi, Gold et Hoyle ont dû postuler une création continue de matière (et donc de galaxies) qui compense exactement le vide créé par l'expansion de l'univers. Le niveau d'eau d'un réservoir qui se vide peut rester le même si vous l'approvisionnez d'eau fraîche. Votre bon sens se rebelle : vous ne voyez pas la matière surgir spontanément aux coins des rues. Mais le taux nécessaire pour approvisionner l'univers en matière est tellement faible (il suffirait d'ajouter un atome d'hydrogène à chaque volume d'espace de 1 litre, tous les milliards d'années) qu'il est imperceptible et non mesurable. Le mécanisme de la création continue de matière n'était pas expliqué, mais après tout la création de matière dans le big bang ne l'était pas non plus dans les années cinquante (nous avons vu précédemment qu'il existe maintenant une explication possible dans le contexte du big bang, grâce à la physique des particules). En essaayant d'éviter la grande création, Bondi, Gold et Hoyle ont dû avoir recours à une série infinie de petites créations (fig. 60).

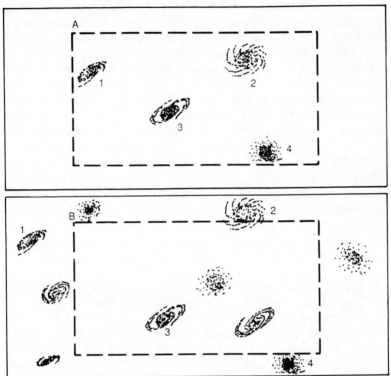

Fig. 60.

L'univers stationnaire et le big bang. La théorie cosmologique rivale la plus sérieuse de celle du big bang, jusque dans les années soixante, fut la théorie de l'état stationnaire. La figure ci-dessus illustre comment la théorie de l'état stationnaire doit postuler la création continue de matière pour maintenir un univers qui reste semblable à lui-même en dépit de son expansion. Dans la figure A, quatre galaxies, numérotées de 1 à 4, participent à l'expansion de l'univers. Au stade suivant, à cause de l'expansion, le cadre en pointillé de la figure A s'est élargi pour remplir toute la figure B. Les quatre galaxies numérotées se sont éloignées les unes des autres, créant un vide plus grand entre elles. Dans la théorie du big bang, ce vide va s'accroître de plus en plus (du moins dans un univers ouvert et jusqu'au moment de l'expansion maximale dans un univers fermé). Dans la théorie de l'univers stationnaire, de nouvelles galaxies (non numérotées) sont créées, de manière à maintenir un nombre constant de galaxies dans le nouveau cadre en pointillé. Le taux de création de matière est tellement faible (un atome d'hydrogène dans un volume de 1 litre par milliard d'années) qu'il ne peut être mesuré. Ce fut la découverte du rayonnement fossile à trois degrés qui donna, en 1965, le coup de grâce à la théorie de l'état stationnaire.

Les observations vinrent vite semer le doute dans la théorie de l'univers stationnaire. Les quasars, découverts au début des années soixante, semblaient mourir et diminuer en nombre au fur et à mesure que l'univers avançait en âge. La population des quasars était florissante il y a une dizaine de milliards d'années, alors qu'elle est relativement décimée maintenant (l'astronome peut étudier la démographie des quasars à travers le temps en les observant à des distances de plus en plus éloignées et en utilisant le principe selon lequel « voir loin, c'est voir tôt »). Il y avait évolution des quasars, une notion dont la théorie ne pouvait s'accommoder. Mais le coup de grâce fut donné en 1965 par la découverte du rayonnement fossile. Puisque la théorie de l'univers stationnaire rejetait l'idée d'un début chaud et dense, elle ne pouvait offrir aucune explication naturelle au rayonnement qui baigne l'univers tout entier. La mélodie de l'univers stationnaire se trouva reléguée au cimetière des musiques mortes.

Et si l'univers n'était pas en expansion?

D'autres mélodies furent proposées. Certaines ont tenté d'ébranler l'une des deux pierres angulaires qui soutiennent l'édifice du big bang : l'expansion de l'univers (l'autre pierre angulaire étant le rayonnement fossile). Vous vous souvenez que l'expansion de l'univers se traduit par le mouvement des galaxies, par le fait qu'elles s'éloignent les unes des autres. Notre vie humaine, ou même les quelques millénaires de l'homme civilisé, sont trop courts pour observer directement des changements de position des galaxies dans le ciel, comme nous observons le mouvement d'un homme ou d'un véhicule. Pour démontrer le mouvement des galaxies, Hubble avait utilisé l'effet Doppler*, selon lequel la lumière change de couleur quand elle est émise par un objet en mouvement. La lumière des galaxies étant décalée vers le rouge, elles s'éloignent de nous. De plus, la vitesse d'éloignement d'une galaxie (obtenue en mesurant le changement de couleur) est proportionnelle à sa distance, ce qui implique un mouvement d'expansion universelle.

Certaines théories remettent en cause l'interprétation du décalage vers le rouge de la lumière des galaxies comme dû à un mouvement d'expansion. Elles avancent que la perte d'énergie qui provoque ce décalage vers le rouge — l'épuisement des photons porteurs de cette lumière — n'est pas causée par l'expansion de l'univers, mais qu'il est la conséquence de la « fatigue » accumulée par les photons au cours de leur long voyage intergalactique et interstellaire dans un univers parfaitement statique et immobile pour parvenir jusqu'à nos télescopes. Un modèle d'univers statique (sans expansion) avec une lumière « fatiguée » peut être construit (Hubble et le physicien américain Richard Tolman en ont proposé un en 1935), qui reproduit la proportionnalité observée entre le décalage vers le rouge et la distance des galaxies. Mais la théorie de la lumière fatiguée a bien des faiblesses. D'abord, il n'existe pas de mécanisme physique connu qui causerait cette fatigue. L'astrophysicien français Jean-Claude Pecker a bien proposé que les photons perdent leur énergie au cours de leur voyage parce qu'ils interagissent avec une nouvelle particule dont la masse devrait être inférieure à celle de l'électron. Ce mécanisme n'a pas reçu l'acceptation générale des astrophysiciens parce que, jusqu'à ce jour, la nouvelle particule dont l'existence est postulée n'a jamais été observée, ni en laboratoire ni dans l'univers.

Indépendamment de la cause précise de la fatigue de la lumière, la théorie de la lumière fatiguée souffre de bien d'autres maux. Elle prévoit des relations entre les propriétés des galaxies (telles que leur taille et leur brillance apparentes) et leur décalage vers le rouge qui sont en contradiction avec les observations. Mais l'écueil principal contre lequel la théorie de la lumière fatiguée va se fracasser, comme toutes les autres théories rivales du big bang, c'est le rayonnement fossile : elle n'a en effet pas les moyens d'expliquer l'existence de ce dernier.

Des décalages vers le rouge non cosmologiques

Il y eut bien d'autres attaques contre le big bang et l'interprétation dite « cosmologique », celle qui attribue le décalage vers le rouge de la lumière des galaxies à l'expansion universelle. Ce n'est pas un hasard si ces attaques, venant d'une minorité d'astronomes, redoublèrent d'intensité juste après la découverte des quasars en 1963. Ces objets, qui avaient l'apparence d'étoiles, possédaient des décalages vers le rouge beaucoup plus importants que ceux observés jusque-là dans les étoiles et dans les galaxies. Ces grands décalages vers le rouge impliquaient, par l'effet Doppler*, d'énormes vitesses de fuite, et donc des distances gigantesques si les quasars participaient à l'expansion universelle décrite par la loi de Hubble : ces derniers seraient situés aux confins de l'univers. Or, ces quasars ont une grande brillance apparente quand bien même ils sont fort éloignés. L'énergie libérée en leur sein doit donc être immense, équivalente à l'énergie libérée par 100 000 milliards de soleils ou 1 000 galaxies. D'autre part, cette énergie extrême provient d'une région de quelques mois-lumières, moins du centième de millième de la taille d'une galaxie et à peine 100 fois plus grande que notre système solaire. (Les astronomes ont une idée de la taille des quasars parce que la lumière de ces derniers varie. Celle-ci augmente ou diminue en brillance en l'intervalle de quelques mois. La taille d'un quasar est la distance parcourue par la lumière pendant ce laps de temps, soit quelques mois-lumières.)

Le cœur des quasars est donc extrêmement dense et énergétique. Nous avons vu qu'un trou noir monstrueux, aussi massif que 1 milliard de Soleils, déchiquetant et dévorant les pauvres étoiles de la galaxie sous-jacente qui passent à proximité, peut produire cette énergie considérable dans un volume aussi compact. Mais invoquer des trous noirs aussi massifs, dont l'existence rentre dans le cadre de la théorie de la relativité, mais qui n'est pas encore vérifiée par l'observation, n'était pas du goût de certains astronomes. Ils ont préféré abandonner l'hypothèse cosmologique pour les quasars. Si le grand décalage vers le rouge de la lumière des quasars n'était pas dû à l'expansion de l'univers, la relation entre décalage vers le rouge et distance, établie pour les galaxies, ne pouvait être utilisée pour déduire les distances des quasars. Ceux-ci pourraient être très proches (une hypothèse dite « locale »), leur énergie serait alors tout à fait banale et on n'aurait plus besoin de trous noirs massifs pour les expliquer.

L'attaque contre l'interprétation cosmologique des quasars a surtout été menée par l'astronome américain Halton Arp. D'après lui, il existe maints exemples de galaxies et de quasars en paires ou en groupes, donc à la même distance de nous, mais avec des décalages vers le rouge totalement différents (ces derniers étant bien sûr beaucoup plus importants pour les quasars que pour les galaxies). Ces décalages vers le rouge ne peuvent donc avoir pour origine l'expansion de l'univers, car, si c'était le cas, des astres situés à la même distance devraient avoir le même décalage vers le rouge. Mais com-

Fig. 61.

Des décalages vers le rouge qui ne sont pas dus à l'expansion de l'univers ? L'astronome américain Halton Arp a remis en cause l'interprétation dite « cosmologique » du décalage vers le rouge de la lumière des galaxies et des quasars. Selon lui, la loi de Hubble, une des pierres angulaires de la théorie du big bang, qui attribue le décalage vers le rouge à l'expansion de l'univers, ne s'applique pas à certains quasars et galaxies. La loi de Hubble prévoit que des objets situés à la même distance de nous doivent avoir le même décalage vers le rouge. Or, Arp prétend trouver des exemples de paires d'astres qui sont, selon lui, également éloignés de nous, mais qui possèdent des décalages vers le rouge totalement diffé-

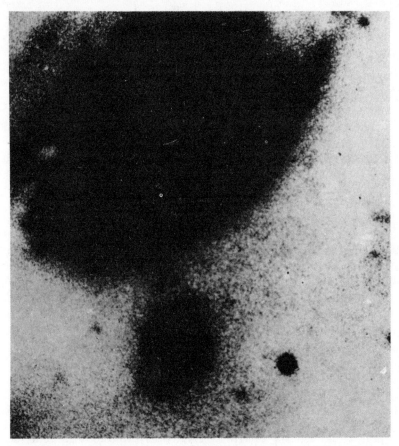

rents. Un tel exemple est montré ci-dessus. Le cliché montre une galaxie (en haut) et un quasar (en bas). La galaxie (NGC 4319) a un petit décalage vers le rouge correspondant à une vitesse de fuite de 1 700 kilomètres par seconde. Le quasar (Markarian 205) a un décalage vers le rouge de 12 fois plus grand, correspondant à une vitesse de fuite de 20 250 kilomètres par seconde. Selon Arp, la galaxie et le quasar, bien que possédant des décalages vers le rouge si différents, sont à la même distance parce qu'ils sont reliés par un pont lumineux (visible dans le cliché entre les deux astres). Mais la réalité du pont lumineux a été remise en question par d'autres astronomes qui l'attribuent soit à des effets photographiques trompeurs, soit à des nébuleuses de réflexion vues en projection (voir la figure 62). La seule résolution possible de cette controverse serait de mesurer les vitesses le long du pont lumineux. Si les mesures montrent que la vitesse augmente le long du bras lumineux depuis celle de la galaxie jusqu'à celle du quasar, l'existence des décalages vers le rouge non cosmologiques (c'est-à-dire non dus à l'expansion de l'univers) ne ferait plus l'ombre d'un doute. Malheureusement, la brillance de ces ponts lumineux est si faible que les mesures de vitesse sont impossibles avec les instruments actuels (photo, H.C. Arp).

ment démontrer que ces objets en paires ou en groupes sont vraiment à la même distance, que leur proximité dans le ciel n'est pas seulement le résultat d'un effet de projection ? Deux astres peuvent sembler très proches l'un de l'autre dans le ciel, tout en étant en réalité très éloignés s'ils se trouvent simplement alignés sur la ligne de visée de l'observateur (voir figure 32). D'ordinaire, c'est justement le décalage vers le rouge indiquant la distance qui permet de déterminer la profondeur cosmique et de cartographier l'univers. Mais dans ce cas précis, cette méthode n'est d'aucune utilité, car c'est la relation même entre le décalage vers le rouge et la distance qui est remise en cause. Arp doit recourir à d'autres moyens pour démontrer l'association spatiale de ses galaxies et de ses quasars. Il met en évidence des ponts lumineux qui les relient (fig. 61), ou encore remarque des alignements entre eux, ce qui suggère, selon lui, une origine commune. La réalité des ponts lumineux a été mise en question par les partisans de l'interprétation cosmologique. Ils les attribuent soit à des effets photographiques trompeurs, soit à des nuages de gaz et de poussière dans la Voie lactée (ils sont appelés « nébuleuses de réflexion »), qui reflètent la lumière des étoiles et qui sont vus en projection sur les objets d'Arp (fig. 62). D'autre part, les alignements sont, selon eux, accidentels et ne reflètent aucune connexion réelle.

Quelle est la cause du décalage vers le rouge des quasars si l'expansion de l'univers n'en est pas responsable ? (L'interprétation cosmologique du décalage vers le rouge des galaxies n'est généralement pas remise en question, bien qu'Arp favorise une composante non cosmologique dans certaines galaxies.) En raison des alignements qu'il a relevés, Arp imagine d'immenses explosions au cœur de galaxies génératrices qui éjectent galaxies et quasars dans l'immensité intergalactique. Le décalage vers le rouge est aussi interprété comme un effet Doppler, c'est-à-dire causé par un mouvement. Ce mouvement n'a cependant pas pour origine l'expansion de l'univers, mais une explosion suivie d'une éjection. A mon avis, le point faible de cette théorie est l'absence générale de décalage vers le bleu. En effet, dans un schéma d'éjection, il devrait y avoir autant de chances que la galaxie ou le quasar éjecté vienne vers nous, ce qui produirait un décalage vers le bleu, ou s'éloigne de nous, ce qui produirait un décalage vers le rouge.

Le débat, ou plutôt la controverse (car peut-on appeler débat un dialogue de sourds ?), sur la nature des décalages vers le rouge de la lumière des quasars continue, bien que les voix dans le camp non cosmologique semblent faiblir de plus en plus. Je pense que l'existence des décalages vers le rouge non cosmologiques ne sera établie

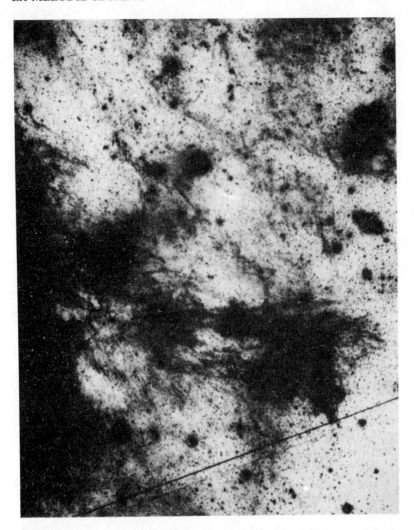

Fig. 62.

Les nébuleuses de réflexion de la Voie lactée et les ponts lumineux d'Arp.
La réalité des ponts lumineux d'Arp reliant des galaxies ou des quasars
avec des décalages vers le rouge très différents (voir la figure 61) a été
contestée par de nombreux astronomes. Une des explications qui a été
avancée est que ces ponts lumineux sont des nébuleuses de réflexion
(des nuages de gaz et de poussière qui reflètent la lumière des étoiles)
à haute latitude dans la Voie lactée, vues en projection entre la galaxie
et le quasar, et créant l'illusion d'un pont lumineux les reliant. Des exemples de ces nébuleuses de réflexion avec leur structure filamentaire carac-
téristique sont montrés ci-dessus. Elles ne peuvent être vues que sur des
plaques photographiques très sensibles (photo, A. Sandage).

ou réfutée que le jour où nos instruments seront suffisamment sensibles pour mesurer le décalage vers le rouge de la très faible lumière des ponts lumineux. Si ces mesures indiquaient des décalages vers le rouge allant en augmentant le long du pont lumineux, du décalage vers le rouge de la galaxie jusqu'à celui bien plus grand du quasar, l'association spatiale ne ferait plus de doute et l'existence des décalages vers le rouge non cosmologiques serait établie. En attendant, la démonstration de leur existence est loin d'être assez convaincante pour ébranler la magnifique structure du big bang.

Il y a eu d'autres cris d'alarme concernant la nature du décalage vers le rouge. L'astronome américain William Tifft prétend que les différences de vitesse entre les galaxies d'une paire ou dans un amas (mesurées par l'observation des décalages vers le rouge) sont invariablement des multiples d'un nombre très spécial, 73 kilomètres par seconde! Ces résultats ont été accueillis avec un très grand scepticisme par la communauté astronomique et ils n'ont pas suscité suffisamment d'enthousiasme de la part d'autres chercheurs pour être vérifiés. Tant que les résultats de Tifft n'auront pas subi de vérifications indépendantes, ils ne pourront être pris au sérieux.

Plus vite que la lumière ou une gravité variable?

D'autres attaques sont venues non pas dirigées directement contre le big bang, mais contre la relativité générale qui lui sert de fondement théorique. Un grand cri d'alarme a été poussé lors de la découverte, dans certaines sources radio (des astres qui émettent la plus grande partie de leur énergie en ondes radio), de mouvements dits « superlumineux », c'est-à-dire ayant une vitesse plus grande que celle de la lumière. La relativité générale d'Einstein serait dès lors invalidée, car un de ses postulats fondamentaux est que rien ne peut se déplacer plus vite que la lumière. Bien heureusement, ce ne fut qu'une fausse alerte. Ce phénomène superlumineux s'explique très bien dans le contexte de la relativité générale par un effet d'illusion dû au fait que la source radio est éjectée de la galaxie (visible) à laquelle elle est associée à des vitesses proches de celle de la lumière, mais ne la dépassant pas, dans une direction qui est presque exactement celle de la Terre.

La relativité générale est aussi basée sur l'hypothèse implicite d'une gravité constante, qui ne varie ni dans le temps ni dans l'espace. Certaines théories cosmologiques remirent en cause cette hypothèse. Tout cela à cause d'une étrange coïncidence. Vous vous souvenez que la gravité ne joue aucun rôle dans le monde atomique et que c'est l'électromagnétisme qui mène le bal : le rapport de la force électromagnétique à la force gravitationnelle entre un électron et un proton est un nombre extrêmement grand, de l'ordre de 10^{40} (1 suivi de 40 zéros). Le physicien anglais Paul Dirac, l'un des pères fondateurs de la mécanique quantique, remarqua en 1937 que ce nombre surgissait également dans un contexte totalement différent : c'est aussi le rapport de l'âge de l'univers au temps mis par la lumière pour traverser le diamètre d'un proton. Selon Dirac, il ne pouvait s'agir d'une coïncidence, mais bien de la manifestation d'une loi profonde de la nature, d'une connexion encore mystérieuse entre les mondes de l'infiniment grand et petit.

Mais il y a un hic. L'âge de l'univers n'est pas constant, il augmente avec le temps. La coïncidence ne serait donc valable qu'à notre époque. Dirac postula alors que la gravité, ou plus précisément le nombre G qui commande l'intensité de la force gravitationnelle, décroît avec le temps. Ainsi, le rapport de la force électromagnétique à la force gravitationnelle entre un proton et un électron croîtra en fonction du temps, si bien que l'égalité avec le rapport de l'âge de l'univers au temps mis par la lumière à traverser un proton sera maintenue. Le changement de G requis dépasse toutefois de beaucoup les limites observationnelles. La théorie prédit des changements d'orbite pour les planètes du système solaire qui sont en désaccord avec les observations. Si G diminue, la force gravitationnelle qui retient les planètes dans leurs orbites autour du Soleil devrait s'affaiblir. Les planètes devraient s'éloigner du Soleil. Or elles ne le font pas.

La modification des lois de Newton

Il y eut également des attaques contre la loi de la gravitation universelle de Newton. Ces attaques furent motivées par le mystère de la masse invisible dans l'univers. Vous vous souvenez que les astronomes, en étudiant, selon la loi de Newton, les mouvements des étoiles et du gaz dans une galaxie spirale ou ceux des galaxies dans un amas, ont été amenés à conclure que nous vivons dans un univers-iceberg, dont 90 à 98 % de la masse sont invisibles. De plus, la nature de cette masse invisible nous est totalement inconnue. Face à cette situation inconfortable, quelques astronomes ont proposé de modifier la loi de Newton. Après tout, se disent-ils, si cette dernière a été vérifiée maintes fois dans les laboratoires et à l'échelle du système solaire par l'étude des orbites planétaires, elle ne l'a pas été directement à l'échelle des galaxies, où justement la masse invisible se manifeste. En se référant à une loi de gravité différente où la force gravitationnelle entre deux objets ne varierait plus en proportion inverse du carré de la distance qui les sépare, les mouvements des galaxies n'impliqueraient plus nécessairement la présence d'énormes quantités de masse invisible, et la sensation, fort déplaisante au demeurant, de vivre dans un univers dont la plus grande partie de la réalité nous échappe n'aurait plus lieu d'être.

Cette proposition n'a pas déclenché des vagues d'enthousiasme au sein de la communauté astronomique. D'abord parce que la masse invisible ne se manifeste pas uniquement à travers le mouvement des étoiles et du gaz dans les galaxies et des galaxies dans les amas. Nous avons vu que l'abondance des éléments fabriqués dans le big bang (hydrogène, hélium et deutérium) implique aussi une quantité comparable de masse invisible. D'autre part, les prédictions de la théorie, avec une loi de gravité modifiée, restent vagues et difficiles à vérifier expérimentalement. Mais le plus grave est le fait que remettre en question la loi de Newton signifie également remettre en cause la relativité générale, le support théorique du big bang, puisque celle-ci se réduit à la théorie newtonienne dans les situations où les vitesses sont très inférieures à celle de la lumière. Or, une théorie modifiée de la relativité générale n'a pas encore été élaborée. En science, il ne suffit pas de détruire, il faut aussi bâtir à la place.

Une cosmologie matière-antimatière

Venons-en à présent aux cosmologies matière-antimatière. Les noms qui y sont attachés sont ceux des physiciens suédois Hannes Alfvén et Oskar Klein, et celui du physicien français Roland Omnès. Selon Alfvén et Klein, il doit exister une symétrie parfaite entre la matière et l'antimatière, de même qu'il devrait y avoir autant de vous et de moi que d'anti-vous et d'anti-moi dans l'univers. Ce dernier commença son existence sous la forme d'une métagalaxie géante avec des quantités égales de matière et d'antimatière. Celle-ci s'effondra sous l'effet de la gravité et, quand la densité devint assez forte dans son cœur, il y eut annihilation de la matière avec l'antimatière, avec pour résultat d'énormes quantités de radiation. Cette radiation parvint à renverser le mouvement de contraction de la matière et de l'antimatière restantes, et à le transformer en mouvement d'expansion.

Les cosmologies matière-antimatière sont incompatibles avec un certain nombre d'observations. D'abord les rayons cosmiques, ces

vents de particules chargées libérées par les agonies explosives des
étoiles massives et qui nous parviennent des extrêmes confins de
notre Voie lactée, contiennent presque exclusivement de la matière
(des protons et des électrons). Ensuite, les quantités énormes de
rayons X qui ont dû résulter de l'annihilation matière-antimatière
ne sont pas observées. Et puis, la physique des particules nous dit
que la nature a une préférence infime pour la matière (un milliardième de plus que pour l'antimatière) et que toute idée de symétrie
parfaite entre matière et antimatière est erronée. Enfin se dresse
l'écueil suprême : il n'y a pas d'explication naturelle au rayonnement fossile dans une cosmologie matière-antimatière.

Nous arrivons ainsi au terme de nos pérégrinations à travers les
mélodies alternatives. Aucune n'a été capable de détrôner le big bang.
Aucune n'a su acquérir la beauté enjôleuse et la simplicité séduc-
trice de la théorie de l'explosion originelle, ni épouser aussi parfaitement les contours sinueux de la nature. Les théories rivales, faute
d'avoir pu rencontrer l'adhésion générale de la communauté scientifique, sont, dans tous les cas, le résultat du travail d'un seul homme
ou d'une équipe de quelques chercheurs. Aussi ces théories ne sont-
elles pas aussi développées qu'on pourrait le souhaiter. Elles n'ont
pas le pouvoir de conviction de la théorie du big bang, soit parce
qu'elles restent enveloppées d'un voile mathématique abstrait et ne
permettent pas la confrontation entre la théorie et l'observation, soit
parce que leurs prédictions sont en contradiction directe avec les
observations (toutes butant contre l'obstacle du rayonnement fossile), soit encore parce qu'elles introduisent des lois physiques nouvelles d'une manière tout à fait arbitraire.

Le pari du scientifique

Si elles n'ont pu détrôner la théorie du big bang, cela ne signifie
pas que les théories rivales — les autres mélodies — ne sont d'aucune
utilité, qu'elles n'ont pas un rôle à jouer dans l'entreprise scientifique. En science, comme dans tous les autres domaines, il faut toujours se méfier des modes. Une théorie qui rallie la majorité des
voix n'est pas nécessairement la bonne. La plupart de ceux qui l'ont
adoptée l'ont fait, non pas au terme d'un examen critique, mais peut-
être par conformisme et par inertie intellectuelle, simplement parce
que cette théorie était vigoureusement défendue par quelques chefs
de file particulièrement éloquents. Les théories hérétiques, non ortho-
doxes, jouent donc un rôle particulièrement important : elles empêchent les défenseurs de la théorie orthodoxe de s'endormir sur leurs

lauriers, elles les obligent à être constamment sur le qui-vive, à l'affût d'une faille, d'un défaut possible dans la structure érigée. Si la faille est trop grande et ne peut être colmatée, l'édifice s'écroule et un nouveau bâtiment prend sa place. C'est ainsi que procèdent les révolutions scientifiques. La mécanique quantique est apparue parce que la mécanique classique se montrait incapable d'expliquer les propriétés des atomes. Mais il faut faire bien attention à ne pas verser dans l'autre excès et à ne pas tout détruire à la moindre difficulté. Reconstruire sur des ruines est très ardu. Il ne faut pas se hâter de postuler des décalages vers le rouge non cosmologiques pour la simple raison que l'explication de l'énergie des quasars par des trous noirs massifs n'est pas de son goût, ou de changer la loi de la gravité parce que la nature de la masse invisible reste un mystère. Ces difficultés ne sont-elles pas des failles dans notre imagination plutôt que des défauts dans la structure du big bang?

Face à toutes ces théories rivales, confronté à une multitude de mélodies alternatives, le cosmologiste pèse le pour et le contre et fait son choix. J'ai parié — le lecteur l'aura deviné —, comme la majorité de mes collègues, sur la théorie du big bang (fig. 63). Outre sa simplicité et son élégance, elle possède cette qualité nécessaire à toute bonne théorie : elle a un grand pouvoir de prédiction. Ses prédictions les plus importantes (le rayonnement fossile et l'abondance de l'hydrogène et de l'hélium) ont été confirmées de façon spectaculaire par les observations. Grâce à l'apport des idées issues de la physique des particules élémentaires, grâce à l'union de l'infiniment grand et de l'infiniment petit, elle s'est encore enrichie et permet peut-être même de répondre aux questions les plus profondes, les plus fondamentales qu'on puisse poser : quelle est la genèse de l'univers? Quelle est l'origine de la matière?

Le cosmologiste hérétique suédois Hannes Alfvén (celui de l'univers matière-antimatière) a lancé l'accusation que « le big bang est un mythe, peut-être un merveilleux mythe qui mérite une place d'honneur dans un zoo qui contiendrait déjà le mythe hindou de l'univers cyclique, l'œuf cosmique chinois, le mythe biblique de la Création en six jours, le mythe cosmologique de Ptolémée et bien d'autres[14] ». Je crois que Alfvén a tort. A la lumière de ce qui a été dit, il ne fait plus aucun doute que la théorie du big bang est maintenant davantage qu'un mythe. Elle a acquis les titres de noblesse d'une science. C'est une théorie dotée d'une santé rigoureuse, qui a résisté jusqu'ici à bien des attaques, et qui donne jusqu'à nouvel ordre la meilleure description de l'univers. Si, un jour, le big bang

14. Voir *La Recherche*, n° 69, 1976, p. 610.

A

B

C

Fig. 63.

Les trois pierres angulaires de la théorie du big bang et leurs découvreurs.
Le big bang repose essentiellement sur trois piliers : deux d'ordre obser-
vationnel et un d'ordre théorique. La première observation concerne le
décalage vers le rouge de la lumière des galaxies, interprété comme dû
à leur vitesse de fuite. L'astronome américain Edwin Hubble découvrit
en 1929 que cette vitesse de fuite était d'autant plus grande que la galaxie
était plus éloignée. Cette loi, appelée loi de Hubble, est généralement

considérée comme la preuve la plus convaincante de l'expansion de l'univers. La photo *a* montre Hubble devant le télescope de 2,5 mètres de diamètre au mont Wilson en Californie, qui lui permit de faire sa grande découverte (photo, Hale Observatories).

La deuxième observation est celle du rayonnement fossile à 3 degrés qui baigne l'univers tout entier. Ce rayonnement a été émis lorsque l'univers n'avait que 300 000 ans, quand il était très chaud et très dense. La photo *b* montre les radioastronomes américains Arno Penzias et Robert Wilson devant le radiotélescope qui les aida à découvrir en 1965 le rayonnement fossile. Ce télescope, situé au New Jersey (États-Unis) dans les laboratoires de recherche de la compagnie de téléphones Bell, est relativement petit comparé aux plus grands radiotélescopes (comme celui dans la figure 64). L'observation d'un rayonnement diffus qui est partout ne nécessite pas un grand télescope, seulement un détecteur d'une extrême sensibilité et précision. Or, justement, un tel détecteur a été développé par Penzias et Wilson pour capter les signaux de Telstar, le premier satellite de communication : les téléphones ont ainsi fourni au big bang sa deuxième pierre angulaire (photo, Bell Laboratories).

La plupart des théories ont des difficultés à expliquer de façon naturelle les deux observations précédentes. Seule la relativité générale proposée en 1915 par Albert Einstein (montré sur la photo *c* dans une humeur malicieuse) passe les deux tests la tête haute. Unissant l'espace avec le temps, elle sert de pilier théorique au big bang.

devait être supplanté par une théorie cosmologique plus sophistiquée, celle-ci devrait incorporer tous les acquis du big bang, de la même façon que la physique einsteinienne a dû incorporer tous les acquis de la physique newtonienne.

L'univers du big bang est le dernier en date d'une longue succession d'univers commençant avec l'univers magique, et passant par les univers mythique, mathématique et géocentrique. Il ne sera certainement pas l'ultime univers : il serait bien étonnant que nous ayons le dernier mot, que nous soyons les élus qui perceront le secret de la mélodie. Il y aura encore, dans le futur, une longue série d'univers qui se rapprocheront toujours plus du vrai Univers (avec un U majuscule, pour le distinguer des univers créés par l'homme). Mais atteindrons-nous jamais le but final, parviendrons-nous jamais à la Vérité ultime, où l'Univers nous sera révélé dans toute sa splendeur, où la mélodie nous livrera tous ses secrets ? Pour répondre à cette question, il nous faut examiner en détail les étapes qui jalonnent la voie de la connaissance, depuis l'instant où nous captons les signaux de la nature, ses notes de musique, jusqu'au moment où le savoir et l'illumination jaillissent.

La numérisation des images

Au petit déjeuner, vous ouvrez votre quotidien du matin. A la page scientifique, deux gros titres attirent votre attention : « Un astronome observe une étoile en train de naître » et « Des physiciens au Centre européen de recherche nucléaire (CERN) à Genève découvrent une nouvelle particule élémentaire ». Immédiatement, votre esprit évoque l'image d'un astronome assis dans le noir, suivant avec son télescope la venue au monde d'une étoile, comme un homme regarderait sa femme accoucher dans une chambre d'hôpital. Vient ensuite l'image d'un groupe de physiciens, tous vêtus de blanc, se penchant sur leurs instruments et se récriant devant la beauté de la nouvelle particule élémentaire, comme des parents, penchés sur un berceau, s'extasient sur la beauté du nouveau-né.

Rien n'est plus éloigné de la réalité. Les « découvertes » de l'étoile en train de naître ou de la nouvelle particule élémentaire ont été faites des mois, ou même des années après l'observation ou l'expérience initiale. De nombreuses étapes ont été nécessaires avant que l'information acquise au télescope ou dans l'accélérateur de particules ne devienne connaissance. La première étape consiste à convertir l'information en chiffres, à la « numériser ». Dans le cas de l'étoile, cela se fait par l'intermédiaire d'un détecteur électronique attaché au télescope que l'astronome commande à partir d'une chambre bien éclairée. Le détecteur capture l'image de l'étoile et la convertit en chiffres : il attribue aux points les plus lumineux de l'image les chiffres les plus élevés, tandis que des chiffres moins élevés seront assignés aux points de plus faible luminosité. (La même technique est appliquée au Compact Disc qui rend un son si pur et si cristallin, à la seule différence que, au lieu de lumière, c'est le son qui est ici numérisé [ou « digitalisé »].)

Quant à la particule élémentaire, elle est si petite (un dix-millième de milliardième [10^{-13}] de centimètre) et a généralement un temps de vie si court (de l'ordre de un cent-millième de milliardième de milliardième [10^{-23}] de seconde) qu'aucun appareil de mesure ne pourra la détecter directement. Les microscopes électroniques les plus performants à l'heure actuelle ne peuvent voir plus petit que environ un cent-millionième (10^{-8}) de centimètre. L'électronique la plus rapide perd ses moyens quand il s'agit d'événements plus courts qu'un milliardième (10^{-9}) de seconde. Alors, comment « visualiser » la particule élémentaire ? On l'envoie dans une chambre remplie de liquide. La particule interagit avec les atomes du liquide et laisse sur son passage un chapelet de petites bulles gazeuses (d'où le nom de « chambres à bulles » attribué à ces grands réservoirs de liquide). Ces bulles vont grossir rapidement jusqu'à pouvoir être photographiées. L'image de la trajectoire de la particule est ensuite, tout comme dans le cas de l'image de l'étoile, « numérisée ».

Les images « numérisées » sont enregistrées sur bande magnétique comme vous enregistreriez une sonate de Mozart sur la bande magnétique de votre cassette. Puis l'astronome, ou le physicien, quitte le télescope, ou l'accélérateur, avec sa moisson de bandes magnétiques sous les bras. Dans son université ou dans son laboratoire, pendant les jours, les mois ou même les années à venir, il va « visionner » l'image de l'étoile ou de la trajectoire de la particule élémentaire sur un écran de télévision, comme vous visionnez un film avec votre magnétoscope. Il pourra varier les contrastes et jouer à loisir avec les couleurs de l'image pour mettre tel ou tel détail en valeur. Avec l'aide de puissants ordinateurs, il pourra « traiter » l'image et éliminer tous les « parasites » pour augmenter la qualité de l'image. Enfin, il devra « interpréter » l'image. Ce faisant, il fait appel à tout l'arsenal de modèles et de théories dont il dispose. L'astronome devra faire appel aux théories de formation d'étoiles. Le physicien se servira de toute sa connaissance des interactions entre les particules élémentaires et de leurs propriétés. Finalement, au terme de longues réflexions et de nombreuses discussions avec des collègues, une conclusion s'impose et le savoir jaillit. Ce dernier est distillé et consigné dans un article qui est envoyé à un journal scientifique pour être publié. C'est seulement à ce moment que la découverte est communiquée aux médias, et que vous en êtes informés par votre journal du matin.

Le lecteur l'aura compris, le scientifique ne compose pas sa mélodie avec les notes vierges que la nature lui envoie. Ces notes sont inévitablement transformées par les instruments d'observation et d'analyse (télescope, chambre à bulle, ordinateur, etc.), et par le cerveau de l'observateur qui les interprète.

L'œil interprétateur

Mais est-ce à dire que nous pouvons capturer des notes vierges et capter la réalité brute et dénuée de tout artifice si nous abandonnons télescopes et instruments intermédiaires, en faisant seulement confiance à nos yeux ? Encore tout récemment, on pensait que c'était possible, que l'œil fonctionnait comme une caméra de télévision, qu'il se contentait de transmettre une image sans aucune interprétation : l'œil balaie une scène, enregistre une multitude de points lumineux. Des signaux sont envoyés au cerveau qui reconstitue fidèlement la scène, nous procurant la sensation de voir. Dans ce schéma, la finesse de détail d'un paysage observé dépendra de la taille des cellules de la rétine qui enregistrent la lumière : plus les cellules seront grandes et plus l'image sera floue. La singes ne perçoivent pas la réalité avec autant de détails que les humains : cela veut-il dire que leur rétine est divisée moins finement ? Des études récentes du mécanisme de la vue montrent que ce n'est pas le cas. L'œil est constitué d'une multitude de cellules de forme conique remplies d'un liquide pourpre. Le cône perd sa couleur pourpre et devient incolore quand un grain de lumière le frappe. Il met un certain temps avant de retrouver sa couleur pourpre et, pendant ce temps, perd la faculté de « voir ». Cette inactivité momentanée des cônes incolores impliquerait, en principe, que l'œil humain ne puisse former une image détaillée et continue. Cette dernière devrait être très grossière, avec les zones de lumière (correspondant aux cônes actifs) entrecoupées de zones d'ombre (les cônes inactifs). Et cependant, les images qui nous parviennent du monde extérieur ne sont pas tachées d'ombre et les détails exquis d'un tableau de Monet ou d'une statue de Rodin nous enchantent. Les biologistes expliquent ce paradoxe apparent par l'agencement des cônes. Ceux-ci sont interconnectés de telle façon que les signaux envoyés au cerveau conspirent à nous donner l'impression d'une image lumineuse sans ombre en dépit de l'image tachée d'ombre formée par les cônes. Ainsi, même au niveau visuel le plus élémentaire, la réalité est déjà interprétée, les notes de musique déjà modifiées.

Visualiser l'invisible

L'œil nu de l'astronome est mort. Depuis que Galilée a braqué la première lunette astronomique vers Jupiter et ses satellites en 1610, la situation n'a plus jamais été la même. Aidé par de gigantesques télescopes commandés par de puissants ordinateurs, l'œil de l'astronome n'a cessé de se perfectionner, percevant des astres de moins en moins lumineux et de plus en plus éloignés avec des détails toujours plus précis. L'astrophysicien a même conquis l'invisible. Il a inventé des télescopes qui peuvent capturer des lumières inaccessibles à l'œil humain. Des télescopes radio et infrarouges révèlent un univers d'une beauté et d'une richesse inouïes. L'astronome s'est ensuite libéré de la pesanteur ancestrale pour « satelliser » ses yeux. Des télescopes sensibles aux rayons ultraviolets, X ou gamma, portés par des satellites qui fendent l'espace à des centaines ou milliers de kilomètres au-dessus de la Terre, permettent de contempler, au-dessus du voile opaque de l'atmosphère terrestre, un univers d'une violence extrême. L'astronome est désormais maître de toutes les lumières, il a dompté tout le rayonnement électromagnétique (voir la note quantitative n° 1).

Tout comme les images visibles, les images invisibles sont numérisées (aux signaux radio ou X les plus intenses correspondent des chiffres élevés, à ceux qui sont faibles des chiffres plus petits) et enregistrées sur bande magnétique. On les visionne sur un écran de télévision et des images de galaxies radio ou X apparaissent, bariolées de (fausse) couleur et dans toute leur splendeur : l'invisible a été visualisé (fig. 64).

Les machines peuvent nous berner

Vous l'avez compris, à mesure que ses instruments deviennent plus complexes et plus sophistiqués, que l'invisible est conquis, l'astronome s'éloigne de plus en plus de la réalité brute et des notes de musique vierges. La réalité est filtrée à travers des circuits électroniques cauchemardesques, elle est manipulée, numérisée et reconstituée par la grâce de puissants ordinateurs et de traitements mathématiques complexes. Galilée avait eu, au début, un mal fou à convaincre ses collègues de la réalité des merveilles qu'il découvrait grâce à son télescope. Ceux-ci pensaient que les satellites de Jupiter et les cratères sur la Lune n'étaient que des illusions optiques causées par la lentille du télescope. Après tout, la lentille dévie la lumière et amplifie les images. Pourquoi ne créerait-elle pas des illusions optiques ?

Le problème de la véracité des images est mille fois amplifié en astronomie moderne. J'éprouve toujours un grand sentiment d'irréalité quand j'utilise le radiotélescope géant du Nouveau-Mexique, aux États-Unis (voir figure 64). Non seulement l'appareil est gigantesque (c'est un ensemble de 27 télescopes de 25 mètres de diamè-

Fig. 64.

La visualisation de l'invisible. L'astronome a conquis l'invisible en construisant des télescopes qui peuvent capturer des lumières inaccessibles à l'œil humain. La photo *a* montre le radiotélescope géant américain au Nouveau-Mexique, le *Very Large Array* (VLA) (qui signifie la « très grande rangée de télescopes »). C'est le plus grand télescope du monde en son genre. Le VLA se compose de 27 télescopes de 25 mètres de diamètre

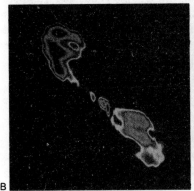

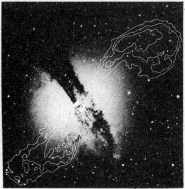

chacun, disposés sur des rails de chemin de fer (qui permettent de les déplacer) formant un immense Y dont chaque bras s'étend sur 21 kilomètres (photo NRAO).

Les 27 télescopes sont contrôlés par de puissants ordinateurs qui combinent la lumière radio recueillie dans chacun des télescopes en une seule, la « numérisent » et la manipulent par des opérations mathématiques complexes, avant d'envoyer une image sur un écran de télévision. La photo *b* montre l'image en lumière radio d'une galaxie (du nom de Centaurus A) telle qu'elle apparaît sur l'écran de télévision : l'invisible a été visualisé (photo NRAO).

Dans la majorité des cas, la lumière radio provient d'une galaxie qui émet aussi de la lumière visible. Ce qui est le cas de la galaxie précédente. La photo *c* montre l'image radio superposée sur l'image « visuelle ». Il est évident que l'image « visuelle » est considérablement différente de l'image radio. Alors que la galaxie visible a la forme d'une galaxie elliptique traversée par une bande énorme de poussière (la bande apparaît sombre parce que la poussière absorbe la lumière visuelle), la lumière « radio » est concentrée en deux « jets » allongés partant du centre de la galaxie visible et perpendiculaires à la bande de poussière. Les astronomes pensent que ces jets proviennent d'un grand trou noir de la masse de centaines de millions de Soleils au centre de la galaxie visible. Ainsi, les « yeux radio » complètent les « yeux visuels » en révélant la richesse et la complexité de l'univers (photos, NRAO et Cerro-Tololo Observatory).

tre chacun, s'étalant sur une superficie de 27 kilomètres de diamètre, aussi grande que celle de Paris et de ses environs), mais j'observe des astres invisibles qui émettent de la lumière radio avec un instrument que je ne contrôle pas directement. Je suis entièrement à la merci des ordinateurs. Ce sont eux qui pointent les 27 télescopes, qui combinent la lumière radio recueillie dans chacun des télescopes, la numérisent, la manipulent par des opérations mathématiques complexes avant de projeter une image sur un écran de télévision en couleurs. Il y a eu un si grand nombre d'étapes entre les signaux bruts et l'image finale qu'il est légitime de se demander quelle est la part de « vérité objective » dans cette image. Les collègues de Galilée avaient raison de se montrer sceptiques : en science, un résultat — ou une observation — n'est accepté qu'après avoir été vérifié séparément par d'autres chercheurs, qui utilisent d'autres techniques ou des instruments de mesure différents. En effet, il est peu probable que la même erreur se répète chaque fois ou que les machines nous bernent à chaque occasion.

La réalité triée et transformée

En principe, ces difficultés techniques sont surmontables. Il suffit de faire bien attention à chaque étape, de construire soigneusement les instruments de mesure, de programmer avec soin les ordinateurs, en somme de ne pas laisser l'erreur humaine s'infiltrer. S'il ne fallait compter qu'avec des machines, la réalité pourrait être, en théorie, rendue aussi objective que possible. Mais ce qui est incontournable, c'est l'homme et son cerveau. L'homme ne peut observer la nature de manière objective. Il y a une interaction constante entre son monde intérieur et le monde extérieur. L'évolution du monde intérieur influence la perception du monde extérieur et, inversement, le contact avec le monde extérieur transforme le monde intérieur. Le monde intérieur du scientifique est truffé de concepts, de modèles et de théories acquis tout au long de sa formation professionnelle. Ce monde intérieur, quand il est projeté au-dehors, ne permet plus à l'homme de science de voir des faits « nus » et objectifs, dénués de toute interprétation. Même le plus objectif des chercheurs aura des « préjugés ». En fait, ces préjugés (auxquels l'historien des sciences américain Thomas Kuhn donna le nom collectif de « paradigme »), sont le moteur même de la démarche scientifique. Sans opinion préconçue, dépourvu de tout paradigme, comment le scientifique pourra-t-il choisir, parmi les multitudes d'informations que la nature lui envoie, parmi l'avalanche des faits qui l'assaillent, ceux qui sont les plus significatifs, les plus susceptibles de révéler les lois et les principes, les plus porteurs d'information ? Le tri de la réalité constitue une partie essentielle de la démarche scientifique et les plus grands hommes de science sont ceux qui savent aller à l'essentiel en négligeant l'insignifiant.

La réalité est donc inévitablement transformée par le monde intérieur, et nous ne voyons que ce que nous voulons bien voir. Qui n'a pas éprouvé une ineffable légèreté de l'être quand l'amour nous touche, quand tout ce qui était encore hier laid et sans âme se pare soudain d'une beauté indescriptible ? A la vue d'une madeleine, Proust voit défiler tout le temps perdu de son enfance. Une rue banale, un air de musique quelconque vous touchent soudain au plus profond de l'être parce que des événements importants de votre vie y sont associés. Le scientifique n'échappe pas à cette règle. Le naturaliste anglais Charles Darwin, père de la théorie de l'évolution, raconte une histoire charmante : il passa toute une journée au bord d'une rivière et n'y vit que cailloux et eau. Onze ans plus tard, il revint sur les lieux pour rechercher la trace d'un glacier. L'évidence sautait maintenant aux yeux. Un volcan éteint n'aurait pu laisser de traces plus visibles de son activité passée que cet ancien glacier. Darwin découvrit ce qu'il cherchait dès qu'il sut regarder.

La « réalité » dépend donc intimement du bagage conceptuel du scientifique. Elle est triée et transformée par ses « préjugés ». En astrophysique, l'exemple le plus frappant de cette étroite dépendance de la « réalité » et de l'arsenal conceptuel est, à mon avis, le problème de la masse invisible. Cette masse n'émet aucune sorte de lumière et est donc complètement inaccessible à l'observation directe, même si l'astronome maîtrise toutes les subtilités du rayonnement électromagnétique. Cette masse invisible ne peut être plus éloignée de la réalité tangible. Et pourtant, la majorité des astrophysiciens croient que de 90 à 98 % de la masse de l'univers sont constitués de cette matière invisible parce que, si l'on s'en tient à la loi de la gravitation universelle de Newton, les mouvements des étoiles et du gaz dans les galaxies, et ceux des galaxies dans les amas, seraient tout autres si cette masse n'existait pas. De même, l'édifice du big bang repose sur la relativité générale. Sans ce support théorique, il s'écroulerait. L'homme crée l'univers en projetant son monde intérieur sur le monde extérieur.

Cette interaction entre l'intérieur et l'extérieur explique aussi pourquoi la science est née en Europe plutôt qu'ailleurs. Le scientifique ne travaille pas dans l'isolement. Le milieu culturel environnant modifie son monde intérieur et l'orientation de ses recherches. Selon

le chimiste belge Ilya Prigogine, « la science n'apparaît qu'en fonction de l'idée que les hommes se font de l'univers. Si un peuple
est persuadé qu'un créateur suprême est à l'origine du monde et
détermine son futur, c'est qu'il existe des lois et un avenir discer-
nable. Il appartient alors aux hommes de décoder ces lois divines[15] ».
Newton, imprégné de religion chrétienne, incarna bien cette science
occidentale, cette urgence à rechercher dans les lois de la nature
le reflet de Dieu. La science ne naquit pas en Chine, où furent pourtant inventées la poudre et la boussole, parce que la notion d'un
Dieu créateur régissant l'univers avec ses lois y était absente. (Selon
Confucius, le monde naquit de deux forces opposées, le yin et le
yang.)

La fermentation intérieure

Mais si le scientifique ne voit que ce qu'il cherche, s'il place tout
fait nouveau dans un cadre conceptuel qui existe déjà, comment progresser, comment acquérir de nouvelles connaissances? Le chercheur
est conservateur par nature et la nouveauté émerge difficilement.
Toute tentative susceptible de semer le trouble et d'ébranler l'édifice rencontre toujours une forte résistance. Et, souvent, des faits
qui se révéleront plus tard « anormaux » (c'est-à-dire n'entrant pas
dans le cadre conceptuel habituel) doivent tout d'abord se plier aux
idées en vogue, quand ils ne sont pas simplement ignorés. L'exemple le plus extrême de ce conformisme est celui de Ptolémée, accumulant les épicycles pour expliquer le mouvement des planètes
autour d'une Terre fixée au centre du monde. Ce conservatisme
n'est pas aussi néfaste qu'il peut paraître au premier abord : il constitue une soupape de sécurité contre de constantes remises en question, de perpétuelles révolutions. Assurant la bonne marche de la
science en temps ordinaire, il la protège contre un état de chaos permanent qui la paralyserait.
Pourtant, il faut bien que la science progresse. Les révolutions
éclatent quand les faits nouveaux s'accumulent, qui ne cadrent plus
dans l'ancien schéma, mais surtout quand des hommes de génie,
qui entrevoient des connexions nouvelles entre des faits que tout
a priori devait séparer, font leur apparition. L'univers tout entier
est interconnecté, chaque partie reflète la totalité, comme nous le
verrons plus tard. La démarche de la science consiste à trier et à

15. Voir l'interview de G. Sorman dans *Le Figaro Magazine* du 5 mars
1988.

fragmenter la réalité. A un certain stade, elle ne peut décoder qu'une petite partie du tout. Et chaque fois qu'une interconnexion nouvelle surgit, la science fait un fantastique bond en avant. Newton découvrit la gravitation universelle en établissant une relation entre le mouvement de chute d'une pomme et celui de la Lune autour de la Terre. La relativité générale s'imposa à Einstein dès qu'il entrevit l'interconnexion entre le temps et l'espace.

Ces interconnexions sont des actes de création et d'imagination au même titre que ceux de Picasso peignant ses *Demoiselles d'Avignon*, de Beethoven composant ses symphonies ou de Proust recapturant son enfance dans sa *Recherche du temps perdu*. Les grandes découvertes scientifiques ne surgissent pas par hasard. Elles sont le produit d'une intense fermentation intérieure qui se nourrit d'éléments extérieurs apparemment disparates, les régurgite et les restitue, transformés et transfigurés, unifiés et connectés.

Le pendule de Foucault

La science est constamment à la poursuite de nouvelles interconnexions. En effet, l'univers qu'elle prétend décrire semble être totalement connecté. La totalité de l'univers apparaît mystérieusement présente en tout lieu et en tout temps. Chaque partie reflète le tout. Deux expériences de natures très différentes nous le confirment.

La première concerne le pendule de Foucault. Le physicien français Léon Foucault voulait démontrer que la Terre tournait sur elle-même. En 1851, lors d'une expérience restée célèbre, il attacha un pendule (qui consistait simplement en un objet pesant suspendu au bout d'une longue corde) à la voûte du Panthéon à Paris. Le pendule, une fois lancé, eut un comportement très remarquable : le plan dans lequel il balayait l'air de ses mouvements (appelé plan d'oscillation) pivotait autour de l'axe vertical au fur et à mesure que les heures s'égrenaient. Oscillant, par exemple, dans la direction nord-sud au début, il se déplaçait dans la direction est-ouest après quelques heures. (Aux pôles terrestres, le plan d'oscillation fait un tour complet sur lui-même au cours d'une journée. A Paris, en raison d'un effet de latitude, il ne fait qu'une fraction de tour en vingt-quatre heures.)

Pourquoi le plan d'oscillation du pendule de Foucault pivote-t-il ? Foucault répondit que ce mouvement n'était qu'apparent, que le plan était fixe en réalité et que c'était la Terre qui tournait. Et il s'en tint là. Cette réponse était cependant incomplète, car un mouvement ne peut être décrit que par rapport à une absence de mouvement. La Terre tourne par rapport à quelque chose qui ne tourne pas. Le mouvement absolu n'existe pas. S'il n'y avait qu'un seul et unique objet dans l'univers, nous ne pourrions pas parler du mouvement de cet objet, car ce mouvement ne pourrait être comparé à nul autre. Pour décrire le mouvement de rotation de la Terre, Foucault aurait dû citer des objets de comparaison qui ne bougent pas. Mais comment les trouver, et surtout comment nous assurer de leur fixité ? Le pendule de Foucault vient à notre secours. Puisque celui-ci, une fois lancé, a un plan d'oscillation qui est fixe, il suffirait de l'orienter dans la direction de l'astre soumis au test de la fixité. Si l'astre testé est immobile, il restera toujours dans le plan d'oscillation du pendule. Au contraire, s'il possède un mouvement, une lente dérive en dehors du plan d'oscillation se produira.

Essayons tour à tour les objets astronomiques qui nous sont connus, en commençant par les plus proches et en nous éloignant de plus en plus. Orientons le plan de notre pendule vers le Soleil. Peine perdue. Après un mois, le Soleil est déjà sorti du plan d'oscillation. Les étoiles les plus proches, dans un rayon de quelques années-lumières, passent plus de temps dans le plan du pendule, mais elles aussi s'en échappent au bout de quelques années. Qu'en est-il de la galaxie Andromède, située à 2,3 millions d'années-lumières ? Elle fait mieux l'affaire, mais elle aussi quitte le plan. Vient ensuite le superamas local, à quelque 40 millions d'années-lumières. Le temps passé dans le plan augmente de façon notable au fur et à mesure que les objets testés sont plus éloignés, mais la lente dérive persiste. En désespoir de cause, orientons notre pendule vers un amas de galaxies situé à quelques milliards d'années-lumières, visible seulement sur les plus grands télescopes. Notre patience est enfin récompensée : il n'y a plus de dérive.

Ces résultats sont parfaitement compréhensibles. Nous avons vu qu'un fantastique ballet cosmique se superpose au mouvement d'expansion de l'univers. La Terre tourne autour du Soleil, qui tourne à son tour autour du centre de la Voie lactée. Celle-ci est attirée vers le centre du groupe local qui se dirige à son tour vers le centre du superamas local. Ce dernier semble tomber à son tour vers un grand complexe massif de galaxies surnommé le Grand Attracteur (voir figure 27). Ce n'est que bien au-delà du superamas local que les mouvements de ballet s'atténuent, que l'expansion universelle se manifeste dans son expression la plus pure. Les mouvements de ballet provoquent la dérive des objets testés hors du plan d'oscillation du pendule de Foucault. La dérive ne prend fin que lorsque les objets sont assez éloignés pour ne plus participer au ballet.

La conclusion à tirer de ces expériences est extraordinaire : le pendule de Foucault oscille en ignorant superbement son environnement local, faisant fi de la Terre, du Soleil, du groupe local et du superamas local. Il ajuste son comportement en fonction des galaxies lointaines ou, puisque la totalité de la masse visible de l'univers se trouve dans les galaxies, de l'univers tout entier. En d'autres termes, ce qui se trame chez nous se décide dans l'immensité cosmique, ce qui se passe sur notre minuscule planète est dicté par toute la hiérarchie des structures de l'univers. Chaque partie porte en elle la totalité et de chaque partie dépend tout le reste. L'univers est connecté. Cette conclusion, le philosophe et physicien autrichien Ernst Mach (celui des vitesses supersoniques) y était déjà parvenu à la fin du XIXᵉ siècle, quand il se préoccupait lui aussi du problème des objets qui tournent. Le physicien pensait que la masse de chaque objet, la quantité qui mesure son inertie, sa résistance au mouvement, est le résultat de l'influence de l'univers tout entier sur cet objet. Selon lui, quand vous peinez pour pousser votre voiture en panne ou pour déplacer un meuble dans votre salon, la résistance au mouvement que vous expérimentez émane de toute l'immensité cosmique. Mach n'a jamais décrit en détail cette mystérieuse influence universelle qui s'exerce sur votre voiture ou dans votre salon, et personne ne l'a fait depuis.

En tout cas, le comportement du pendule de Foucault nous force à conclure qu'il existe une tout autre sorte d'interaction que celles décrites par la physique connue, une interaction mystérieuse qui ne ferait intervenir ni force ni échange d'énergie, mais qui connecterait l'univers tout entier.

L'indivisibilité de l'univers

Le pendule de Foucault nous a montré que l'univers est interconnecté à l'échelle macroscopique. Nous allons voir maintenant que le monde microscopique est tout aussi indivisible. Cette évidence repose sur une expérience fameuse proposée en 1930 par Albert Einstein, Boris Podolsky et Nathan Rosen pour tenter de prendre en défaut l'interprétation probabilistique de la réalité par la mécanique quantique. Imaginons, disent-ils, une particule qui se désintègre spontanément en deux grains de lumière A et B. Rien ne permet de dire *a priori* les directions que ces derniers vont prendre. Une seule certitude : par symétrie, ils doivent partir dans des directions opposées. Si A se dirige vers l'ouest, B doit s'en aller vers l'est. Installons donc nos instruments de mesure et vérifions : A est bien à l'ouest et B à l'est. Tout se passe apparemment comme prévu.

Mais c'est compter sans l'indéterminisme du monde microscopique. La mécanique quantique nous dit que A ne pouvait avoir de direction précise avant d'être capté par l'instrument de mesure. Il arborait alors sa physionomie d'onde et était susceptible de prendre n'importe quelle direction. C'est seulement après avoir interagi avec le détecteur que A se transforme en particule et « apprend » qu'il se dirige vers l'ouest. Si A ne « savait » quelle direction prendre avant d'être capturé par l'instrument de mesure, comment B pourrait-il « deviner » à l'avance la direction de A et orienter sa trajectoire de façon à être capté au même instant dans la direction opposée ? Cela n'avait aucun sens. Einstein et ses collègues conclurent donc que la mécanique quantique faisait fausse route, que la réalité ne pouvait être décrite en termes de probabilités et que Dieu ne jouait pas aux dés : A « savait » avant son départ la direction qu'il allait prendre et l'avait communiquée à B avant leur séparation afin que celui-ci emprunte la direction opposée. A et B ont une réalité objective bien déterminée, indépendante de l'acte d'observation. Mais Einstein se trompait. Les expériences en laboratoire ont toujours donné raison à la mécanique quantique et celle-ci rend bien compte du comportement des atomes : A ne « savait » vraiment pas dans quelle direction partir, Dieu joue aux dés et les particules n'ont pas de réalité objective indépendante de l'acte d'observation. Alors, comment résoudre le paradoxe EPR (d'après les initiales des trois auteurs) ?

Ce paradoxe n'en est vraiment un que si l'on suppose que la réalité est « localisée » sur chacun des deux grains de lumière, que ces derniers sont distincts et séparés et qu'ils ne peuvent s'influencer l'un l'autre. Il est balayé si nous acceptons l'idée que les deux grains de lumière, même séparés par des milliards d'années-lumières, font partie, avant d'être enregistrés par les instruments de mesure, d'une même totalité, qu'ils sont en contact permanent par une sorte d'interaction mystérieuse. Ainsi, B « sait » instantanément tout ce que fait A : ils n'ont plus besoin de s'envoyer des messages. La réalité n'est plus locale, mais globale. Il n'y a plus d'« ici » ou de « là ». Tout est connecté et « ici » est identique à « là ».

Le pendule de Foucault et l'expérience EPR nous ont contraints à dépasser nos notions habituelles d'espace et de temps. Nous sommes amenés à conclure que l'univers possède bien un ordre global et indivisible, tant à l'échelle macroscopique que microscopique. Une influence omniprésente et mystérieuse fait que chaque partie contient le tout et que le tout reflète chaque partie. Tous les êtres vivants dans l'univers, toute la matière, le livre que vous tenez entre vos mains, les meubles qui vous entourent, les vêtements que vous portez, tous les objets que nous identifions comme fragments de réalité contiennent la totalité enfouie en eux. Nous tenons chacun l'infini au creux de notre main.

La science occidentale, réductionniste par nécessité (il faut isoler des parcelles de réalité pour les étudier en détail et progresser), converge ainsi de plus en plus vers une vue globale (on dit « holistique ») de l'univers. Les tentatives actuelles pour unifier les lois de la physique n'en sont qu'une manifestation. La science nous a appris que nous partageons avec toute la matière de l'univers une histoire commune, que nous sommes les enfants des étoiles, les frères des bêtes sauvages et les cousins des jolis coquelicots champêtres. Elle nous dit aussi que nous portons tout l'univers en nous, que nous sommes indivisibles de lui. Ce sentiment d'appartenance cosmique nous empêchera-t-il de succomber au suicide nucléaire ? Le scientifique n'a pas, en tout cas, le choix. Pour paraphraser le fameux mot d'André Malraux : « La science du XXIe siècle sera spirituelle, ou ne sera pas. »

Le secret de la mélodie

Reprenons notre question du début : l'Univers nous sera-t-il un jour révélé dans la totalité de sa glorieuse réalité ? Parviendrons-nous à percer le secret de la vraie mélodie ? A la lumière de ce qui a été dit, cela semble bien difficile, voire impossible. L'acte même d'observer modifie la réalité, nous enseigne la mécanique quantique. Cette « réalité » est ensuite modifiée et interprétée par notre œil, nos instruments de mesure et nos « préjugés ». Fait encore plus grave, ne pouvant échapper à notre finitude, nous ne pourrons jamais étudier qu'une infime partie de ce vaste univers qui est entièrement interconnecté. Au prix d'efforts prodigieux d'imagination et de créativité, des hommes de génie découvriront de plus en plus de connexions et la science progressera. Mais jamais *toutes* les connexions ne seront révélées. (A ce propos, il est utile de mentionner les travaux du mathématicien autrichien Kurt Gödel, qui démontra en 1931 qu'il existera toujours en mathématiques des propositions indémontrables. De même qu'il est impossible de tout démontrer en mathématiques, l'esprit humain ne pourra jamais appréhender la totalité de l'Univers.)

L'Univers nous sera à jamais inaccessible. La mélodie restera à jamais secrète. Mais est-ce une raison pour se décourager, pour abandonner la quête ? Je ne le crois pas. L'homme ne pourra jamais échapper à ce besoin urgent d'organiser le monde extérieur en un schéma cohérent et unifié. Après l'univers du big bang, il continuera à en créer d'autres, qui se rapprocheront toujours plus de l'Univers sans jamais l'atteindre, et qui illumineront et magnifieront son existence.

Notes quantitatives

Ces notes sont destinées aux lecteurs qui désirent disposer d'informations plus quantitatives sur certains sujets traités dans le texte. Elles ne sont pas nécessaires à la compréhension de ce dernier. Le plus souvent, au lieu de donner des équations complètes, je me contenterai d'indiquer la relation de certaines quantités à d'autres quantités. Aussi, j'emploierai souvent le symbole α qui signifie « varie en proportion de ». Ainsi, $a \propto b^2$ veut dire que si b est doublé, a sera multiplié par le carré de 2, c'est-à-dire 4.

1. La lumière et l'effet Doppler

Vous jetez une pierre dans un étang. Des ondes circulaires se propagent de l'endroit où la pierre a touché l'eau jusqu'au bord de l'étang. La distance entre deux crêtes successives est appelée longueur d'onde. Le nombre de crêtes qui arrivent au bord de l'étang par seconde (obtenu en divisant la vitesse de propagation de l'onde par la longueur d'onde) est appelé la fréquence de l'onde. De même, une source lumineuse émet des ondes concentriques de lumière qui se propagent à 300 000 kilomètres par seconde ; seulement, les ondes, au lieu d'être circulaires, sont sphériques. La lumière est aussi caractérisée par une longueur d'onde l et une fréquence f qui varie en proportion inverse de l ($f = c/l$, où c est la vitesse de la lumière). La longueur d'onde ou la fréquence de la lumière détermine son énergie E : la lumière est d'autant plus énergétique que sa fréquence est plus élevée ou que sa longueur d'onde est plus petite ($E \propto f$ ou $E \propto 1/l$).

La gamme des ondes électromagnétiques s'obtient en variant la longueur d'onde ou la fréquence de la lumière. Les rayons gamma possèdent la plus petite longueur d'onde (environ un dix-milliardième de centimètre), la plus grande fréquence (les ondes arrivent au nombre d'environ 300 milliards de milliards [3×10^{20}] par seconde) et la plus grande énergie. En ordre décroissant d'énergie ou de fréquence, ou, de manière équivalente, en ordre croissant de longueur d'onde, viennent ensuite les rayons X, la lumière ultraviolette, visible, infrarouge et radio. La lumière visible n'occupe qu'un tout petit domaine, sa longueur d'onde variant entre 3 et 7 centièmes de millièmes de centimètre, et elle vient frapper nos paupières avec une fréquence d'environ un million de milliards (10^{15}) par seconde. Quant à la lumière radio, sa longueur d'onde peut atteindre un kilomètre. Les ondes radio viennent avec une fréquence relativement faible de 300 000 par seconde (fig. A1). L'atmosphère terrestre n'est pas transparente à toutes les formes de lumière. Seules la lumière visible, une petite partie de la lumière infrarouge et la lumière radio peuvent la traverser et être capturées par des télescopes sur Terre. Les autres lumières ne peuvent être capturées qu'au-dessus de l'atmosphère terrestre avec des télescopes portés par des ballons ou des satellites.

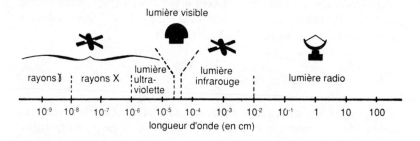

Fig. A1.

La gamme des ondes électromagnétiques et les instruments pour les capturer.

La longueur d'onde de la lumière (ou sa fréquence, ou son énergie) change quand la source lumineuse bouge par rapport à l'observateur (ou quand l'observateur bouge par rapport à la source lumineuse : seul le mouvement relatif compte). Si la source lumineuse s'éloigne, la lumière met plus de temps pour parvenir à l'observateur, la longueur d'onde observée, *l* (observée), la distance entre deux crêtes successives qui parviennent à l'observateur, s'allonge par rapport à la longueur d'onde de la lumière émise, *l* (émise), selon la formule :

$$\frac{l \text{ (observée)}}{l \text{ (émise)}} = 1 + \frac{v}{c}$$

où *v* est la vitesse relative entre la source lumineuse et l'observateur, et *c* la vitesse de la lumière. La fréquence et l'énergie de la lumière observée sont moindres que celles de la lumière émise. Si, au lieu de s'éloigner, la source s'approche, la longueur d'onde observée se raccourcit par rapport à la longueur d'onde émise. Dans la formule, il suffirait alors de remplacer le signe + par le signe −.

La fréquence et l'énergie de la lumière observée augmenteraient au lieu de diminuer. Ce phénomène est appelé « effet Doppler », d'après le nom du physicien qui l'a étudié. C'est en utilisant un radar et la formule précédente que le policier mesure la vitesse de votre voiture sur l'autoroute. Il connaît la fréquence (ou longueur d'onde, l [émise]) de l'onde radio émise par le radar. Il a un instrument pour mesurer la fréquence (ou longueur d'onde, l [observée]) de l'onde radio réfléchie par l'arrière de votre voiture. Il n'a plus qu'à appliquer la formule pour avoir votre v ! L'effet Doppler s'applique aussi au son. Nous avons tous remarqué que le son de l'avertisseur d'une voiture devient plus aigu (sa fréquence augmente) quand celle-ci s'approche et qu'il devient plus grave (sa fréquence diminue) quand la voiture s'éloigne.

Dans le cas de la lumière visible, la lumière rouge a une longueur d'onde plus grande (ainsi qu'une fréquence et une énergie plus petites) que la lumière bleue. Aussi emploie-t-on l'expression « décalage vers le rouge » pour désigner le phénomène d'allongement de la longueur d'onde de la lumière émise, causé par le mouvement de fuite de la source lumineuse par rapport à l'observateur (comme le mouvement de fuite des galaxies dû à l'expansion de l'univers), même si la lumière est de nature autre que visible. Le décalage vers le rouge z est défini comme le changement fractionnel de la longueur d'onde par rapport à celle émise :

$$z = \frac{l\ (\text{observée}) - l\ (\text{émise})}{l\ (\text{émise})} = \frac{v}{c}$$

Inversement, le phénomène du raccourcissement de la longueur d'onde de la lumière émise causé par un mouvement d'approche de la source lumineuse est appelé « décalage vers le bleu ». La formule est la même que celle du décalage vers le rouge, excepté que le numérateur de la fraction est remplacé par l (émise) − l (observée).

Les formules précédentes ne sont correctes que dans le cas où la vitesse v est petite par rapport à la vitesse de la lumière c. Quand v s'approche de c, il faut employer les formules données par la relativité restreinte :

$$\frac{l\ (\text{observée})}{l\ (\text{émise})} = \frac{1 + v/c}{(1 - v^2/c^2)^{1/2}}$$

Ce qui donne :

$$z = \frac{l \text{ (observée)} - l \text{ (émise)}}{l \text{ (émise)}} = \frac{1 + v/c}{(1 - v^2/c^2)^{1/2}} - 1$$

D'après la formule précédente, il est évident que quand v s'approche de c, le dénominateur s'approche de zéro et le décalage vers le rouge z peut devenir très grand. A l'heure où j'écris ces lignes, les astres qui possèdent les plus grands décalages vers le rouge connus sont les quasars. Le plus grand z connu d'un quasar est de 4,4 : sa lumière est décalée vers le rouge de 440 %. Par comparaison, le z d'une galaxie proche dans l'amas de la Vierge, à 44 millions d'années-lumières, n'est que de 0,003. Sa lumière n'est décalée vers le rouge que de 0,3 %. La loi de Hubble, qui relie le décalage vers le rouge à la distance, implique que les quasars, avec leurs grands décalages vers le rouge, sont très distants, aux confins mêmes de l'univers. Puisque regarder loin, c'est aussi regarder tôt, observer un quasar avec un z de 4,4 équivaut à remonter le temps jusqu'à l'époque où l'univers n'avait que quelque 2 milliards d'années, moins d'un cinquième de son âge actuel. Les astres à grand z sont comme des vestiges archéologiques qui nous aident à déchiffrer le passé de l'univers.

Très récemment encore, les décalages vers le rouge connus des galaxies étaient très inférieurs à ceux des quasars : ils ne dépassaient pas la barre de 1. Mais en 1988, des galaxies très lointaines furent découvertes qui possédaient des z de l'ordre de 3,5 comparables à ceux des quasars. Ces observations impliquent que les galaxies étaient nées très tôt, de 2 à 3 milliards d'années après le big bang. Tout modèle d'univers qui prétend décrire la formation des galaxies doit tenir compte de ce fait. L'univers-jouet rempli de matière invisible froide (chapitre V), qui est favorisé par la majorité des cosmologistes à l'heure actuelle, ne semble pas faire l'affaire car les galaxies ne s'y forment qu'assez tard, après le cinquième milliard d'années.

2. L'élasticité du couple espace-temps

Avec la publication de la relativité restreinte par Einstein en 1905, le temps et l'espace perdent le caractère universel et absolu qu'ils possédaient avec Newton. Ils seront désormais individuels et dépendront du mouvement de l'observateur. Un observateur immobile verrait le temps t_o d'un observateur en mouvement se dilater d'un facteur γ défini par

$$\gamma = \frac{1}{(1 - v^2/c^2)^{1/2}}$$

où v est la vitesse de l'observateur en mouvement et c la vitesse de la lumière. Autrement dit :

$$t = \gamma t_o$$

Ainsi, si Jules voyage dans une fusée qui se déplace à 87 % de la vitesse de la lumière, Jim, son jumeau resté sur Terre, verra le temps de Jules s'écouler 2 fois moins vite que le sien : les aiguilles des horloges à bord du vaisseau spatial avanceront 2 fois plus lentement et Jules mettra 2 fois plus de temps pour se brosser les dents. Les processus biologiques ralentiront également : Jules vieillira seulement de 6 mois pour chaque année terrestre. La dilatation du temps est d'autant plus grande que la vitesse du vaisseau spatial est plus proche de celle de la lumière. Si Jules se déplaçait à 99,99 % de la vitesse de la lumière, 10 années à bord correspondraient à 707 années terrestres. Cette dilatation du temps a été vérifiée maintes fois, en particulier dans les accélérateurs de particules élémentaires : celles-ci vivent beaucoup plus longtemps quand elles sont accélérées à des vitesses proches de celle de la lumière.

Mais tout mouvement est relatif, objecteriez-vous avec juste raison. Si Jim voit Jules se déplacer à la vitesse v dans son vaisseau spatial, Jules pourrait considérer que c'est lui qui est immobile, et que c'est Jim qui s'éloigne à la vitesse v. Jules verrait alors le temps de Jim sur Terre se dilater exactement de la même façon que Jim voit le temps de Jules se dilater. Si la vitesse du vaisseau spatial est de 87 % de celle de la lumière, 1 année de Jules équivaut à 6 mois terrestres. Les deux points de vue sont aussi valables l'un que l'autre et il n'y a pas de problème tant que Jules et Jim ne se rencontrent pas.

Mais supposons que Jules, las de ses voyages interstellaires, décide de rentrer à la maison voir son jumeau Jim. Se pose alors la question à mille francs : de Jules et Jim, qui aurait vieilli le plus ? La réponse est sans équivoque : c'est Jim, resté sur Terre, qui aurait vieilli le plus. Si Jules a voyagé à 87 % de la vitesse de la lumière et que la durée de son voyage, mesurée avec les horloges du vaisseau spatial, était de 10 ans, Jules aurait vieilli de 10 ans tandis que Jim aurait 20 ans de plus. Pourquoi ? Parce que la situation n'est plus symétrique entre Jules et Jim, comme cela l'était quand Jules se déplaçait à une vitesse constante v dans son vaisseau spatial. Pour rentrer, Jules a dû décélérer, stopper puis accélérer dans la direction inverse. C'est Jules et non Jim qui sent les effets d'accélération et de décélération, cloué dans son siège. Jules sait parfaitement que c'est lui qui est en mouvement : il serait absurde pour lui de penser que, juste au moment où il manœuvre sa fusée pour faire demi-tour, la Terre et l'univers tout entier s'arrêtent pour accélérer ensuite dans la direction opposée. Le mouvement à vitesse constante est symétrique pour Jules et Jim, mais pas le mouvement accéléré ou décéléré. Lorsque Jules retourne sur Terre, il est plus jeune que Jim. Il n'est pas à la fois plus jeune et plus vieux. Les calculs qui prennent en compte les effets d'accélération et de décélération arrivent à la même conclusion, qu'ils soient faits du point de vue de Jules ou de celui de Jim.

Le temps et l'espace sont intimement liés dans la théorie de la relativité. Celle-ci dit que la dilatation du temps doit s'accompagner nécessairement d'une contraction de l'espace. Jim ne verra pas seulement le temps de Jules se dilater, il verra aussi l'espace de ce dernier rétrécir. Par exemple, le vaisseau spatial de Jules apparaîtra à Jim considérablement raccourci. Si l_o est la longueur du vaisseau spatial, Jim mesurerait une longueur l donnée par :

$$l = l_o/\gamma = l_o\,(1 - v^2/c^2)^{1/2}$$

C'est la même quantité γ qui allonge le temps et comprime l'espace. Si Jules parcourait l'espace à 87 % de la vitesse de la lumière, Jim verrait un vaisseau spatial rétréci de moitié. Ces transformations simultanées peuvent être considérées comme une transmutation de l'espace en temps. L'espace qui se rétrécit se transforme en un temps qui s'allonge. Le taux de conversion est de 300 000 kilomètres d'espace pour une seconde de temps. La vitesse n'est pas seule à pouvoir déformer le temps et l'espace. La gravité le peut aussi. Le champ de gravité d'un trou noir peut replier l'espace sur lui-même et arrêter le temps. Mais c'est le sujet de la relativité générale que nous n'aborderons pas ici.

En même temps que son temps se dilate et que sa longueur se contracte, la masse m_o d'un objet en mouvement augmente selon la formule :

$$m = m_o\,\gamma = \frac{m_o}{(1 - v^2/c^2)^{1/2}}$$

C'est de nouveau la même quantité γ qui gouverne le changement de masse. Jim verrait la fusée de Jules doubler en masse si elle se déplaçait à 87 % de la vitesse de la lumière. (Jules ne verrait pas la masse de sa fusée changer.) La masse grandit de plus en plus à mesure que la vitesse augmente, jusqu'à devenir infinie quand la vitesse atteint celle de la lumière. L'énergie nécessaire pour accélérer la masse grandissante s'accroît aussi jusqu'à devenir infinie. Cela montre l'impossibilité d'accélérer un objet quelconque à la vitesse de la lumière : toutes les réserves d'énergie du monde n'y suffiraient pas.

Cette augmentation de la masse avec la vitesse rend très dangereuse toute collision avec un objet se déplaçant vite, aussi peu massif soit-il. Un grain de sable accéléré à une vitesse proche de celle de la lumière acquérerait la masse d'une planète. Une collision de la Terre avec ce grain de sable la briserait en mille morceaux.

3. Les trous noirs

Comment fabriquer un trou noir ? Il suffit de comprimer une masse (n'importe quelle masse, une pièce de dix francs, une chaise, une personne, une montagne, une étoile ou une galaxie) dans un volume assez petit pour que la gravité y soit si grande que même la lumière, qui possède la plus grande vitesse possible (300 000 kilomètres par seconde), ne peut plus s'échapper. Le rayon au-delà duquel il faut comprimer un objet pour qu'il devienne trou noir est appelé « rayon de non-retour » (quiconque franchit ce rayon ne pourra plus ressortir) ou « rayon de Schwarzschild » (le physicien qui l'a découvert) par les scientifiques. Ce rayon R varie en proportion de la masse de l'objet comprimé :

$$R \propto M$$

(La formule exacte est $R = 2GM/c^2$, où G est la constante qui régit la force de la gravité et c est la vitesse de la lumière.)

Le Soleil, dont la masse est de 2×10^{33} grammes, a un rayon de non-retour de 3 kilomètres. Celui de la tour Eiffel qui possède une masse de 6 900 tonnes est d'un milliardième de milliardième (10^{-18}) de centimètre. Une personne de 70 kilogrammes deviendrait un trou noir si elle était comprimée à moins de 10^{-23} centimètre. Vu la taille infime des rayons de non-retour des choses de la vie courante, il est aisé de comprendre pourquoi ces dernières ne s'effondrent pas toutes en trous noirs : leur masse, et donc leur gravité, n'est pas assez grande pour vaincre la résistance des forces électromagnétiques qui lient les atomes et confèrent la solidité aux choses de la vie, ni pour comprimer ces dernières à des tailles si extrêmement minuscules. Seules les étoiles et les galaxies ont assez de masse et de gravité pour s'effondrer en trous noirs.

La densité d d'un trou noir est :

$$d = \frac{\text{Masse}}{\text{Volume}} = \frac{3M}{4\pi R^3} \; \alpha \; \frac{M}{M^3} \; \alpha \; \frac{1}{M^2} \; \alpha \; \frac{1}{R^2}$$

Puisque la densité diminue comme l'inverse du carré de la masse, un trou noir très massif n'est pas nécessairement très dense. La densité d'un trou noir de la masse du Soleil est assez grande ($1,8 \times 10^{16}$ grammes par centimètre cube), mais un trou noir avec une masse de 4,2 milliards de Soleils aura la densité de l'air que nous respirons (0,001 gramme par centimètre cube).

L'astrophysicien anglais Stephen Hawking a montré que les trous noirs ne sont pas, après tout, entièrement noirs. La mécanique quantique leur permet de s'évaporer lentement en lumière. Le taux d'évaporation est contrôlé par la température T du trou noir. Cette température est d'autant plus petite que la masse M du trou noir est plus grande :

$$T \; \alpha \; \frac{1}{M}$$

Le temps t (évaporation) mis par un trou noir pour s'évaporer complètement varie comme le cube de sa masse :

$$t \text{ (évaporation)} \; \alpha \; M^3$$

La température d'un trou noir de la masse du Soleil est d'un dix-millionième (10^{-7}) de degré Kelvin et son temps d'évaporation est de 10^{65} années. La température d'un trou noir galactique d'un milliard (10^9) de masses solaires est de 10^{-16} degré Kelvin et son temps d'évaporation de 10^{92} années, tandis que la température d'un trou noir hypergalactique de mille milliards (10^{12}) de masses solaires est de 10^{-19} degré Kelvin et son temps d'évaporation de 10^{100} années.

Bien sûr, tout comme l'eau chaude d'une tasse de café ne peut s'évaporer que quand l'air qui l'entoure est plus froid (la chaleur ne peut qu'aller du chaud au froid), les trous noirs ne peuvent s'évaporer que si leur température est supérieure à celle du rayonnement fossile qui baigne l'univers tout entier. Cette condition n'est pas remplie dans l'univers actuel qui a une température de 3 degrés Kelvin après une évolution de 15 milliards d'années. Sachant que la température T (univers) de l'univers varie comme (voir la note quantitative n° 5)

$$T \text{ (univers)} \; \alpha \; \frac{1}{R \text{ (univers)}} \; \alpha \; \frac{1}{t^{2/3}}$$

où t est l'âge de l'univers, nous déduisons qu'un trou noir de la masse du Soleil ne commencera son évaporation qu'à $t = 10^{20}$ ans, quand la température de l'univers sera tombée à un dix-millionième de degré Kelvin. Un trou noir galactique devra attendre jusqu'à $t = 10^{34}$ ans et un trou noir hypergalactique jusqu'à $t = 10^{39}$ ans avant de pouvoir commencer à s'évaporer.

La masse d'un trou noir peut être, en principe, aussi grande que possible. Mais elle ne peut être inférieure à 20 microgrammes (2×10^{-5} gramme). Un trou noir qui aurait cette masse minimale (appelée masse de Planck) posséderait une température de 10^{32} degrés Kelvin (la température de Planck) et s'évaporerait en 10^{-43} secondes (le temps de Planck). Ces nombres caractérisent l'univers à son début, au mur de Planck, à l'instant où la physique actuelle perd pied. Hawking a suggéré que l'univers à ce moment était tellement dense que son espace s'était effondré en d'innombrables mini-trous noirs (ou trous noirs primordiaux) possédant la masse de Planck, et s'évaporant et renaissant toutes les 10^{-43} secondes dans un cycle infernal de vie et de mort. Ces trous noirs primordiaux n'ont jamais été détectés.

4. Le principe d'incertitude en mécanique quantique

Le hasard et le flou règnent dans le monde microscopique des atomes. Je ne peux pas décrire le mouvement d'un électron dans un atome comme je décrirais la trajectoire d'une balle qu'on lance en l'air, ou le parcours d'un bateau qui fend l'eau de l'océan. Le mouvement de l'électron m'échappe parce que je ne peux pas mesurer à chaque instant, avec précision, à la fois sa position et sa vitesse, comme je pourrais le faire avec la balle ou le bateau. Cette imprécision, ou incertitude, ne pourra pas être éliminée quelle que soit la sophistication de mon instrument de mesure. Elle est inhérente à l'acte même de mesurer. En mesurant, par exemple, la position d'un électron, je dois l'éclairer et, ce faisant, je lui envoie des particules de lumière qui perturbent sa vitesse. Le physicien allemand Werner Heisenberg a exprimé cette incertitude dans le monde atomique par une inégalité. Si $\triangle x$ est l'incertitude sur la mesure de la position x et si $\triangle v$ est l'incertitude sur la mesure de la vitesse v, leur produit doit toujours être supérieur à un nombre très petit égal à $h/2\pi$ (où h est la constante de Planck égale à $6{,}63 \times 10^{-27}$ erg seconde) :

$$\triangle x \, \triangle v \geq \frac{h}{2\pi}$$

Ainsi, si je réduisais l'incertitude sur la position ($\triangle x$ proche de zéro), l'incertitude sur la vitesse deviendrait énorme pour compenser, de manière que le produit $\triangle x \, \triangle v$ soit toujours supérieur à $h/2\pi$. Je ne peux pas réduire simultanément $\triangle x$ et $\triangle v$.

Une inégalité semblable lie l'incertitude $\triangle E$ sur l'énergie d'une particule élémentaire à l'incertitude $\triangle t$ sur sa durée de vie :

$$\triangle E \, \triangle t \geq \frac{h}{2\pi}$$

Plus la durée de vie d'une particule est courte et plus son énergie est incertaine. C'est cette règle qui permet à la mécanique quantique de transgresser le principe de la conservation de l'énergie qui règne dans le monde macroscopique pour engendrer des particules fantômes ou virtuelles. Parce qu'une particule virtuelle a une durée de vie extrêmement courte, elle peut emprunter une énergie $\triangle E$ à la banque Nature pour surgir pendant un bref instant. La plupart du temps, la nature reprend vite son énergie et la particule virtuelle disparaît après un temps $\triangle t$. Occasionnellement, la particule virtuelle trouve un bienfaiteur généreux qui l'aide à payer sa dette d'énergie envers la banque Nature, et accède au monde réel. La gravité a de l'énergie à revendre, et c'est pourquoi les particules virtuelles peuvent se matérialiser dans un champ de gravité intense, tel celui qui existe aux environs d'un trou noir, juste au-delà du rayon de non-retour. De même, c'est le flou de l'énergie qui a permis à l'univers tout entier de jaillir d'un vide microscopique.

5. Les paramètres cosmologiques et l'évolution de l'univers

L'évolution de l'univers (son passé, son présent et son futur) est déterminée par la lutte entre deux forces opposées : la force résultant de l'explosion initiale responsable de l'expansion de l'univers et la force gravitationnelle exercée par tout son contenu en matière (visible et invisible) qui freine l'expansion. Dès 1922, le mathématicien russe Alexandre Friedmann avait utilisé la théorie de la relativité générale publiée par Albert Einstein en 1915 pour obtenir les équations décrivant cette lutte épique. Ces équations, dans leur version la plus simple, sont fondées sur trois paramètres appelés « paramètres cosmologiques ». Le premier paramètre caractérise l'expansion de l'univers tandis que les deux autres, intimement liés, caractérisent son freinage.

Le premier paramètre cosmologique H est aussi appelé *paramètre de Hubble*, car il intervient dans la loi découverte par Edwin Hubble en 1929 qui décrit l'expansion de l'univers :

$$v = Hr$$

où v est la vitesse de fuite (en kilomètres par seconde) d'un point quelconque dans l'univers par rapport à un autre, et r la distance (en millions d'années-lumières) les séparant. Les observations montrent que le paramètre de Hubble a une valeur actuelle entre 15 et 30 kilomètres par seconde par million d'années-lumières (voir chapitre IV). L'inverse du paramètre de Hubble donne l'âge de l'univers (cet âge est approximatif ; il serait exact si l'univers n'était pas décéléré) :

$$\text{Âge} \propto \frac{1}{H} \begin{cases} = 10 \text{ milliards d'années pour H} = 30 \text{ km s}^{-1} (10^6 \text{ années})^{-1} \\ = 20 \text{ milliards d'années pour H} = 15 \text{ km s}^{-1} (10^6 \text{ années})^{-1} \end{cases}$$

L'âge de l'univers reste incertain d'un facteur de 2. Il est évident que le paramètre de Hubble, étant l'inverse de l'âge de l'univers, varie en fonction du temps. Très grand au début de l'univers, il diminue à mesure que celui-ci vieillit.

Le deuxième paramètre cosmologique q décrit la *décélération* de l'univers due au freinage exercé par la force gravitationnelle de la matière qui y est contenue. La décélération est, par définition, le ralentissement de vitesse par unité de temps (par exemple une seconde) :

$$q \propto \frac{\triangle v}{\triangle t}$$

tandis que la vitesse est le changement de distance par unité de temps :

$$v = \frac{\triangle r}{\triangle t} = \dot{r}$$

Nous utilisons ici le symbole ˙ pour désigner la dérivée par rapport au temps. Ainsi

$$q \, \alpha \, \frac{\triangle \dot{r}}{\triangle t} = \ddot{r}$$

La formule exacte donnée par les équations de Friedmann est :

$$q = - \frac{\ddot{r} r}{\dot{r}^2}$$

Le signe − signifie que l'univers est décéléré (un signe + correspondrait à un univers accéléré). Selon que q est inférieur, égal ou supérieur à 1/2, l'univers est ouvert (à expansion éternelle), plat (l'expansion ne s'arrêtera qu'après un temps infini), ou fermé (il s'effondrera sur lui-même).

Le troisième paramètre cosmologique d est la *densité moyenne de matière* (visible et invisible) de l'univers. Il est relié au paramètre de décélération q, puisque c'est la force de gravité exercée par la matière qui freine l'univers dans son expansion. Les équations de Friedmann montrent que la gravité serait assez forte pour stopper l'expansion si d est supérieure à une densité critique égale à :

$$d \text{ (critique)} = \frac{3H^2}{8\pi G}$$

où G est le nombre qui dicte l'intensité de la force de la gravité. Pour H = 15 kilomètres par seconde par million d'années-lumières, d (critique) = 3 atomes d'hydrogène par mètre cube ou $4,5 \times 10^{-30}$ gramme par centimètre cube. (d [critique] devient 12 atomes d'hydrogène par mètre cube ou $1,8 \times 10^{-29}$ gramme par centimètre cube si H = 30 kilomètres par seconde par million d'années-lumières.) Le cas où $d > d$ (critique) est celui d'un univers fermé. Si $d = d$ (critique), l'expansion de l'univers ne s'arrêtera qu'après un temps infini : c'est un univers plat. Si $d < d$ (critique), l'univers se dilatera indéfiniment : c'est un univers ouvert. On n'a pu recenser jusqu'ici qu'une densité de matière (visible et invisible) égale au cinquième de la densité critique. Jusqu'à nouvel ordre, nous vivons dans un univers ouvert, à expansion éternelle (voir chapitre VI).

Le paramètre de décélération q est relié au paramètre de densité d par la relation

$$q = \frac{d}{2d \text{ (critique)}} = \frac{4\pi Gd}{3H^2}$$

Si nous parvenions à mesurer de manière précise les trois paramètres cosmologiques H, q et d (quelques méthodes de mesure sont décrites dans les chapitres IV et VI), nous pourrions voir si la relation précédente est vérifiée et tester ainsi la validité de la relativité générale à l'échelle de l'univers tout entier.

Passons en revue maintenant les principales étapes dans l'évolution de l'univers :

1) Il y a d'abord l'*ère inflationnaire* (10^{-35} seconde $< t < 10^{-32}$ seconde) où l'univers se dilate exponentiellement en fonction du temps :

$$r \propto e^{Ht}$$

où r est la distance entre deux points quelconques de l'univers, et H le paramètre de Hubble pendant la phase inflationnaire. Cette phase, due à des phénomènes de cristallisation de l'univers, n'est pas décrite par les équations de Friedmann. En revanche, celles-ci décrivent bien les phases suivantes.

2) L'*ère du rayonnement* (1 seconde $< t < 300\,000$ ans) où la densité du rayonnement d (rayonnement) est supérieure à la densité de matière d (matière) et contrôle l'évolution de l'univers. Pendant cette phase, l'univers se dilate proportionnellement à la racine carrée du temps :

$$r \propto t^{1/2}$$

La température T décroît comme l'inverse de la distance :

$$T \propto \frac{1}{r} \propto \frac{1}{t^{1/2}}$$

La densité de la matière décroît comme l'inverse du volume :

$$d \text{ (matière)} \propto \frac{1}{r^3} \propto \frac{1}{t^{3/2}}$$

Mais la densité du rayonnement décroît encore plus vite :

$$d \text{ (rayonnement)} \ \alpha \ \frac{1}{r^4} \ \alpha \ \frac{1}{t^2}$$

La différence provient du fait que l'énergie de masse de la matière est conservée pendant l'expansion de l'univers tandis que l'énergie du rayonnement décroît comme $1/r$. A mesure que l'univers avance en âge, l'écart entre la densité du rayonnement et celle de la matière s'amoindrit. Les deux densités sont égales vers l'an 300000.

3) L'*ère de la matière* ($t > 300\,000$ ans) commence alors, et dure encore aujourd'hui. Dans cette phase, c'est la matière qui domine et contrôle l'expansion de l'univers. Celle-ci est maintenant décrite par :

$$r \ \alpha \ t^{2/3}$$

La température et les densités de matière et de rayonnement continuent à diminuer en fonction du temps :

$$T \ \alpha \ \frac{1}{r} \ \alpha \ \frac{1}{t^{2/3}}$$

$$d \text{ (matière)} \ \alpha \ \frac{1}{r^3} \ \alpha \ \frac{1}{t^2}$$

$$d \text{ (rayonnement)} \ \alpha \ \frac{1}{r^4} \ \alpha \ \frac{1}{t^{8/3}}$$

L'univers d'aujourd'hui a une température de 3 degrés Kelvin. La densité de matière est d'environ 10^{-30} gramme par centimètre cube, tandis que la densité du rayonnement est d'environ 7×10^{-34} gramme par centimètre cube, soit environ 1 430 fois plus faible.

Glossaire

Amas de galaxies : groupement dense de quelques milliers de galaxies liées par la gravité d'une taille moyenne de 60 millions d'années-lumières et une masse moyenne de quelques millions de milliards de masses solaires (voir figure 30).

Amas galactique : groupement de forme irrégulière d'une centaine d'étoiles jeunes. Les étoiles ne sont pas liées par la gravité, mais sont réunies parce qu'elles sont nées de l'effondrement et de la fragmentation d'un même nuage interstellaire. L'amas galactique se dispersera au bout de quelques centaines de millions d'années (voir figure 15).

Amas globulaire : ensemble sphérique d'environ 100 000 étoiles vieilles liées par la gravité (voir figure 19).

Andromède : galaxie jumelle de la Voie lactée, également connue sous le nom de Messier 31, à 2,3 millions d'années-lumières. A elles deux, ces galaxies dominent la masse du groupe local.

Année-lumière : distance parcourue par la lumière (qui se déplace à 300 000 kilomètres par seconde) en une année et égale à 9 460 milliards de kilomètres. De même, 1 jour-lumière = 26 milliards de kilomètres ; 1 heure-lumière = 1,1 milliard de kilomètres ; 1 minute-lumière = 18 millions de kilomètres et 1 seconde-lumière = 300 000 kilomètres.

Anthropique, principe : idée selon laquelle l'univers a été réglé très précisément pour l'émergence de la vie et de la conscience.

Antiparticule : particule élémentaire constituant l'antimatière et possédant presque les mêmes propriétés que celle qui constitue la matière. Une des principales différences est la charge, qui est de signe opposé. L'antiparticule de l'électron est le positon, celle du proton est l'antiproton, etc. Les particules neutres comme le photon sont leurs propres antiparticules. En entrant en contact, les particules et les antiparticules s'annihilent pour devenir lumière. Nous vivons dans un univers de matière. L'antimatière est extrêmement rare : on ne la voit que dans les rayons cosmiques ou dans les accélérateurs de particules à haute énergie.

Astéroïde : corps céleste pierreux dont la taille peut atteindre 1 000 kilomètres, mais dont la forme est irrégulière ; en effet, il n'est pas assez massif pour que la gravité le sculpte en forme de sphère comme c'est le cas des planètes.

Baryon : particule élémentaire qui subit l'influence de la force nucléaire forte. Le proton et le neutron sont des baryons.

Big bang : théorie cosmologique selon laquelle l'univers primordial, extrêmement chaud et dense, aurait commencé son existence par une énorme explosion qui se serait produite il y a 10 à 20 milliards d'années, en tout point de l'espace. Cette explosion aurait marqué le début d'une expansion qui continue encore.

Binaire : paire d'étoiles ou de galaxies liées par la gravité et orbitant l'une autour de l'autre.

Cannibalisme galactique : processus selon lequel le mouvement d'une galaxie est freiné par les forces gravitationnelles exercées par une galaxie plus massive, et qui tombe en spirale vers cette dernière qui la dévore. La galaxie engloutie perd son identité, ses étoiles se mélangeant à celles de la galaxie cannibale.

Céphéides : étoiles variables dont la lumière varie épisodiquement de façon très particulière : le temps écoulé entre deux maximums (ou minimums) de brillance, et appelé période, dépend de la brillance intrinsèque. Plus l'étoile céphéide est brillante, plus sa période (qui peut durer de quelques jours à un mois) est longue. Les astronomes se servent de cette propriété pour utiliser les céphéides comme indicateurs de distance. Il suffit de repérer ces dernières dans une galaxie proche et d'observer leurs variations de brillance pour obtenir leur période et donc leur brillance intrinsèque. Celle-ci, combinée avec la brillance apparente observée, indique la distance. Edwin Hubble s'est servi des céphéides pour démontrer l'existence d'autres galaxies situées bien au-delà de la Voie lactée. Malheureusement, les céphéides ne sont plus assez lumineuses pour être vues du sol au-delà de 13 millions d'années-lumière (voir figure 18).

Comète : boule de glace et de poussière ayant un noyau d'une taille de quelques kilomètres. Elle n'est visible qu'à proximité du Soleil dont elle reflète la lumière. La glace, s'évaporant sous l'effet de la chaleur solaire, crée une longue queue pointant dans la direction opposée au Soleil, et qui peut atteindre des centaines de millions de kilomètres.

Complémentarité, principe de : énoncé, par le physicien danois Niels Bohr, selon lequel la matière et le rayonnement peuvent être à la fois onde et particule, ces deux descriptions de la nature étant complémentaires l'une de l'autre. Il constitue une des pierres angulaires de la mécanique quantique.

Convergence, point de : point dans le ciel vers lequel les étoiles d'un amas galactique semblent converger. Le point de convergence sert à déterminer la distance à l'amas (voir figure 16).

Corde cosmique : fêlure du tissu de l'espace de l'univers, de forme mince (10^{-28} centimètre) et allongée, qui se produit lors du refroidissement de l'univers pendant ses premières fractions de seconde, d'après les théories d'unification des forces. Les cordes cosmiques n'ont jamais été directement observées, bien que certains astronomes pensent qu'elles sont à l'origine des structures filamentaires tracées par les galaxies dans le ciel (voir figure 39).

Cosminos : particules élémentaires possédant une masse, mais n'interagissant pas avec la force nucléaire forte. Leur existence est prévue par les théories d'unification des forces, mais aucun n'a été observé, excepté le neutrino, dont on ne sait pas encore s'il possède une masse.

Cosmologie : étude des grandes structures de l'univers et de son évolution.

Cosmologique, paramètre : nombre, dans une théorie cosmologique, qui détermine le destin de l'univers, son passé, son présent et son futur.

Cosmologique, principe : hypothèse selon laquelle l'univers est semblable à lui-même en tout lieu (il est homogène) et dans toute direction (il est isotrope). Ce principe a été confirmé de façon spectaculaire par l'observation du rayonnement fossile.

Cosmologique parfait, principe : généralisation du principe cosmologique de l'espace au temps : l'univers est semblable à lui-même en tout lieu, dans toute direction, et en tout temps. Il n'y a d'évolution ni dans l'espace ni dans le temps. Ce principe sert de fondement à la théorie cosmologique de l'univers stationnaire.

Décalage vers le rouge : changement de couleur de la lumière dû au mouvement d'éloignement de la source lumineuse (effet Doppler). Ce changement est proportionnel à la vitesse d'éloignement. Le décalage vers le rouge d'une galaxie varie en proportion de sa distance (loi de Hubble).

Décélération, paramètre de ; nombre qui mesure le ralentissement du taux d'expansion de l'univers (voir la note quantitative n° 5).

Densité critique : densité de matière qui produirait un univers plat, dénué de toute courbure et égale à trois atomes d'hydrogène par mètre cube. Un univers ayant une densité critique n'arrêterait sa dilatation qu'après un temps infini. Un univers ayant une densité supérieure à la densité critique aurait une courbure positive et s'effondrerait sur lui-même dans le futur (on dit qu'il est fermé). Un univers ayant une densité inférieure à la densité critique aurait une courbure négative et une expansion éternelle (on dit qu'il est ouvert). Les observations semblent favoriser un univers ouvert (voir la note quantitative n° 5).

Deutérium : élément chimique dont le noyau est formé d'un proton et d'un neutron, fabriqué en grande partie dans les trois premières minutes de l'univers. Voir **Nucléosynthèse.**

Disque galactique : ensemble d'étoiles, de gaz et de poussière dans une galaxie spirale, en forme de crêpe aplatie. Le disque a environ 90 000 années-lumières de diamètre et 3 000 années-lumières d'épaisseur. Dans la Voie lactée, les étoiles accomplissent un tour autour du centre galactique tous les 250 millions d'années à 230 kilomètres par seconde (voir figure 20).

Doppler, effet : variation en énergie et en couleur de la lumière (ou du son) dû au mouvement relatif d'une source lumineuse (ou sonore) par rapport à un observateur. Si la source s'éloigne, l'énergie diminue et la lumière est décalée vers le rouge (le son devient plus grave). Si la source s'approche, l'énergie augmente et la lumière est décalée vers le bleu (le son devient plus aigu). Voir **Décalage vers le rouge.**

Électron : la plus légère des particules élémentaires qui possède une charge électrique. L'électron a une masse de 9×10^{-28} gramme et est chargé négativement.

Éléments lourds : ensemble des éléments chimiques dont le noyau est plus lourd que celui de l'hélium. Encore appelés « métaux », ces éléments lourds sont fabriqués par les étoiles.

Éléments primordiaux : éléments chimiques fabriqués dans le big bang, pendant les trois premières minutes de l'univers. Ce sont surtout l'hydrogène (qui constitue les trois quarts de la masse de l'univers) et l'hélium (qui constitue le quart de la masse de l'univers), plus des traces de deutérium et de lithium. Voir **Nucléosynthèse.**

Entropie : fonction définissant l'état de désordre d'un système. L'entropie totale d'un système isolé doit toujours augmenter, son désordre doit toujours croître (deuxième principe de la thermodynamique, science de la chaleur).

Épicycle : trajectoire d'une planète en forme de cercle dont le centre se déplace lui-même sur un plus grand cercle centré sur la Terre. L'épicycle a été inventé pour rendre compte des mouvements des planètes dans un univers géocentrique (voir figure 5).

Ère de la matière : période de l'histoire de l'univers qui suit l'ère du rayonnement, environ depuis la trois cent millième année jusqu'au lointain futur, où la densité de la matière est supérieure à celle du rayonnement et contrôle l'évolution de l'univers.

Ère du rayonnement : période de l'histoire de l'univers qui suit l'ère leptonique, environ depuis une seconde après le big bang jusqu'à la trois cent millième année. Pendant cette période, la densité du rayonnement (celle des photons) est supérieure à celle de la matière et contrôle l'évolution de l'univers. Atomes, planètes, étoiles et galaxies n'ont pas encore fait leur apparition.

Ère hadronique : période de l'histoire de l'univers depuis un millionième de seconde jusqu'à un dix-millième de seconde, où le contenu de l'univers est dominé par les hadrons (protons, neutrons et leurs antiparticules), en équilibre avec les photons. L'ère hadronique se termine quand les photons affaiblis par l'expansion de l'univers ne peuvent plus se convertir en paires hadron-antihadron.

Ère leptonique : période de l'histoire de l'univers qui suit l'ère hadronique, où le contenu de l'univers est dominé par les leptons (électrons et neutrinos), en équilibre avec les photons. Elle s'étend depuis un dix-millième de seconde jusqu'à environ une seconde, quand les photons affaiblis par l'expansion de l'univers ne peuvent plus se convertir en paires électron-positon.

Étoile : sphère de gaz composée à 98 % d'hydrogène et d'hélium, et à 2 % d'éléments lourds, s'équilibrant sous l'action de deux forces égales et opposées : la force de gravité, qui la comprime, et la force du rayonnement produite par les réactions nucléaires en son sein qui tentent de la faire éclater. Le Soleil a une masse de 2×10^{33} grammes et les masses des étoiles peuvent varier entre 0,1 et 100 fois la masse du Soleil.

Étoile à neutrons : objet céleste très compact (le rayon est de 10 kilomètres) et dense (10^{14} grammes par centimètre cube), résultant de l'effondrement d'une étoile dont la masse est entre 1,4 et 5 fois la masse du Soleil et qui a épuisé son combustible. Formé presque exclusivement de neutrons, il est en rotation rapide et possède un faisceau de lumière radio qui balaie la Terre à chaque tour. Ce balayage se traduit par une succession de signaux séparés par des intervalles réguliers, d'où l'autre nom de « pulsar » (voir figure 47).

Exclusion, principe d' : énoncé, par le physicien allemand Wolfgang Pauli, selon lequel deux particules semblables d'un certain type (comme les électrons et les neutrons) ne peuvent être dans des états identiques (c'est-à-dire caractérisés par la même position et la même vitesse). Ce principe permet de comprendre pourquoi les naines blanches et les étoiles à neutrons ne s'effondrent pas sous l'effet de leur gravité : les électrons dans la naine blanche et les neutrons dans l'étoile à neutrons ne peuvent être trop comprimés (sinon ils posséderaient les mêmes position et vitesse) et résistent à la compression par la gravité.

Fluctuations de densité : irrégularités spatiales dans la densité de l'univers servant de germes de galaxies. Ces fluctuations, pour être compatibles avec la grande régularité du rayonnement fossile, ne peuvent varier de plus de 0,01 % par rapport à la densité moyenne (voir figure 36).

Fluctuation adiabatique : fluctuation de densité où la matière et le rayonnement varient de concert, de façon qu'il y ait toujours partout 1 milliard de photons pour 1 baryon (voir figure 36).

Fluctuation isotherme : fluctuation de densité où seule la matière varie et où le rayonnement reste uniforme (voir figure 36).

Force électrofaible : force résultant de l'union de la force électromagnétique avec la force nucléaire faible.

Force électromagnétique : force qui n'agit que sur les particules chargées. Elle fait que les particules de charge opposée s'attirent et que les particules de charge semblable se repoussent.

Force électronucléaire : force résultant de l'union de la force électromagnétique avec les deux forces nucléaires forte et faible.

Force gravitationnelle : force attractive qui agit sur toute masse. La plus faible de toutes les forces, elle possède aussi la plus grande portée.

Force nucléaire faible : force responsable de la désintégration des atomes et du phénomène de la radioactivité. Elle n'agit qu'à l'échelle subatomique (10^{-15} centimètre).

Force nucléaire forte : la plus vigoureuse des quatre forces de la nature, elle lie ensemble les quarks pour former protons et neutrons, et les protons et les neutrons pour former des noyaux d'atomes. Son domaine d'influence est celui du noyau d'atome (10^{-13} centimètre). Elle n'agit pas sur les photons et les électrons.

Galaxie : ensemble de 10 millions (pour une galaxie naine) à 10 000 milliards (pour une galaxie géante) d'étoiles liées ensemble par la gravité, la galaxie est l'unité fondamentale des structures de l'univers. Une galaxie moyenne (comme la Voie lactée) contient 100 milliards de Soleils.

Galaxie à noyau actif : galaxie dont la plus grande partie de la lumière et de l'énergie provient d'une région centrale, appelée « noyau », de très petite dimension (de quelques heures-lumières à quelques mois-lumières, des milliards de fois plus petite que la galaxie entière). Cette énergie peut résulter de l'activité d'un trou noir de quelques dizaines de millions de masses solaires situé au centre de la galaxie, lequel dévore les étoiles passant à proximité.

Galaxie elliptique : galaxie dont la forme projetée sur le ciel est celle d'une ellipse. Elle contient en général des étoiles vieilles et peu, ou pas, de gaz et de poussière (voir figure 40).

Galaxie irrégulière : galaxie souvent naine qui n'est ni spirale, ni elliptique. Elle contient un grand nombre d'étoiles jeunes, et beaucoup de gaz et de poussière (voir figure 41). Voir **Nuages de Magellan.**

Galaxie naine : galaxie de petite taille et de masse réduite. La taille moyenne est de 15 000 années-lumières, soit 6 fois plus petite qu'une galaxie normale. La masse varie entre 100 millions et 1 milliard de masses solaires, soit 1 000 à 10 000 fois moins que la masse d'une galaxie normale. Les galaxies naines peuvent être de type elliptique ou irrégulier, mais les galaxies spirales naines ne semblent pas exister (voir figure 41). Voir **Nuages de Magellan.**

Galaxie spirale : galaxie avec un ensemble sphérique d'étoiles (appelé bulbe) au milieu d'un disque aplati d'étoiles contenant aussi du gaz et de la poussière interstellaire. Les étoiles jeunes et lumineuses tracent de jolis bras en forme de spirales dans le disque (voir figure 20).

Géante rouge : étoile ayant épuisé son carburant d'hydrogène et brûlant de l'hélium. L'injection d'énergie due à la combustion de l'hélium gonfle l'enveloppe de l'étoile jusqu'à une taille des dizaines de fois supérieure à sa taille originale, d'où la qualification de géante. En même temps, l'étoile se refroidit à sa surface, ce qui rougit sa lumière.

Grain interstellaire : petite particule de poussière d'un millionième de centimètre, née dans les enveloppes des géantes rouges. Elle absorbe la lumière bleue des étoiles, les rendant moins lumineuses et plus rouges.

Grand Attracteur : grande masse de 100 millions de milliards de masses solaires, de nature inconnue, qui attire gravitationnellement le superamas local et vers laquelle ce dernier semble tomber (voir figure 27).

Groupe de galaxies : ensemble d'une vingtaine de galaxies liées par la gravité, d'une taille de 6 millions d'années-lumières environ, dont la masse moyenne varie de 1 000 à 10 000 milliards de Soleils (voir figure 29).

Groupe local : groupe de galaxies auquel appartiennent la Voie lactée et Andromède. Avec chacune une masse de 1 000 milliards de Soleils, ces dernières dominent la masse du groupe local. Les autres membres du groupe local sont des galaxies naines de 10 millions à 10 milliards de masses solaires.

Hadron : toute particule qui subit l'influence de l'interaction forte. Les hadrons résultent de l'union de plusieurs quarks. Les baryons sont des hadrons.

Halo galactique : ensemble d'étoiles vieilles et d'amas globulaires, de forme sphérique, qui entoure une galaxie spirale. Les observations suggèrent la présence d'un halo invisible entourant le halo visible, environ 10 fois plus massif et plus grand (voir figure 53).

Hélium : élément chimique dont le noyau est fait de deux protons et de deux neutrons (hélium 4). Il existe aussi une autre variété

plus rare d'hélium dont le noyau est fait de deux protons et d'un neutron (hélium 3). L'hélium, fabriqué dans les trois premières minutes
de l'univers, en constitue le quart de la masse. Voir **Nucléosynthèse.**

Homogénéité : propriété de l'univers d'être semblable à lui-
même en tout lieu. Ainsi, le nombre de galaxies par unité de volume
sera en moyenne le même où que l'on compte. Voir **Principe cosmologique, Rayonnement fossile.**

Horizon cosmologique : délimite la région observable de l'univers. La distance à l'horizon est égale à la distance parcourue par
la lumière depuis le big bang. L'univers observable s'agrandit au
fur et à mesure qu'il vieillit et que la lumière dispose de plus de
temps pour nous parvenir. En moyenne, dix nouvelles galaxies
entrent chaque année dans l'univers observable.

Hubble, loi de : loi découverte en 1929 par l'astronome américain Edwin Hubble, selon laquelle la distance des galaxies varie en
proportion de leur décalage vers le rouge, et donc, par effet Doppler, de leur vitesse de fuite. L'idée d'un univers en expansion est
fondée sur cette loi. La loi de Hubble constitue, avec l'observation
du rayonnement fossile, les deux pierres angulaires de la théorie
du big bang (voir figure 21). Voir **Paramètre de Hubble.**

Hubble, paramètre de : constante de proportionnalité entre
la vitesse de fuite d'une galaxie et sa distance, dans la loi de Hubble. L'inverse du paramètre de Hubble serait égal à l'âge de l'univers si celui-ci ne ralentissait pas au cours de son expansion. A cause
de la décélération, l'inverse du paramètre de Hubble constitue une
limite supérieure à l'âge de l'univers. La mesure du paramètre de
Hubble attribue à l'univers un âge entre 10 et 20 milliards d'années
(voir la note quantitative n° 5).

Hyades, amas des : amas galactique d'étoiles dans la Voie lactée, jouant un rôle fondamental dans la détermination de l'échelle
des distances dans l'univers.

Hydrogène : le plus léger des éléments chimiques. Les atomes
d'hydrogène, formés d'un proton et d'un électron, constituent les
trois quarts de la masse de l'univers. Voir **Nucléosynthèse.**

Incertitude, principe d' : énoncé, par le physicien allemand
Werner Heisenberg, selon lequel la vitesse et la position d'une particule ne peuvent être mesurées simultanément avec précision, aussi
perfectionné l'instrument de mesure soit-il : c'est le flou quantique.
Ce principe d'incertitude s'applique aussi à l'énergie d'une particule élémentaire de très courte durée de vie. Le flou de l'énergie
permet l'apparition de particules et d'antiparticules virtuelles dans
le vide quantique (voir la note quantitative n° 4).

Inflation : période de 10^{-35} à 10^{-32} seconde après le big bang, pendant laquelle l'univers se dilate de façon exponentielle, triplant de taille toutes les 10^{-34} seconde. Cette inflation, prédite par les théories d'unification des forces, est due à l'injection d'énergie résultant de la décomposition de la force électronucléaire en force électrofaible et force nucléaire forte.

Interstellaire, milieu : espace entre les étoiles d'une galaxie. Le milieu interstellaire contient du gaz atomique (surtout de l'hydrogène), du gaz moléculaire (du monoxyde de carbone, de l'hydrogène moléculaire, de l'eau, etc ; on peut dénombrer près d'une centaine de molécules) et de la poussière (les grains interstellaires).

Isotropie : propriété de l'univers d'être semblable à lui-même dans toutes les directions. Voir **Principe cosmologique.**

Kelvin, degré : unité de température. Dans l'échelle de température Kelvin (K), le zéro correspond au zéro absolu, la plus basse température possible. Pour convertir à l'échelle centigrade (C), il suffit de soustraire 273 : T(C) = T(K) − 273. Ainsi, le zéro absolu ($0°K$) correspond à $-273°$ C. L'eau se transforme en glace à $0°$ C ou $273°$ K. Elle bout à $100°$ C ou $373°$ K.

Lentille gravitationnelle : astre (étoile, galaxie, quasar, amas de galaxies) aligné avec la Terre et un autre astre plus distant, situé à une distance intermédiaire entre les deux, et dont le champ de gravité dévie la lumière de l'astre plus lointain pour créer des mirages cosmiques : l'image de l'astre éloigné est déformée (magnifiée ou réduite), transformée ou multipliée. Des images-mirages apparaissent à proximité de la vraie image. Ces mirages gravitationnels résultent de l'interaction de la lumière de l'astre lointain avec non seulement le champ de gravité de la lentille gravitationnelle, mais aussi avec tout champ de gravité que cette lumière doit traverser pour parvenir jusqu'à la Terre. L'étude des mirages cosmiques nous renseigne donc sur la quantité totale de matière (visible et invisible) responsable de cette gravité et sur sa répartition spatiale dans la lentille et dans l'espace intergalactique.

Lepton : particule élémentaire sur laquelle la force nucléaire forte n'a pas d'influence. L'électron et le neutrino sont des leptons.

Longueur d'onde : distance qui sépare deux crêtes (ou deux creux) successives d'une onde de lumière (ou de matière, comme dans le cas des vagues d'un océan) (voir la note quantitative n° 1).

Lumière fatiguée, théorie de la : théorie cosmologique selon laquelle le décalage vers le rouge de la lumière des galaxies n'est pas dû à l'expansion de l'univers, mais à une perte d'énergie de cause inconnue subie par la lumière pendant son voyage intergalactique et interstellaire.

Mach, principe de : hypothèse, par le physicien autrichien Ernst

Mach, selon laquelle la masse d'un objet — qui mesure son « inertie », sa résistance au mouvement — est déterminée par la distribution de toute la matière dans l'univers.

Magellan, nuages de : deux galaxies naines irrégulières satellites de la Voie lactée, situées à environ 150 millions d'années-lumières. Le petit nuage contient environ 100 millions de Soleils et le grand nuage en contient environ 1 milliard. Découverts par le navigateur Magellan, les deux galaxies ne peuvent être vues que de l'hémisphère Sud (voir figure 17).

Masse invisible : matière de nature inconnue n'émettant aucune lumière. L'existence de cette masse invisible est déduite à partir des études des mouvements des étoiles et du gaz dans les galaxies et des galaxies dans les amas ou de l'abondance relative des éléments chimiques fabriqués dans le big bang. La masse invisible peut constituer de 90 à 98 % de la masse totale de l'univers.

Matière « chaude » : matière composée de particules élémentaires de faible masse et se déplaçant à grande vitesse (la température mesure l'énergie de mouvement ; le terme « chaud » dénote une forte température et donc une énergie de mouvement très grande). Le neutrino est un exemple de matière « chaude ».

Matière « froide » : matière composée de particules élémentaires de masse relativement grande et dont la vitesse de propagation est relativement faible (le terme « froid » dénote une faible température et donc une énergie de mouvement peu importante). L'axion et le photino sont des exemples de matière « froide ».

Matière non baryonique : matière composée de particules élémentaires ne subissant pas l'influence de la force forte. Le neutrino est un exemple de matière non baryonique.

Mécanique quantique : théorie physique développée au début du XXᵉ siècle, qui décrit les propriétés de la matière et du rayonnement à l'échelle microscopique. Selon cette théorie, la matière et la lumière peuvent être à la fois onde et particule. Elles ne peuvent être décrites qu'en termes de probabilités. La particule de lumière est aussi appelée « quantum d'énergie », d'où le nom de la théorie. Voir **Principe de complémentarité, Principe d'exclusion** et **Principe d'incertitude.**

Naine blanche : petit objet céleste (d'où le nom de naine : son diamètre est d'environ 10 000 kilomètres, c'est-à-dire celui de la Terre) et dense (de 10^5 à 10^8 grammes par centimètre cube). Il résulte de l'effondrement d'une étoile de moins de 1,4 masse solaire ayant épuisé son combustible. Les électrons de la naine blanche, selon le principe d'exclusion, ne peuvent être trop serrés et exercent une pression qui s'oppose à la gravité, empêchant l'étoile de s'effondrer sur elle-même. Le mouvement des électrons chauffe la naine qui diffuse sa lumière blanche dans l'espace.

Naine brune : étoile avortée, de masse inférieure à un centième de la masse du Soleil. Telle une planète, la naine brune n'est pas assez massive, chaude et dense pour déclencher des réactions nucléaires génératrices d'énergie en son cœur.

Naine noire : naine blanche ayant diffusé toute l'énergie de mouvement de ses électrons dans l'espace. Elle devient un cadavre stellaire invisible.

Nébuleuse : objet céleste d'apparence diffuse. Il peut s'agir d'une galaxie ou d'un nuage de gaz et de poussière dans la Voie lactée.

Nébuleuse planétaire : enveloppe de gaz éjectée lors de l'effondrement d'une étoile de moins de 1,4 masse solaire en une naine blanche, et illuminée par le rayonnement de cette dernière (voir figure 45).

Neutrino : particule neutre sujette uniquement à la force nucléaire faible et, si elle possède une masse, à la force gravitationnelle. Produits en grand nombre dans les premiers moments de l'univers et en moindre nombre au cœur des étoiles et dans les supernovae, les neutrinos peuvent dominer la masse de l'univers si leur masse est égale au millionième de celle de l'électron. Avec une masse d'un dixième de millième de celle de l'électron, leur gravité peut arrêter l'expansion de l'univers et le faire s'effondrer sur lui-même. On ne sait pas à l'heure actuelle si le neutrino possède une masse.

Neutron : particule neutre faite de trois quarks, et composante des noyaux d'atomes avec le proton. Le neutron est 1 838 fois plus massif que l'électron et légèrement plus massif que le proton.

Noyau d'atome : ensemble de protons et de neutrons liés par la force nucléaire forte. Sa charge électrique, égale à la somme des charges des protons, est positive. Le noyau est 100 000 fois plus petit que l'atome (sa taille étant de 10^{-13} centimètre) et n'occupe que le millionième de milliardième du volume total de l'atome.

Nucléon : composante d'un noyau d'atome, qui peut être soit un proton, soit un neutron.

Nucléosynthèse : formation de noyaux d'atomes par des réactions nucléaires soit dans le big bang (la nucléosynthèse dite primordiale, responsable des éléments légers tels que l'hydrogène et l'hélium), soit au cœur des étoiles (les éléments plus lourds que l'hélium, mais moins lourds que le fer, y sont fabriqués), soit dans les supernovae (les éléments plus lourds que le fer y sont fabriqués).

Olbers, paradoxe d' : question posée par l'astronome allemand Heinrich Olbers : pourquoi la nuit est-elle noire ? Nous savons aujourd'hui que la nuit est noire parce que l'univers a eu un début et qu'il ne contient pas un nombre infini d'étoiles qui l'empliraient de lumière.

Parallaxe : angle correspondant au mouvement apparent d'un objet céleste par rapport aux étoiles lointaines, observé de deux positions différentes (par exemple, de deux positions diamétralement opposées de la Terre dans son orbite autour du Soleil) (voir figure 14).

Particule élémentaire : composante fondamentale de la matière et du rayonnement. Ce qui est considéré comme « élémentaire » évolue avec le temps, au fur et à mesure que les connaissances progressent. Ainsi, le proton et le neutron, que l'on croyait élémentaires, sont maintenant considérés comme étant formés de trois quarks. L'électron, le neutrino et le photon sont des exemples de particules élémentaires.

Particule virtuelle : particule élémentaire fantôme qui peuple le vide quantique et qui doit son existence au principe d'incertitude et au flou quantique de l'énergie. Sa durée de vie est si courte qu'elle ne peut être observée directement. Elle devient une « vraie » particule quand il y a injection d'énergie, comme aux premiers moments de l'univers. Une particule virtuelle apparaît toujours en compagnie de son antiparticule virtuelle (la charge totale doit être conservée : elle était nulle avant, elle doit le rester après).

Photon : particule élémentaire du rayonnement, sans masse, qui se déplace à la plus grande vitesse possible, à 300 000 kilomètres par seconde. Selon l'énergie qu'elle porte, la particule peut être, par ordre d'énergie décroissante, un photon gamma, X, ultraviolet, visible, infrarouge ou radio (voir la note quantitative n° 1).

Planck, temps de : égal à 10^{-43} seconde, ce temps indique le moment où la physique actuelle perd pied, où les limites des connaissances actuelles sont atteintes. Pour dépasser le temps de Planck, il faudrait une théorie quantique de la gravité où la force gravitationnelle serait unie avec les autres forces, théorie qui reste encore à construire.

Planète : objet céleste sphérique de plus de 1 000 kilomètres de diamètre, n'ayant pas sa propre source d'énergie nucléaire, en orbite autour d'une étoile dont il reflète la lumière.

Planète inférieure : planète du système solaire située entre le Soleil et la Terre. Mercure et Vénus sont des planètes inférieures.

Planète supérieure : planète du système solaire plus éloignée du Soleil que la Terre. Mars, Jupiter, Saturne, Uranus, Neptune et Pluton sont des planètes supérieures.

Platitude : géométrie d'un univers dépourvu de courbure globale, dont la densité de matière est égale à la densité critique (trois atomes d'hydrogène par mètre cube). D'après les observations, l'univers actuel a une densité très proche de la densité critique (environ un cinquième).

Positon : antiparticule de l'électron.

Proton : particule de charge positive, faite de trois quarks ; composante des noyaux d'atomes avec le neutron. Le proton est 1 836 fois plus massif que l'électron.

Pulsar : voir **Étoile à neutrons**.

Quark : particule élémentaire composante du proton et du neutron, le quark possède une charge électrique fractionnelle égale au tiers ou aux deux tiers de la charge de l'électron, et est soumis à la force nucléaire forte. Le quark reste une entité hypothétique, n'ayant jamais été isolé en laboratoire.

Quasar : objet céleste ayant l'apparence d'une étoile (le nom vient de la contraction du mot américain « *quasi-star* »), mais avec une lumière très décalée vers le rouge, ce qui implique une très grande distance, selon la loi de Hubble. Les quasars sont les objets les plus éloignés et les plus lumineux de l'univers. Leur énorme énergie vient probablement d'un trou noir de 1 milliard de masses solaires dévorant les étoiles de la galaxie sous-jacente. Une minorité d'astronomes pensent que le grand décalage vers le rouge de la lumière des quasars n'a rien à voir avec leur éloignement et qu'ils sont en réalité très proches (voir figure 48).

Rayonnement fossile : rayonnement radio qui baigne l'univers tout entier, datant de l'époque où l'univers n'avait que 300 000 ans. Sa température de 3 degrés Kelvin ne varie pas de plus de 0,01 % en tout point de l'univers. Il est homogène et isotrope, en accord avec le principe cosmologique. Avec l'expansion de l'univers, le rayonnement fossile constitue l'un des deux piliers de la théorie du big bang.

Rayons cosmiques : particules (surtout des protons et des électrons) accélérées à de très hautes énergies par les supernovae et les champs magnétiques du milieu interstellaire.

Rayon de non-retour : rayon découvert par l'astronome allemand Karl Schwarzschild (il est aussi appelé « rayon de Schwarzschild ») qui définit l'horizon d'un trou noir. Une fois ce rayon franchi, ni particule de matière ni lumière ne peuvent faire demi-tour et sortir du trou noir.

Rayon gamma : la plus énergétique des particules de lumière.

Rayon X : la plus énergétique des particules de lumière après les rayons gamma.

Relativité générale : théorie de la gravité proposée par Albert Einstein en 1915, plus précise que celle de Newton. Les deux théories diffèrent surtout dans les situations où les champs de gravité sont très intenses, tels ceux qui entourent un pulsar ou un trou noir. La relativité générale sert de fondement théorique à la théorie du big bang.

Relativité restreinte : théorie des mouvements relatifs proposée par Albert Einstein en 1905, qui démontrait que l'espace et le temps étaient intimement liés, et qu'ils n'étaient pas universels, mais dépendaient du mouvement de l'observateur.

Rétrograde, mouvement : mouvement apparent des planètes par rapport aux étoiles en sens inverse du sens habituel.

Spectroscope : instrument qui décompose la lumière en ses différentes composantes.

Superamas de galaxies : ensemble de dizaines de milliers de galaxies assemblées en groupes et en amas, et liées par la gravité. Ayant une forme de crêpes aplaties et une taille moyenne de 90 millions d'années-lumières, les superamas ont une masse de 10 millions de milliards (10^{16}) de masses solaires.

Superamas local : superamas auquel appartient la Voie lactée (d'où le qualificatif de « local »). Le groupe local contenant la Voie lactée est situé au bord du disque en forme de crêpe aplatie du superamas, au centre duquel se trouve l'amas de galaxies dit de la Vierge (le superamas local est encore connu sous le nom de « superamas de la Vierge ») (voir figure 31).

Supernova : la mort explosive d'une étoile ayant épuisé son carburant. L'explosion peut atteindre la brillance de 100 millions de Soleils. L'enveloppe de l'étoile est projetée vers l'extérieur tandis que le cœur s'effondre pour devenir étoile à neutrons (dans le cas des étoiles ayant une masse de 1,4 à 5 masses solaires) ou trou noir (dans le cas d'une étoile dont la masse est supérieure à 5 masses solaires). De nombreuses particules (protons et électrons), appelées rayons cosmiques, sont expulsées dans l'espace avec une très grande énergie.

Trou noir : résultat de l'effondrement de la matière (par exemple d'une étoile de plus de 5 masses solaires) créant un champ de gravité si intense et un espace tellement courbé que la matière et la lumière ne peuvent plus sortir. Voir **Rayon de non-retour.**

Trou noir primordial (ou mini-trou noir) : trou noir dont la masse est très petite par rapport à celle du Soleil. Selon l'astrophysicien Stephen Hawking, les mini-trous noirs ont pu se former au début de l'univers, au temps de Planck (10^{-43} seconde), quand la densité était extrême. Ces trous noirs primordiaux auraient une masse de 20 microgrammes et un rayon de non-retour de 10^{-33} centimètre. Ils restent des entités théoriques, n'ayant jamais été observés.

Unification, théories d' : théories qui tentent d'unir la force électromagnétique et les forces nucléaires forte et faible en une seule force électronucléaire. Cette union n'est possible que dans des environnements à très haute énergie et à forte température, comme c'est le cas dans les premiers instants de l'univers. Des tentatives sont faites pour unir également la force de gravité, mais celle-ci se montre pour l'instant réfractaire.

Univers cyclique : univers qui passe par une série de dilatations et de contractions.

Univers fermé : univers dont la densité de matière est supérieure à la densité critique et qui s'effondrera sur lui-même dans le futur.

Univers géocentrique : modèle d'univers où la Terre occupe la place centrale, avec le Soleil, les planètes et les étoiles en orbite autour de la Terre.

Univers héliocentrique : modèle d'univers où le Soleil occupe la place centrale.

Univers observable : partie de l'univers dont la lumière a eu assez de temps pour nous parvenir et qui est limitée par l'horizon cosmologique.

Univers ouvert : univers dont la densité de matière est inférieure à la densité critique et dont l'expansion est éternelle.

Univers parallèles (ou multiples), théorie des : théorie selon laquelle l'univers se dédouble à chaque fois qu'il y a choix ou alternative. Il n'y a aucune possibilité de communication entre ces univers parallèles.

Univers stationnaire, théorie de l' : théorie cosmologique reposant sur le principe cosmologique parfait, selon lequel l'univers est de tout temps, en tout lieu et dans toute direction semblable à lui-même. Pour compenser le vide qui se crée entre les galaxies du fait de l'expansion de l'univers, la théorie doit postuler une création continue de matière.

Vide (ou trou) de l'univers : partie de l'univers qui s'étend sur plusieurs dizaines de millions d'années-lumières et qui est dépourvue de galaxies.

Vide quantique : espace rempli de particules et d'antiparticules virtuelles apparaissant et disparaissant dans des cycles de vie et de mort de très courte durée, grâce au principe d'incertitude.

Voie lactée : nom imagé de notre galaxie.

Zéro absolu : zéro de l'échelle de température Kelvin, égal à − 273° C, et correspondant à l'absence totale de mouvement de toute particule ; c'est la température la plus basse possible.

Bibliographie

J. Audouze, J.-C. Carrière et M. Cassé, *Conversations sur l'invisible*, Belfond, Paris, 1988.

J.D. Barrow et F.J. Tipler, *The Anthropic Cosmological Principle*, Oxford University Press, New York, 1986.

M. Cassé, *Nostalgie de la lumière*, Belfond, Paris, 1987.

G. Cohen-Tannoudji et M. Spiro, *La Matière-Espace-Temps*, Fayard, Paris, 1986.

P.W. Davies, *God and the New Physics*, Simon and Schuster, New York, 1983.

P.W. Davies, *Superforce*, Payot, Paris, 1987.

F.J. Dyson, *Les Dérangeurs d'univers*, Payot, Paris, 1987.

E.R. Harrisson, *Masks of the Universe*, Macmillan Publishing Co., New York, 1985.

J.N. Islam, *Le Destin ultime de l'univers*, Belfond, Paris, 1984.

F. Jacob, *Le Jeu des possibles*, Fayard, Paris, 1981.

T.S. Kuhn, *La Structure des révolutions scientifiques*, Fayard, Paris, 1982.

M. Lachièze-Rey, *Connaissance du cosmos*, Albin Michel, Paris, 1987.

J.-P. Luminet, *Les Trous noirs*, Belfond, Paris, 1988.

M. Minsky, *La Société de l'esprit*, Interédition, Paris, 1988.

J. Monod, *Le Hasard et la nécessité*, Le Seuil, Paris, 1970.

T. Montmerle et N. Prantzos, *Les Supernovae*, Presses du CNRS et du CEA, 1988.

K. Popper, *The Logic of Scientific Discovery*, Harper and Row, New York, 1965.

H. Reeves, *Patience dans l'azur*, Le Seuil (poche), Paris, 1988.

H. Reeves, *L'Heure de s'enivrer*, Le Seuil, Paris, 1986.

E. Schatzman, *Les Enfants d'Uranie*, Le Seuil, Paris, 1986.

S. Weinberg, *Les Trois Premières Minutes de l'univers*, Le Seuil, Paris, 1978.

Liste des tables

Références des illustrations

Remerciements

Plusieurs personnes ont lu, corrigé et commenté diverses parties des versions préliminaires de ce texte : Bruno et Laurence Bardèche, Hélène Boullet, Marie-Françoise Foudrat, Michel Jacasson, et surtout Michel Cassé. Je leur exprime ma reconnaissance. Colette Douillet, Marie-Christine Pelletan et Nicole Perrier ont contribué à la frappe du texte, Françoise Warin a reproduit les photographies, Gérard Berton a dessiné les diagrammes, Claire Hauter a mis le texte en forme finale et Hélène Guillaume s'est occupée de la préparation matérielle du livre. Que ces personnes en soient remerciées. Je tiens à exprimer ma vive gratitude à Jean Audouze pour m'avoir accueilli à l'Institut d'astrophysique de Paris, et à Catherine Cesarsky et Thierry Montmerle pour leur hospitalité au service d'astrophysique du Centre d'études nucléaires de Saclay. Je voudrais aussi dire ma reconnaissance à la Commission franco-américaine d'échanges culturels et universitaires pour avoir bien voulu m'accorder une bourse Fulbright pendant mon année sabbatique en France. Enfin, mes remerciements vont à Eric Vigne qui a suggéré que j'écrive ce livre et qui m'a encouragé et conseillé pendant l'élaboration du texte.

INDEX

Table

TABLE   387

TABLE   389

Aubin Imprimeur
LIGUGÉ, POITIERS

35-60-7991-01
ISBN 2-213-02219-4

Achevé d'imprimer en novembre 1988
N° d'édition 1424 / N° d'impression L 28124
Dépôt légal, décembre 1988
Imprimé en France